Retrouvez toutes les collections **J'ai lu pour elle**
sur notre site :

www.jailu.com

Karen Robards

Un souffle
dans la nuit

Traduit de l'américain par Catherine Ego

J'AI
LU

POUR elle

Titre original :

Whispers at Midnight
Atria Books, filiale de Simon & Schuster, Inc.

Comme toujours, je dédie ce livre à mon mari, Doug, et à mes trois fils, Peter, Christopher et Jack, avec tout mon amour.

Je le dédie également à mon « Frisette » à moi. Il se reconnaîtra.

1

— Pas question que cette sale bête s'incruste ici ! hurla Keith. Fiche-la dehors, et que ça saute !

La « sale bête » alla se blottir contre les jambes de Marsha Hughes. La femme la prit dans ses bras et recula d'un pas prudent. Au moins, elle avait le champ libre. Keith ne lui bloquait pas la sortie. Marsha ne connaissait que trop ce ton de voix, cette expression du visage. Keith avait déjà raidi ses bras, crispé ses poings massifs. Quant à la sale bête... Un pauvre chien errant, minuscule, terrorisé, qu'elle avait trouvé caché derrière les bacs à ordures, en bas de leur immeuble miteux. L'animal aussi semblait connaître ce ton de voix, cette expression du visage. Sans quitter l'homme du regard, il se serrait contre Marsha en tremblotant.

— Pas de problème, murmura Marsha d'un ton apaisant. Comme tu voudras, pas de problème.

La mine soumise, elle gardait cependant les yeux rivés sur l'homme. Pas la peine de le mettre en colère pour si peu. Mais quand même... Quand même, elle ne voulait pas qu'il fasse du mal au chien. Une chienne, en fait. À peine plus grosse qu'un chat, maigre, sale, visiblement mal aimée. Avec son petit museau pointu, ses yeux sombres embués de larmes et ses grandes oreilles dressées, elle avait ému Marsha. L'animal était tout

6

noir, le poil terne, une tache blanche sur la poitrine. Sa queue frisottait comme une plume. Il n'était pas particulièrement beau mais, quand Marsha s'était accroupie devant lui en claquant des doigts, il était venu vers elle sans hésitation. Il s'était même laissé prendre. Marsha l'avait emporté dans l'appartement et lui avait offert un peu de fromage avec du jambon. C'était tout ce qu'il restait dans le réfrigérateur, comme tous les jeudis soir. Leurs payes à tous deux tombaient le vendredi. Marsha était caissière dans un supermarché ; Keith travaillait par quarts dans une usine de montage automobile. Depuis qu'elle avait ramené le chien chez elle, elle ne cessait de penser à la manière dont elle convaincrait Keith de le garder. Quand il travaillerait de nuit, le chien lui tiendrait compagnie. Elle aurait moins peur. Ça lui ferait une présence, quelqu'un à qui parler, quelqu'un à aimer.

Au fond, Marsha se trouvait pitoyable. Adopter un chien errant par manque d'amour. Pitoyable, mais c'était comme ça. Pas la peine de se cacher la tête dans le sable, elle avait une vie pitoyable à bien des égards. Les cheveux d'un roux flamboyant, trente-cinq ans, jolie silhouette. « Puisque c'est toi qui le dis ! » sifflait Keith d'un air méprisant… Mais son visage commençait à prendre de l'âge. Les hommes ne se retournaient plus sur son passage. L'autre jour, à la pharmacie, elle avait plus ou moins flirté avec l'employé. Enfin, disons qu'elle lui avait souri d'un air engageant, les yeux brillants. Pourquoi pas ? Il était jeune, plutôt pas mal… Il lui avait souri aussi, mais lui avait souhaité une « bonne journée, madame ! » en lui tendant les médicaments qu'elle était venue chercher. En d'autres termes, « non, merci ! » Marsha était sur la pente descendante, comme on dit. Déjà deux divorces et pas grand-chose à l'horizon. Ah si ! Un homme pas mal de sa personne, mais toujours prêt à exploser à la moindre contrariété ; un boulot ennuyeux comme la pluie ; aucune perspective d'amélioration.

— Fiche-moi cette sale bête dehors immédiatement ! gronda Keith.

Marsha savait à quoi s'attendre. Ce regard, elle l'avait vu cent fois. C'était l'avertissement avant l'orage, le drapeau rouge qui annonçait la tempête. Elle sentit sa bouche devenir sèche, son estomac se nouer. Dans ses bons jours, Keith était drôle et tendre. Dans ses mauvais jours, il était terrifiant. Tout simplement terrifiant.

— Pas de problème, répéta-t-elle, comme tu voudras.

Elle se tourna vers la porte. Sa hargne désamorcée pour un instant, Keith disparut dans la cuisine. Marsha sursauta quand il claqua la porte derrière lui. Elle inspira profondément et serra le chien plus fort contre elle.

Il lui lécha le menton gentiment.

— Je regrette, murmura-t-elle dans son cou. Tu vois bien ? Il faut que tu partes.

L'animal gémit doucement. Il semblait comprendre. Il semblait même lui pardonner. Marsha lui gratta le dessus de la tête et soupira. Dommage ! Il était gentil, ce chien...

— Où est le jambon ? hurla Keith dans la cuisine. Qu'est-ce que tu as fait de mon jambon ?

Marsha eut l'impression que son cœur lui remontait dans la gorge. Elle aurait dû s'en douter. Comme toujours, Keith saisissait le moindre prétexte pour alimenter sa rage et justifier ses cris. Il était furieux, maintenant. Vraiment furieux. Et c'était elle qui allait payer. Chaque fois qu'il se fâchait, ça finissait par être de sa faute à elle. Chaque fois, il trouvait le moyen de la rendre responsable de sa colère.

Elle entendit la porte du réfrigérateur claquer à toute volée. Galvanisée par la peur, elle attrapa son sac à main et sortit de l'appartement juste au moment où Keith rouvrait la porte de la cuisine d'un geste brusque. Elle se dirigea vers l'escalier. Keith la suivait.

— Qu'est-ce que tu as fait de mon jambon ? hurlait-il.

— Je ne sais pas, bredouilla-t-elle en descendant les marches, le chien serré contre elle.

— Comment ça, tu ne sais pas ? Le jambon était dans le frigo quand je suis parti à l'usine et il a disparu ! Ne me dis pas que tu ne sais pas où il est passé !

Il s'était penché par-dessus la rampe de l'escalier. Il hurlait à s'en arracher la gorge, le visage congestionné par la rage.

— Je vais aller en racheter.

Le souffle court, elle atteignit enfin l'entrée de l'immeuble. Le chien dans un bras, le sac à main en équilibre sur lui, elle ouvrit la porte qui donnait sur le stationnement. Le sac, il le lui fallait : ses clés étaient dedans. Le chien lui était moins indispensable, mais elle ne pouvait quand même pas le laisser là. Elle sentit ses jambes se dérober sous elle en entendant les pas de Keith qui dévalaient l'escalier. Elle frissonna. Malgré la chaleur accablante qui régnait sur la ville ce soir-là, elle tremblait.

— Tu as donné mon jambon au chien ! criait Keith. Tu as donné mon jambon à ta sale bête !

Il courait derrière elle. S'il la rattrapait, il la battrait.

« Seigneur Dieu, faites qu'il ne me rattrape pas, pensa-t-elle. Je vous en supplie, faites qu'il ne me rattrape pas. »

Elle perdit une sandale en courant vers sa voiture, une épave qui affichait plus de deux cent mille kilomètres au compteur. La climatisation ne marchait plus depuis belle lurette et la fenêtre côté passager, bloquée, restait ouverte en permanence. Marsha trébucha, étouffa un juron, se débarrassa de sa deuxième sandale. Et dire qu'on n'était encore que le 20 juin ! L'été battait déjà son plein. L'asphalte brûlait la plante des pieds. L'air collait dans les poumons. Tout au bout du stationnement, la lumière jaunâtre du réverbère tremblotait. Marsha avait acheté un hamburger et des frites en sortant du travail. Elle s'était garée près des bacs à ordures pour se débarrasser des emballages incriminants avant de rentrer chez elle. Keith ne voulait pas qu'elle mange ce qu'il appelait des « cochonneries ». Il disait que ça la ferait grossir et il ne voulait pas qu'elle grossisse.

Les bacs à ordures étaient massés autour du réverbère, tout au fond du stationnement. Marsha avait encore trois allées à traverser avant d'atteindre sa voiture. Si Keith la rattrapait, ce serait à cause de ce foutu hamburger et de ces frites. Elle n'aurait jamais dû les manger.

D'ailleurs, Keith le lui disait tout le temps : elle s'éviterait bien des problèmes si elle faisait ce qu'il lui disait.

Une pensée lui traversa soudain l'esprit, vive et lumineuse comme une étoile filante : et si elle le quittait…

— On est presque arrivés, souffla-t-elle au chien.

Elle ouvrit la portière et jeta l'animal sur le siège passager, puis elle s'engouffra derrière le volant. Le vinyle noir lui brûlait les cuisses sous son short de jean. La voiture sentait encore le hamburger et les frites. Marsha enfonça la clé dans le contact et jeta un coup d'œil derrière elle à la dérobée. Keith arrivait en courant. Dans la lumière glauque que projetait le vestibule de l'immeuble, il paraissait encore plus massif qu'à l'ordinaire.

— Marsha ! Reviens ici immédiatement !

Et quoi encore ? Elle n'était quand même pas bête à ce point. Le cœur battant à tout rompre, elle enclencha la marche arrière, enfonça l'accélérateur, sortit de la place de stationnement, écrasa le frein avant d'emboutir une autre voiture. Keith était presque sur elle. « Seigneur Dieu, pensa-t-elle, on dirait qu'il veut me tuer. Il veut me tuer. » Les mots ricochaient en elle comme des billes affolées. Tout ça, c'était à cause des stéroïdes. Keith en prenait pour gonfler ses muscles. Ça le rendait dingue. Bah ! Il n'avait jamais eu besoin de ça pour sortir de ses gonds. Mais quand il était dans cet état-là, rien ne l'arrêtait.

Il surgit entre deux voitures. Leurs regards se croisèrent. Marsha enfonça l'accélérateur et passa devant lui dans un grand crissement de pneus.

— Reviens ici, espèce d'ordure !

Elle jeta un coup d'œil dans le rétroviseur et le vit agiter le poing vers elle. « Il est complètement fou », pensa-t-elle. Elle sortit du stationnement et prit sur la gauche. Devant elle se déroulait le ruban d'asphalte qui menait vers le centre-ville de Benton.

Dieu merci, Keith ne pourrait pas la suivre. Sa camionnette était au garage. Il avait dû demander à un ami de le ramener à la maison.

Marsha sentait son cœur battre à tout rompre. Il lui fallut plusieurs minutes pour se calmer. Sa décision était prise : elle irait dormir chez son amie Sue. Il était tard, presque minuit. Sue travaillait par quarts à l'usine de montage, comme Keith. Elle ne serait pas encore couchée. Elle vivait de l'autre côté de la ville, avec son mari et leurs trois enfants, dans une maison déjà trop petite pour eux. Sue ne la laisserait pas tomber, Marsha en était sûre. Elle dormirait chez son amie. Elle attendrait au lendemain pour aviser.

En tout cas, elle ne retournerait pas avec Keith. Pas ce soir, pas demain. Jamais peut-être. « Tu peux toujours courir, gros tas ! » pensa-t-elle. Elle qui n'avait jamais élevé la voix contre lui, elle qui ne l'avait jamais injurié, même en pensée... Sa petite bravade lui fit beaucoup de bien.

Le chien poussa un gémissement inquiet. Marsha tourna les yeux vers lui. Recroquevillé sur le siège passager, il fixait sa nouvelle maîtresse de ses grands yeux étonnés.

— Ça va aller, dit-elle en lui tapotant la tête. Ça va aller, tu verras.

Le chien lui lécha le poignet. Marsha se sentit tout de suite beaucoup mieux. Si elle ne retournait pas avec Keith, au moins elle garderait le chien. Ce serait difficile mais, en raclant les fonds de tiroirs, elle arriverait sûrement à se louer un appartement bien à elle. Elle avait même déjà pensé à une stratégie de repli, un plan secret qui lui permettrait d'amasser un petit pécule. Mais ce n'était pas sûr... Si ça ne marchait pas, elle pourrait toujours se trouver un boulot de serveuse pour payer son loyer, sa nourriture et celle du chien. Pour être débarrassée de Keith, ça valait la peine. Elle n'aurait plus à cacher les emballages de hamburgers avant qu'il ne rentre. Elle n'aurait plus à scruter son visage pour savoir s'il était de bonne humeur. Elle n'aurait plus à supporter ses sermons, ses reproches, ses explosions de hargne.

D'un coup, la vie n'était plus un labyrinthe aux murs écrasants. C'était une autoroute à quatre voies, invitante, dégagée, ouverte sur l'avenir.

— C'est ce que je vais faire, dit-elle au chien.

L'animal la regarda, ses yeux sombres reflétant les indicateurs lumineux du tableau de bord. C'était idiot, mais Marsha avait l'impression qu'il la comprenait.

— Non, corrigea-t-elle. C'est ce que *nous* allons faire. Toi et moi, le chien ! Tous les deux !

Elle avait déjà traversé tout Benton et n'était plus qu'à quelques minutes de chez Sue. La bourgade comptait deux épiceries ouvertes jour et nuit. L'une d'elles apparut à l'horizon, tous néons allumés. Marsha s'engagea dans le stationnement. Sa carte de crédit était remplie à ras bord, mais elle avait fait un versement de cinquante dollars la semaine précédente. Il devait donc lui rester cette petite marge de manœuvre. Elle lui permettrait d'acheter deux ou trois bricoles, une brosse à dents, une crème pour le visage. Elle en aurait besoin le lendemain matin. Côté vêtements, ce serait plus dur. Elle pouvait difficilement arriver au travail vêtue d'un short et d'un bustier. À bien y penser, elle pourrait les appeler pour dire qu'elle était malade. Demain matin, Keith serait furieux de voir qu'elle n'était pas rentrée. Il la chercherait comme un fou. Où irait-il ? À son travail.

Satisfaite de constater qu'elle connaissait suffisamment Keith pour déjouer ses plans, elle éteignit le moteur, sortit de sa voiture et se dirigea vers le magasin. La mine inquiète, le chien se tenait debout sur ses pattes arrière, les pattes avant posées sur le bord de la portière. Il suivait chacun de ses gestes. Visiblement, il n'avait pas envie qu'elle le laisse seul dans la voiture.

— Non ! lança Marsha en hochant vigoureusement la tête de gauche à droite. Reste là ! Sois sage !

Le chien sauta de la fenêtre et atterrit sur l'asphalte avec une grâce de ballerine.

— Pas gentil, le chien ! gronda Marsha sans conviction aucune.

Encore heureux qu'elle n'ait pas eu d'enfants… Elle ne possédait même pas assez d'autorité naturelle pour convaincre un chien de rester dans une voiture ! Elle regarda l'animal assis à ses pieds, fronça les sourcils pour lui faire comprendre. Puis elle renonça, soupira, prit l'animal dans ses bras. Il était léger comme une plume, tout chaud et frétillant d'enthousiasme. Comment lui faire comprendre qu'il devait rester dans la voiture alors que la fenêtre était grande ouverte ? D'un autre côté, si elle le laissait dehors, il risquait de se faire écraser, de se sauver ou Dieu sait quoi encore. Surprise, Marsha se rendit compte que la disparition du chien lui ferait beaucoup de peine. Comme si c'était vraiment son chien, en fin de compte.

Sur la porte de l'épicerie, deux autocollants indiquaient clairement que les chiens n'étaient pas admis et qu'il était interdit d'entrer pieds nus. Marsha avait un chien dans les bras et ses sandales étaient restées dans le stationnement de son immeuble. Mais ce n'était certainement pas cela qui allait la dissuader d'entrer. Ce n'était certainement pas un petit règlement de rien du tout qui allait lui faire peur ! Ah non ! Depuis son départ en trombe, Marsha Hugues se sentait invincible.

Elle acheta une brosse à dents, du dentifrice, une crème de jour et une boîte de nourriture pour le chien. À la caisse, elle s'empara impulsivement d'une barre de chocolat. Puisque Keith n'était plus dans le décor, elle pouvait bien manger ce qu'elle voulait, non ? Elle raffolait du chocolat ! À la caisse, un gamin à la langue percée, affublé de trois anneaux dans une oreille, prit sa carte de crédit sans dire un mot, sans la saluer, sans faire de remarque sur le chien ni sur ses pieds nus. Marsha s'aperçut qu'elle avait les orteils noirs de crasse. Elle tenta de les replier pour les cacher. Peine perdue. Heureusement, la cliente qui attendait derrière elle était trop occupée à lire les unes des journaux à potins pour s'intéresser à la couleur de ses pieds.

Le gamin fit glisser sa carte dans la machine, puis il sursauta.

— Vous voulez un billet de loterie ? demanda-t-il soudain.

Ah ! Il avait oublié la question rituelle qui doit impérativement conclure toutes les transactions dans les magasins de ce genre. Un mauvais point pour l'employé distrait.

— Non, merci, répondit Marsha.

Pour quoi faire ? Elle n'avait jamais rien gagné de sa vie, même pas un ours en peluche à la foire. Ce n'était certainement pas aujourd'hui qu'elle gagnerait le million. La publicité à la télé disait qu'on ne peut pas gagner sans acheter de billet. Ce n'était pas faux mais... Pour un gagnant, combien de perdants chroniques comme elle ? Marsha était de ceux à qui rien ne tombe tout cuit dans le bec, de ceux qui doivent travailler dur pour gagner leur vie.

— J'ai entendu dire que quelqu'un a gagné à Macon la semaine dernière, dit la femme derrière elle en grattouillant la tête du chien. Et pas rien, vous savez : vingt-quatre millions !

— Oui, j'en ai entendu parler, répondit Marsha.

Si elle en avait entendu parler ? Deux fois plutôt qu'une ! Son amie Jeanine avait une sœur qui vivait à Macon et qui travaillait dans l'épicerie où on avait vendu le billet gagnant. À peine les résultats du tirage annoncés, elle avait appelé Marsha pour lui beugler la nouvelle. Étourdie, assommée, Marsha s'était précipitée aux toilettes pour vomir. La vie était tellement injuste ! Il y avait de quoi pleurer. Ou vomir. Marsha adressa néanmoins un joli sourire à la cliente, qui le lui rendit. Le caissier lui remit sa carte de crédit. Elle l'enfonça au hasard dans son sac, gribouilla son nom au bas du bordereau, prit ses achats et sortit dans la nuit étouffante. À part la sienne, il n'y avait que deux voitures dans le stationnement. Pas étonnant... À cette heure, Benton dormait du sommeil du juste.

À bien y penser, Marsha était un peu comme Benton. Elle avait dormi toute sa vie, ou presque.

Elle ouvrit la portière de sa voiture, se glissa derrière le volant en déposant le chien près d'elle.

— Tu sais quoi ? demanda-t-elle à l'animal. On pourrait déménager à Atlanta.

Une idée comme ça, mais Marsha se sentit parcourue d'un frisson d'exaltation. Cela faisait bien longtemps qu'elle ne s'était pas enthousiasmée pour quoi que ce soit.

Soudain, le chien gémit, se dressa sur ses quatre pattes, la fixa avec des yeux immenses. Elle venait de sortir le chocolat du sac... Visiblement, l'animal y était aussi accro qu'elle.

— Attends un peu, dit-elle en souriant.

Elle quitta le stationnement en déchirant l'emballage avec ses dents. L'odeur grisante du chocolat lui monta aux narines. Elle mordit dedans. C'était si bon qu'elle crut défaillir. Puis elle en cassa un morceau et le tendit au chien. La route était déserte, un ruban d'asphalte noir s'éloignant de la ville pour s'enfoncer dans la nuit. À l'exception du feu rouge qui trônait à l'intersection juste avant l'embranchement qui menait chez Sue, l'obscurité était complète. « C'est comme si j'étais seule au monde avec mon chien », pensa-t-elle, ravie. Elle freina. Une petite ville équipée de trois feux rouges... Était-ce là qu'elle voulait finir ses jours ? Elle mordit de nouveau dans la barre de chocolat, la tête emplie de visions d'Atlanta. Marsha Hughes à l'assaut de la grande ville... C'était bien tentant. Elle referait sa vie, elle...

Marsha le sentit plus qu'elle ne l'entendit : un mouvement sur le siège arrière. Le chien se mit à gronder, se tassa contre la portière en regardant derrière elle. Puis il aboya frénétiquement. Marsha avait le cœur qui battait très fort. D'instinct, elle chercha autour

16

d'elle une arme, quelque chose, n'importe quoi. Mais un bras surgi de l'arrière s'enroula autour de son cou. Elle poussa un petit cri, agrippa de ses deux mains le bras qui la serrait. Ses ongles s'enfoncèrent dans cette chair d'homme couverte de sueur. L'odeur... Elle lui disait quelque chose, cette odeur...

La pointe d'un couteau s'enfonça sous son oreille. Marsha cessa de bouger. Une goutte de liquide chaud coulait dans son cou. L'homme avait poussé sa lame jusqu'au sang. Son bras enserrait le cou de Marsha. Elle étouffait. Tout son corps se couvrit d'une sueur glaciale.

— Je t'avais dit de la fermer, murmura une voix rauque à son oreille.

Le monde s'arrêta. Elle n'entendit plus le chien qui aboyait, elle ne vit plus le feu qui luisait, ni la nuit, ni la voiture. Elle venait de comprendre qui était l'homme assis à l'arrière.

Horrifiée, elle sentit son sang se figer dans ses veines.

2

— Viens ici, le chien ! Viens ici…

Le chien recula, grondant d'un air menaçant, montrant les dents. L'homme le regardait avec haine. « Qu'il crève ! » pensa-t-il. Quand l'animal lui avait sauté dessus, sur le siège arrière, il l'avait frappé si fort qu'il était allé s'écraser contre la lunette arrière. Étourdi, le chien était quand même revenu à l'attaque, atterrissant brutalement sur le siège, près de lui. Il était tombé les quatre pattes en l'air et luttait pour se remettre d'aplomb. L'homme lui avait donné un bon coup de couteau dans le ventre tout en retenant Marsha par les cheveux pour l'empêcher de partir. Après cela, le chien n'avait plus bougé. L'homme l'avait poussé sur le plancher de la voiture.

Puis il était sorti en entraînant Marsha pour lui régler son compte. Quand il était revenu au véhicule, le chien avait sauté vers lui à travers la fenêtre ouverte et s'était remis à grogner.

Un instant, l'homme avait envisagé de s'en aller en l'abandonnant à son sort. Avec sa blessure, il n'avait aucune chance de survivre. Et même s'il ne crevait pas tout seul, les coyotes et les autres bestioles qui rôdaient dans le coin l'auraient achevé avant l'aube. Mais c'était quand même un détail gênant. Or, l'homme ne voulait plus se laisser piéger par les

18

détails gênants. Une fois déjà, il s'était fait prendre et l'avait payé cher. Il ne commettrait plus cette erreur.

Surtout pas maintenant. Il avait trop à perdre.

— Viens ici, le chien.

L'homme s'accroupit en claquant des doigts pour tenter d'amadouer l'animal. Le chien frissonna, cessa de gronder mais garda ses distances.

L'homme persista. Sans succès. Puis il se rappela que Marsha avait acheté du chocolat. Il y en avait un morceau écrasé sur le siège du conducteur. L'homme grimaça de dégoût. Il prit le chocolat et retourna vers le chien.

— Tiens ! fit-il d'une voix mielleuse. Regarde comme ça a l'air bon !

Le chien se mit à japper comme un fou.

L'homme s'arrêta net. Il faisait nuit noire et la maison la plus proche était vide. Aucun risque qu'on entende ce foutu chien. Mais c'était quand même un détail gênant. Et puis, les aboiements agaçaient l'homme. Il jeta autour de lui des regards traqués.

— La ferme ! ordonna-t-il.

Aveuglé par la colère, l'homme marcha vers le chien. L'animal recula en aboyant de plus belle. «C'est ridicule», pensa l'homme. Il jeta le chocolat en direction de l'animal et fit volte-face.

Il remonta dans la voiture et, d'un geste brusque, appuya à fond sur l'accélérateur. Il allait écraser la maudite bête.

Le chien fit un bond de côté et déguerpit aussi vite qu'il le put, malgré sa blessure. La voiture se rapprochait. Le chien se glissa sous une clôture. L'homme enfonça le frein juste avant de la heurter. Il étouffa un juron et vit l'animal qui disparaissait dans le champ de maïs.

L'homme fit demi-tour et reprit la route. Bon. Le chien avait disparu. Et alors ? Il serait mort avant la fin de la nuit. Ce n'était pas un détail gênant. Pas vraiment. Ce n'était qu'un sale bâtard qui allait bientôt crever.

3

Le 28 juin

— J'ai entendu dire que vous vous étiez disputés…

Matt Converse scrutait le visage de son interlocuteur. L'homme cligna des yeux mais, tout de suite, le fixa de nouveau. Keith Kenan, trente-six ans, divorcé une fois, travaillait depuis cinq ans à la chaîne de montage de l'usine automobile et vivait à Benton depuis tout ce temps. Pas de casier judiciaire. Ou pas grand-chose : une bagarre à Savannah deux ans plus tôt, quelques amendes assez anciennes pour conduite en état d'ébriété. Mais Keith Kenan était nerveux. Évidemment, ce n'est pas parce qu'on est nerveux qu'on est coupable. Matt Converse restait quand même aux aguets.

— Qui est-ce qui vous a raconté ça ?

Matt haussa les épaules d'un air vague.

— Et même si on s'est disputés ? reprit Kenan. Ça ne veut rien dire, ça ! Tous les couples se disputent.

Il était sur la défensive. Il devenait même agité. Matt observa qu'il respirait plus vite, que ses mâchoires se contractaient, que ses yeux rétrécissaient. Il notait mentalement le tout avec un détachement clinique. Kenan était un grand gaillard, costaud, les cheveux blond foncé, coupe dernier cri, petits yeux bleu clair. Sur l'un de ses biceps gonflés à coups d'haltères et Dieu sait quels produits chimiques, un tatouage représentait un cœur transpercé d'une dague. Il portait un short de sport en nylon noir et un t-shirt sans manches tout effiloché. Les deux hommes se faisaient face dans le salon/salle à manger de l'appartement que Kenan partageait avec Marsha Hughes.

Ou plutôt : l'appartement qu'il *avait* partagé avec Marsha Hughes. Elle était portée disparue depuis plus d'une semaine. C'était la deuxième fois que Matt Converse s'entretenait avec Keith Kenan. Il lui avait parlé cinq jours plus tôt. Étonnée que Marsha n'ait pas appelé pour justifier son absence, l'une de ses collègues avait alerté la police.

— Tous les couples se disputent, concéda Matt.

Kenan se mit à marcher de long en large. Matt profita de sa distraction pour examiner les lieux. Une assiette, un verre et une fourchette étaient posés sur la table. Sans doute les reliefs d'hier soir : en ouvrant la porte, Kenan s'était plaint qu'on le tire du lit à une heure pareille. Sinon, l'appartement était en ordre. Meubles quelconques et bon marché. Moquette verte usée jusqu'à la corde. Rideaux jaune d'or bien fermés pour tenir le soleil à distance. Murs blancs. Quelques reproductions de tableaux fades et sans intérêt. Rien d'extraordinaire. Pas de taches brunes suspectes sur la moquette. Pas de traces louches sur les murs. Pas de cadavre dépassant de sous le sofa.

Matt réprima un sourire. Si seulement c'était aussi facile !

— Vous savez, shérif, je ne suis pas stupide ! s'écria Kenan en s'arrêtant devant lui. Je vois très bien où vous voulez en venir. Mais je n'ai pas levé la main sur Marsha, je le jure !

— Personne ne dit que vous avez levé la main sur elle, répondit Matt d'une voix calme, le geste apaisant.

22

À ce stade de l'enquête, ce n'était pas la peine de provoquer Kenan. Tactique contre-productive. Et puis surtout, il n'était pas impossible que Marsha soit partie d'elle-même. On pouvait la retrouver saine et sauve à tout moment. Cependant, Matt n'était pas exagérément optimiste à cet égard. Intuition ? Bon sens ? Expérience professionnelle ? Une femme qui vit depuis toujours ou presque dans la région, qui est ponctuelle à son travail depuis huit ans, qui mène une vie régulière et qui a de bons amis disparaît rarement d'elle-même sans en avertir quiconque…

— Elle est partie d'un coup, lança Kenan. Elle est montée dans sa voiture et elle est partie. C'est comme ça que ça s'est passé. C'est tout. Rien d'autre à dire.

Matt le regardait d'un air neutre. Il prit son temps avant de lui poser la question suivante.

— Et votre dispute… commença-t-il d'une voix tranquille. C'était à quel sujet ?

— Du jambon, soupira Kenan. C'est nul, hein ? C'est comme ça. J'avais du jambon dans le frigo. Quand je suis rentré du travail, j'ai voulu me faire un sandwich et le jambon avait disparu. Elle l'avait donné à un chien pouilleux qu'elle ne connaissait même pas !

D'un coup, Kenan avait l'air abattu. Il soupira encore.

— C'était nul, répéta-il. Une dispute stupide.

Derrière Kenan, Matt vit son adjoint qui sortait de la salle de bains : Antonio Johnson, noir, cinquante ans la semaine suivante, un peu plus d'un mètre quatre-vingts de haut, presque autant de large. Il était bâti comme un quart arrière monté en graine. La mine querelleuse du bouledogue, il se montrait aussi engageant qu'une porte de prison. Une brute en uniforme de shérif adjoint. À peine entré, il avait demandé à Keith Kenan la permission d'aller aux toilettes. Un moyen comme un autre de se rendre au-delà du salon/salle à manger sans mandat de perquisition… Matt et lui avaient recouru à cette ruse maintes et maintes fois et ils le feraient sans doute encore. Parfois, elle leur permettait de relever des indices intéressants. Aujourd'hui, ce n'était pas le cas : Antonio regarda Matt et secoua discrètement la tête de droite à gauche.

— Merci, lança-t-il à Kenan en revenant au salon.

Kenan lui adressa un vague signe de tête, puis il revint à Matt.

— Je ne lui ai rien fait, dit-il en s'humectant les lèvres. Je le jure devant Dieu. Je ne lui ai rien fait.

Matt le regardait dans les yeux. Kenan soutint son regard.

— Vous voulez dire… commença Matt d'un ton aimable. À part lui crier dessus, la poursuivre dans l'escalier… C'est bien ce qui s'est passé, n'est-ce pas ?

Kenan ne répondit pas. Inutile. Il prit une inspiration oppressée entre ses dents. Matt avait compris. Oui, c'était bien ce qui s'était passé. Solidement planté sur ses deux jambes, Antonio croisa ses bras imposants.

— De toute façon, c'est pas la peine, déclara-t-il d'un air sinistre. On sait déjà tout.

Matt se retint de sourire. On sait déjà tout ? Tout ce qu'ils savaient, en fait, c'était ce que Kenan et les voisins leur avaient dit : Keith Kenan et Marsha Hughes s'étaient disputés ; elle était partie ou avait été chassée de l'appartement ; depuis, rien. Sans preuve, sans témoignage, ils étaient dans le brouillard le plus complet. Ils n'avaient strictement rien entre les mains. Mais Antonio possédait un naturel optimiste. Il était convaincu qu'il suffit d'exercer sur les suspects une pression suffisante pour les faire avouer, ce qui épargne beaucoup de temps et beaucoup de travail à tout le monde.

Ça marchait parfois. Rarement, mais parfois.

Le visage de Kenan changea du tout au tout. Ses lèvres se retroussèrent comme pour aboyer. Ses yeux se plantèrent dans ceux de Matt.

— Je vous ai vu parler à la Myer, l'autre jour. Cette bonne femme ! Elle reste à la maison toute la journée en disant qu'elle a mal au dos et qu'elle ne peut plus travailler. Tu parles ! Son truc à elle, c'est de se mêler des affaires des autres. C'est elle qui vous a dit ça, hein ?

— À vrai dire, répondit Matt d'une voix neutre, tous les voisins qui étaient à la maison ce soir-là disent plus ou moins la même chose.

« Il va falloir tenir cette Audrey Myer à l'œil », pensa-t-il. De fait, elle constituait leur principale source d'information. Alors, on ne sait jamais… Avec les types comme Kenan, il vaut mieux ne pas courir de risque. Impulsif comme il l'était, il pouvait tout aussi bien aller régler son compte à « la » Myer, comme il disait. Matt tendit la main vers une photographie encadrée qui représentait Kenan et Marsha. Il suspendit son geste.

— Vous permettez ? demanda-t-il aimablement.

— Faites comme chez vous, grommela Kenan.

Matt examina la photo avec attention. Il prenait son temps. Ce n'était pas un cliché professionnel, mais un instantané pris dans une foire ou un parc d'attractions. Kenan et Marsha étaient vêtus à l'ancienne. Elle portait un grand chapeau qui cachait presque entièrement ses cheveux roux. Tous deux souriaient à l'appareil, tendrement enlacés. À ce moment-là, au moins, ils étaient en bons termes.

Kenan l'avait-il tuée un soir de mauvais termes ?

— Jolie femme, dit Matt en reposant le cadre. Vous devez être très inquiet de ne pas avoir de ses nouvelles.

En fait, Kenan n'avait manifesté aucun affolement depuis le début de l'enquête. Ça ne plaidait pas en sa faveur. Bien sûr, il était peut-être flegmatique, le genre à se ronger les sangs sans rien laisser paraître. Ou alors, il n'était pas vraiment angoissé, plutôt soulagé. Dans un cas comme dans l'autre, ce n'était pas un crime.

Et puis, Matt n'était toujours pas convaincu qu'il y avait eu crime. Il n'était pas très optimiste au sujet de Marsha Hughes, certes. Mais il pouvait se tromper. Il ne possédait pas le don de clairvoyance, après tout.

— Si, je suis très inquiet, lança Kenan d'un ton agressif.

Matt remarqua qu'il serrait les poings et qu'il rougissait.

— Vous l'avez frappée à plusieurs reprises, dit Matt d'une voix douce.

Il voulait savoir, pas accuser. Pas à ce stade, en tout cas.

— Qui est-ce qui vous a raconté ça ? rétorqua Kenan, étouffé par la hargne.

Matt haussa les épaules sans répondre.

— Bande de vipères, gronda Kenan entre ses dents.

Sa mâchoire se crispa. Tout son corps était devenu agressif, les jambes écartées, les épaules contractées, les poings serrés. Il posa un regard dur sur Matt Converse.

— Écoutez, je vous l'ai dit ! Des disputes, ça nous arrive. Marsha n'est pas un ange non plus. Croyez-moi, elle ne se laisse pas faire. « Œil pour œil, dent pour dent », c'est sa devise…

— L'avez-vous frappée le soir où elle a disparu ?

— Non ! Non. Je ne l'ai pas touchée. Elle est partie, c'est tout. On s'est disputés. Elle est partie. Elle est montée dans sa voiture et je l'ai regardée s'en aller. C'est la dernière fois que je l'ai vue.

Antonio poussa une sorte de grognement sceptique. Kenan lui décocha un regard furieux. Matt comprit que la conversation risquait de mal tourner. S'ils le confinaient dans ses derniers retranchements, il se refermerait comme une huître et ne parlerait plus qu'en présence de son avocat. Ce ne serait pas à leur avantage. Pour l'instant, mieux valait faire marche arrière.

— Eh bien ! commença Matt. Merci de votre collaboration. À bientôt, sans doute.

Il lui tendit la main. Kenan hésita une fraction de seconde, puis la serra. Antonio lui serra la main aussi, mais visiblement de mauvais gré. Faire ami-ami avec un homme qu'il considérait comme un sale type, pas vraiment son genre.

Antonio Johnson prenait le crime très à cœur. Depuis deux ans qu'il était en poste, Matt avait souvent dû déployer des trésors d'éloquence pour le dissuader de casser les bras et les jambes des suspects. Au sens figuré, bien sûr. Parfois aussi au sens propre.

Réprimant un soupir, Matt se tourna vers la porte. Il posa la main sur la poignée, puis se tourna vers Kenan comme s'il venait tout juste de se rappeler quelque chose.

— Ah oui ! Je voulais vous dire : nous avons émis un avis de recherche pour sa voiture et nous avons envoyé sa photo à tous les services de police du sud-est des États-Unis. Nous suivons également quelques pistes au niveau local. Nous allons la retrouver.

Il s'exprimait délibérément d'un ton confiant. Si Kenan s'inquiétait vraiment de sa petite amie, les propos du shérif le rassureraient.

Par contre, s'il savait très bien où elle se trouvait pour l'excellente raison qu'il l'y avait mise lui-même, ces paroles l'alarmeraient.

Mais rien. Aucune réaction.

— Ouais, lança Antonio d'un ton menaçant. Nous allons la retrouver.

Kenan referma la porte derrière eux sans dire un mot. Son claquement se répercuta contre les murs de béton de l'immeuble.

— Tu ne trouves pas que tu pourrais être un peu moins agressif ? demanda Matt à Antonio tandis qu'ils descendaient l'escalier.

— Mais c'est lui ! Tu vois bien que c'est lui ! Ce type-là est un salaud.

Il faisait une chaleur écrasante, une humidité accablante. Le bruit de leurs pas cognait contre leurs tympans.

— Être un salaud, ce n'est pas un crime. Et en ce qui concerne les preuves, tu sais aussi bien que moi que nous n'avons rien.

— Il l'a battue plusieurs fois. Le soir où elle a disparu, elle avait tellement peur qu'elle est sortie de l'appartement en courant. Il l'a poursuivie jusqu'à sa voiture. Nous avons plusieurs témoins. Après, plus rien ! Qu'est-ce que tu veux de plus ?

— Des preuves ! répéta Matt d'un ton sec.

Il ouvrit la porte de l'immeuble. Une chaleur plus étouffante encore s'abattit sur eux. Et ça faisait neuf ou dix jours que ça durait ! Humidité maximale, 30 degrés à l'ombre. À chaque fois, ça rendait les gens fous. Benton avait connu plus de crimes, petits et grands, depuis deux semaines que dans les six mois précédents. L'équipe de Matt Converse comptait huit hommes tous plus débordés les uns que les autres. Ils travaillaient vingt-quatre heures sur vingt-quatre ou presque, y compris lui. Aujourd'hui même, il avait commencé à cinq heures du matin. Anson Jarboe avait essayé de rentrer chez lui discrètement après une nuit de beuverie. Sa femme l'attendait dans le noir, armée d'une batte de base-ball. Les cris d'Anson avaient réveillé les voisins, qui avaient appelé le shérif. Il était maintenant onze heures cinq, et Matt savait d'expérience que la journée ne faisait que commencer. Un vendredi de canicule, c'est toujours comme ça. Dès que les gens sortent du travail, la chaleur les rend dingues. Ils se mettent à faire n'importe quoi.

Pour ce soir, Matt avait des plans : s'avachir devant la télé, une bière froide dans une main et la télécommande dans l'autre, la climatisation à fond. Il y avait un match de base-ball qu'il ne voulait rater pour rien au monde.

Tu parles ! Avec la canicule et les gens devenus fous, pas l'ombre d'un espoir qu'il passe la soirée chez lui…

— Eh bien, moi, je… commença Antonio.

Il s'interrompit net. Un grand sourire lui fendit le visage d'une oreille à l'autre. Effrayé, Matt regarda autour de lui pour détecter la cause de cette attaque d'allégresse inattendue. Son adjoint était d'ordinaire si renfrogné qu'un tel sourire ne pouvait qu'attirer ses soupçons. Quand ses yeux se posèrent sur la « cause » en question, Matt dut prendre sur lui pour ne pas jurer.

— Matt ! Te voilà enfin !

Dès qu'elle le vit, Shelby Holcomb s'illumina. Elle lui fit de grands signes de la main, lui adressa un sourire éclatant, marcha droit sur lui.

— Salut, Shelby, marmonna-t-il en ralentissant le pas.

Sans s'émouvoir outre mesure de son manque évident d'enthousiasme, Shelby poursuivit son avancée triomphale. Mince et jolie, trente-deux ans, cette originaire de Benton était revenue dans sa ville natale quatre ans plus tôt pour reprendre l'agence immobilière. Elle avait relevé ses cheveux blond miel en un chignon très chic. Elle arborait un maquillage exhaustif, rouge à lèvres écarlate à l'avenant. Elle portait même un tailleur, pour l'amour du ciel ! Un tailleur par cette chaleur ! Jupe courte bleu pâle, veste assortie à manches trois quarts. Shelby était une femme à sang froid. Jamais une goutte de sueur ne perlait sur son visage impeccablement maquillé. Sa veste laissait entrevoir un décolleté efficace, mais de bon goût. Shelby portait même des collants et des escarpins à talons hauts ! Et elle avait dans les mains ce foutu classeur qu'elle emportait partout et qu'elle semblait considérer comme le joyau de son arsenal. Car Shelby menait l'offensive sur tous les fronts. Matt, toutefois, était bien décidé à se battre jusqu'au bout.

Cela faisait des années que Shelby lui courait après. L'été dernier, il avait commis l'une de ces stupidités dont il avait le secret : il l'avait laissée le prendre dans ses filets. Ils s'étaient fréquentés un peu, étaient allés à quelques fêtes, au cinéma. Ils étaient même allés manger à Savannah quelques fois. Ils s'étaient amusés, quoi ! Puis, Shelby s'était mise à lire des magazines aux titres évocateurs : *La belle mariée, Mariages réussis*… Elle traînait Matt dans les bijouteries et lui faisait savoir de mille et une façons, certaines plus subtiles que d'autres, qu'elle voulait vivre avec lui pour toujours…

Mais pour Matt Converse, « toujours » rimait avec « Au secours ! » Pour toujours avec une femme ? Non, merci ! En tout cas, pas d'ici un bon bout de temps. Rien qu'à s'imaginer pour toujours avec une femme, des enfants et une hypothèque, il en attrapait le tournis.

À trente-trois ans, il avait déjà assumé plus de responsabilités qu'un citoyen moyen en toute une vie. Maintenant qu'il commençait à respirer un peu, pas question qu'il se mette un mariage sur le dos !

Il avait parlé à Shelby. Il lui avait dit que rien ne pressait, qu'elle était trop bien pour lui, qu'il avait besoin d'espace et de temps. Enfin, ce genre de choses… Puis, il avait déguerpi comme un pauvre pêcheur qui aurait vu le diable à ses trousses. Depuis ce temps, Shelby le traquait impitoyablement.

— Matt !

Il n'eut même pas besoin de se retourner pour savoir qui c'était. Une voix plus familière encore que celle de Shelby, une voix elle-même associée à un large éventail de problèmes en tous genres : Erin, l'aînée de ses responsabilités. Matt vit sa sœur s'extirper de la voiture rouge flamboyant de Shelby. Récemment diplômée de l'Université de la Géorgie, Erin était menue et jolie : vingt-deux ans, les cheveux noirs et courts ébouriffés, le minois espiègle… En la voyant le regarder de sa mine candide et moqueuse, il ne put s'empêcher de sourire. Mais il soupira intérieurement. Avec son air de ne pas y toucher, Erin arrivait toujours à ses fins. Elle venait de se fiancer au frère cadet de Shelby, Collin. Son futur époux avait ouvert un cabinet d'avocat à Benton l'année précédente. En plus d'accompagner la mariée jusqu'au pied de l'autel, Matt s'était engagé à payer la noce. Shelby organisait l'événement, ce qui multipliait considérablement ses occasions d'aller débusquer Matt à toute heure du jour ou de la nuit pour lui demander conseil. Où qu'il aille, elle surgissait sans crier gare.

— Salut, Erin, dit-il, un léger reproche dans la voix.

Sa sœur savait très bien que Shelby lui courait après. Toute sa famille le savait. La moitié du comté le savait. Tout le monde, finalement, tout le monde savait qu'elle avait juré de lui mettre la main au collet et la bague au doigt.

— Je voulais te demander ton avis pour les fleurs, dit Shelby dans un sourire radieux.

Matt s'immobilisa docilement. Elle arriva à lui en quelques pas graciles, lui brandit son classeur sous le nez et l'ouvrit d'un geste preste. À chaque fois, c'était la même chose. Elle lui montrait une photo, un devis, une liste. Il hochait la tête et disait : « D'accord, comme tu veux. » Elle faisait alors ce qu'elle voulait. Avec son argent à lui.

Méthode coûteuse, certes, mais beaucoup moins exténuante que la négociation.

Cette fois, pourtant, le montant était si exorbitant que Matt n'eut pas le temps d'étouffer le cri de protestation qui lui montait aux lèvres.

— Mille cinq cents dollars ? s'écria-t-il. Pour des fleurs ?

Son regard croisa celui de Shelby. Elle lui souriait avec adoration. Elle entrouvrit la bouche. Elle papillonna des cils. Terrifié, Matt baissa les yeux vers la liste des prix.

— Je lui ai dit que c'était trop cher, fit Erin en arrivant à eux.

Elle portait un short blanc que Matt trouva résolument trop court avec un haut vert lime qui moulait sans discrétion sa poitrine opulente. Il la regarda de haut en bas, les sourcils froncés. Un jour, il faudrait qu'il lui explique qu'un peu moins de peau et un peu plus de tissu n'ont jamais fait de mal à l'imagination. Apparemment, Erin sut lire ses pensées : souriante, elle pointa le menton vers lui d'un air de défiance et frétilla du buste en le regardant droit dans les yeux.

Il fronça encore les sourcils. Elle lui fit une grimace. Ils s'engagèrent ainsi dans une conversation silencieuse mais intense. Matt envisagea sérieusement de la faire enfermer au couvent. Puis, le ridicule de la situation lui apparut. Lui, Matt Converse, s'était retrouvé contraint de chaperonner jusque dans l'âge adulte trois filles toutes plus démones les unes que les autres ! C'était une conspiration cosmique, un canular intersidéral...

— C'est une somme, concéda Shelby en refermant ses doigts étonnamment puissants sur le coude de Matt. Mais je ne pense pas que le fleuriste soit déraisonnable. Vois-tu, il faut prendre en considération le fait qu'il fournit le bouquet de la mariée, ceux des demoiselles d'honneur, les ornements de boutonnière du marié et des garçons d'honneur, les fleurs pour l'église, les centres de table pour la réception, sans compter...

— D'accord, lança Matt, vaincu. D'accord, comme tu veux.

Shelby avait glissé sa main à l'intérieur de la manche courte de sa chemise d'uniforme et lui caressait le biceps. Le contact de sa main douce aux ongles soigneusement manucurés mettait Matt dans tous ses états. Il n'avait pas touché la peau d'une femme depuis le raz de marée des magazines de mariage, à la fin de mars. Shelby le savait pertinemment et tirait parti de la situation sans vergogne. Ça, Matt Converse en était sûr.

Antonio croisa les bras et sembla soudain s'absorber dans ses pensées.

— Quand ma fille cadette s'est mariée, dit-il, ma fille Rose, je lui ai donné à choisir entre les fleurs et le versement initial d'une voiture neuve. Pour te dire à quel point les fleurs étaient chères…

— Qu'est-ce qu'elle a choisi ? articula Matt, la gorge sèche.

— Les fleurs. Incroyable, non ?

Visiblement, Antonio ne s'en était pas encore remis. Il hochait la tête de droite à gauche, stupéfait par la folie des femmes.

— Je trouve que nous devrions faire les bouquets nous-mêmes, lança Erin dans un grand sourire.

Elle savait très bien où était la main de Shelby, et ce qu'elle y faisait, et elle tenait à ce que son frère sache qu'elle savait.

— Cela reviendrait à cinq cents dollars, pas plus, ajouta-t-elle. Et pour un résultat similaire.

— Comme tu veux, répéta Matt, au comble de l'agonie.

Tous ces détails entourant le mariage de sa sœur, ça le rendait dingue. Ce qui le rendait plus dingue encore, c'était de se faire coincer par Shelby. Il ne s'en était pas rendu compte en la fréquentant, mais cette femme possédait la ténacité d'un bouledogue. Quand elle avait planté ses dents dans un os, elle ne le lâchait pas.

Bien fait pour lui! Il aurait dû la tenir à bonne distance de ses os à lui.

Le téléphone accroché à la ceinture de Matt se mit à sonner. Il avait bien sûr un téléavertisseur dont seuls les services de police possédaient le numéro. Mais ses amis, ses voisins, ses proches et, à vrai dire, la plupart des habitants du comté préféraient court-circuiter la procédure officielle et l'appeler à son numéro personnel. La sonnerie lui fit l'effet d'une brise légère en pleine canicule. Enfin, il allait pouvoir échapper à Shelby sans avoir l'air de battre en retraite. Elle le regarda d'un air déçu et dégagea discrètement sa main de sa manche.

Erin se marierait dans un peu plus de trois semaines. Tant mieux! Après les noces, fini le harcèlement! Le plus dur, jusque-là, serait de jouer au chat et à la souris avec Shelby sans dire ou faire quoi que ce soit qui puisse offenser la future belle-famille d'Erin. Matt commençait à trouver le rôle de la souris passablement tuant.

— Bon! s'exclama-t-il en raccrochant son téléphone, la mine radieuse. Il faut qu'on y aille! Madame Hayden promène son chien sur la grand-route.

Antonio se renfrogna.

— Et alors? fit Erin.

— Elle est nue, expliqua Matt. À l'exception de ses chaussures et d'un grand chapeau de soleil!

Âgée de quatre-vingt-dix printemps, madame Hayden devenait sérieusement distraite. Par exemple, elle oubliait régulièrement de s'habiller. Depuis qu'il faisait beau, c'était la quatrième fois qu'elle sortait en tenue d'Ève promener son pékinois presque aussi cacochyme qu'elle.

— N'y a-t-il personne d'autre qui puisse s'en occuper ? demanda Shelby avec un rien d'impatience.

— Madame Hayden adôôôre Matt, répondit Antonio dans un grand sourire.

« Décidément, pensa Matt, les rares fois où il sourit, celui-là… c'est pour se payer ma tête. »

— Quand c'est nous qui l'approchons, elle nous tape dessus avec son chapeau, poursuivit Antonio. Mais Matt, c'est autre chose. Elle accepte *volontiers* qu'il la raccompagne chez elle.

Erin poussa un gloussement amusé. Shelby se rembrunit.

— À plus tard ! lança Matt, heureux comme un enfant qui fait l'école buissonnière.

Enfin, il pouvait partir la tête haute. Oui ! Entre une nonagénaire qui se promène nue en pleine ville et une trentenaire transie d'amour pour lui, il choisissait la nonagénaire sans hésitation, sans aucune hésitation.

Matt et son adjoint se dirigèrent vers leur voiture de patrouille. En sortant du stationnement, Matt fit un grand signe de la main à sa sœur et à son ex-petite amie.

L'affaire Marsha Hughes devrait attendre. Le plus urgent, pour l'instant, c'était de protéger les citoyens du comté des vieilles dames foldingues qui troublent l'ordre public.

4

Il faisait nuit. Il pleuvait. Sombre, étouffante, inquiétante comme une ville fantôme, Benton avait des airs de sauna à ciel ouvert. Carly Linton s'arrêta sous un arbre pour reprendre son souffle. D'aussi loin qu'elle se souvienne, ce bouleau s'était toujours dressé au sommet de la colline. « Ville fantôme ? songea Carly. Pas tout à fait... » Un homme était là, devant elle, bien vivant. En tout cas, pour ce qu'elle pouvait en juger à voir cette partie de son anatomie.

« Jolies fesses », pensa-t-elle. Un jean usé laissait soupçonner des fesses musclées et rebondies. D'habitude, Carly ne s'attardait pas à l'anatomie des hommes. Plus maintenant, en tout cas. Depuis son divorce, elle avait plus envie de leur botter l'arrière-train que de s'extasier sur leurs rondeurs. Son commentaire élogieux, quoique muet, n'avait été qu'une observation fugace, une réflexion qui lui était passée par la tête sans s'annoncer. Le faisceau de sa lampe torche éclairait un homme de dos, à quatre pattes, qui sortait à reculons de sous la véranda qui longeait la maison de sa grand-mère. Non. De *sa* maison. La maison de Carly. Sa grand-mère était morte depuis trois ans. Mademoiselle Virgie Smith, la dernière locataire du manoir à tourelles, avait été placée dans un foyer pour personnes âgées d'Atlanta deux mois plus tôt, laissant la demeure vacante. Depuis le trépas de sa grand-mère, Carly en était l'heureuse propriétaire. Mais que faisait donc ce type sous sa véranda ? À chaque fois, c'était pareil. La poisse s'acharnait sur elle. Il suffisait qu'elle veuille emménager pour qu'un hurluberlu en jean vienne parfaire ses techniques de reptation sous sa véranda. C'était usant, à la fin !

Immobile, Carly gardait sa lampe torche braquée sur les fesses de l'inconnu. Que faire ?

— Dieu du ciel ! murmura Sandra près d'elle. C'est un voleur ?

Du haut de son mètre soixante-dix-huit et des cent treize kilos qu'elle avouait, la noire et fière Sandra en imposait. Avec son mètre cinquante-sept et les quarante-cinq kilos qu'elle confessait, Carly aurait dû se sentir rassurée par sa présence. Mais elle connaissait bien Sandra. Sous ses dehors intimidants, son employée/partenaire commerciale/meilleure amie cachait l'âme d'une midinette/reine du foyer. En cas d'urgence, s'il fallait fuir ou combattre, Sandra optait systématiquement pour la fuite.

— Il n'y a pas de voleurs à Benton, murmura Carly.

Voulant éteindre sa lampe torche pour ne pas trahir leur présence, elle ne réussit qu'à la laisser tomber dans la boue. Elle se pencha, éteignit enfin le faisceau lumineux et se releva. Juste à temps. Les épaules de l'homme émergeaient de sous la véranda. Suivait, évidemment, sa tête.

— Alors qui c'est ? chuchota Sandra d'une voix chevrotante.

Absorbé dans ses réflexions, Carly ne s'aperçut même pas que Sandra déposait dans l'herbe humide le précieux carton de poêles, casseroles et ustensiles en tous genres qu'elle avait sorti du camion. Un mouvement tout contre elle la ramena à la réalité : Hugo détestait être transporté comme un vulgaire colis. Ce moyen de transport était indigne de lui. Carly resserra néanmoins son étreinte sur son énorme chat himalayen en espérant très fort qu'il ne miaulerait pas.

— Comment veux-tu que je sache qui c'est ? soufflat-elle. Le plombier, peut-être ?

L'orage avait passé mais la chaleur restait accablante. L'air sentait la terre mouillée des nuits de pluie de la Géorgie. L'eau qui s'égouttait des feuilles et le coassement des grenouilles non loin camouflaient le chuchotement des deux femmes. Une lune pâle et tremblotante apparut derrière les nuages déchiquetés, éclairant faiblement la haute stature de l'inconnu qui se relevait d'un bond agile.

Dans sa main luisait un revolver noir.

— Oh, non ! murmura Sandra. J'appelle les urgences.

Elle sortit de son grand fourre-tout de plastique un téléphone portable qu'elle ouvrit d'un seul geste.

— Il n'y a pas de service d'urgence à Benton, fit calmement Carly.

— Comment ça ? Mais qu'est-ce que c'est que cette ville pourrie, à la fin ? Des maisons qui croulent, des voleurs avec des revolvers, c'est tout ce que vous avez ?

— Pas du tout. Nous avons un McDonald's et une pizzeria avec un four à bois.

Rien de très étonnant, d'accord. Cependant, la Chambre de commerce de Benton n'était pas peu fière d'accueillir dans la bourgade ces deux entreprises dynamiques.

— Mais que veux-tu que ça me fasse ? lança Sandra, au bord de l'hystérie. Ce n'est certainement pas le McDo qu'on va appeler pour nous sortir d'ici. Et les pompiers ? Vous avez bien des pompiers quand même ?

— À Benton, quand on a un problème, on appelle la police de la Géorgie. Ou alors, le shérif.

— C'est quoi, son numéro? demanda Sandra en rouvrant son téléphone portable.

— Aucune idée.

Les deux femmes se mirent à reculer avec précaution. Les chaussures de sport de Carly glissaient dans la boue. Elle allait à petits pas en évitant les racines saillantes, les yeux rivés sur le cambrioleur en jean ou, qui sait?, le meurtrier, peut-être. Manifestement, l'homme ne les avait pas entendues. Il leur tournait le dos. Il observait la forme sombre et massive de la grange derrière la maison. La cour était dans un état de délabrement qui n'avait rien à envier au reste de la propriété. L'herbe et les buissons poussaient en tous sens. Les feuilles mortes de l'automne précédent gisaient encore sur le sol, rendant le déplacement des deux femmes plus périlleux encore. Le manoir Beadle, du nom de son premier propriétaire, se dressait au sommet d'une colline boisée à l'extrémité ouest de la ville, à l'écart des voisins. Il n'y avait même pas de chemin qui menait jusqu'à la maison. Les deux femmes avaient dû se garer au pied de la côte, le long de la petite route d'asphalte qui serpentait en contrebas. Le camion de location orange vif avec lequel elles étaient venues de Chicago n'était plus trop loin maintenant. Avec un peu de chance, elles l'atteindraient sans alerter l'homme. Monter dedans, refermer les portes, démarrer le moteur et s'enfuir sans se faire remarquer... ça, ce serait une autre affaire.

L'homme se dirigea vers la grange, s'éloignant des deux amies. Carly enfonça sa lampe torche dans la poche de son jean et resserra son étreinte sur Hugo, qui grogna en signe de protestation. Pauvre chat! Il avait détesté le trajet depuis Chicago. Il haïssait la pluie du fond du cœur. Et il ne supportait pas qu'on le tienne. Et le pire restait à venir. Carly prit une profonde inspiration, referma les doigts de sa main gauche sur les pattes avant du chat et, du bras droit, bloqua ses dix kilos de chair et de poils contre elle comme un joueur de rugby qui s'apprête à foncer dans la mêlée.

Maintenant sa précieuse cargaison d'une poigne ferme, Carly tourna la tête vers Sandra.

— Je crois qu'on devrait tenter le coup pendant qu'il est encore temps.

— D'accord.

Avant même qu'elles n'aient entrepris de faire volte-face, un bruit assourdissant fracassa le silence de la nuit. Les deux femmes eurent l'impression qu'une sirène venait de leur exploser aux oreilles et que leur cœur allait jaillir de leur poitrine. Le hurlement provenait de Sandra. Ou plutôt, de la poche de Sandra. De son téléphone.

— Éteins-le, bon sang ! Éteins-le !

Sandra appuyait frénétiquement sur tous les boutons pour faire taire l'engin. Carly voulut s'en emparer. Dans sa précipitation, elle le fit tomber à ses pieds. Une fois encore, l'affreuse sirène retentit. Et retentit encore. Et encore. Pétrifiées, les deux femmes regardaient avec horreur l'appareil qui hurlait dans la boue.

— Qui est là ?

La voix était forte et menaçante. Elle expulsa les deux femmes de leur léthargie. L'homme n'allait plus vers la grange. Malgré l'obscurité à peine éclairée d'un rayon de lune, Carly et Sandra virent nettement qu'il s'était tourné vers elles. Malgré le feuillage des arbres qui les cachait en partie, malgré la distance, il savait où elles se trouvaient. Maudit téléphone ! L'homme pointa son revolver en direction des fugitives.

Carly sentit son estomac lui remonter dans la gorge.

— Merde ! résuma Sandra.

Comme un seul homme, elles se retournèrent d'un bond et se mirent à courir vers le camion.

— Restez où vous êtes !

Ni Carly ni Sandra n'envisagèrent d'obéir. Le cœur battant la chamade, Hugo pressé contre elle, Carly galopait avec l'énergie du désespoir. Vêtue d'un pantalon de sport noir et d'un long t-shirt noir, juchée sur ses deux grandes jambes, Sandra la dépassa sans peine et disparut vers le bas de la colline.

Malgré les circonstances, Carly ne put s'empêcher de penser que c'était bien la première fois qu'elle voyait l'indolente, la paisible Sandra se mouvoir avec une telle vélocité. Puis, elle se rappela que ce n'était pas le moment de s'attarder aux prouesses athlétiques de son amie. Il fallait qu'elle sauve sa peau et celle de son chat. Elle l'écrasa contre elle et se mit à courir, courir…

Elle devait se baisser pour éviter les branches inférieures des arbres, lutter constamment pour garder l'équilibre sur l'herbe humide. Soudain, elle sut que l'homme était à ses trousses. Elle sentit une décharge électrique lui traverser tout le corps. Et s'il s'était immobilisé pour leur tirer dessus ? Avec sa chance proverbiale, elle ne risquait pas d'en réchapper. Sandra avait disparu dans son pantalon noir et son t-shirt noir mais elle, avec son jean et son t-shirt jaune canari… Elle constituait une cible idéale. Carly continua de courir en essayant de ne plus penser à ce que ça lui ferait, de recevoir une balle dans la colonne vertébrale.

— Arrêtez ou je tire !

Jamais de la vie. Hors d'haleine, Carly s'efforça d'accélérer encore. Son cœur battait si fort qu'elle crut que le sang allait lui gicler des oreilles. La voix de l'homme avait semblé plus proche. Était-il derrière elle ? Étaient-ce ses pas qu'elle entendait, maintenant que ce maudit téléphone avait enfin cessé de sonner ? Ou était-ce son cœur à elle qui martelait dans sa tête ?

Elle ne put s'empêcher de jeter un coup d'œil derrière elle pour voir s'il se rapprochait. Grossière erreur ! Elle trébucha sur une racine. La lampe torche qu'elle avait enfoncée dans sa poche tomba à ses pieds. En se redressant, Carly glissa dessus. Résolument lassé de cette course indigne de lui, Hugo s'appuya de ses quatre pattes contre sa poitrine et sauta par terre. Déstabilisée, Carly voulut le rattraper mais referma ses bras sur le vide. Avant de tomber, elle aperçut son pelage blanc angora qui s'éloignait d'un air altier.

Elle se débattit dans la boue pour tenter de se relever. Elle n'entendit pas l'homme qui arrivait sur elle. Ce fut comme si un camion lancé à vive allure la percutait dans le dos. Elle s'aplatit dans la boue au pied d'un bosquet de chênes. L'homme la maintenait clouée au sol.

L'homme qu'elle avait vu ramper sous sa véranda, l'homme au pistolet… Il bloquait son bassin contre le sol d'une main ferme et appuyait de tout son poids sur ses jambes pour l'empêcher de se relever.

Carly hurla. En fait, elle eut l'impression de hurler, mais n'entendit qu'un petit cri étranglé sortir de sa bouche. Tout le corps plaqué au sol, elle avait les poumons vides et la gorge écrasée. Plus question de fuir, maintenant. Il fallait se battre. Une décharge d'adrénaline lui parcourut les veines. D'un coup de reins, elle se tourna sur le dos et réussit presque à se débarrasser de son assaillant. Presque ! Mais pas tout à fait. Le souffle court, le corps massif, l'homme réussit à l'immobiliser. Il agrippa d'un geste brusque la ceinture de son jean pour l'empêcher de partir. Dieu merci, le bouton de métal résistait. L'homme avait du mal à passer ses doigts entre le jean et la peau de son ventre. Pour la première fois depuis son divorce, Carly se félicita d'avoir pris cinq kilos dans les affres de la séparation. Elle réussit à ramper sur quelques centimètres.

La tête de l'homme se retrouva tout contre son bas-ventre. Elle sentait ses mains chaudes et rudes contre sa peau. Une vague d'horreur la submergea. Pas besoin d'être grand clerc pour comprendre ce qu'il voulait faire.

— Non ! Non ! Non !

Carly fit rouler une pluie de coups de poings sur la tête de l'homme, son cou, ses épaules. Malgré le peu de latitude qu'elle avait, elle réussit à lui envoyer quelques coups de genou dans la poitrine. Elle avait traversé toutes sortes d'épreuves depuis quelques mois. Mais ça, non ! Pas question ! Il fallait qu'elle se sauve. Il fallait qu'elle se sauve…

— Laissez-moi ! Laissez-moi partir ! Au secours ! Sandra ! Au secours !

Mais elle n'avait pas de voix. Une souris aurait crié plus fort qu'elle. L'homme dit quelque chose d'une voix dure, mais elle ne comprit pas les mots. Son cœur battait si fort qu'elle n'entendait que le sang frapper à grands coups dans ses tempes. Elle avait la gorge sèche. La peur lui mettait comme un goût d'aluminium dans la bouche. Elle risquait d'être violée, tuée, proba-blement les deux. Elle n'en était même pas surprise. Depuis au moins deux ans, sa vie n'était qu'un ramassis de malchances et de hasards malencontreux. Tout allait mal. Et chaque fois qu'elle se disait qu'elle avait touché le fond, elle s'enfonçait encore. Mais cette fois, cette fois, c'en était vraiment trop. C'était la goutte d'eau qui faisait déborder le vase. Ce pauvre vieux vase déglingué ! Sa vie, en somme… Dieu, destin, hasard ? Carly ne savait pas qui faisait pleuvoir sur elle tous ces malheurs, mais une chose était sûre : elle en avait assez. Qu'on se le tienne pour dit ! Carly Linton en avait soupé de toutes ces calamités !

Rassemblant ce qu'il lui restait de forces, elle se redressa pour mordre l'oreille de l'homme. Il fit un mouvement brusque, lui assénant un violent coup de front sur le nez. Elle retomba contre le sol. La douleur lui fit monter les larmes aux yeux. Pas question d'abandonner ! L'humidité du sol était un handicap pour l'homme, une bénédiction pour Carly. Se tortillant frénétiquement comme un ver au bout de l'hameçon, elle réussit à ramener l'un de ses genoux contre sa poitrine et à plaquer la semelle de sa chaussure sur l'épaule de l'homme. D'une détente, elle se dégagea et commença à s'éloigner en rampant sur le dos du mieux qu'elle le pouvait. Se dressant sur ses genoux, l'homme s'abattit de nouveau sur elle, lui enlaçant les jambes. Elle hurla. Enfin ! Sa gorge et ses poumons fonctionnaient de nouveau. Elle hurla et asséna un violent coup de pied sur la tête de l'homme.

Il étouffa un juron et secoua la tête comme pour chasser la douleur. Mais en une fraction de seconde, il réussit à la plaquer de nouveau contre le sol, l'écrasant de tout son poids. Elle tenta de se redresser. Il était trop lourd et bloquait sa main droite entre leurs deux corps. Voyant qu'elle ne pouvait plus compter sur ses forces pour la tirer d'affaire, elle recourba ses doigts de la main gauche et détendit son bras pour griffer l'homme aux yeux. Pas question qu'elle se laisse faire !

— Si tu me griffes, je t'écorche ! grogna-t-il en interceptant son poignet.

Il lui écrasa le bras gauche contre le sol. Complètement immobilisée, elle refusait néanmoins d'abandonner la lutte. De sa main droite, elle lui pinça la poitrine entre le pouce et l'index. Il poussa un grognement, s'écarta d'elle quelques fractions de seconde, lui saisit la main droite et la plaqua contre elle. Elle se mit à hurler, sans relâche, juste à son nez.

Leur bagarre les avait entraînés hors de l'ombre des chênes. La lune éclairait le visage de l'homme. Assourdi par les cris de Carly, il grimaçait. C'est alors qu'elle le vit vraiment. Ses yeux s'écarquillèrent, elle cessa de crier. Toute son énergie de combat la déserta d'un coup. Écrasée sous son assaillant qui devait bien peser dans les cent kilos, elle devint molle comme du beurre fondu.

— Matt Converse ! souffla-t-elle.

Il s'immobilisa net, comme frappé en plein visage. Puis il la regarda et ses yeux s'agrandirent d'incrédulité.

— Carly, c'est toi ?

— Oui, c'est moi ! Ça se voit, non ?

Tout en s'efforçant de reprendre son souffle, elle repensa à la dernière fois qu'elle avait été couchée sous lui. Maudite mémoire !

— Mon Dieu ! s'exclama Matt. Mais tu as des seins, ma parole !

Sa main qui emprisonnait celle de Carly était posée sur son sein droit. Elle sentait ses doigts étonnés vérifier la nouvelle incroyable qu'il venait de constater. D'un geste brusque, elle dégagea sa main et retira celle de Matt. La dernière fois qu'il avait touché sa poitrine, elle remplissait à peine des bonnets A. Maintenant, elle portait du C, grâce à des années d'exercice, de crèmes spécialisées et d'alimentation saine. Et grâce aussi, il faut bien le dire, à cinq mille dollars d'implants. Mais ça, pas question de le lui dire. Pas à lui, surtout pas.

— Oui, j'ai des seins. Et alors ?

Elle l'aurait giflé à lui arracher la tête. Elle lui devait une gifle, d'ailleurs. Depuis douze ans. Et elle brûlait de payer sa dette.

— Et tu es blonde, en plus !

Matt semblait stupéfait. Il regardait sans avoir l'air d'y croire ses cheveux raides qui lui arrivaient aux épaules. En principe, c'est-à-dire au naturel, Carly avait la tignasse châtaine, frisée et rebelle.

— Oui, je suis blonde. Et alors ? Maintenant, laisse-moi tranquille. Au moins, je suppose que tu ne vas pas me violer…

— Comment ça, te violer ? Mais qu'est-ce que tu racontes ? Tu croyais que j'allais te violer ?

— Va savoir pourquoi, quand un type me saute dessus et me plaque au sol en pleine nuit, j'ai comme l'impression qu'il n'est pas exclu qu'il cherche à me violer.

Matt sourit.

— Frisette, c'est vraiment toi ?

Visiblement, il n'était pas pressé de bouger. Il s'appuya sur ses coudes en restant allongé sur elle. Frisette… C'était le surnom qu'il lui avait donné autrefois. Il la ramenait dans des zones de sa mémoire qu'elle aurait préférées closes à tout jamais. Matt la dévisageait en souriant. Elle se dit soudain qu'elle ne devait pas être en beauté, ce soir. Déjà que d'habitude… La pluie, l'heure tardive, la course folle dans les feuilles mortes et l'implosion récente de sa vie si soigneusement construite… Non, décidément, toutes ces contrariétés ne la mettaient pas en valeur. Sans compter qu'elle s'était lavé le visage à l'eau et au savon dans les toilettes d'une station-service pour se réveiller un peu. Matt la voyait telle qu'en elle-même, telle qu'elle était autrefois : les mêmes yeux bleus sans maquillage ; le même nez luisant parsemé de taches de rousseur ; la même bouche trop large aux lèvres nues. Sans fard, son visage était trop rond. Ses sourcils, qu'aucune pince n'avait harcelés depuis longtemps, étaient en train de retourner à l'état sauvage. Et pour la première fois depuis douze ans peut-être, elle n'avait même pas un soupçon de crème teintée sur la peau. Plus rien pour camoufler la vérité. Toutes ces considérations moroses ne contribuaient pas à la rendre plus tendre envers Matt. Au contraire, elle lui aurait volontiers arraché les yeux pour qu'il cesse de la scruter comme il le faisait. Leurs regards se croisèrent encore. Elle poussa une sorte de gémissement. Le sourire de Matt s'élargit, radieux.

— Mon Dieu ! Comme tu as changé… et pas seulement à cause des seins et des cheveux. Il me semble que tu étais gentille, autrefois.

C'était le comble ! Matt avait peut-être oublié le dernier chapitre de leur histoire, mais pas elle. Non seulement elle lui arracherait les yeux, mais elle les lui ferait manger au court-bouillon.

— J'étais stupide aussi. Très stupide. Maintenant, s'il te plaît…

Elle n'eut pas le temps de finir sa phrase. Une casserole à fond de cuivre jaillit de l'obscurité et s'abattit avec fracas sur la tête de Matt Converse.

5

— Bon sang ! s'écria Matt en roulant sur le côté.

— Sauve-toi, Carly !

Tenant sa casserole d'une main ferme, Sandra sautillait dans l'obscurité comme un boxeur dans le ring.

— Toi, tu ne bouges pas ! poursuivit-elle en menaçant Matt de son arme. Sinon, je t'assomme. Essaye un peu, pour voir. Je te jure que je t'assomme.

Grommelant, maugréant, ronchonnant, Matt replia ses bras sur sa tête et se rassit près de Carly. La casserole vola de nouveau. Matt baissa la tête juste à temps.

— Arrête, Sandra ! s'écria Carly. C'est un ami.

Un ami ? Euh… Pas vraiment. Pas après ce qui s'était passé entre eux, en tout cas. Petite fille solitaire, Carly avait vénéré ce garçon beau et attentionné de trois ans son aîné. Puis, elle avait grandi. Elle avait découvert dans la douleur et la stupéfaction que ce jeune homme brun qu'elle avait considéré comme un héros n'était que le premier clown d'une longue liste de bons à rien, bouffons et minables en tous genres qui allaient encombrer son existence. Les hommes de sa vie, quoi !

— Un ami ? demanda Sandra, la casserole hésitante.

Matt profita de son étonnement pour lui arracher son arme et la placer en lieu sûr.

— Ah bon ? ajouta Sandra d'un air hébété. Excusez-moi, alors…

— Ça ne fait rien, trancha Carly.

Elle se releva péniblement, encore toute secouée par la bagarre. Son dos était trempé. Elle avait mal partout. Mais en regardant Matt assis près de la casserole et se tâtant la tête pour voir s'il n'avait rien de cassé, elle retrouva d'un coup toute sa bonne humeur. Un sourire victorieux, quoique discret, éclaira son visage.

— Il est idiot mais pas méchant, déclara-t-elle. Sandra, je te présente Matt Converse. Matt, je te présente Sandra Kaminski.

— Enchantée, bredouilla Sandra d'un ton dubitatif.

Matt lui jeta un regard sombre. Pour le compte, le sourire de Carly s'élargit d'une oreille à l'autre. Matt aurait sans doute une bonne bosse sur la tête, et ce serait bien fait pour lui.

— Pas moi, répliqua Matt aigrement. Ça t'arrive souvent, de taper sur les gens à coups de casserole ? Ça pourrait t'attirer des ennuis, tu sais...

Il se releva en agrippant la casserole litigieuse. Matt Converse était très fâché.

— Excuse-moi, dit Sandra en reculant d'un pas prudent. Je ne savais pas...

— Allons, allons ! lança Carly d'un ton joyeux. Mon amie voulait simplement me sortir des griffes d'un violeur ou d'un meurtrier. On ne peut quand même pas le lui reprocher ! Merci, Sandra. Tu as très bien fait.

— Ah bon ? demanda Sandra d'un air interloqué. Eh bien... Tant mieux, alors !

Matt tourna la tête vers Carly, toujours enjouée.

— Tu trouves ça drôle ? demanda-t-il.

— Drôle ? Mérité, plutôt.

— Mérité ? C'est ça... J'aime bien l'idée de « mérite », ça fait sérieux...

Il fixa Carly quelques instants sans parler. L'obscurité ne permettait pas d'interpréter son regard, mais sa voix indiquait clairement ce qu'il avait en tête : exactement la même chose qu'elle. L'air entre eux sembla se charger d'électricité, grésilla du souvenir de leur dernière rencontre. À dix-huit ans, Carly était une jeune fille timide. Peu d'amis, pas de vie amoureuse. Or, miracle ! À la fin de l'année scolaire, c'est au bras de Matt Converse qu'elle avait fait son apparition au bal qui marquait l'achèvement des études secondaires et l'entrée prochaine à l'université. Le beau garçon de vingt et un ans devant lequel toutes les filles de l'école se pâmaient, celui qu'elles désiraient au point qu'elles en auraient vendu leurs père et mère pour un flirt avec lui… Ce soir-là, c'était Carly qui l'avait à son bras. À la fin de la soirée, elle lui avait donné sa virginité. Son cœur, ce n'était pas la peine. Il lui appartenait déjà depuis des années. Mais depuis cette nuit inoubliable, Carly n'avait jamais reparlé à Matt. Tu parles d'un salaud.

— On dirait que vous n'êtes pas tellement amis, finalement… avança prudemment Sandra.

— Tu trouves ? répliqua Carly.

Pas vraiment amis, non. En fait, Carly aurait volontiers crucifié Matt sur un arbre. Le salaud ! Tout l'été qui avait suivi le bal, il l'avait évitée comme la peste. Elle ne le voyait qu'en de rares occasions, toujours de loin, un peu comme des traces du yeti dans la neige. Avant cette soirée maudite, il venait chez elle presque tous les jours. Il avait souvent à faire dans la maison de sa grand-mère : il réparait, élaguait, repeignait. Au passage, il taquinait Carly, la conseillait, la traitait comme une petite sœur bien-aimée. Un jour, l'adoration qu'elle lui portait sans la lui avouer, mais que personne n'ignorait, avait culminé sur le siège arrière de sa vieille voiture déglinguée. Ensuite, il l'avait jetée comme une pomme véreuse. Il lui avait brisé le cœur, pulvérisé l'estime de soi et révélé abruptement la vraie nature des hommes : tous des lâches, des médiocres, des salauds.

— Vraiment, Frisette ! s'exclama Matt. Ça fait douze ans de ça ! Tu as la dent dure, tu ne trouves pas ?

Frisette ? Carly prit une inspiration profonde et se plaqua sur le visage un large sourire qui respirait la haine.

— Tu sais quoi, Matt ? Va donc au diable !

— Eh bien... Je ne te félicite pas. Ta grand-mère doit se retourner dans sa tombe à l'heure qu'il est. « Ce que les autres filles font m'indiffère. C'est moi qui suis responsable de ton éducation et je vais faire une dame de toi. » Tu te rappelles ? Ta grand-mère te disait ça vingt fois par jour. Et toi, tu vois ? Tu ne trouves rien de mieux à faire que d'insulter sa mémoire en envoyant paître un charmant jeune homme, et de manière disgracieuse en plus.

Carly ne put s'empêcher de serrer les poings en le regardant sourire niaisement.

— Va donc au diable, répéta-t-elle sourdement.

— Ben dis donc, pour des amis... souffla Sandra.

— Enfin quoi, tu vois bien que nous ne sommes pas des amis ! cria Carly. Ça se voit, non ?

Matt poussa un grognement qui laissait une large place à l'interprétation. Carly le foudroya du regard. Ils se dévisagèrent quelques secondes, puis Matt haussa les épaules.

— Tant pis pour toi, lâcha-t-il. Si ça t'amuse de m'en vouloir pour un truc qui s'est passé il y a douze ans, c'est parfait. Qu'est-ce que tu fais ici, d'abord ?

— C'est ma maison, je te signale. Mais toi, qu'est-ce que tu fais ici, toi ? Tu dors sous les vérandas, maintenant ?

Ça, c'était vraiment un coup bas. Surtout qu'elle avait parlé d'un ton méprisant. Quand Matt était enfant, il déménageait continuellement d'appartements minables en maisons délabrées avec sa mère et ses trois sœurs cadettes. Chaque mois, il fallait gratter les fonds de tiroir pour payer le loyer. Très souvent, leurs maigres ressources n'y suffisaient pas et ils se faisaient expulser. Dès l'âge de onze ans, Matt tondait les pelouses de la grand-mère de Carly pour gagner un peu d'argent. À force de persévérance, sa famille avait réussi à s'établir quelques années d'affilée dans la même modeste demeure. Carly supposait qu'ils y vivaient encore. À tout le moins, sa mère. Matt avait toujours eu honte de sa pauvreté. À l'époque, Carly déployait des trésors d'imagination pour ne pas froisser sa dignité d'homme. Mais lui, lui ! quelles précautions avait-il prises pour ne pas écrabouiller son cœur de femme ? Relation à sens unique. L'histoire de sa vie. Maintenant, c'était fini ! Terminé ! Plus jamais ! Un nouveau jour se levait pour Carly. Le passé était mort et ne renaîtrait pas de ses cendres.

Carly Linton entamait une existence nouvelle. Plus jamais elle ne se laisserait marcher dessus. Tendre l'autre joue ? Non merci ! C'est ce qu'elle avait fait toutes ces années et ça l'avait menée où ? Hein, où ? Je vous le demande ! Au désastre, parfaitement !

Matt plissa les yeux. Il avait très bien compris l'allusion de Carly. En fait, il avait toujours su lire dans ses pensées.

— J'ai reçu un appel signalant un rôdeur dans les parages. Je venais voir, c'est tout. Ah oui ! Tu ne le sais peut-être pas… Je suis le shérif, maintenant.

Carly eut l'impression très nette que sa mâchoire se décrochait pour aller se fracasser par terre. Shérif ? Matt Converse, shérif ? Matt avait toujours été un rebelle amateur de motos, de vitesse, de fêtes. Toute la ville s'accordait à dire qu'il finirait sur l'échafaud. Ou plutôt, sur la chaise électrique. Sa mère était une Mexicaine menue mais tonitruante, une vraie furie.

Son père possédait un physique d'acteur : grand, blond, le corps et le visage d'un dieu. Mais il ne savait pas garder un emploi plus de deux semaines de suite. Il passait d'un boulot à l'autre au gré de ses lubies et de ses envies de voyage. Il lui arrivait de rendre visite à sa famille, mais seulement de temps à autre, toujours en coup de vent. Dès sa naissance, Matt avait été stigmatisé par cette ascendance doublement difficile. On le disait voué à l'échec, au crime, à la prison. D'autant plus qu'il avait le cheveu noir comme sa mère et la stature athlétique de son père. Sa beauté dévastatrice lui interdisait de passer inaperçu et jouait même en sa défaveur. Se sachant marqué d'infamie, il faisait tout pour être à la hauteur de sa réputation déplorable. Enfant turbulent, adolescent réfractaire à toute autorité... Pourtant, Matt avait toujours été un bon employé, un bon fils et un bon frère. Ainsi qu'un ami sûr pour Carly et pour une poignée d'autres. Mais ça, personne ou presque ne le savait. À l'exception de cet entourage restreint, toute la ville prenait pour argent comptant son allure indocile et ses manières rugueuses. De l'avis général, Matt Converse était une bombe à retardement, un gibier de potence en devenir.

— Toi, shérif ? demanda Carly d'une voix blanche. Tu plaisantes ou quoi ?

— Pas du tout.

Elle le détailla des pieds à la tête. Malgré l'obscurité, il était évident qu'il portait un jean et un t-shirt blanc tout simple. Au passage, Carly ne put s'empêcher de remarquer qu'il n'avait pas changé. Ses cheveux étaient sans doute plus courts. Il avait peut-être grandi de quelques centimètres et ses épaules s'étaient élargies. Mais dans l'ensemble, c'était bien le même Matt. Trop beau pour être honnête, trop beau pour ne pas finir sur l'échafaud. Évidemment, Carly n'en avait rien à faire.

Elle avait trop pleuré dans les mois qui avaient suivi leur nuit dans sa voiture déglinguée. Maintenant, elle était immunisée contre la beauté de Matt Converse.

— Tu ne portes pas d'uniforme ? demanda-t-elle d'un ton qu'elle aurait voulu moins narquois.

— Au cas où ça t'aurait échappé, il est plus de minuit. Je ne suis pas en service. Madame Naylor m'a appelé chez moi. Tu te rappelles ? Ta voisine… Tu veux voir mon insigne de shérif, peut-être ?

Il sortit de sa poche arrière un portefeuille qu'il ouvrit d'un geste vif. Effectivement, il possédait un insigne de shérif. Argenté, rutilant, incontestablement officiel et sérieux. Incroyable ! Carly s'arracha enfin à la contemplation de l'insigne et regarda Matt de nouveau. Pendant quelques instants, ils se dévisagèrent en silence.

Brusquement, Carly éclata de rire.

— Ça, c'est vraiment la meilleure ! s'exclama-t-elle.

— La meilleure, c'est de te voir avec des seins et des cheveux blonds ! Quoi qu'il en soit, j'ai fouillé le coin. Je n'ai rien vu. Si jamais tu rencontres quelqu'un, tu n'auras qu'à demander à ta copine qu'elle le tienne en respect avec sa casserole. Et surtout, tu m'appelles.

Il rendit la casserole à Sandra et tourna les talons, fit quelques pas. Puis, il s'immobilisa.

— Au fait ! leur lança-t-il par-dessus son épaule. Il n'y a plus d'électricité. Un câble est tombé sur la route à quelques kilomètres d'ici.

À sa voix, Carly sut qu'il se réjouissait de les laisser seules dans le noir. Matt s'éloigna.

— Attends un peu ! s'écria Sandra. Tu ne vas quand même pas nous laisser ici toutes seules ?

Carly la fixa d'un œil assassin. Même si elle avait su, de source sûre, qu'un vampire anémique se terrait dans la maison, elle aurait préféré mille fois s'y pavaner la gorge offerte plutôt que de retenir Matt Converse. Sandra tourna vers elle un regard suppliant.

— On devrait peut-être aller à l'hôtel et revenir demain matin… avança-t-elle. Une vieille bicoque, un rôdeur, pas d'électricité…

— Il n'y a pas d'hôtel à Benton, tu le sais bien !

Matt s'était arrêté. Il se tourna vers elles, déchiré entre l'envie de planter là les deux femmes et l'obligation professionnelle de les protéger. Le devoir l'emporta, mais de justesse. Carly elle-même n'était pas ravie à l'idée d'affronter sa nouvelle demeure dans ces circonstances. Mais avait-elle le choix ? Il n'y avait pas d'hôtel à Benton. Pas d'hôtel, pas d'auberge, pas de motel, rien. C'était d'ailleurs un peu la raison de son retour. Carly et Sandra voulaient transformer la demeure branlante en une coquette auberge. Située non loin d'un circuit touristique qui regroupait des lieux pittoresques évoquant la période d'avant la guerre de Sécession, Benton commençait à s'imposer comme un carrefour incontournable d'antiquités et d'artisanat de qualité. Forte de ses trois mille huit cents âmes, elle s'enorgueillissait des boutiques qui poussaient comme des champignons dans son petit quartier central. La région ne manquait pas d'attraits : pêche, golf, usine automobile à quelques kilomètres au sud, Savannah à un peu plus d'une heure de route… Benton avait possédé autrefois un motel miteux près de l'autoroute, mais il avait fait faillite depuis longtemps. Grâce à l'ouverture récente du McDonald's et de la pizzeria, que Carly considérait comme de bon augure pour son propre projet commercial, Benton offrait maintenant à ses visiteurs un choix d'établissements de restauration. Choix restreint, certes, mais c'était mieux que rien. En tout cas, mieux qu'avant. Par contre, il restait impossible de passer la nuit dans ce bourg sympathique. Carly et Sandra étaient bien déterminées à combler ce manque.

— Ah oui ! soupira Sandra en pressant sa casserole contre sa poitrine. C'est vrai : il n'y a pas d'hôtel à Benton.

— Soit on dort dans la maison, soit on refait une heure ou deux de route, soit on dort dans le camion, résuma Carly sans ménagement. Toi, je ne sais pas. Mais moi, je ne ferai pas un kilomètre de plus et je ne dormirai pas dans le camion. La climatisation nous a lâchées dès que nous avons mis le pied en Géorgie et il n'y a qu'un siège. Autrement dit, nous n'avons pas le choix. Dans la maison, au moins, nous aurons des lits. Par ailleurs, l'électricité finira bien par revenir. Quant à ce rôdeur, je te parie n'importe quoi que c'étaient des adolescents qui cherchaient à faire des bêtises ou à cuver leur bière. Il n'y a pas de rôdeurs à Benton.

— Ah non ? demanda Sandra, dubitative.

Carly jeta un regard en direction de Matt. Il pourrait au moins corroborer ses dires, au lieu de rester planté là.

— Vous êtes venues en camion ? demanda-t-il.

Pour le soutien, on repassera ! Matt ne l'avait même pas écoutée... Carly vit qu'il regardait le gros camion orange presque entièrement caché par l'épais feuillage.

— Tu déménages ou tu emménages ? demanda-t-il.

— J'emménage.

Et pas question qu'il en sache plus. Pas question qu'elle lui expose ses projets d'avenir. Après tout, ce n'étaient pas ses oignons.

— Nous allons ouvrir une auberge ! lança Sandra. L'Auberge du manoir Beadle !

— Vous allez ouvrir une auberge ? À vous deux ? Et ton avocat richissime de mari, Carly ? Tu le laisses à Chicago ?

Ainsi donc, il savait qu'elle avait épousé un avocat. Carly sentit son cœur battre un peu plus vite. Elle s'en serait presque giflée. Allons ! Elle ne ressentait plus rien pour Matt, plus rien du tout. Après ce qu'il lui avait fait ? Pas question ! Tu parles d'un salaud.

— Nous sommes divorcés, résuma-t-elle sèchement.

— Ah oui ? Comme c'est intéressant…

— Très intéressant.

Matt croisa les bras et regarda Carly avec attention.

— Tu sais quoi, Frisette ? Tu es devenue drôlement arrogante. Je te conseille de changer ça. Ce n'est vraiment pas attirant, tu sais.

— Va te faire voir. Et tu peux retourner te coucher. Nous n'avons pas besoin de toi. Si ça t'amuse de jouer les grands méchants shérifs, va jouer plus loin.

Elle se tourna d'un mouvement vif et marcha vers la maison en appelant Hugo.

— Comme tu voudras, ma petite, répliqua Matt entre ses dents.

Il se tourna aussi brusquement qu'elle et partit dans la direction opposée à grandes enjambées.

— Merde, grommela Sandra.

Du coin de l'œil, Carly vit qu'elle hésitait. Enfin, elle se résolut à suivre son amie. Carly se sentit tout de suite mieux. L'espace d'un instant, elle s'était vraiment demandé quel camp choisirait Sandra.

En fait, elle était morte de peur à l'idée d'affronter la maison toute seule. Mais cela valait tout de même mieux que d'appeler Matt à la rescousse.

— Qu'est-ce qui te prend, à la fin ? lui demanda Sandra en la rattrapant.

— Ce type est un imbécile, un moins que rien, un minable. Hugo ! Où es-tu, mon petit minet ?

Encore une preuve qu'elle n'avait pas toute sa tête. Hugo ne répondait jamais à ses appels… De toute évidence, il estimait que ce n'était pas digne de lui.

— Oui, mais c'est le shérif ! plaida Sandra. Il a un pistolet. Et la maison de ta grand-mère, on ne peut pas dire qu'elle soit très accueillante. Est-ce que ça t'aurait vraiment arraché la figure de lui demander de nous accompagner ?

— Oui. La figure et tout le reste. Hugo ! Viens ici, mon minet !

— Et qu'est-ce qu'on fait si on rencontre le rôdeur ?

— Je te l'ai déjà dit : il n'y a pas de rôdeurs à Benton. Pas des vrais rôdeurs, en tout cas. C'est minuscule, ici. Pas comme Chicago.

— Minuscule ? Tu parles ! Ça n'empêche pas qu'il peut y avoir des rôdeurs.

— Si tu as si peur que ça, pourquoi viens-tu avec moi ? Tu n'avais qu'à partir avec lui ! Je suis sûre qu'il t'aurait conduite où tu voulais juste pour le plaisir de m'embêter.

— J'y ai pensé, reconnut Sandra sans vergogne. Mais je ne peux pas.

— Pourquoi pas ?

— Il faut que j'aille faire pipi.

Carly leva les yeux au ciel. Ce long trajet avec Sandra lui avait appris sur son amie des détails dont elle se serait bien passée. Par exemple, qu'il fallait constamment qu'elle aille faire pipi. Propriétaire du restaurant La Maison dans l'arbre, Carly avait engagé Sandra comme cuisinière en chef. Jamais elle ne surveillait ses allées et venues. Or, depuis leur départ de Chicago, il s'avérait que la cuisinière émérite devait s'absenter toutes les quinze minutes. Elles avaient écumé tous les arrêts autoroutiers jusqu'à Benton…

— Tu as une vessie grande comme une noisette, ma parole… Hugo ! Viens ici, mon minet !

— Tu sais quoi ? Tu me fais de plus en plus penser à mon ex-mari.

Sandra était fâchée maintenant... Formidable ! Carly soupira.

— Bon, d'accord, excuse-moi. Il y a des toilettes dans la maison. Dès que j'aurai ouvert la porte, tu pourras y aller.

Elles s'approchaient de la demeure. Carly repéra le carton d'ustensiles de cuisine que Sandra avait déposé là plus tôt. Elle fit un détour pour le prendre au passage.

— Au fait, demanda-t-elle, as-tu retrouvé ton téléphone ?

— Non. J'ai laissé tomber mon sac à main, aussi.

Sandra tourna vaguement la tête vers la colline qu'elles venaient de grimper.

— On verra ça demain, trancha Carly.

Pas question qu'elle se lance à cette heure tardive dans une expédition de fouilles. Pas après ce qu'elle venait de vivre, en tout cas. Elle avait les nerfs à vif, l'humeur détestable. De plus, son chat avait disparu et elle était exténuée.

— Oui, on verra ça demain, convint Sandra.

Visiblement, elle n'était pas plus pressée que Carly d'entreprendre des recherches. Elle se contenta de donner quelques coups de pied approximatifs dans l'herbe, juste pour dire qu'elle avait quand même cherché un peu.

— Ils sont vraiment crétins, ces téléphones, déclarat-elle soudain. Ils ne sonnent jamais quand on voudrait.

— Ça, tu peux le dire.

Carly regarda quelques secondes aux alentours pour ne pas être en reste. Ce qui l'ennuyait le plus, c'était qu'elle avait perdu sa lampe torche. Avec sa chance proverbiale et l'obscurité, ses probabilités de la retrouver étaient inexistantes, ou presque. Tant pis ! De toute façon, elle connaissait la maison de sa grand-mère comme sa poche. En cinq minutes, elle trouverait de quoi éclairer les lieux. Dans cette région rurale de la Géorgie, les pannes d'électricité ne sont pas rares. La grand-mère de Carly gardait en permanence des bougies et des allumettes dans le grand vaisselier de la salle à manger. La locataire les avait certainement laissées là. Carly les retrouverait en cinq minutes chrono. Après tous ces kilomètres et toutes ces émotions, ce n'était quand même pas une petite panne d'électricité qui allait l'arrêter ! De toute façon, il commençait à crachiner et la maison était maintenant plus proche que le camion. En Géorgie, il faut se méfier : la bruine la plus inoffensive peut tourner à l'orage en un clin d'œil. Or, Carly n'avait aucune envie de se retrouver grelottante et trempée jusqu'aux os dans son camion de location.

Sans compter que Matt rôdait peut-être encore dans les parages. Il était hors de question qu'il la voie courir se réfugier dans le camion et qu'il se moque d'elle une fois de plus.

De toute façon, elle n'avait pas peur d'entrer dans cette maison. Non, pas du tout. Matt avait parlé d'un rôdeur. Et alors ? Il faisait nuit noire. Et alors ? La maison était déserte depuis des mois. Et alors ?

Une énorme goutte d'eau vint s'écraser sur son nez. La pluie ! Cette fois, c'était le bouquet ! Si elle n'entrait pas de toute urgence se mettre à l'abri, ses cheveux soigneusement lissés se mettraient à friser hors de toute mesure. Avant qu'elle ne maîtrise l'art délicat du séchoir et du gel capillaire lissant, elle était constamment victime de ces attaques d'humidité qui transformaient chacune de ses mèches en une spirale infernale, sautillante et fière de l'être. C'était évidemment la raison pour laquelle Matt l'avait surnommée Frisette. Elle détestait ce surnom, mais elle adorait le garçon qui le lui avait donné. Au total, elle l'avait accepté sans trop protester. Matt l'avait appelée ainsi toute son enfance, toujours avec affection. Elle qui manquait tellement d'amour et d'attention, elle s'était accrochée à ce sobriquet ridicule comme à une bouée de sauvetage. Chaque fois que Matt l'appelait Frisette, elle avait l'impression de compter pour lui.

Il l'avait appelée Frisette le soir du bal, puis il l'avait embrassée et elle avait fondu dans ses bras. Il l'avait encore appelée Frisette le lendemain à l'aube, en la ramenant chez sa grand-mère.

« À plus tard, Frisette ! » avait-il dit en prenant son visage entre ses mains pour déposer un baiser rapide sur ses lèvres.

Rapide, mais inoubliable. En tout cas, pour elle. Ce baiser lui avait paru chargé de promesses. Cependant, elle craignait que sa grand-mère, levée à l'heure du coq, n'avance d'un pas militaire vers eux pour renvoyer Matt dans ses quartiers sans autre forme de procès. Carly s'était donc contentée de sourire au très beau garçon qui venait de l'embrasser.

« Bonne nuit, Matt. »

Puis, elle était rentrée dans la maison. Ou plutôt, elle avait flotté jusqu'à l'intérieur de la maison. Elle rayonnait. Elle était amoureuse, certaine que c'était lui. Son prince charmant, son âme sœur, l'homme que la destinée lui réservait…

Tu parles ! Un vrai salaud, oui.

La mine renfrognée, Carly s'obligea à évacuer ce souvenir douloureux de sa mémoire. Elle reprit sa marche, un peu plus rapidement cette fois. Elle regarda dans les arbres et sous les buissons, derrière les massifs de fleurs chargés de pluie. Animal dorloté, Hugo n'avait pas pu aller très loin. Sans compter qu'il aurait bien mérité de s'égarer dans la nature sauvage. Carly sentait encore les griffes qu'il lui avait enfoncées dans la chair en voulant prendre le large.

— Hugo ! Viens ici, sale bête ! Si tu t'imagines que je vais te courir après toute la nuit...

— J'ai peut-être une vessie grosse comme une noisette, mais au moins, je n'insulte pas les chats, constata Sandra d'un ton cassant. Regarde ! Il est là !

Hugo trônait sur la véranda. Le poil blanc comme neige, il semblait luire dans l'obscurité. Carly poussa un énorme soupir de soulagement. La disparition de son chat aurait décidément été un coup de trop. Manifestement peu angoissé à l'idée qu'il aurait pu perdre Carly, Hugo procédait à un toilettage minutieux de son pelage. À part manger et dormir, c'était d'ailleurs tout ce qu'il faisait de ses journées. Pour les chats comme pour les gens, le blanc est un luxe salissant qui exige beaucoup d'entretien.

— Allez, viens ! lui lança Carly d'un ton las.

Elle monta l'escalier. Soutenue par des poteaux élancés, sa peinture tout écaillée, la véranda courait sur toute la longueur de la façade. S'étirant avec grâce, Hugo se leva pour saluer sa maîtresse qui arrivait à lui. Elle lui lança un regard foudroyant et passa devant Sa Majesté Hugo sans s'arrêter. Il la suivit malgré l'affront. Escortée de Sandra et du chat, Carly posa son carton d'ustensiles de cuisine sur la causeuse en rotin qui, d'aussi longtemps qu'elle se souvienne, avait toujours été adossée au mur extérieur de la maison. Elle ouvrit la porte-moustiquaire grinçante, enfonça la clé dans la serrure. De l'autre côté du petit vitrail qui s'ouvrait à hauteur d'yeux dans la porte de chêne massif, l'intérieur de la maison était sombre comme une cave. Enfin, Carly réussit à ouvrir. L'odeur de la maison lui sauta à la gorge. Malgré les relents d'humidité propres aux demeures restées closes plusieurs semaines, elle sentait exactement comme avant. Elle exhalait des parfums d'autrefois mêlés à un soupçon d'encaustique au citron et d'une légère trace de poussière. Carly entra, fronça les sourcils. « Il manque quelque chose », pensa-t-elle. La verveine ! Sa grand-mère laissait toujours des sachets de verveine séchée dans les recoins de la maison pour parfumer les pièces. L'odeur de la verveine avait disparu.

Une vague de nostalgie monta en Carly. La verveine lui manquait. Sa grand-mère et son enfance aussi.

— Alors ? demanda Sandra. Où sont les toilettes ?

À sa voix, Carly comprit qu'elle ne pourrait plus attendre très longtemps. Elle sentit Hugo passer contre ses jambes et filer dans le noir, le pelage étincelant. Dehors, la pluie s'était mise à tomber en rideau d'argent. Au fond de la maison, des gouttes s'écrasaient avec un bruit mat. Le vieux toit de tôle fuyait encore. Comme avant.

« Finie, la nostalgie ! » pensa Carly avec un soupir. Le présent était déjà bien assez difficile à vivre. Ce n'était pas la peine qu'elle s'encombre du passé.

Doutant malgré tout de la parole de Matt, elle actionna l'interrupteur près de la porte. Il n'avait pas menti. L'électricité ne fonctionnait pas.

— Par ici, dit Carly d'une voix qu'elle aurait voulu plus ferme.

Le silence qui régnait dans la maison appelait le murmure. Comme si quelque chose ou quelqu'un dormait là et qu'il ne fallait pas le déranger. C'était ridicule, bien sûr. Carly avait sans doute lu trop de romans d'horreur. Frissonnant légèrement, elle entra dans le vestibule, Sandra sur les talons. Elles laissèrent la porte d'entrée grande ouverte. Pour bénéficier de la clarté lunaire, évidemment. Pas parce qu'elles avaient peur, non. En tout cas, elles essayaient de s'en convaincre. Il faisait noir comme dans un four. Par la porte ouverte, les rayons gris et parcimonieux de la lune jetaient au moins quelques lueurs à l'intérieur.

La pluie crépitait en un roulement apaisant. Les bourrasques de vent frais qui s'engouffraient par la porte apportaient un peu de fraîcheur et de vie dans la maison.

Les deux femmes arrivèrent à tâtons près de la porte des toilettes.

— C'est là, déclara Carly d'une voix délibérément forte.

Fort heureusement pour Sandra et sa vessie, la clarté qui provenait de l'entrée tombait exactement sur la porte des toilettes. Carly connaissait son amie : peureuse comme elle l'était, elle aurait refusé d'aller plus loin. Il est vrai qu'à partir de ce point, le vestibule était plongé dans un noir complet.

— Chut ! s'exclama Sandra à voix basse. Tu n'as pas besoin de crier comme ça !

De toute évidence, l'atmosphère de la maison mettait aussi les nerfs de Sandra à vif. Ce qui n'avait rien de surprenant... Avant même qu'elles n'entrent dans la maison, elle avait déclaré que la vieille bicoque la terrorisait. Carly elle-même ne se sentait pas très à l'aise. Cependant, en tant que responsable en chef de leur expédition nocturne, elle se devait de montrer un peu d'aplomb. Et puis, après tout, elle était chez elle.

Chez elle... Un vieux manoir déglingué aux allures de château hanté. Noir comme l'enfer.

Un claquement derrière elle la fit sursauter.

— Aïe ! grommela Sandra. Comment veux-tu que je fasse pipi dans le noir ? Je n'y vois rien, là-dedans !

Carly comprit que c'était la porte des toilettes qui l'avait fait bondir en se refermant d'un coup sec. Elle soupira de soulagement. Enfin, quoi ! Elle se rendait ridicule à sursauter comme ça ! Elle bomba le torse et contourna le grand escalier pour se diriger vers la salle à manger. La pièce était située au fond de la maison, près de la cuisine. Des portes coulissantes y menaient depuis le vestibule de l'entrée. Carly avança à tâtons. Toutes les portes étaient ouvertes. Il faisait tellement sombre dans les entrailles du manoir qu'elle ne voyait même pas ses mains devant elle. Sa grand-mère avait fait poser de lourds rideaux de velours à toutes les fenêtres. Ils bloquaient complètement les rayons de la lune.

C'était sans doute l'obscurité qui affolait l'imagination de Carly. En tout cas, c'est ce qu'elle conclut alors qu'elle progressait de plus en plus difficilement dans la salle à manger. Le vaisselier avait toujours été adossé au mur du fond. Carly avait l'impression qu'on l'observait. Et puis, il y avait cette odeur… fugace, mais distincte. Une odeur désagréable, répugnante. Un bruit de frottement la fit sursauter, étrangement tonitruant dans ce silence de plomb. On aurait dit que quelqu'un ou quelque chose avait bougé dans le noir, puis s'était immobilisé.

Carly s'arrêta net et plongea son regard vers l'endroit d'où le son était venu. Cette fois, ce n'était pas son imagination. Elle avait entendu quelque chose bouger. Ou quelqu'un. Elle resta pétrifiée quelques secondes, son cœur battant la chamade.

« Il y a quelqu'un, pensa-t-elle. Quelqu'un ou quelque chose… » Cette fois, elle en était sûre.

Soudain, un miaulement impérieux déchira le silence. Carly crut que ses jambes allaient se dérober sous elle. Hugo ! C'était ses yeux qu'elle avait sentis posés sur elle dans le noir. L'odeur désagréable était celle de son pelage mouillé. Quant au bruit… Hugo avait dû se frotter contre un meuble ou faire tomber un objet.

— Hugo ! souffla-t-elle. Tu as failli me faire faire une crise cardiaque !

Évidemment, le chat se tint coi. Qu'importe ! Carly était soulagée. Elle était même rassurée. Elle n'était plus seule : Hugo l'accompagnait. Elle prit une inspiration profonde, attendit que son cœur se calme un peu et reprit son raid dans l'obscurité. Un pas, puis un autre. À gauche. En principe, le vaisselier était devant elle. Le tiroir aux chandelles devait se trouver sur la droite, en dessous des étagères vitrées. Dans quelques secondes à peine, elle aurait des allumettes et une bougie à la main. La lumière serait.

Divine lumière !

« C'est pour mieux te voir, mon enfant ! » pensat-elle. Elle sourit. Après la peur qu'elle avait eue, elle se sentait tellement soulagée qu'elle en aurait ri aux éclats.

Toujours souriante, elle s'avança encore d'un petit pas et tendit son bras devant elle pour éviter de se cogner le nez contre le vaisselier. Mais au lieu du bois poli qu'elle s'attendait à sentir sous ses doigts, sa main se posa sur une surface douce. Du tissu. Et dessous, quelque chose de chaud et d'assez ferme. Quelque chose qui se soulevait légèrement sous sa paume.

Une poitrine ! Une poitrine humaine ! Vivante, respirante...

Le temps sembla se figer.

Carly s'immobilisa. Elle respirait à peine. Mais qu'est-ce que... Une main chaude et puissante se referma sur son poignet.

Carly poussa un hurlement à réveiller les morts.

Toujours hurlante, Carly réussit à se dégager de l'emprise de la main, tourna les talons et s'enfuit. Mais un coup violent asséné dans son dos l'envoya contre la table. Sa hanche vint frapper douloureusement contre le coin du meuble. Carly en eut le souffle coupé. Paralysée par la douleur, elle plaqua ses deux mains sur sa hanche. L'intrus en profita pour se sauver. Elle le sentit qui passait près d'elle. C'était un homme, à n'en pas douter. Il avait des mains comme des battoirs. Des pas lourds se sauvèrent en direction de la cuisine.

Un autre cri s'éleva dans la maison. Carly s'appuya contre la table et se redressa. Le cœur battant à tout rompre, de grosses gouttes de sueur froide lui coulant dans le dos, elle réussit à retourner vers l'entrée. Enfermée dans les toilettes, Sandra criait son nom. Sans répondre, Carly se précipita dehors. Mais un autre objet ferme et chaud l'interrompit dans sa course. Des mains se refermèrent sur ses bras.

Carly hurla si fort qu'elle crut elle-même se rendre sourde. Galvanisée par la peur, elle se débattait comme une lionne.

— Carly ! Carly, calme-toi ! C'est moi !

Matt ! La voix de Matt, ses mains ! Cessant de se débattre, Carly poussa un profond soupir de soulagement. Ses genoux menaçaient de se dérober sous elle.

Elle frissonna, inspira goulûment de grandes bouffées d'air. Matt restait agrippé à elle, ses doigts enfoncés dans la chair de ses bras. Il faisait trop noir pour que Carly arrive à discerner ses traits. Seul le triangle grisâtre provenant de la porte ouverte jetait une certaine clarté, semblant inviter à la terre promise. Mais Carly aurait reconnu la voix de Matt n'importe où. Elle constata avec chagrin que le temps ne l'avait pas effacée de sa mémoire. Était-ce Matt qui se trouvait dans la salle à manger ? Impossible. Si c'était sa main qui s'était refermée sur son poignet, elle l'aurait su tout de suite.

— Qu'est-ce qui se passe ? demanda-t-il. Tu es blessée ?

— Matt… bredouilla-t-elle. Matt…

Elle tremblait tellement que les mots n'arrivaient plus à sortir de sa bouche. Matt poussa un grognement indéchiffrable et l'attira contre lui, enroula ses bras autour d'elle. Rassurée par sa force, Carly s'abandonna contre lui. Matt ! Dieu merci, il était là ! C'était peut-être un salaud, mais jamais il ne lui ferait de mal. Pas physiquement, du moins. En fait, elle en était sûre : Matt ferait tout pour la protéger.

— Que s'est-il passé ? demanda-t-il.

— Je crois que c'est le rôdeur, fit-elle d'une voix faible. Il était dans la maison, dans la salle à manger. Il m'a attrapé les poignets. Et puis… il s'est enfui vers la cuisine.

— Reste ici, ordonna Matt d'une voix ferme.

Avec une facilité déconcertante, il se dégagea de l'étreinte de Carly et s'éloigna avant qu'elle puisse le retenir. Elle tremblait de tous ses membres.

— Matt… gémit-elle d'une voix implorante.

En toute autre circonstance, elle se serait giflée de le supplier ainsi. Mais aujourd'hui…

— Reste ici, répéta-t-il.

Carly essaya en vain de le rattraper. Il s'était éloigné. Les pieds cloués au sol, elle le vit allumer sa lampe torche et s'avancer d'un pas déterminé vers la salle à manger. Elle le suivit des yeux jusqu'à ce qu'il disparaisse.

Et voilà. Elle était seule, terrifiée, immobile dans le noir. Elle jeta des coups d'œil craintifs autour d'elle.

— Carly ! Carly, qu'est-ce qui se passe ? Qu'est-ce qui se passe ?

Tambourinant contre la porte des toilettes comme un animal piégé, Sandra n'avait pas cessé de crier.

— Carly ! Je n'y vois rien ! Je ne trouve plus la poignée de porte ! Carly, es-tu là ?

Un homme hurla. Presque aussitôt, un objet lourd se fracassa sur le sol. Carly se retourna d'un bond, fixant vainement l'intérieur de la maison plongé dans le noir. Le bruit venait de là-bas... Mais elle n'y voyait rien. Elle aurait pu tout aussi bien avoir les yeux bandés.

Matt ! Lui était-il arrivé malheur ? Carly sentit son cœur battre très fort. Elle tendit l'oreille, scruta l'obscurité du regard. Rien.

— Matt ? demanda-t-elle d'une voix tremblotante.

Pas de réponse. Tout le corps de Carly se couvrit de sueur froide. Qu'était-il arrivé à Matt ? Comment savoir ? Le rez-de-chaussée était un labyrinthe de couloirs, de vestibules, de pièces toutes plus sombres les unes que les autres. Où était Matt dans ce dédale ? Et le rôdeur, s'y trouvait-il encore ? Il pouvait à tout moment jaillir du noir pour s'attaquer à elle...

D'un coup, Carly retrouva son tonus musculaire. Elle se jeta vers la sortie.

— Carly !

Sandra était de plus en plus paniquée.

Carly ne pouvait pas la laisser s'époumoner comme ça. En plus, elle risquait d'attirer l'attention du rôdeur.

Couverte de sueur, haletante, Carly s'élança vers la porte des toilettes et l'ouvrit à la volée.

— Viens ! s'écria-t-elle. Viens tout de suite ! Il y a quelqu'un dans la maison !

Sandra courut à grandes enjambées vers le vestibule, sa casserole à la main.

— Comment ça, quelqu'un dans la maison ?

— Viens, je te dis !

Ce n'était vraiment pas le moment de se lancer dans de fastidieuses explications. Carly sortit de la maison, Sandra à ses trousses. Voici ce qu'elles allaient faire. Elles dévaleraient l'escalier de la véranda, traverseraient la pelouse à toute vitesse, grimperaient dans le camion et verrouilleraient les portes. Ça, c'était une bonne idée. Mais Carly avait à peine fait quelques pas qu'elle entendit Sandra pousser un cri derrière elle. Elle se retourna d'un bond et vit son amie s'effondrer sur le sol.

— Sandra !

Dieu du ciel ! Est-ce que quelqu'un lui avait tiré dessus ? Carly retourna vers la maison, fermement résolue à se battre bec et ongles contre le monstre qui rôdait dans le noir.

— Ce foutu chat... grommela Sandra en roulant sur son dos.

Comme s'il n'avait attendu que cet appel pour faire son entrée en scène, Hugo sortit de la maison comme une flèche, frôla Carly à toute allure et sauta par-dessus la rambarde de la véranda pour disparaître dans l'obscurité.

— Hugo !

Trop tard. L'animal avait filé. De toute évidence, Sandra avait trébuché sur lui.

Et la lumière fut. Comme ça, d'un coup, sans crier gare, l'électricité revint. Carly tentait péniblement de discerner Sandra dans la pseudo-clarté lunaire quand soudain, le chandelier du vestibule les éclaira de sa douce lumière électrique.

Espérant de tout cœur que les monstres avaient peur de la lumière, comme le racontent les livres d'enfants, Carly remonta l'escalier de la véranda. Sandra restait allongée sur le sol, les yeux fixes, les mains croisées sur le ventre. Sa casserole abandonnée gisait près d'elle, le fond vers le haut. Le cuivre luisait doucement.

— Sandra… murmura Carly.

Sandra restait inerte. Puis, lentement, très lentement, elle tourna les yeux vers Carly.

— Vois-tu, c'est pour ça que je déteste les chats. Ils se glissent partout. Ils sont toujours dans tes jambes. Tu devrais le renvoyer à ton ex.

— Pas question !

— Bah ! Comme tu voudras… Tu sais quoi ? J'ai l'impression que ça ne va pas être une partie de plaisir, de vivre avec toi. D'ailleurs, je m'en doutais un peu.

Matt apparut au bout du vestibule, la mine sinistre, le revolver dans une main et la lampe torche dans l'autre. En voyant Sandra allongée sur le sol, il s'alarma.

— Qu'est-ce qui se passe, encore ?

Il s'avança vers les deux femmes. Le haut de son corps était tout trempé. Ses cheveux noirs plaqués sur son crâne, son visage luisant, son t-shirt collé à son torse… Cette fois, Carly ne pouvait vraiment plus ignorer qu'il avait pris des muscles et de la carrure.

D'ailleurs, ce n'était pas le seul changement qu'elle voyait en lui. Maintenant que l'électricité était revenue, elle constatait que son visage mince et hâlé avait mûri. Il était resté splendide, mais il avait mûri. Ses yeux couleur café aux paupières un peu lourdes s'entouraient de fines rides. Ses sourcils noirs et fournis, son nez droit et sa bouche étaient tout comme avant. Une cicatrice blanche qu'elle ne connaissait pas barrait toutefois sa lèvre supérieure, sur la gauche. « Il a trente-trois ans », se rappela Carly, vaguement étonnée. Et il faisait bien son âge. Depuis qu'elle l'avait reconnu dans cette nuit de pluie, elle se l'était rappelé jeune. Elle s'était imaginé l'adolescent, puis le jeune homme avec lequel elle avait grandi : son ami adoré, son presque grand frère, son amour impossible, son premier amant. Et pour couronner le tout, bien sûr, le premier minable d'une longue série.

Le Matt qu'elle avait connu était encore là. Mais, comme une perle dans une huître, il s'était étoffé au fil des ans. Son dernier avatar était cet adulte, ce shérif armé qui se tenait devant elle. Celui-là, elle ne le connaissait pas.

Matt saignait. Une grande coupure s'ouvrait à la base de ses cheveux. Quelques centimètres à peine, mais le sang jaillissait. Il se mêlait à la pluie qui avait coulé sur son visage pour ruisseler en rivières rougeâtres sur ses tempes et sur ses joues hérissées d'une barbe naissante.

— Tu es blessée ? demanda-t-il à Sandra.

— Je ne crois pas, mais c'est tout juste, répondit-elle sans faire d'efforts pour se relever. Je me suis pris les pieds dans cette espèce de chat infect. Laissez-moi allongée ici une minute ou deux, voulez-vous ?

— Que t'est-il arrivé ? demanda Carly à Matt.

— La même chose, figure-toi. Je me suis pris les pieds dans cette espèce de chat infect.

Il la regarda une fraction de seconde, puis il lui adressa un petit sourire ironique. Il replaça son pistolet dans la ceinture de son jean, contre son dos. Il porta les doigts à son front et regarda le sang qui les tachait.

— Enfin, c'est ce que je crois, poursuivit-il. J'ai trébuché sur quelque chose mais, dans cette obscurité, impossible de savoir quoi. Effectivement, ça pourrait bien être un chat. Surtout le tien ! S'il est aussi affectueux que toi, je n'ai aucun mal à croire qu'il se soit arrangé pour me faire tomber. Quand j'ai trébuché, mon épaule a cogné contre le meuble en coin de la cuisine et le vase qui était dessus m'est tombé sur la tête.

— Ah.

Carly était légèrement déçue. Avec tout ce sang, elle se serait attendue à un combat épique entre le shérif et le rôdeur. Soudain, le ridicule de cet accident lui apparut en pleine lumière. Elle battit des cils comme une midinette et adressa à Matt un sourire éclatant et sarcastique à l'extrême.

— Tu es mon idole, susurra-t-elle.

— Je sais, répliqua-t-il.

Carly cessa de sourire. Visiblement, il se payait sa tête.

— Qu'est-ce que tu fais à jouer les héros chez moi, au fait ? Je pensais que tu devais partir.

— Croyais-tu vraiment que j'allais vous laisser toutes seules ? J'étais en train de monter l'escalier de la véranda quand je t'ai entendue crier. Heureusement que j'étais là, non ?

Il déposa sa lampe torche sur la desserte près de la porte et releva son t-shirt pour essuyer le sang qui coulait sur son visage. Carly faillit tomber à la renverse. Matt avait des abdominaux d'athlète, un torse large couvert de poils. Sentant monter en elle une vague de désir animal, elle se réprimanda intérieurement de ne pas avoir plus de tenue. Décidément, elle avait beau être devenue très cynique face aux hommes, elle n'était toujours pas insensible à leurs charmes. Pour certains d'entre eux, en tout cas.

Au moins, Matt avait été éjecté de la liste des possibles et des potentiels. Beau, oui. Mais salaud. Affaire classée, on n'en parle plus. On n'y pense plus non plus. Enfin, si possible.

Carly détacha son regard de la peau du shérif pour le poser au hasard dans la pièce.

— Le type qui était dans la salle à manger s'est sauvé ? demanda-t-elle.

Elle sentait encore sur son poignet la force de sa main grande et puissante comme un battoir. Dieu merci, l'électricité était revenue. C'était rassurant. La présence de Matt aussi, c'était rassurant. Même si Carly aurait préféré se faire trancher en rondelles plutôt que de l'admettre.

— Il était en train de se sauver par la cuisine quand j'ai marché sur le chat, expliqua Matt.

Sa coupure saignait copieusement. Sans la pluie pour le diluer, le sang coulait maintenant en ruisseaux écarlates sur le visage du shérif et s'égouttait de sa mâchoire.

— J'étais tout près de lui, mais le pot à fleurs m'a mis hors service pendant quelques secondes. Quand j'ai repris mes esprits, j'ai couru après lui dans la cour. Il avait déjà trop d'avance sur moi. Il a sauté par-dessus la clôture et s'est enfui dans le champ de maïs.

Sandra commençait à se rasseoir avec précaution.

— Rien de cassé ? demanda Matt.

— Si. Ma sandale. C'est ma troisième paire depuis le début de l'été. Vous ne savez pas le mal qu'on a à se chausser quand on a les pieds larges, vous ! Tu vois, Carly ? Je te l'avais dit. On aurait dû attendre jusqu'à la fin d'août. Mon horoscope le disait bien. Tous les projets que j'entreprendrais au début de l'été s'avéreraient plus coûteux que prévu.

— Sandra est Poissons, précisa Carly d'un ton enjoué.

Matt dévisageait Sandra d'un air ahuri. Ainsi donc, elle acceptait son sort avec vaillance parce que son horoscope l'avait prédit ? D'aussi loin que Carly se souvienne, Matt n'avait jamais eu ni patience ni indulgence envers ce qu'il appelait « tout ce ramassis de niaiseries ». Sans doute parce que sa mère était très friande de divination. Elle gardait un jeu de tarot près de son lit et lisait religieusement son horoscope tous les matins. Chaque fois, elle annonçait à sa famille que leurs ennuis tiraient à leur fin. Mais les beaux jours tant attendus ne venaient jamais. Son fils en avait développé une profonde aversion pour tout ce qui était cartes, pendules, astrologie. Matt tendit la main vers Sandra pour l'aider à se relever et lança au passage un coup d'œil entendu à Carly. Elle lui sourit de toutes ses dents.

— Les astres ne mentent pas, déclara Sandra.

Agrippant sa précieuse casserole, elle prit la main que Matt lui tendait et se releva.

— Tu sais que tu saignes ? lui demanda-t-elle.

— Je crois que tu aurais besoin de points de suture, ajouta Carly.

Cette blessure l'inquiétait. Simple solidarité envers un blessé. Elle aurait dispensé les mêmes conseils à n'importe qui, bien sûr…

— À ce point-là ? demanda-t-il.

Il se tourna vers le miroir entouré d'un cadre doré qui était suspendu au-dessus de la desserte. Il grimaça, puis retira son t-shirt trempé, en fit une boule qu'il pressa contre son front.

— Je ne crois pas… reprit-il. Les blessures à la tête saignent toujours beaucoup, mais ça ne veut rien dire. D'ici quelques minutes, ce sera terminé.

Sans sommation, il avait exposé son dos large et musclé au regard de Carly. Ses épaules puissantes menaient à une taille mince, puis aux fesses dont Carly avait relevé la joliesse un peu plus tôt, avant de connaître l'identité de leur propriétaire. L'élastique de son slip dessinait une ligne blanche autour de ses hanches. Il continuait donc de préférer les slips aux boxers... Son revolver de métal noir sinistre était niché contre son dos, coincé dans la ceinture de son jean usé et trempé.

« Pas mal », pensa Carly. Mais elle se reprit aussitôt. « Non, non, pas question ! Regarde ailleurs ! »

Aussi ravissant le paysage était-il, elle avait volé dans le décor une fois et cela lui suffisait bien.

— Tu n'aurais pas du...

Matt se tourna vers Carly. Elle ne put s'empêcher d'admirer sa poitrine, ses épaules rondes et ses pectoraux bien dessinés. Matt était plus velu qu'en ses jeunes années, mais ses poils étaient restés noirs et fins, identiques à ce qu'ils étaient dans le souvenir de Carly. Il avait des mamelons bruns et plats qui s'étaient transformés en petits bourgeons durs sous les caresses de son amante d'un soir. Les bras de Matt tremblaient quand il les avait enroulés autour d'elle. Ils étaient fermes et devaient l'être plus encore aujourd'hui. Matt avait toujours été fort, mais ses bras et sa poitrine avaient encore pris de l'ampleur avec les ans. Quant à ses abdominaux, ils auraient fait l'envie de n'importe quel athlète. Quant à...

« Non ! se dit-elle. Ne pense pas à ça. Il a gardé son jean et c'est très bien comme ça. »

— Tu n'aurais pas du sparadrap ? termina-t-il.

Leurs regards se croisèrent. Carly vit qu'il la contemplait d'un air étonné. Heureusement qu'elle s'était retenue à temps... Heureusement qu'elle n'avait pas abaissé ses yeux jusqu'à son jean...

— Euh... oui. Enfin, je crois.

Au moins, elle n'avait pas bégayé. Quand elle était plus jeune, la proximité de Matt avait généralement des effets dévastateurs sur son élocution. Carly prit mentalement une inspiration profonde et décida qu'il était grand temps qu'elle récupère un peu de sa dignité.

— Mais comment veux-tu que je le sache ? ajouta-t-elle d'un ton sec. Cela fait douze ans que je ne vis plus ici, au cas où tu l'aurais oublié.

— Je n'ai pas oublié, répliqua-t-il.

Il s'éloignait d'elle en tenant son t-shirt contre sa tête. Carly le dévorait des yeux.

— Je suppose qu'ils sont dans la salle de bains ? demanda-t-il. Mademoiselle Virgie n'était pas du genre à tout chambarder.

Sans répondre, elle le regarda disparaître dans la salle de bains. L'envoûtement était rompu. Carly tourna la tête vers Sandra. Sans un mot, les deux femmes surent que leurs hormones n'avaient pas été insensibles au beau corps d'homme que le shérif venait d'exposer devant elles.

Quelques minutes plus tard, Matt réapparut avec un énorme pansement sur le front. Il s'appuya d'une épaule contre le chambranle de la porte et plongea ses yeux dans ceux de Carly.

— Alors, Frisette ? On fait le tour du propriétaire pour voir s'il ne manque rien ?

Il était encore torse nu ! Toute cette peau mettait Carly au comble de l'affolement. Évidemment, il n'y avait rien d'anormal là-dedans. Après tout, aussi salaud soit-il, Matt restait le plus bel homme qu'elle ait vu depuis très longtemps. Depuis toujours, en fait. Sans compter qu'elle avait divorcé et qu'elle était chaste et pure depuis... Depuis... Mon Dieu ! Deux ans ? Déjà ?

Tout compte fait, elle était presque redevenue vierge.

— Arrête de m'appeler Frisette ! siffla-t-elle entre ses dents, moins exaspérée par le surnom que par le constat de sa virginité retrouvée. Je n'ai jamais aimé que tu m'appelles comme ça ! Par ailleurs, je ne frise plus.

— Ah non ?

Matt sourit d'un air cruel. Sans dire un mot, il prit Carly par le bras et l'entraîna dans la salle de bains avec lui. Il posa ses deux mains sur ses épaules, la fit tourner sur elle-même et la plaça devant lui, face au lavabo. Sa poitrine touchait presque son dos. Bien sûr, elle ne pouvait pas réellement sentir la chaleur qui émanait de lui, mais son imagination en créait l'illusion parfaite. Rien qu'à savoir ses muscles à proximité, elle en tremblait.

Le miroir se trouvait juste devant elle. Elle dut le regarder. Ce n'était d'ailleurs pas une mauvaise chose. Cette diversion lui permettrait de se calmer un peu. Pendant quelques secondes, pourtant, le reflet des épaules larges qui se dressaient derrière elle retenait tant son attention qu'elle ne vit rien d'autre. Elle constata à nouveau que les cheveux noirs de Matt étaient plus courts qu'autrefois. De longues heures avaient passé depuis son dernier rasage : une barbe naissante ombrait ses joues. Mon Dieu, comme il était grand ! Beaucoup plus grand qu'elle. Comme avant. Avec ses chaussures à talons plats, elle lui arrivait plusieurs centimètres en dessous du menton.

Puis, une bizarrerie dans le miroir attira son attention.

Sa chevelure soigneusement lissée avait déclaré forfait ! En lieu et place de la coiffure distinguée qu'elle avait encore en quittant Chicago, son crâne arborait maintenant une masse confuse de boucles blondes bien rebondies.

Matt la regardait dans le miroir.

— Plus ça change… fit-il d'un ton suave.

Il lui adressa l'un de ces sourires dont il avait le secret, l'un de ces sourires qui enrageaient Carly sans que Matt eût à prononcer un mot.

Aujourd'hui comme hier, à l'âge en principe raisonnable de trente ans, Carly lui aurait volontiers envoyé un coup de poing dans le ventre pour lui apprendre à vivre. Comme elle avait quand même un peu mûri, elle se dégagea de ses mains et retourna vers l'entrée à grands pas furieux.

7

— Eh ben, dis donc ! souffla Sandra. Je ne savais pas que tu frisais.

Carly la crucifia d'un regard assassin.

— Alors ? demanda Matt en s'approchant d'un air dégagé. Tu viens avec moi, oui ou non ?

Carly le dévisagea quelques secondes sans répondre. Puis, elle soupira et le suivit dans la maison, escortée par la meute de bouclettes qui bondissaient autour de sa tête.

— Comment veux-tu que je sache s'il manque quelque chose ? grommela-t-elle. À moins qu'il n'ait pris un canapé ou un buffet, sinon… Les meubles de ma grand-mère, je les connais. Mais je suppose que mademoiselle Virgie avait une télé, des choses comme ça. C'est plutôt ça qui intéresse les voleurs, non ?

Elle repensa à la main qui s'était refermée sur son poignet dans le noir. L'homme se cachait là, patient, silencieux. Que serait-il arrivé à Carly si elle était retournée seule chez sa grand-mère ?

Elle frissonna.

— Je crois que mademoiselle Virgie a pris tout ce qu'elle possédait, déclara Matt. Loren a passé deux semaines ici pour l'aider à faire le tri dans ses affaires avant de partir. Elles ont vendu tout ce dont mademoiselle Virgie ne voulait plus.

Loren Schuler était la nièce de mademoiselle Virgie et sa plus proche parente. Elle avait fréquenté l'école avec Carly autrefois et travaillait maintenant dans une banque. C'est ce que Carly avait découvert en transférant ses maigres économies à la Banque d'épargne et de prêts de Benton avant son départ de Chicago.

— Mais quand même, grommela Carly pour la forme.

Au bout du couloir, Matt se retourna brusquement vers elle et la regarda. Carly déploya des efforts surhumains pour empêcher son regard d'errer sur ses muscles puissants.

— Tu n'as qu'à faire de ton mieux, dit-il. J'imagine qu'un voleur aurait pu s'intéresser à des bougeoirs en argent, des choses de ce genre.

— Je vais faire de mon mieux ! fit-elle d'un ton sec.

La trahison de sa chevelure la mettait encore au supplice. « Mais il n'y a pas que les cheveux, dans la vie, se disait-elle résolument. Ce n'est pas parce que mes cheveux ont repris leur détestable habitude d'autrefois dès l'instant où j'ai remis le pied à Benton que tout le reste va suivre. » Elle était une grande fille maintenant ! Capitaine de son propre destin, maîtresse de son parcours. Son adolescence misérable était derrière elle, de même que l'adoration aveugle qu'elle portait autrefois à Matt Converse. Tout ça, c'était du passé. Enfui, oublié. Et ça, Matt devait bien le comprendre. Mais Matt, justement, semblait ne rien voir. Il referma sa main sur son bras comme s'ils étaient encore les meilleurs amis du monde et l'entraîna dans la direction qui lui paraissait la plus prometteuse pour les recherches.

— Attendez-moi ! s'écria Sandra en accourant vers eux, sa casserole à la main.

Non ! Ils n'étaient plus les meilleurs amis du monde. Carly dégagea son bras d'un geste brusque. Matt eut un sourire ironique et lui lança un petit signe de tête pour la faire entrer dans la pièce devant lui. D'un geste précis sur l'interrupteur, il alluma le plafonnier en forme de chandelier qui constituait l'exacte réplique de celui du vestibule. Carly regarda autour d'elle en silence. Cette aile du manoir comptait six vastes chambres qui s'ouvraient sur une pièce commune. Un sofa victorien tendu de pourpre trônait dans l'aire centrale. Les fenêtres étaient ornées en leur partie supérieure de vitraux splendides cachés pour l'instant par les rideaux épais. Des moulures délicates ainsi qu'une cheminée de marbre italien ajoutaient à la somptuosité des lieux. La pièce était aussi meublée d'une chaise berçante et de petits fauteuils assortis au sofa, de tables à plateau de marbre, de lampes avec des abat-jour à franges, d'un tapis oriental élimé et d'un bon millier de bibelots en tous genres.

— C'est magnifique ! souffla Sandra depuis le seuil.

Elle pensait évidemment à leur auberge. Pour Carly, cette pièce signifiait tout autre chose. « Je suis chez moi, pensait-elle. Je suis enfin rentrée chez moi. » Les objets, les bruits, les odeurs, tout lui rappelait son enfance et sa grand-mère. Le velours vieilli, le raclement des portes coulissantes qui s'enfoncent dans le mur, l'odeur de la menthe… Sa grand-mère laissait toujours un plat de cristal empli de pastilles de menthe à la disposition des visiteurs.

Le plat était encore là, fidèle à son poste, sur la table à côté du sofa. Enveloppées dans leurs petits papiers de cellophane, les menthes étaient encore là aussi. Évidemment, ce n'étaient plus les mêmes qu'autrefois. Celles-là avaient été dévorées depuis belle lurette. Mais la tradition avait été préservée. Ici, à Benton, dans cette maison, rien ne changeait jamais.

Un portrait de l'arrière-grand-père de Carly trônait au-dessus de la cheminée. Comme autrefois. La même austérité dans le visage, la même solennité dans la pose. Carly eut l'impression de revenir à ses huit ans.

C'était l'âge qu'elle avait quand elle était entrée dans cette pièce pour la première fois et qu'elle avait posé les yeux sur ce portrait. Sa grand-mère, silhouette sinistre toute de noir vêtue, était allée la retirer le jour même du Foyer d'accueil des Saints Innocents. Menue, terrorisée, intimidée par cette vaste demeure silencieuse, par tous ces objets splendides et surtout, par cette vieille femme à la mine sévère qui se tenait près d'elle, Carly était restée figée à cet endroit même, devant ce grand portrait, écoutant sa grand-mère lui expliquer comment elle devrait désormais se comporter. On lui avait dit et répété qu'elle avait de la chance. Elle en avait convenu même si, en cet instant précis, elle n'en était pas vraiment convaincue.

Pauvre enfant non désirée… Elle avait eu bien de la chance d'être ainsi rescapée. Oui, en fin de compte, elle avait eu bien de la chance.

— Alors ?

Matt la ramena au temps présent. Pour une fois, Carly n'eut pas envie de lui aboyer à la figure.

Elle prit une inspiration profonde et le regarda. Il avait examiné les lieux de-ci de-là et s'était arrêté près du sofa. Il développait une petite pastille de menthe. Carly réprima un sourire. Matt avait toujours adoré ces friandises. Comme elle, d'ailleurs.

— Il me semble que rien ne manque, dit-elle. Tout est exactement comme avant.

Sa voix était étouffée. Carly suffoquait. Son enfance semblait se refermer sur elle de tous côtés. Peut-être avait-elle eu tort… Peut-être n'aurait-elle jamais dû revenir à Benton. Son estomac se noua. Et si c'était une erreur ? Elle aurait peut-être mieux fait de rompre définitivement avec son passé, de refaire sa vie ailleurs… Une vie nouvelle, un avenir inconnu…

Mais John, son mari chéri, l'avait quittée pour une étudiante en droit de vingt-deux ans. Carly avait eu l'impression qu'un poids lourd lui roulait sur le corps. Elle n'était pourtant pas au bout de ses peines. Elle avait découvert pendant les procédures de divorce que John avait peu à peu inscrit tous leurs avoirs au nom de son entreprise à lui : leur maison, leurs voitures, leurs comptes bancaires, leurs investissements. Tout, à l'exception de quelques babioles personnelles. Carly avait en définitive plus souffert de cette dépossession soigneusement planifiée que de la trahison amoureuse invoquée comme motif de la séparation.

Blessée, fragile et dépouillée, elle avait contemplé quelque temps les ruines de sa vie conjugale. Puis, elle avait fait ce que font généralement les femmes ravagées par les aléas de l'existence : elle était rentrée chez elle.

Sa grand-mère, qu'elle avait beaucoup aimée malgré ses manières austères, était morte. Mais cet énorme manoir à l'ancienne, cette petite ville à potins où elle connaissait tout le monde et où elle était connue de tous, tous ces fils qui s'étaient tissés entre eux pour faire d'elle ce qu'elle était, tout cela était encore bien vivant. La vie venait de lui asséner un coup de poing à la figure. Elle avait mordu la poussière, mais pas question qu'elle reste à terre. Carly avait l'habitude des revers. Elle était passée maîtresse dans l'art délicat d'encaisser les coups, de se relever, de repartir à zéro. Au lieu de pleurer ce qu'elle avait perdu, elle avait décidé de s'appuyer sur ce qu'elle possédait encore : elle-même d'abord, mais aussi cette maison, cette ville, ces gens. Chacun d'eux était une racine d'elle. Avec leur soutien, elle se forgerait un nouvel avenir.

Sandra traversa la pièce pour jeter un œil dans l'une des chambres.

— Oh là là ! s'exclama-t-elle. Venez voir par ici !

Matt et Carly se regardèrent, puis foncèrent vers elle. Carly fut la plus rapide. En voyant cette pièce qui avait toujours fait office de boudoir pour sa grand-mère, elle ne put réprimer un gémissement de surprise. Il y régnait un désordre indescriptible. Mademoiselle Virgie avait fait installer un bureau à cylindre en chêne d'allure quelconque qui détonnait parmi les meubles victoriens d'origine en bois sombre. Les tiroirs avaient été arrachés, leur contenu gisait sur le tapis oriental. Lettres, factures, reçus et catalogues en tous genres formaient un tas par terre. Des pièces de monnaie, des trombones, des élastiques et des stylos avaient été jetés aux quatre coins de l'ancien boudoir. Les tiroirs avaient dû être lancés contre les murs. Des balafres dans le plâtre témoignaient silencieusement de la violence avec laquelle ils avaient été arrachés au bureau. Le plan de travail du meuble saccagé était entièrement vide. Même le téléphone à l'ancienne pendait au bout de son fil.

— Ils devaient chercher quelque chose, constata Matt. De l'argent, peut-être. Ou alors, un carnet de chèques. En tout cas, vous ne touchez à rien.

Il referma ses mains sur les bras de Carly et l'obligea à faire un pas de côté. Puis, il entra dans la pièce.

— Je pensais qu'il n'y avait pas de voleurs à Benton ? fit Sandra d'un ton accusateur. Tu m'avais dit que le plus grand danger de l'année, c'étaient les feux d'artifice du 4 Juillet…

Carly haussa les épaules d'un geste impuissant.

Matt se tenait accroupi devant la pile de papiers quand un bruit insolite fendit le silence. Carly sursauta. Autant se rendre à l'évidence : elle avait les nerfs à fleur de peau. Le bruit se répéta.

— Ce n'est pas le mien, lança Sandra en agitant ses mains vides devant elle.

Matt sortit son téléphone portable de sa poche, appuya sur un bouton, colla l'appareil contre son oreille.

— Matt Converse, lança-t-il d'un ton sec.

Puis, Carly vit ses traits s'adoucir et devenir patients.

— Non, disait-il. Non, madame Naylor, ce n'est pas la peine, je vous assure. Je vais très bien, merci. En effet, il y avait un rôdeur, mais il s'est sauvé. Heureusement que vous étiez là. Sachez que la police apprécie grandement votre vigilance. Si les lumières sont allumées, c'est parce que Carly Linton est en train d'emménager. Vous vous rappelez Carly, n'est-ce pas ? La petite-fille de madame Linton ? Elle est arrivée un peu plus tard que prévu, voilà tout. Les lumières vont rester allumées encore un certain temps cette nuit, mais ne vous inquiétez pas. C'est tout à fait normal. Non, non, tout va très bien, je vous assure. Vous pouvez aller vous recoucher. D'accord, je lui dirai. Bonne nuit, madame Naylor.

Il raccrocha, replaça le téléphone dans sa poche.

— Madame Naylor a vu de la lumière, expliqua-t-il. Alors, elle s'inquiète. Ah oui ! Elle t'invite à prendre un café avec un bout de gâteau demain. Elle me charge de te dire que c'est un quatre-quarts au chocolat, comme tu aimes.

— Est-ce qu'elle passe encore tout son temps à sa fenêtre ? demanda Carly dans un soupir. On est au milieu de la nuit, pour l'amour du ciel. C'est une vieille dame. Elle devrait être au lit à l'heure qu'il est.

Madame Naylor était veuve et s'ennuyait terriblement depuis que ses enfants avaient quitté la maison. Ce qui devait faire un sérieux bail, d'après les estimations de Carly. À bien y penser, madame Naylor devait être née aux alentours du pléistocène.

Matt ne put s'empêcher de sourire.

— Il faut que je te dise, Carly : madame Naylor s'est modernisée. Elle a des jumelles, maintenant.

— Il ne manquait plus que ça…

Carly et Matt souriaient, elle plus discrètement que lui. Dans leurs jeunes années, madame Naylor appelait régulièrement la grand-mère de Carly pour lui rapporter les écarts de conduite des jeunes, qu'elle observait depuis sa fenêtre. Comme la fois où Carly s'était postée sur le toit de la véranda pour renverser un pot de peinture sur la tête de Matt en guise de représailles pour un mauvais coup qu'il lui avait fait avec la complicité de ses copains. Un mauvais coup dont elle avait maintenant tout oublié, d'ailleurs. Ou la fois où il avait grimpé jusqu'à la fenêtre de sa chambre pour lui apporter un sandwich au jambon parce que, une fois encore, sa grand-mère l'avait envoyée au lit sans manger pour lui apprendre à vivre. Ou la fois où il l'avait amenée à l'école sur sa moto alors qu'il lui était strictement interdit de s'approcher même de cet engin du diable. Mais Carly avait manqué l'autobus et ne voulait surtout pas arriver en retard, car elle aurait risqué de faire baisser sa moyenne de quelques points et de ne pas être la première de sa classe. Elle ne l'avait pas été de toute façon, mais c'était une autre histoire.

L'œil de lynx de madame Naylor voyait tout. Sa langue colportait tout ce qu'elle voyait, et même un peu plus. Chaque fois, Carly payait le prix fort de ses commérages. Sa dernière peccadille lui avait valu d'être privée de sorties pendant trois semaines…

Moins d'un mois plus tard, Matt l'avait trouvée recroquevillée dans la grange, les yeux rougis d'avoir pleuré. Son bal de fin d'études secondaires aurait lieu dans moins de deux semaines et aucun garçon ne lui avait proposé d'être son cavalier. Matt avait réussi à lui faire avouer ce secret gênant. Puis il lui avait séché les yeux, avait pris son menton entre ses doigts et lui avait offert, comme si de rien n'était, de l'accompagner au bal.

Trop beau pour être vrai ? C'est ce que Carly s'était dit d'abord. Puis, elle avait cru à son bonheur. Grossière erreur. Jusqu'au bal, elle avait vécu dans l'euphorie. Cendrillon n'avait sans doute pas été plus exaltée qu'elle en voyant arriver le prince charmant avec son escarpin de verre. Elle était restée dans cet état de grâce jusqu'à quelques jours après le bal. Ces semaines restaient les plus heureuses et les plus ardentes de toute sa vie.

Mais le prince charmant s'était transformé en crapaud. Ou plutôt, Matt Converse était apparu sous son vrai jour : un salaud, ni plus ni moins.

En se rappelant cette époque affreuse, Carly sentit ses épaules se contracter.

— Ce bureau n'appartenait pas à ta grand-mère, n'est-ce pas ? demanda Matt.

— En effet, répondit-elle d'un ton sec.

Matt la regarda plus attentivement et fronça les sourcils.

C'est alors que les lumières s'éteignirent. Comme ça, d'un coup, toute la maison fut replongée dans le noir.

Surprise, Carly poussa un petit cri. Sandra, elle, n'hésita pas à hurler de tous ses poumons. Carly lui asséna un bon coup de poing dans le bras.

— Aïe ! s'exclama Sandra. Pourquoi as-tu fait ça ?

Carly ne répondit pas. Elle y était peut-être allée un peu fort, quand même. Près d'elle, Sandra se frottait vigoureusement le bras pour éviter l'hématome.

— On se calme, déclara Matt.

Sans réfléchir, Carly tendit la main vers lui. Matt tendait déjà la sienne vers elle. Il referma ses doigts doucement sur son bras et les fit glisser jusqu'à son poignet.

— Je vais chercher la lampe torche. Vous restez ici ou vous venez avec moi ?

Carly répondit par une sorte de grognement.

— Moi aussi, confirma Sandra.

Visiblement, elle avait compris l'intention de Carly malgré son manque flagrant d'éloquence.

— Dans ce cas, nous irons tous les trois, lança Matt. Sandra, prends la main de Carly.

Il semblait légèrement exaspéré, mais Carly n'eut pas la force de le lui reprocher. Elle sentit Sandra qui lui prenait la main.

Matt lui prit l'autre. L'obscurité rendait Carly extrêmement nerveuse. Elle était très fâchée contre Matt, c'était entendu. Néanmoins, il constituait à l'heure actuelle sa seule bouée de sauvetage, son seul havre de paix. Elle sentait ses doigts tout petits dans la grande main puissante et chaude du shérif.

— On y va ? demanda-t-il.

Carly et Sandra émirent toutes deux un son indistinct, quoique plutôt affirmatif. Matt passa devant, entraînant les deux femmes à pas prudents jusqu'au vestibule d'entrée. Carly trébucha une fois contre le bord d'un tapis. Considérant le nombre d'embûches qui se dressaient sur leur chemin, elle trouva qu'elle s'en sortait plutôt bien.

Ils arrivèrent à la porte par laquelle filtraient les rayons lunaires. Sortie de l'obscurité totale, Carly retrouva toute sa dignité en même temps que ses récriminations envers Matt Converse. D'un geste sec, elle retira sa main de la sienne. Qu'en pensa-t-il ? Impossible à dire. Il s'éloigna d'elle sans un mot, prit la lampe torche sur la desserte et l'alluma. Le faisceau lumineux leur fit l'effet d'un grand verre d'eau fraîche un soir de canicule.

— Tu sais quoi ? demanda Sandra en lâchant la main de Carly. J'en ai marre de ce trou à rats. J'en viens même à regretter les gangs de rue, les drogués et tous les parasites qui grouillent en ville. Je m'en vais d'ici.

Interdite, Carly la vit se diriger vers la porte d'un pas ferme, casserole en main. Décidément, ça allait de mal en pis.

— Sandra, s'il te plaît…

Carly la suivit jusqu'à la véranda. Matt leur emboîta le pas en laissant claquer la porte-moustiquaire derrière lui. Sa lampe torche dessinait dans la nuit des rayons précis comme ceux d'un laser. Une odeur d'humidité montait de la terre. Une chorale de grenouilles, d'insectes et Dieu sait quelles autres créatures répugnantes s'époumonait joyeusement dans le noir.

— Tu ne peux quand même pas t'en aller maintenant, plaidait Carly.

En effet, ce serait le bouquet. Dans leur duo, Sandra faisait office de responsable des cuisines. Carly, certes, jouait le rôle de propriétaire, administratrice, chargée de l'accueil et, d'une manière générale, de femme à tout faire. Mais sans les talents culinaires de Sandra, elle devrait nourrir les clients de l'Auberge du manoir Beadle de sandwichs matin, midi et soir…

— Ah tu crois ? Regarde bien ça.

Sandra entreprit de descendre l'escalier. Sa sandale à la lanière brisée claquait contre le bois mouillé et donnait à sa marche un air plus martial encore.

— Je t'avais prévenue, poursuivit-elle. Moi, les vieilles bicoques, non merci !

— Mais tu ne peux pas partir maintenant ! On est au milieu de la nuit et tu n'as pas dormi une seconde. Ça prend seize heures pour aller jusqu'à Chicago !

Comme Sandra poursuivait son avancée victorieuse, Carly se résolut à lui asséner le coup final.

— De toute façon, c'est moi qui ai les clés du camion.

Sandra s'arrêta net. Elle planta ses deux poings sur ses hanches et fit volte-face, lançant à Carly un regard assassin. Carly planta à son tour ses poings sur ses hanches et la regarda. La peur, la terreur, l'épuisement, le découragement... Décidément, tout cela ne l'aidait guère à accepter avec sérénité les vicissitudes de l'existence.

— Mesdames, je vous en prie... lança Matt d'un ton amusé. Auriez-vous l'obligeance de reporter votre petite prise de bec ? Il me semble que le moment est mal choisi pour...

Son amusement niais mit le feu aux poudres. Sans compter qu'il n'aurait jamais dû parler de « petite prise de bec ». Carly sentit soudain toute son exaspération se focaliser sur lui avec la précision d'un fusil-mitrailleur. Elle se retourna d'un bond.

— Sacré Matt ! lui dit-elle avec un grand sourire glacial. Toujours le même, hein ? Toujours ce bon vieux porc paternaliste et sexiste qui se prend pour le roi de la basse-cour !

Pour le compte, Sandra oublia leur désaccord et remonta l'escalier pour faire front.

— Ça, c'est vrai ! déclara-t-elle. Pire qu'un porc ! Un vrai petit cochon de lait !

Déconcertée, Carly tourna la tête vers son amie. Mais qu'est-ce que les petits cochons de lait venaient faire dans cette histoire ? Vaincue par le ridicule de la situation, Carly baissa la tête. Matt ne répondit pas aux injures déroutantes de Sandra. Relevant soudainement la tête, Carly croisa son regard. Un léger sourire flottait sur les lèvres du shérif. Il plaqua sa main contre sa poitrine, contre ses pectoraux à faire damner une sainte.

— Mesdames, vous me faites de la peine, dit-il, ses yeux rivés dans ceux de Carly. Vous me blessez, vraiment.

Les mâchoires de Carly se crispèrent. Toute sa rage lui remonta dans la gorge, intacte. Mais avant qu'elle puisse prononcer un mot, Sandra avait repris l'offensive.

— Tellement petit cochon de lait que ça commence à sentir le lard fumé, asséna-t-elle.

Matt éclata de rire. Sandra prit un air offusqué. Retenant sa propre hargne pour laisser toute la place à celle de Sandra, Carly attendait la confrontation inévitable en retenant son souffle.

Mais Matt n'eut pas le temps de répondre. Un gémissement affreux monta des entrailles de la terre. Carly ouvrit de grands yeux terrifiés. La plainte semblait sourdre d'outre-tombe, du fin fond des enfers, de sous leurs pieds.

— Qu'est-ce que c'est que ça ? souffla Matt en regardant par terre.

— Cette fois, ça suffit ! s'écria Sandra en faisant volte-face. Je retourne à Chicago.

— Attends ! s'exclama Carly. Attends ! C'est Hugo ! Je reconnais sa voix. Tu sais comme il a horreur d'être mouillé. Il doit être coincé sous la véranda. De toute façon, tu ne peux pas partir. C'est moi qui ai les clés.

— Merde ! conclut Sandra en se retournant d'un bond.

Un rayon de lune se posa sur son visage déjà luisant de l'humidité que la pluie avait laissée derrière elle.

— Hugo ? demanda Matt. Qui c'est, ça, Hugo ?

— C'est mon chat.

— Et tu t'imagines que je vais rester ici pour ton chat ? reprit Sandra d'un ton belliqueux, les poings de nouveau plantés sur les hanches. Pas question ! Je vais appeler un taxi. Qu'est-ce que tu penses de ça, hein ? Tu croyais me clouer à ta vieille bicoque en volant les clés du camion ?

Carly la regarda d'un air satisfait.

— Il n'y a pas de taxis à Benton, susurra-t-elle.

Sandra étouffa un juron.

Un autre gémissement venu des enfers monta jusqu'à eux.

— Donne-moi ça ! ordonna Carly en arrachant la lampe torche à Matt.

Elle descendit l'escalier, se mit à quatre pattes devant l'espace qui séparait la terre du plancher de la véranda et pointa le faisceau lumineux dans le noir.

Des yeux brillants la fixaient sans ciller. C'était Hugo, tassé contre le mur de la maison, l'air misérable et défait dans cet espace miteux qui sentait le moisi. Planté devant lui et lui bloquant la sortie se dressait un autre animal, un animal qui grognait. L'un des piliers de béton qui soutenaient la maison le dissimulait en partie. Carly n'arrivait pas à bien le discerner, mais il terrifiait le pauvre Hugo. Le chat gémit encore, implorant de l'aide.

— Hugo… murmura Carly, au comble du désespoir.

Son chat semblait la supplier. Et l'autre animal, à quelle espèce appartenait-il ? Renard ? Raton laveur ? Mon Dieu, non ! Faites que ce ne soit pas une mouffette !

— Va-t-en ! lança Carly. Sors d'ici ! Laisse mon chat tranquille !

Elle saisit une poignée de gravier dans l'allée qui entourait la maison et la jeta vers le prédateur.

— Va-t-en ! Sors d'ici !

L'animal ne broncha pas. Ce qui n'avait rien d'étonnant, en somme, puisque les petits cailloux étaient tombés à plus d'un mètre de lui. Hugo, par contre, accueillit la volée de graviers qui s'abattait sur lui avec une plainte à faire dresser les cheveux sur la tête.

— Es-tu sûre que c'est un chat ? demanda Matt.

— Évidemment, que j'en suis sûre ! Il y a un autre animal qui le coince sous la véranda.

Carly se sentait coupable. Depuis leur arrivée à Benton, catastrophes et désastres en tous genres s'étaient abattus en rangs serrés sur sa tête. Elle en avait négligé son pauvre chat, le laissant se débrouiller seul dans ce territoire inconnu. Et maintenant, cette série de calamités allait atteindre son apogée : dans un instant, elle verrait Hugo se faire dévorer par un prédateur enragé. Désespérée, elle entreprit de se glisser sous la véranda.

— Va-t-en ! Va-t-en ! répétait-elle en agitant sa lampe torche d'un geste menaçant.

Hugo fixait sur elle des yeux effrayés autant qu'ahuris.

— Ne fais pas l'idiote ! lança Matt en la tirant par la ceinture de son jean.

L'immobilisant d'une main ferme, il s'accroupit près d'elle, lui prit la lampe des mains et explora le petit espace de son faisceau lumineux.

— Ne fais pas l'idiote ! répéta-t-il. Cet animal a peut-être la rage. Ah ! Ça y est ! Je le vois. C'est un chien. Viens ici, viens, mon beau chien.

Tandis que Matt s'évertuait à attirer le chien à force de compliments fallacieux, Carly tentait de le distinguer dans l'obscurité. En effet, c'était un petit chien noir avec des oreilles pointues comme celles d'un renard. Au moins, ce n'était pas un animal sauvage. Mais n'empêche. Hugo n'était pas du genre à faire des compromis. Il détestait les chiens, tous les chiens.

— Viens ici, mon beau chien ! répéta Matt.

Cette fois, l'animal tourna la tête vers eux. Ses yeux sombres étincelèrent dans le faisceau de la lampe torche et se posèrent sur Carly. Elle frissonna. Ce chien-là avait l'air aussi cruel qu'un loup affamé. Il n'était pas très grand, à peine plus grand que le chat qu'il terrifiait, et beaucoup plus maigre. Par contre, il semblait nerveux, et très déterminé à transformer Hugo en chair à pâté. De toute évidence un bâtard, peut-être l'un de ces chiens qui errent dans les campagnes. Carly avait entendu parler de hordes retournées à l'état sauvage et qui tuent les poulets, les veaux et même parfois, des vaches adultes. Quoi qu'il en soit, cet animal était amplement de taille à dépecer Hugo.

Matt, lui, semblait le considérer comme parfaitement inoffensif. Il reprit sa litanie de mots aimables et de claquements de langue ridicules pour amadouer l'animal. Le chien le regarda de nouveau, puis poussa un aboiement aigu.

C'en fut trop pour les nerfs du chat. Tous les poils dressés, la queue raide comme un manche à balai, il sauta sur ses pattes et jaillit à la vitesse de l'éclair en direction de Carly. Surpris, le chien n'eut pas le temps de l'intercepter. Quand il comprit ce qui se passait, il fila en trombe à la poursuite du chat, redoublant d'aboiements furieux.

Carly fit un bond de côté pour éviter l'impact. Matt, en revanche, ne mesura pas assez vite le danger. Hugo lui marcha dessus sans vergogne, à la vitesse d'un train de marchandises lancé dans une descente. Le chien, devenu hystérique, lui emboîta le pas.

Matt cria et jeta ses mains vers l'avant pour tenter de limiter les dégâts et de conserver un brin de dignité. Trop tard. Les deux animaux le renversèrent dans l'herbe humide. Matt se retrouva les quatre fers en l'air.

Il laissa échapper un chapelet de jurons qu'un charretier n'eut pas désapprouvé. Renonçant à lui reprocher le manque de tenue de son vocabulaire, Carly vérifia d'un coup d'œil rapide qu'il n'était pas mort, puis elle sauta sur ses deux pieds pour courir après son chat.

— Hugo !

Transformés en bolide animal, le chat et le chien à sa suite traversèrent la pelouse à folle allure jusqu'au coin de la maison. C'était la première fois que Carly voyait le distingué Hugo s'abaisser à fuir ainsi. Au moins, les années de vie douillette ne lui avaient pas enlevé ses jarrets. C'était toujours ça de pris. Mais après ? Même s'il échappait aux crocs du chien, il serait plongé dans un milieu inconnu et n'arriverait jamais à retrouver son chemin. Hugo était très mal outillé pour affronter les dangers du grand air et de la vie sauvage. Ce chat courait à sa perte, et à vitesse grand V.

Carly avait déjà tout perdu, ou presque. Toute sa vie bien proprette qu'elle s'était soigneusement construite venait de voler en éclats. Hugo était tout ce qu'il lui restait. Jamais elle ne pourrait supporter sa disparition.

Courant derrière les deux animaux, elle atteignit le coin de la maison derrière lequel ils avaient disparu. Elle jeta un coup d'œil derrière elle et vit Sandra qui tendait la main à Matt, toujours étalé par terre. Dérapant dans l'herbe humide, Carly reprit sa course. Maintenant, elle était seule de son espèce. Les humains n'étaient plus à portée de vue.

— Hugo !

Entre ses cris désespérés, elle entendait toujours les aboiements déchaînés du chien. Par contre, elle ne le voyait plus. Ni lui ni Hugo. Sur le côté de la maison, la cour prenait des allures de forêt vierge. Buissons, vignes et arbrisseaux offraient aux deux fugitifs un nombre infini de cachettes. Entrant dans l'ombre projetée par le manoir, Carly continua de courir du mieux qu'elle put en direction des aboiements. Soudain, l'univers lui sembla plus sombre et plus froid. La lune n'était plus qu'un croissant flou jouant à cache-cache avec de gros nuages argentés. Ses rayons déposaient une lumière capricieuse sur le sol, l'éclairaient faiblement pour le rendre aussitôt à la nuit noire. Les noyers étaient plus nombreux et plus serrés de ce côté-ci de la cour. Se frayant un chemin entre leurs troncs robustes, Carly devait prendre garde de ne pas glisser sur les brous qui étaient tombés par terre l'automne précédent. Des houx avaient envahi le moindre espace inoccupé par les arbres et rampaient jusqu'aux murs de la maison. Les fenêtres qui les surplombaient semblaient poser un œil aveugle sur la scène.

Pendant quelques secondes, Carly sentit comme un malaise fugace. Puis, elle comprit. Quelqu'un la regardait. Quelqu'un ou quelque chose. Elle se mit à jeter des regards inquiets autour d'elle, mais ne vit rien d'alarmant. Cependant, presque malgré elle, ses jambes ralentirent. Quand elle tournait la tête vers la maison, les fenêtres sans rideaux ne la rassuraient guère. Pas plus que les colonnes de brume qui s'élevaient de la partie basse de la colline. Dans cette obscurité, impossible de savoir si quelqu'un ou quelque chose se tenait vraiment là, tapi derrière un arbre en attendant de lui sauter à la gorge.

Des gouttes d'eau qui tombaient des arbres s'écrasèrent sur le visage de Carly. Elle sursauta à leur contact, comme si une main était sortie de la nuit pour lui saisir le poignet. Elle s'arrêta net. Son cœur battait à tout rompre, et pas seulement parce qu'elle avait couru. Pas du tout, même. Son sang rugissait dans ses veines. Sa respiration sifflait dans sa poitrine oppressée par la peur.

Tous les sens en alerte, elle se mit à tourner sur elle-même pour tenter de discerner ce qui l'entourait. Rien. Rien que des arbres et des buissons noirs. Elle n'entendait rien non plus, rien que les aboiements lointains du chien, le bruissement des feuilles et le claquement des gouttes de pluie qui s'écrasaient au sol. Le chœur des créatures nocturnes semblait chanter plus fort que tout à l'heure. L'odeur de la terre mouillée, des noix et des feuilles pourrissantes saturait l'air ambiant. Carly était sûre qu'on l'observait. La nuit semblait se refermer sur elle, confirmant sa certitude funeste.

La gorge serrée, Carly mesura la stupidité de son geste. Elle avait été complètement idiote de se lancer à la poursuite de son chat.

Trop tard pour y penser. Elle prit une inspiration profonde. Cela lui brisait le cœur d'abandonner Hugo à son triste sort, mais elle n'avait guère le choix. Elle allait retourner vers la maison, vers la sécurité.

— Hugo ! appela-t-elle néanmoins.

Sa voix était faible, étranglée comme celle d'une souris. Carly savait qu'elle devait bouger, mettre un pied devant l'autre, partir le plus vite possible vers la maison, vers Matt, vers la sécurité. Mais ses pieds semblaient de plomb. Elle se mit à respirer plus fort et, lentement, très lentement, tourna la tête. L'ombre prit une forme menaçante que Carly n'arrivait pas à déchiffrer. Le souvenir de l'homme caché dans la salle à manger l'étrangla soudain.

Il ne s'était pas sauvé. Carly en était sûre. Elle sentait sa présence comme elle l'avait sentie dans la maison. Il était là, dans le noir, avec elle. Carly braqua ses yeux terrifiés vers le bas de la pente, vers la partie la plus sombre du jardin, près de la clôture, à l'endroit où les noyers sont les plus touffus. Il était là. Sans pouvoir le voir, elle savait qu'il était là. Elle le sentait dans chacune des fibres de son corps. Son cœur battait tellement fort qu'il couvrait la chorale des animaux terrés dans la nuit. Carly était parcourue de frissons, sa peau tout entière hérissée par la peur.

La lune lui adressa un clin d'œil cruel, témoin indifférent de sa détresse. Les grenouilles et les insectes reprirent leur chant funèbre.

Soudain, il fut là. Du coin de l'œil, elle le vit se matérialiser à quelques mètres d'elle. Elle étouffa un cri. Elle tourna la tête vers lui. Pétrifiée d'horreur, elle vit une silhouette énorme qui avançait rapidement sur elle. Il était là, si proche qu'elle sentait la vibration de ses pas dans le sol. Si proche qu'elle voyait distinctement la boucle de sa ceinture miroiter dans les rayons de la lune. Si proche qu'elle entendait sa respiration lourde.

Carly poussa un hurlement sauvage et s'enfuit vers la maison.

8

Le chien. C'était le chien. Quand il l'avait entendu aboyer dans le noir, il en avait éprouvé une telle haine qu'une nausée lui était montée dans la gorge. Cet animal du diable n'était donc pas mort ? L'homme aurait reconnu son aboiement aigu à l'autre bout du monde. Sa chance était plus capricieuse qu'une girouette, ces derniers temps. Elle passait sans transition de l'abîme au sommet, puis retournait au plus profond. Le chien n'était pas un abîme, pas vraiment. Après tout, ce n'était qu'un chien. Mais Marsha avait constitué l'un des grands abîmes de sa vie et le chien était relié à elle. Il fallait donc qu'il crève. Marsha n'avait eu que ce qu'elle méritait. Si elle n'avait pas parlé, il ne lui serait rien arrivé de fâcheux. Mais non ! Incapable de la fermer ! Elle avait été punie et c'était de sa faute. L'autre, celle d'après Marsha, cette Soraya... Pour autant qu'il sache, elle n'avait pas rompu leur pacte. C'était un peu dommage pour elle, ce qui lui était arrivé. Mais quoi ? Après la trahison de Marsha, plus question qu'il prenne le moindre risque. Il en restait une, une fille qu'il devait trouver et réduire au silence jusqu'à la fin des temps. Après cela, il serait libre.

Le chien ne représentait pas un réel danger. Toutefois, l'homme voulait clore l'affaire proprement. Le chien savait ce qu'il avait fait, ce qu'il était. Cela rendait l'homme nerveux. C'était stupide, mais l'existence même de ce foutu chien lui donnait l'impression d'être vulnérable. Il fallait qu'il crève. L'homme était revenu plusieurs fois dans la soirée au champ de maïs où l'animal avait disparu. Même pas une trace de patte. Il avait fini par se faire à l'idée qu'il ne le retrouverait pas. Tout comme il avait fini par se faire à l'idée, pour Marsha et les autres filles. Il finirait bien par les oublier. Elles appartenaient à son passé. Elles y resteraient pour toujours.

Marsha était sortie du néant comme une limace glissant de sous un rocher. Et maintenant, le chien. Était-il dans les alentours quand l'homme avait ouvert la porte arrière du manoir Beadle d'un coup de carte de crédit ? Peut-être, peut-être pas. En tout cas, l'homme ne l'avait ni vu ni entendu à ce moment-là. Il avait quand même été dérangé pendant ses recherches. Mais pas par le chien, par deux femmes. Vraiment, il n'avait pas eu de chance. D'abord, l'une des femmes l'avait découvert dans la salle à manger malgré l'obscurité totale. Ensuite, le shérif avait rappliqué quand elle avait hurlé. Vraiment, il n'avait pas eu de veine que le shérif soit justement dans le coin. Mais il était encore en forme. Il courait vite. Il avait réussi à fuir et s'était servi de la ruse du chien : il s'était caché dans le champ de maïs en attendant que la situation revienne à la normale. Il avait bien eu un peu peur quand les adjoints du shérif s'étaient pointés pour darder leurs lampes torches entre les rangées de maïs. Mais il leur avait échappé. Il était repassé de l'autre côté de la clôture, était descendu à pas rapides vers la route, vers l'endroit où il avait caché sa voiture. C'est alors que la terre s'était ouverte sous ses pas.

Ouaf, ouaf, ouaf ! Ouaf, ouaf, ouaf, ouaf !

Le jappement était sorti du fin fond de la nuit, terrifiant l'homme comme un remords soudain. Il s'était mis à regarder autour de lui, affolé. Cet aboiement aigu… On aurait dit un chihuahua qui aurait pris des amphétamines. C'était le chien. À n'en pas douter, c'était le même chien. L'espace d'un instant, l'homme crut que l'animal aboyait après lui. Il paniqua. C'était comme si le chien avait jailli de l'enfer pour alerter le shérif et ses adjoints. L'homme fouillait l'obscurité du regard pour déterminer le trajet le plus sûr vers sa voiture. Mais la nuit était si noire… Il se tenait sous des arbres, dans un recoin plus sombre que l'intérieur d'une tombe. Il ne voyait rien d'autre que des troncs et des buissons. Là-haut, au sommet de la colline, se dressait la grande maison blanche dont il avait été chassé quelques minutes plus tôt.

Cependant, le chien ne désarmait pas. *Ouaf, ouaf, ouaf!*

« Hugo ! »

Une voix de femme… L'homme avait tourné son regard dans la direction d'où provenait l'appel. Il avait vu la silhouette sombre de la femme se découper contre le mur clair de la maison. Elle courait. De toute évidence, elle courait après le chien, et le chien ne courait pas après l'homme. Ses aboiements s'éloignaient dans la direction inverse. Soulagé, l'homme était quand même resté immobile dans le noir, observant la femme qui courait, attendant qu'elle ait mis suffisamment de distance entre eux pour risquer une sortie. Était-ce cette femme qui l'avait découvert dans la salle à manger ? Probablement. Après tout, la maison était abandonnée. Elles n'étaient quand même pas toute une meute à avoir rappliqué précisément cette nuit. Mais, d'un coup, la femme s'était arrêtée. Elle avait tourné lentement sur elle-même et l'avait regardé. Droit dans les yeux. Il savait qu'il était bien caché, qu'elle ne pouvait pas vraiment le voir. Mais elle semblait sentir sa présence, deviner sa place exacte dans le noir. Il s'était tassé derrière un gros arbre, juste par précaution, juste au cas où il aurait été moins invisible qu'il ne le pensait. Mais la femme s'était mise à hurler comme si elle avait vu le diable et elle était repartie vers la maison en courant à toutes jambes.

Épouvanté, l'homme s'était mis à courir aussi, mais dans la direction opposée, vers le bas de la colline, vers la route. Décidément, il y avait trop de monde dans les parages. Or, il ne pouvait pas courir le risque d'être reconnu.

« Carly ! Carly ! Qu'est-ce qui se passe ? »

Une voix d'homme, un homme qui criait. Mais ce n'était pas la voix, qui intéressait le fugitif. C'était le prénom : Carly. Il atteignit le caniveau qui longeait la route, hésita, jeta un regard en arrière. Non ! Trop risqué. Il franchit le caniveau et se perdit dans le bosquet qui longeait la maison de la Naylor. Pas ce soir. Pas quand le shérif et tous ses adjoints semblaient s'être donné rendez-vous dans le coin. Après tout, il n'était pas pressé. Et surtout, il n'était pas idiot.

Mais bientôt. Très bientôt, il reviendrait.

Pour Carly. Carly, c'était le nom de la dernière fille, celle qu'il cherchait. Il s'était rendu jusqu'à Chicago pour lui mettre la main dessus. Elle n'habitait déjà plus dans cet immeuble chic où elle avait vécu plusieurs années. Malheureusement, c'était l'adresse la plus récente que l'homme ait pu trouver. Il était donc revenu à Benton, revenu au manoir Beadle. Il avait cherché frénétiquement de l'information plus fraîche. Un carnet d'adresses, peut-être. Un numéro de téléphone, une lettre, une facture qui lui dirait où était la femme.

Si c'était bien la même Carly, la chance de l'homme était en pleine ascension. Le destin venait de déposer la femme entre ses mains, ou presque. Il faudrait qu'il soit prudent, bien sûr. Il ferait très attention, mais il y arriverait. Il y arriverait.

Un soir, dans pas longtemps, si cette femme était bien la Carly qu'il cherchait, elle disparaîtrait comme les autres. Sans laisser de traces.

Alors, l'homme pourrait fermer la porte sur son passé. Il entrerait d'un pas confiant dans le deuxième chapitre de sa vie.

9

Toujours hurlante, Carly vit Matt qui tournait le coin de la maison en accourant vers elle.

— Matt ! cria-t-elle. Il est là, il est là, je l'ai vu !

Elle se jeta contre lui.

L'impact fit reculer Matt d'un pas mais il referma ses bras sur Carly. Il la tint serrée contre lui pour la calmer, pour la rassurer. Il avait retiré son revolver de sa ceinture pendant sa course. Carly sentait le métal dur pressé contre ses côtes. Haletante, tremblante, elle ferma les yeux, enroula ses bras autour de la taille de Matt, pressa son visage contre sa poitrine. Elle avait tellement peur qu'elle n'osait même pas regarder autour d'elle.

Matt tirerait-il sur l'homme ? L'homme s'arrêterait-il en voyant l'arme ?

— Nom d'un chien, souffla Matt. Tu m'as fait vieillir de dix ans depuis le début de la soirée. Mais qu'est-ce qui te prend, à crier comme ça ?

Il était essoufflé. Il parlait d'une voix légèrement exaspérée, mais tendre à la fois.

— Derrière moi… bredouilla-t-elle.

Pourquoi Matt n'avait-il pas vu l'homme ? Elle releva la tête. Il la regardait en fronçant les sourcils.

— L'homme de la salle à manger, expliqua-t-elle. Il m'a poursuivie. Il est après moi. Il est ici, je l'ai vu…

— Je ne voulais pas lui faire peur.

Carly sursauta. La voix grave qui s'éleva dans le noir n'avait pourtant rien d'hostile. Carly détacha son visage de la poitrine de Matt. Un homme venait vers eux. Un Noir costaud, massif, le souffle court. Il avait à sa ceinture une boucle argentée. C'était l'homme qu'elle avait vu dans le bosquet. Carly retenait son souffle. Puis elle comprit que Matt le connaissait.

— J'étais dans le champ de maïs, continua-t-il. J'ai vu quelqu'un sauter la clôture pour descendre vers la route. Je lui ai couru après. Apparemment, je me suis trompé. C'était la petite dame que j'avais vue sauter la clôture.

— Elle n'est pas allée dans le champ de maïs, répondit Matt. Es-tu sûr que tu as vu quelqu'un ?

Ses bras se resserrèrent autour de Carly. « Pur réflexe, se dit-elle. Ça n'a rien à voir avec moi. » Mais elle ne pouvait pas s'empêcher d'être bien dans les bras de Matt. Pas Matt le sauveur, le shérif, le héros. Matt, l'homme. Carly s'abandonna à la force de son torse, aux bras fermes qui la tenaient, à la chaleur humide qui émanait de la peau de Matt, à la douceur de sa poitrine velue, au discret parfum musqué qui l'entourait. Matt était nu jusqu'à la taille. Carly s'enroulait à lui comme un lierre à un arbre. Et le pire de tout, c'était qu'elle trouvait ça drôlement bon.

— Évidemment, que je suis sûr ! lança le costaud à la boucle argentée.

Carly rassembla toute sa force de caractère pour dénouer ses bras et s'écarter de Matt. Elle adorait être contre sa peau, mais c'était trop dangereux. Vraiment trop dangereux.

— Il y avait quelqu'un là-bas, dit-elle d'une voix cassée. Il était là-bas, près de la clôture, dans les noyers.

Les deux hommes regardaient dans la direction qu'elle indiquait du doigt. Carly regarda aussi. Avec cette obscurité, il était absolument impossible de distinguer quoi que ce soit. Une vague forme, peut-être, mais certainement pas une silhouette humaine.

— Tu as vu quelqu'un ? demanda Matt d'un ton un peu sec.

C'était évidemment impossible. Il faisait trop noir ! Elle n'avait pu voir qu'une forme vague. Carly le comprenait, les deux policiers aussi. Ils la regardaient les sourcils froncés, l'air dubitatif.

— Eh bien… Pas vraiment « vu »…

Elle allait se couvrir de ridicule. Pourtant, c'était la vérité. Mais la vérité est souvent ridicule.

— En fait, poursuivit-elle, j'ai… J'ai senti qu'il était là.

Les deux hommes étaient sceptiques. Ils eurent la délicatesse de ne pas exprimer le moindre sarcasme.

Un bon point pour eux.

— Je vais aller voir, déclara le costaud d'un ton résigné.

Il se dirigea vers l'endroit qu'elle leur avait indiqué.

— Qui c'est, ce type ? souffla Carly, soulagée que Matt ne parte pas avec lui.

Dans l'état où elle était, elle se serait jetée par terre pour le retenir par les chevilles. Après tout, elle n'était pas à un peu de ridicule près.

— C'est l'un de mes adjoints. Quand j'ai vu le type de la salle à manger sauter la clôture, j'ai appelé du renfort. Mes deux adjoints sont venus. Antonio Johnson, celui que tu viens de voir ; et Mike Toler. Ils fouillent les environs.

Matt replaça son revolver dans la ceinture de son jean. Antonio n'était plus qu'une ombre mouvante se dirigeant vers les noyers. Soudain, une autre ombre se détacha de la nuit pour marcher vers lui. Carly sentit sa gorge se serrer. Mais il n'y eut pas de confrontation entre les deux hommes, pas de combat. L'un d'eux alluma sa lampe torche et se mit à balayer la terre devant eux tandis qu'ils se dirigeaient vers la clôture.

— C'est Toler, précisa Matt.

L'autre adjoint, donc. Parfait. Suivant du regard la progression du faisceau lumineux, Carly se demanda si c'était l'un d'eux qu'elle avait perçu dans le noir, dont elle avait senti le regard posé sur elle. Possible… Mais Antonio était dans le champ de maïs derrière la maison. Il n'était arrivé qu'au dernier moment. Était-ce l'autre adjoint ? Peut-être… Mais son instinct lui soufflait que c'était un troisième homme.

— Matt, commença-t-elle d'une voix hésitante. Tu sais, le rôdeur ? Est-ce que… Est-ce que tu penses que c'est à cause de moi qu'il est ici ?

C'était ça. C'était exactement ce qu'elle avait ressenti dans la salle à manger et dans le bosquet de noyers : et s'il était après elle…

Matt cessa d'observer le faisceau lumineux qui tressaillait entre les arbres. Il regarda Carly.

— Toi en particulier, tu veux dire ? Tu penses que le type pourrait être un violeur, un meurtrier ou autre, et qu'il t'aurait choisie comme victime ?

Énoncé de cette manière, et même si Matt s'exprimait d'un ton posé, l'hypothèse de Carly semblait hautement improbable.

— Quelque chose dans ce genre, fit-elle néanmoins.

Matt la regarda très attentivement. Il examinait sa supposition sous tous ses angles. Carly lui fut reconnaissante de ne pas l'écarter d'un revers de la main.

— Qui savait que tu dormirais chez ta grand-mère, cette nuit ?

— Personne. Enfin, presque personne. Sandra et quelques amis, c'est tout.

— Des gens du coin ?

— Non.

— Penses-tu à quelqu'un en particulier ? Quelqu'un qui t'en voudrait et qui souhaiterait te faire du mal ? Ton ex-mari, par exemple ?

Carly réfléchit quelques instants. John ? Impossible. C'était elle qui le détestait, pas l'inverse. Il avait raflé l'intégralité, ou presque, de leurs possessions conjugales et vivait avec une jeune femme séduisante. John était heureux comme un coq en pâte. Pourquoi l'aurait-il poursuivie jusqu'à Benton ?

— Non. John n'a aucune raison de m'en vouloir. En fait, personne n'a de raison de m'en vouloir.

Ils restèrent silencieux quelques instants, puis Matt reprit la parole.

— Dans ce cas, il est probable que le type qui est entré par effraction chez ta grand-mère soit un voleur. Il savait que la maison était déserte et cherchait des babioles à revendre. Tu l'as interrompu dans son cambriolage. Je ne dis pas qu'il ne t'aurait pas fait de mal s'il en avait eu l'occasion mais, dans les circonstances, je ne pense pas qu'il soit après toi.

— Et moi qui aurais juré qu'il n'y avait pas de voleurs à Benton…

Carly croisa ses bras pour réprimer les frissons qui lui parcouraient le corps.

— Il y en a de temps en temps, fit Matt. En général, ils volent pour s'acheter de la drogue.

De la drogue, maintenant ? Décidément, Benton avait bien changé. Néanmoins, Carly préférait encore les voleurs toxicomanes aux violeurs et aux meurtriers. Le raisonnement de Matt lui parut sensé. Elle s'était bel et bien trouvée en danger. Sur ce point, son instinct ne l'avait pas trahie. Mais c'était du hasard, rien d'autre que du hasard.

— Ça va ? demanda Matt.

— Ça va.

— Nous allons relever les empreintes, interroger les gens des environs ainsi que mademoiselle Virgie et Loren pour voir si quelqu'un aurait des indices. Peut-être que ce type cherche un genre d'objet en particulier. Il y a de la criminalité dans la région ces temps-ci, il ne faut pas se le cacher. Mais très peu. Nous ne devrions pas avoir trop de mal à identifier ton cambrioleur.

Carly prit une inspiration profonde et expira lentement.

— Eh bien... soupira-t-elle. Tu parles d'un comité d'accueil.

— Comme tu dis.

Impossible de savoir si Matt compatissait avec elle ou s'il déplorait son retour. Mais une chose était sûre : il ne se moquait pas d'elle. C'était toujours ça de pris.

— Pendant que j'y pense... ajouta-t-il. Il y a quand même un petit détail sur lequel j'aimerais attirer ton attention. Considérant qu'un homme t'avait agrippée dans ta propre maison quelques minutes plus tôt, qu'il t'avait flanqué la trouille du siècle et que j'avais réussi à le chasser, ta petite excursion dans la cour en pleine nuit... C'était vraiment stupide.

En effet. Difficile de dire le contraire. Mais Carly n'entendait pas abdiquer si facilement.

— Serais-tu en train de me dire que je suis stupide, par hasard ?

Se fâcher contre Matt, c'était confortable. Beaucoup plus confortable que d'avoir à le remercier. Carly pouvait convoquer sa colère contre Matt à tout instant. Elle la connaissait bien, elle la fréquentait depuis de longues années. Et ce n'était certainement pas parce que le shérif de Benton lui avait porté secours cette nuit que sa bravoure effacerait des années de rancœur et de tristesse.

— Dans ce cas, continua-t-elle, ce doit être que tu es contagieux ! Quand je pense que tu as rompu avec Elise Knox trois fois parce que tu l'as surprise à te tromper trois fois... Trois fois ! Tu m'excuseras mais, de nous deux, je ne pense pas que je sois la plus stupide. Pour un futur flic, tu aurais quand même pu tenir compte de son « casier judiciaire » avant de sortir avec elle, et de reprendre avec elle par-dessus le marché !

Au lieu de se mettre en colère, Matt afficha un sourire un peu tendre, chargé de souvenirs.

— Peut-être... Mais tu admettras qu'Elise Knox était une splendeur ! Je l'ai vue l'autre jour. Elle habite à Milledgeville. Tu me croiras si tu voudras, mais elle est encore aussi belle. Imagine quand nous étions plus jeunes... Elle avait tout ce qu'il faut pour me rendre idiot.

Carly sentit sa colère se cristalliser en elle comme une roche.

— Je vais chercher Hugo, déclara-t-elle sèchement.

Elle fit volte-face sans hésiter. Maintenant que le chien du démon s'était tu, il fallait qu'elle en ait le cœur net. Peut-être retrouverait-elle Hugo réduit en bouillie. Mais ça vaudrait toujours mieux que de voir Matt baver de concupiscence à la simple évocation d'Elise Knox.

— Est-ce que tu viens avec moi, oui ou non ? lança-t-elle.

— Non.

Il lui attrapa le poignet d'une main ferme et l'entraîna vers la maison.

— Pas question que tu ailles chercher cet imbécile de chat maintenant. Pas question !

— Mais... Je ne peux quand même pas le laisser tout seul.

Mais… Elle ne pouvait pas non plus retourner seule dans la nuit. Malgré tout l'amour qu'elle portait à Hugo, elle avait eu suffisamment d'émotions pour aujourd'hui.

— Bien sûr que tu peux le laisser tout seul ! C'est un chat, Carly. À l'heure qu'il est, il doit être en train de dormir dans un arbre. Qu'est-ce que tu comptais faire, exactement ? Te planter au pied de tous les noyers en appelant ton petit mimi ?

Une fois de plus, il avait raison. Décidément, c'était insoutenable. Même dans son for intérieur, Carly détestait reconnaître que Matt avait raison. Déjà quand ils étaient plus jeunes, c'était comme ça. Carly était impulsive. Matt observait la situation calmement et l'empêchait de commettre des âneries par pure précipitation.

— Il a peur des chiens, déclara-t-elle d'un ton digne.

— Évidemment, qu'il a peur des chiens ! C'est un chat, Carly.

— Mais… Il ne sort jamais.

— Il ne sort jamais ? Cette grosse boule de poils avec des griffes ne met jamais le nez dehors ? Non mais, tu plaisantes ou quoi ? C'est un chat ou une théière en porcelaine ?

— C'est un chat de race ! Un himalayen bleu, si tu veux savoir. Sa mère a gagné des tas de concours et, si j'ai pu obtenir Hugo, c'est uniquement parce que mon mari s'était occupé du divorce de la propriétaire de sa mère. Ce sont des chats très convoités. Et les chats comme ça, ça ne sort pas !

— Pauvre petite minette, lâcha Matt d'un ton sarcastique.

— Hugo n'est pas une pauvre petite minette !

Il y avait quand même des limites ! Hugo était peut-être un animal choyé et dorloté, mais sa virilité ne faisait aucun doute. Matt adressa à Carly un sourire narquois par-dessus son épaule.

— Bien sûr que si, c'est une pauvre petite minette.

Carly pinça les lèvres. Elle fixa un regard assassin sur le dos de Matt. Évidemment, c'était tout à fait inutile.

— Si ça peut te faire plaisir, je vais demander à mes adjoints d'ouvrir l'œil. Puisqu'ils doivent fouiller les environs, autant qu'ils en profitent pour voir s'ils ne retrouveraient pas ta pauvre petite minette.

Matt s'amusait beaucoup, c'était très clair. Sa voix trahissait l'immense bonheur qu'il avait à torturer Carly.

— Arrête de l'appeler comme ça! lança-t-elle. Sinon…

C'est alors qu'elle s'aperçut qu'ils s'éloignaient de la maison.

— Où est-ce qu'on va, comme ça? demanda-t-elle.

— À ton camion. Je suppose que ta copine y est déjà. Quand elle t'a entendue crier, dans le bois, elle est partie comme une flèche. Vers le camion, je suppose.

— Quoi qu'il en soit, elle n'a pas pu y monter. Les portières sont verrouillées et c'est moi qui ai les clés.

La pluie qui s'était posée sur les feuilles des arbres s'égouttait sur eux tandis qu'ils se dirigeaient vers la route. Matt regarda Carly d'un air amusé.

— Tu sais quoi, Frisette? Tu es la pire fauteuse de troubles que j'aie rencontrée de toute ma vie.

Carly faillit s'étouffer d'indignation. Elle n'eut cependant pas le temps de déterminer si c'était le surnom ou l'accusation qui la révoltait le plus. Matt la tira d'un coup sec et, par-delà l'énorme magnolia qui leur avait bouché la vue jusque-là, surgit le camion orange. Sandra était perchée sur le pare-chocs, les doigts crispés sur une lampe torche. Le faisceau lumineux virevoltait à droite et à gauche comme une luciole saoule. Quand Carly et Matt firent leur apparition, Sandra poussa un cri, sauta sur ses pieds, braqua sa lampe sur eux. Les ayant reconnus, elle poussa un soupir de soulagement à défolier tous les arbres à l'entour.

— La prochaine fois que je voyagerai avec toi, dit-elle à Carly, tu peux être sûre que c'est moi qui conduirai. Comme ça, c'est moi qui garderai les clés !

— Comme tu voudras ! Je ne tenais pas particulièrement à conduire, je te signale. C'est toi qui n'aimes pas les autoroutes, ni les routes de campagne, ni les bouchons, ni l'obscurité... En fait, tu détestes conduire.

Carly sortit les clés de la poche de son jean. À sa grande surprise, Matt les lui arracha des doigts.

— Cette fois, c'est moi qui conduis, déclara-t-il en ouvrant la portière du côté conducteur. Allez ! Montez !

Sandra ne se fit pas prier. Une fois installée à l'intérieur, elle éteignit sa lampe et se pressa le plus possible contre la portière du côté passager. Carly ne fit pas un geste.

— Écoute, Matt... Merci beaucoup d'avoir joué ton rôle de shérif et d'être venu à notre secours. Nous t'en sommes infiniment reconnaissantes. Mais maintenant, ça va bien. Nous sommes assez grandes pour nous débrouiller seules.

— Ça m'étonnerait, trancha Matt. Monte !

— Pas question.

La rage lui faisait oublier vocabulaire et raisonnement. C'en était assez, à la fin ! Matt Converse ne la traiterait plus jamais comme une marionnette. C'était terminé, ça, et il était grand temps qu'il le sache.

— Si, ma chère, reprit-il. Tu montes dans le camion, et tout de suite. La maison de ta grand-mère est sous observation policière et ta présence ne ferait qu'entraver notre enquête. Je t'emmène chez moi. Tu y passeras la nuit et tu te reposeras. Tu seras en sécurité et surtout, tu cesseras de me compliquer la vie pour rien. Tu vois ? C'est ça, le problème avec toi. Tu me compliques la vie pour rien.

— Matt… susurra Carly. Je ne veux pas aller chez toi. En fait, je refuse catégoriquement de mettre les pieds chez toi. Je préfère de loin dormir dans mon camion.

— Parle pour toi ! lança Sandra depuis l'intérieur de la cabine.

— Carly, je vais être clair, articula Matt d'une voix posée. Soit tu passes la nuit chez moi, soit tu la passes au poste de police. En prison. À toi de choisir.

— Tu n'oserais pas faire ça.

En tout cas, Carly l'espérait. Passer la nuit en prison ? Il ne manquerait plus que ça ! Mais elle vit les mâchoires de Matt se crisper.

— Tu crois ? demanda-t-il.

— Eh bien, vas-y ! Jette-moi en prison, pour voir !

— Parle pour toi, répéta Sandra en s'approchant de la portière ouverte.

Matt lui lança un coup d'œil, puis revint à Carly.

— Frisette, arrête tes bêtises, tu veux ? fit-il d'une voix douce.

Si douce que Sandra n'avait pas pu l'entendre.

Si douce que Carly renonça. Quand Matt Converse parlait de cette voix-là, c'est qu'il était sur le point d'exploser. Et là, gare ! Carly ne l'avait pas vu depuis de longues années, mais elle l'avait fréquenté assez assidûment pour le connaître à fond. Matt était parfaitement capable de lui passer les menottes, de la faire monter de force dans le camion et de la jeter en prison pour la nuit. Quand il parlait de cette voix-là, mieux valait hisser le drapeau blanc.

— Facho ! cracha-t-elle en grimpant dans le camion aussi dignement qu'elle le put.

1

Se tenant prudemment coi malgré sa victoire écla-
tante, Matt grimpa dans le camion et claqua la portière.
Chaude et humide, la cabine avait des allures de sauna.
Serrée contre Sandra, Carly sentit des gouttes de sueur
perler à son front. Maigre consolation à ce désastreux
tableau : Matt devait subir autant qu'elle les incon-
vénients de cette promiscuité.

Au fait ! dit-elle d'un ton mauvais. La climatisation
ne fonctionne plus.

Matt se renfrogna.

Intérieurement, Carly était ravie. Aussi ravie que lui,
sans doute, quand il lui avait annoncé qu'il n'y avait
plus d'électricité dans la région.

— Demain, je retourne à Chicago, déclara Sandra.
Ce manoir est un vrai conte d'horreur pour la Halloween. D'ailleurs, pourquoi criais-tu tout à l'heure ?

— Je me suis tordu un orteil.

— C'est ça. Tordu un orteil. Très crédible.

— Mesdames... commença Matt d'une voix dangereusement douce. J'ai travaillé quatorze heures
aujourd'hui. J'ai reçu l'alerte au rôdeur au moment
précis où j'allais me coucher. Au cours des trente dernières minutes, je me suis fait taper sur la tête à coups
de casserole, j'ai trébuché sur un chat, j'ai reçu un vase
à fleurs sur la tête et j'ai entendu plus de hurlements
que dans toute ma vie. J'ai une bosse à l'arrière de la

tête et une entaille sur le front. Et ma journée ne va pas s'arrêter là. Une fois que je vous aurai ramenées en lieu sûr, je dois diriger l'enquête au manoir. Je suis fatigué, épuisé, exténué et j'ai un mal de tête de tous les tonnerres. Considérant l'ensemble des faits, auriez-vous l'extrême obligeance de surseoir à votre querelle ?

Il sortit le camion de l'allée de gravier pour l'engager sur la route. Carly lui lança un regard sombre. Cette voix trop douce n'annonçait rien de bon. L'éclat qu'elle lisait dans ses yeux non plus. Sans compter qu'il avait les mâchoires si crispées qu'il risquait de se faire sauter les plombages à tout instant. Carly résolut néanmoins de ne pas désarmer.

— De toute évidence, tu ne sais pas faire la différence entre une discussion et une querelle, lâcha-t-elle d'un ton méprisant. Ce n'est pas parce que nous sommes des femmes que nous nous querellons chaque fois que nous ouvrons la bouche.

— Tu sais quoi ? annonça Sandra d'une voix pensive. Mon horoscope m'avait dit que je rencontrerais un homme aux cheveux noirs, beau garçon mais détestable.

Matt leur lança à toutes deux un regard qui aurait pu réduire une crécelle au silence.

— J'ai l'impression que je n'ai pas été assez clair, articula-t-il d'une voix sourde. Mesdames, la ferme !

L'air surchauffé de la cabine sembla grésiller d'animosité.

— Très bien, fit Carly en croisant les bras, le regard fixé sur la route.

— Oui, très bien, répéta Sandra en fixant la route à son tour.

Un silence oppressant s'installa dans le camion. Coincée entre Matt et Sandra, Carly était contrainte de découvrir certaines de leurs caractéristiques physiques qu'elle aurait volontiers ignorées jusqu'à la fin de ses jours. D'abord, ses deux compagnons de route étaient beaucoup plus grands et plus massifs qu'elle. Mais cela, elle le savait déjà. Par ailleurs, tous deux généraient une chaleur considérable. Sandra était douce et moelleuse. Un parfum floral émanait d'elle. Matt était ferme et sentait la sueur. Le t-shirt de Sandra était encore raisonnablement sec. La peau nue de Matt, brûlante et moite, déconcentrait Carly bien plus qu'elle ne l'aurait souhaité. Son épaule cognait constamment contre le bras du shérif. Sa hanche était collée à la sienne. Mais surtout, chacun des creux et bosses de la route la jetait contre lui. Or, la route semblait soudainement avoir été découpée dans un morceau de surface lunaire truffé de cratères et de falaises. Carly ne pouvait s'empêcher de penser que Matt avait le torse nu. Des images d'épaules larges et bronzées, de poitrines mâles et velues, d'abdominaux d'acier lui tournoyaient dans la tête. L'odeur légèrement musquée de Matt l'étourdissait. Le son paisible de sa respiration menaçait de la rendre folle. Chaque nid-de-poule, chaque virage faisait monter en elle le souvenir de la robustesse de son corps, de la douceur de sa poitrine, de la puissance tranquille de ses bras. Un vrai supplice.

Soudain, Carly se rendit compte qu'elle était intoxiquée. Intoxiquée par Matt comme on peut l'être par une drogue.

Il lui fallut toutefois quelques minutes encore pour réaliser qu'elle le désirait jusque dans ses os. Elle le voulait. Elle voulait tout, la totale. Ici même, assise à califourchon sur lui, ses fesses contre le volant du camion. Surgi inopinément d'on ne sait où, ce fantasme cru lui envoya des picotements dans certaines parties de son anatomie qui n'auraient jamais dû picoter dans les circonstances. Carly se sentait tout à la fois chavirée et terrifiée. Pas question. Non, pas question qu'elle cède à ses instincts les plus primaires. Pas cette fois. Pas une autre fois non plus. Jamais.

Cependant, des images virulentes s'obstinaient à clignoter dans les recoins de sa cervelle, en relief et en technicolor. Carly se répétait intérieurement que cet homme était Matt, ce goujat, ce salaud, ce malpropre. Mais sa litanie mentale ne l'aidait en rien. Goujat ou non, il restait atrocement attirant et, surtout, il lui mettait tous les sens en feu. Qu'elle le veuille ou non, et Dieu sait qu'elle ne voulait pas !, elle était incendiée.

— Pourriez-vous ouvrir les fenêtres, s'il vous plaît ? demanda-t-elle enfin d'une voix faible.

Si sa température continuait à monter de la sorte, elle fondrait bientôt comme un bonhomme de neige en pleine canicule. Elle se réduirait à une petite flaque sur le siège de vinyle noir.

Le camion s'enfonçait dans la ville obscure et silencieuse. Matt sortit son téléphone portable de sa poche et composa un numéro. Visiblement, le voisinage de Carly ne le perturbait pas le moins du monde.

— Elles sont ouvertes, fit-il d'un ton absent.

Sandra confirma d'un hochement de tête. Éberluée, Carly tourna la tête vers une portière, puis l'autre. Ses compagnons de route disaient vrai : les vitres étaient baissées de part et d'autre. Elle reporta son attention sur la route. La brochure de la Chambre de commerce de Benton vantait à grands coups de superlatifs et de photographies en quadrichromie les améliorations apportées récemment au centre-ville : boutiques aux façades pittoresques, trottoirs aux bacs à fleurs judicieusement disposés, panneaux d'indication des rues en fer forgé à l'ancienne… À travers la quantité effarante de mouches et de moustiques écrasés sur le pare-brise, Carly réussissait ici et là à entrevoir quelques-uns de ces amendements esthétiques. Toutefois, au bord de la suffocation, son principal objectif restait de bénéficier de temps à autre d'une petite bouffée d'air frais.

Matt semblait tout à fait à l'aise. Le vent entremêlait ses cheveux noirs et séchait à mesure la sueur qui perlait sur son visage et sur son corps. Sandra aussi semblait à l'aise. Ses cheveux noirs étaient trop courts pour voleter dans le vent, mais ses pendants d'oreille s'agitaient gracieusement de part et d'autre de son visage. Carly souffrait donc seule. En plus d'être assaillie d'images explicites d'une hypothétique relation sexuelle torride avec Matt, d'images de positions dont elle n'avait même jamais soupçonné l'existence jusque-là, elle bringuebalait au gré des nids-de-poule dans l'asphalte. Volatile pour volatile, elle se prit à envier le sort des poulets rôtis qui, au moins, sont déjà morts à l'heure de leur supplice. La tête lui tournait, son estomac jouait les montagnes russes. Elle se sentait essorée comme un vieux chandail. Même si sa peur avait disparu, elle était encore secouée par les épreuves qui s'étaient succédé en cette nuit mémorable. Et puis, d'une manière générale, sa vie la déprimait. L'ensemble de son œuvre lui apparaissait sous un jour pitoyable. Le retour à Benton n'était peut-être pas une très bonne idée, après tout. Quant à habiter le castel délabré de sa grand-mère, c'était tout simplement grotesque. Quant à espérer en vivre… Sa partenaire commerciale menaçait de lever le camp. Sans compter que Sandra était aussi sa seule amie. Le salaud de première qu'elle rêvait de crucifier sur le siège arrière de sa vieille voiture déglinguée depuis une bonne douzaine d'années venait de refaire surface dans sa vie, en plein centre de la scène, juste sous les projecteurs. Après plus d'une décennie de sérieux, ses cheveux étaient retournés à leur état sauvage de l'enfance en moins d'une heure. Et pour couronner le tout, Hugo avait disparu.

Dure journée. Non, dure vie. Existence fade hérissée de contrariétés, de trahisons, de déceptions.

— Oui, dit Matt au téléphone. J'aurais besoin qu'on vienne me chercher chez moi. Ah oui ! Je voulais vous dire : regardez donc si vous ne trouveriez pas un chat. Comment ? Comment ça, de quoi il a l'air ? Il a une tête, quatre pattes, une queue. Et il pèse dans les quatre-vingts kilos. En fait, il a l'air d'un grizzly... Écoute... Je n'en sais rien, moi ! C'est un chat, c'est tout. Blanc, plein de poils. Il miaule. Tu veux un portrait-robot, ou quoi ?

Matt écouta son interlocuteur quelques secondes, puis sourit.

— Non, reprit-il, elles sont avec moi. Je les emmène chez moi pour la nuit. Mais non ! Ne t'inquiète pas ! Je sais me défendre. D'accord, dans quinze minutes.

Il raccrocha et replaça le téléphone dans sa poche.

— Antonio a peur que vous cherchiez à m'assassiner pendant la nuit.

Matt souriait encore.

— Dis donc ! s'exclama Carly avec un faux sourire ingénu. Il te connaît bien, ma parole !

En fait, elle était soulagée qu'il ait mis ses hommes à la recherche d'Hugo. Mais elle était tout aussi furieuse de la description qu'il leur avait donnée de son chat.

Matt ne répondit pas. Il ralentit, tourna à gauche dans un quartier résidentiel d'allure cossue. Quelques virages plus loin, il ralentit encore et engagea le camion dans une entrée asphaltée. Les phares révélèrent un pavillon à étage déjà ancien, la façade en bardeaux. Deux piliers de béton carrés soutenaient une véranda à un mètre du sol. On y accédait par quelques marches. Ainsi, c'était là que Matt vivait ? Dans l'entrée était garée une petite voiture jaune, juste devant la porte fermée d'un garage. Impossible d'imaginer le shérif au volant d'un modèle aussi miniature et d'une couleur aussi pimpante.

Tandis que Matt se garait derrière ce véhicule manifestement conçu pour une femme, Carly se rendit compte qu'elle le voyait encore comme le jeune homme qu'il avait été. Pour elle, il avait vingt et un ans et il attirait les filles comme le miel attire les mouches. Grossière erreur ! Grossière erreur dont elle devait s'extirper, car elle risquait de lui coûter cher, ainsi que l'expérience le lui avait montré.

— J'espère que nous ne réveillerons pas ta femme, dit-elle d'un ton volontairement neutre.

Il lui avait fallu une bonne dose de détermination pour ne pas hurler d'affolement. Car à la vérité, elle s'apercevait avec horreur que l'idée que Matt soit marié ne lui plaisait pas, mais alors, pas du tout.

— Je ne suis pas marié, dit-il simplement.

Carly étouffa de justesse un soupir de soulagement. En regardant Matt descendre du camion, elle constata avec chagrin qu'au fond d'elle, l'adolescente qu'elle avait été restait bien vivante et persistait à désirer le jeune homme brun, tendre et fougueux que Matt avait brusquement cessé d'être douze ans plus tôt.

Il faudrait à l'avenir qu'elle tienne cette adolescente à l'œil. Trop fleur bleue, trop imprévisible.

Elle descendit du camion à la suite de Matt, qui lui tenait patiemment la portière. Elle regarda la maison quelques instants, le temps que son organisme se réhabitue à la terre ferme après ce trajet bref mais houleux sur les routes de Benton. Aucune lumière, ni au rez-de-chaussée ni à l'étage. Tout était tranquille. À part cette mystérieuse petite voiture jaune dans l'entrée, la maison semblait déserte.

— Carly... soupira Matt en désignant la portière du camion d'un coup de tête.

Elle fit un pas de côté pour qu'il puisse refermer. Elle avança vers l'avant du véhicule qui contenait tout ce qu'elle possédait. Ses yeux se posèrent encore sur la petite voiture jaune. Si Matt n'était pas marié, à qui pouvait-elle bien appartenir ?

— Est-ce que ta mère vit avec toi ? demanda-t-elle d'un ton qu'elle voulait désinvolte.

Au fond, elle l'espérait. Matt, trente-trois ans, vivant avec sa mère... Cette perspective apaisait un peu son ressentiment accumulé depuis son départ.

— Ma mère est morte.

— Ah.

C'est tout ce qu'elle put dire d'abord. Matt aimait beaucoup sa mère. Sa disparition avait dû le faire atrocement souffrir.

— Je ne le savais pas, ajouta-t-elle en posant doucement sa main sur son bras.

Quand elle avait quitté Benton pour aller à l'université, elle avait mis un point d'honneur à ne plus jamais demander de nouvelles de Matt à sa grand-mère. La vieille dame avait rapidement compris qu'il ne fallait pas aborder le sujet, même si elle n'avait jamais su exactement pourquoi. Quand Carly revenait à la maison pour les vacances, ce qui était rare, elles avaient tant à se dire qu'elles réussissaient sans difficulté à éviter le sujet tabou. Puis, la santé de la grand-mère de Carly s'était détériorée. Leurs conversations s'étaient mises à tourner autour des traitements, des médicaments, des espoirs de guérison.

— Évidemment que tu ne le savais pas, répondit Matt sans émotion.

— Mais... Que s'est-il passé ? Quand...

— Il y a quelques années. Une crise cardiaque. Elle débarrassait des tables au Café du coin et elle s'est effondrée. Voilà.

Matt marqua une légère pause et regarda Carly. Elle serra ses doigts autour de son bras pour lui témoigner sa sympathie.

— Je terminais une mission dans les Marines, ajouta-t-il. Je suis rentré.

Carly avait la gorge serrée. « Idiote ! » pensa-t-elle. Le détachement que Matt affichait la bouleversait. Elle le connaissait trop bien pour être dupe. Sous son indifférence apparente, elle savait qu'il souffrait atrocement et elle en avait mal pour lui.

— Mais qu'est-ce que tu as bien pu mettre dans ce sac ? lança Sandra en approchant d'eux.

Haletante, elle tenait dans une main sa petite sacoche et dans l'autre, le sac de sport de Carly qu'elle venait de prendre à l'arrière du camion. Carly avait jugé souhaitable que chacune d'elles se prépare un petit bagage pour leur première nuit à Benton, au cas où elles ne pourraient pas faire décharger le camion dès leur arrivée. De fait, la précaution n'avait pas été inutile. Carly laissa tomber la main qu'elle avait posée sur le bras de Matt.

— Merci ! dit-elle à son amie.

Sans répondre à la question de Sandra, elle lui prit son sac des mains. À la vérité, le précieux bagage contenait son indispensable séchoir, ses brosses à cheveux, son shampooing et son gel lissant, ainsi qu'une trousse de maquillage et quelques vêtements, sans oublier le strict nécessaire dont Hugo ne pouvait se passer. Le tout totalisait un poids considérable, mais Carly n'avait pas l'intention d'exposer en détail le contenu de son sac devant Matt.

— Donnez-moi ça, déclara-t-il.

Il empoigna les deux sacs et les emporta vers la maison. Apparemment, le poids ne semblait pas l'incommoder. Sandra et Carly le suivirent. Il ouvrit la porte. Elles attendirent paisiblement sur le seuil qu'il ait déposé les bagages et allumé la lumière. Au bout de quelques secondes un peu gênantes, une lumière éblouissante les inonda. Presque aussitôt, ils entendirent un petit cri suivi d'un bruit sourd.

— Matt! s'exclama une voix de jeune femme. Tu as failli me faire mourir de peur! Je pensais que tu étais parti pour la nuit...

Carly et Sandra découvrirent une jolie adolescente aux yeux sombres bordés de cils fournis. Elle arborait un bronzage éclatant, des cheveux noirs qui ondulaient jusqu'à sa taille et de longues jambes sortant d'un tout petit short kaki. L'apparition était assise toute droite sur un sofa à fleurs jaunes. Visiblement, elle y était encore allongée quelques secondes plus tôt. Des deux mains, elle reboutonnait son chemisier blanc le plus rapidement et le plus discrètement possible. Par terre, un garçon blond aux cheveux longs du même âge qu'elle s'efforçait à la fois de remonter son jean et de se relever avec le plus de naturel possible. Ses yeux évoquaient ceux des daims surpris la nuit dans les phares des voitures.

De toute évidence, les tourtereaux étaient tombés du sofa quand la lumière s'était allumée. De toute évidence aussi, ils n'y étaient pas installés pour jouer aux cartes. Matt avait encore la main posée sur l'interrupteur. Au regard qu'il posa sur les deux jeunes, Carly comprit qu'il n'appréciait pas beaucoup la surprise.

La fille devait être la propriétaire de la voiture, pensa-t-elle. Alors... Était-elle la petite amie de Matt? Venait-il de la surprendre en flagrant délit d'adultère? Carly se sentit froncer les sourcils. Elle était contrariée. La fille avait l'air beaucoup trop jeune pour Matt. Par ailleurs, celui-ci ne semblait pas outragé comme un amant trahi...

— Dès que j'ai le dos tourné, il faut que tu fasses des bêtises, gronda-t-il.

La porte d'entrée de la maison donnait directement dans le salon. Les adolescents n'avaient pas eu la moindre chance d'échapper au shérif. La pièce était joliment meublée : un téléviseur, deux fauteuils à rayures, quelques lampes, des tables basses et les babioles habituelles. Les rideaux, fermés à cette heure, étaient assortis au sofa. Moquette vert mousse, murs vert pâle. Simple et de bon goût. À l'exception d'un fauteuil inclinable de vinyle noir, énorme, très vieux, usé jusqu'à la moelle et réparé avec du ruban adhésif en plusieurs endroits. L'hideux objet trônait à une distance confortable du téléviseur. Il était entouré d'une lampe sur pied et d'une petite table, d'un tas désordonné de journaux et de magazines. Le tout formait un îlot d'une laideur repoussante dans une mer par ailleurs charmante.

— Il est temps de rentrer, Andy ! lança Matt au jeune homme en avançant vers lui.

— Oui… souffla le malheureux, toujours accroché à son jean déboutonné. Oui, monsieur. Tout de suite !

C'était la première fois que Carly entendait Matt se faire appeler « monsieur ». Décidément, les années avaient passé…

— Arrête ton cirque, veux-tu ? lança la jeune fille, les yeux étincelants. J'ai dix-huit ans ! Le mois prochain, je pars pour l'université. Tu n'auras aucune idée de ce que je ferai, quand je serai là-bas…

— Tant mieux ! trancha Matt.

Il alluma une lampe. La pièce devint encore plus lumineuse.

— Euh… commença Andy d'une voix faible. Alors, Lissa, à la prochaine !

Le jeune homme adressa un sourire terrifié à Carly et Sandra, se dirigea vers la porte aussi rapidement qu'il le put. Carly l'aurait presque pris en pitié. Ce pauvre garçon avait le visage rouge comme une betterave et lançait des regards nerveux en direction de Matt. Toujours empêtré dans son jean, il finit par atteindre le seuil.

— À demain, Andy ! lança Lissa d'un ton joyeux.

Manifestement, les propos de Matt n'avaient pas sur elle le même impact terrifiant que sur son amoureux. Ayant fini de reboutonner son chemisier, elle se leva d'un bond souple et s'étira d'un air provocateur sous le nez du shérif à la triste figure. Elle bâilla ostensiblement en tapotant sa bouche du bout de ses doigts vernis, jouant l'ennui mortel.

— Carly, Sandra, je vous présente ma sœur Melissa, déclara Matt d'un ton cassant. Lissa, je te présente Carly Linton. Tu te rappelles ? Elle a grandi ici, à Benton. Son amie Sandra… Sandra…

— Kaminski, compléta Sandra, qui observait la scène avec de grands yeux éberlués.

— Sandra Kaminski, résuma Matt.

— Bonsoir ! fit Lissa dans un grand sourire, agitant ses doigts en l'air en guise de salut.

— Bonsoir, répondirent les deux femmes à l'unisson.

Carly se surprit à agiter, elle aussi, ses doigts en l'air. Une vraie gamine ! Heureusement, personne ne semblait l'avoir remarquée. Lissa avait déjà reporté toute son attention sur Matt.

— Tu es blessé ? demanda-t-elle. Qu'est-ce que tu as à la tête ? Et ta chemise ? Où est ta chemise ?

— J'ai reçu un coup sur la tête et ma chemise est mouillée, expliqua Matt avec une efficacité remarquable. Écoute… Il va falloir que tu t'occupes de Carly et Sandra. Elles vont passer la nuit ici.

— Ah oui ? demanda Lissa, soudainement très avide d'en savoir plus.

Elle regarda les deux femmes des pieds à la tête, surtout Carly.

— « Ah oui », comme tu dis, confirma Matt d'un ton sans réplique.

— Formidable ! lança néanmoins Lissa. Écoute, tu me connais… *Jamais* je ne me permettrais de trouver quoi que ce soit à redire à ta vie privée…

— Ça suffit, Lissa ! siffla-t-il.

Un coup de klaxon retentit devant la maison. Matt passa ses deux mains dans ses cheveux. Il avait l'air éreinté.

— Bon, soupira-t-il. Il faut que j'y aille. Où est Erin ?

— Sortie.

— Mais il est presque une heure et demie du matin !

Lissa haussa les épaules d'un air indifférent.

— Et Dani ?

— Sortie.

— Mais sortie où ? Tout est fermé à cette…

Lissa posait sur lui un regard fixe. Il renonça en hochant la tête de gauche à droite.

— Je ne veux même pas le savoir, conclut-il d'un air découragé.

Le klaxon retentit encore.

— Bon, il me faut une chemise.

Matt passa dans la pièce suivante, puis dans l'autre en allumant à mesure. Moins d'une minute plus tard, il était de retour, arborant un t-shirt tout froissé d'une équipe sportive de l'Université de la Géorgie.

— Il n'y a personne qui fait la lessive dans cette maison ? demanda-t-il à Lissa d'un ton exaspéré.

— Personne ! répondit-elle dans un grand sourire. Pas même toi !

— Oh ! Je t'en prie… J'ai travaillé comme un dingue toute la semaine.

— Allons, Matt ! La vérité, c'est que tu comptes sur nous pour faire ta lessive parce que nous sommes des filles.

Le klaxon retentit encore. Matt ravala ce qu'il s'apprêtait à répondre et se tourna vers Carly.

— Toi, tu ne quittes pas la maison. Et toi, Lissa, tu donnes à l'une d'elle ma chambre et à l'autre, celle d'Erin. Je doute fort qu'elle rentre ce soir. Quant à moi, je dormirai sur le sofa quand je rentrerai. Si je rentre.

— À vos ordres, capitaine ! rétorqua Lissa en faisant le salut militaire.

Matt lui jeta un regard sombre, ouvrit la bouche pour répondre... Le klaxon retentit deux fois.

— À plus tard ! conclut Matt.

Il sortit de la maison. Lissa se tourna vers les deux femmes.

— Sachez-le, mesdames, lança-t-elle. Il est beau garçon, mais très autoritaire.

Carly détourna son regard de la porte qui venait de se refermer sur Matt. Lissa l'observait de haut en bas.

— Oui, dit-elle enfin. Carly... Maintenant je me rappelle. Tu vivais au manoir Beadle et tu portais toujours des robes à volants. Tu avais les cheveux ultra-frisés, aussi. Et tu suivais Matt partout.

Prise de court, Carly hésita. Elle se rattrapa très vite, espérant que ni Sandra ni Lissa n'avaient remarqué son trouble.

— Je lui parlais de temps à autre, rectifia-t-elle. Il travaillait pour ma grand-mère à l'occasion.

Il fallait faire vite. Sinon, la petite sœur de Matt risquait de retrouver dans sa mémoire des souvenirs dont Carly n'avait pas forcément envie d'entendre parler en ce moment. Elle connaissait peu les filles Converse. Sa grand-mère lui permettait rarement d'aller chez Matt ou même d'approcher des quartiers « démunis », comme elle disait, dans lesquels sa famille emménageait le plus souvent. Mais à force de traîner avec le futur shérif, Carly avait forcément rencontré chacune de ses trois sœurs au moins quelques fois dans sa vie.

— Moi aussi, je me rappelle de toi ! lança-t-elle très vite. Tu étais petite et tu portais toujours des tongs parce que tu n'arrivais pas à lacer tes chaussures. Et tu pleurais pour un oui, pour un non. Une fois, je m'en souviens, c'était parce que l'un des garçons du quartier t'avait collé une gomme à mâcher dans les cheveux. Tu avais supplié Matt qu'il te l'enlève. Il avait coupé la mèche avec son canif. Il voulait bien faire, mais quand tu avais vu cette longue mèche de cheveux dans sa main, tu t'étais mise à hurler. Matt n'a jamais compris pourquoi.

Lissa sourit.

— C'est tout Matt, ça… Et tout moi aussi, d'ailleurs.

— Excuse-moi, commença Sandra en se balançant d'un pied sur l'autre. Peux-tu me dire où sont les toilettes ?

Elle jeta à Carly un regard sombre lui interdisant tout commentaire disgracieux.

— Viens ! répondit Lissa. C'est par ici.

Visiblement réjouie par les souvenirs qu'elles venaient d'évoquer, Lissa s'éloigna. Les deux femmes lui emboîtèrent le pas.

Elles traversèrent la cuisine claire et joyeuse. Entre les armoires blanches se déployait une tapisserie à motif de treillis. De l'autre côté de la cuisine se trouvaient des toilettes ainsi qu'une buanderie au sol jonché de paniers débordants de linge sale. Carly sourit. Décidément, personne ne faisait la lessive dans cette maison, c'était bien vrai.

— Est-ce que tu vis en permanence avec Matt, demanda-t-elle, ou est-ce que tu es en visite ?

— Je vis en permanence avec lui, mais je suis la dernière de nous trois. Et je déménage le mois prochain. Je vais à l'université. Ma sœur Dani y est déjà.

Erin vient d'obtenir son diplôme. Je repars avec Dani à la rentrée scolaire. Erin va se marier.

Lissa sourit. Les deux femmes étaient appuyées contre le mur de la cuisine en attendant que Sandra émerge des toilettes.

— Le mois prochain, reprit Lissa, Matt vivra seul pour la première fois depuis son retour, depuis que maman est morte. Pour le préparer au choc, nous faisons toutes les trois la grève de lessive et de ménage. Sinon, il risque de tourner mal quand nous ne serons plus là pour nous occuper de lui.

Sandra les rejoignit dans la cuisine. Lissa conduisit la petite troupe à l'étage. Elle attribua la chambre d'Erin à Sandra, une chambre toute rose et blanche pleine de babioles et de volants vaporeux. Puis, elle attribua celle de Matt à Carly. La maison était résolument féminine. Couleurs pastel, imprimés floraux, photos encadrées, plantes et bibelots s'y épanouissaient avec luxuriance. Mais la chambre de Matt était d'une austérité monacale : murs blancs et nus, moquette beige, quelques meubles solides en chêne sombre et, ici encore, un affreux fauteuil inclinable, encore plus rapiécé que celui du salon, mais judicieusement disposé face à un petit téléviseur.

— Il nous interdit de toucher à sa chambre, expliqua Lissa d'un ton d'excuse. Il dit qu'il l'aime comme elle est. Au moins, il a sa propre salle de bains.

La jeune fille pointa du doigt une porte qui s'ouvrait dans le fond de la pièce. Carly déposa son sac par terre. Elle titubait de fatigue. Déjà, le trajet depuis Chicago l'avait éreintée. Quand elle avait garé son camion de location devant la maison de sa grand-mère et qu'elle avait gravi la colline en serrant Hugo contre elle, son seul désir était de prendre une douche et de se coucher. Les événements qui s'étaient déroulés ensuite l'avaient réveillée à coups répétés d'adrénaline. Maintenant que tout danger était écarté, ses forces la désertaient pour de bon. Même son inquiétude pour Hugo ne pouvait l'empêcher de lorgner vers le lit avec convoitise.

— Merci, Lissa, dit-elle. Et bonne nuit.

Lissa n'eut pas besoin d'un dessin pour comprendre. Elle retourna vers la porte, puis s'arrêta, fit volte-face encore et s'appuya contre le chambranle avec un sourire malicieux sur les lèvres.

— J'ai hâte de voir ce que Shelby dira quand elle saura que Matt t'a ramenée à la maison, déclara-t-elle. Il ne ramène *jamais* de femmes à la maison. Elle va en claquer d'une crise cardiaque.

Carly ouvrit de grands yeux étonnés. Avant même qu'elle puisse expliquer les circonstances de son séjour dans la maison de Matt, Lissa lui avait adressé un autre de ces petits signes des doigts dont elle avait le secret. Tout sourire, elle était sortie de la chambre en fermant la porte derrière elle. Carly resta plantée au milieu de la pièce, la bouche ouverte. Bien qu'elle n'en fût pas fière, elle ne pouvait s'empêcher de se demander qui était cette Shelby et quels étaient ses rapports avec Matt...

11

Si ce foutu chat n'avait pas appartenu à Carly, Matt l'aurait volontiers envoyé à la fourrière. Mieux encore, il l'aurait laissé perché dans l'arbre où Toler l'avait finalement trouvé. Ou plutôt non ! Il l'aurait donné à manger au chien en reconnaissance de sa persévérance. Car malgré leurs menaces, l'animal était resté dans les parages en espérant mettre enfin les crocs dans la chair de sa proie. Mais voilà, le chat appartenait à Carly. Matt avait d'abord reproché leur couardise à ses adjoints. Puis, sous le regard du chien, de Toler et d'Antonio, le premier plein de convoitise, les deux autres au comble de l'amusement, il avait entrepris de grimper lui-même à l'arbre afin de ramener sur terre cette énorme boule de poils crachant de haine, hérissée de griffes et de dents.

Car Matt avait une dette envers Carly, une énorme dette. Tellement énorme qu'il était prêt à se faire lacérer les bras, à descendre précipitamment d'un arbre et à subir les moqueries de ses adjoints au risque d'y perdre sa réputation et son autorité. Quand son regard avait croisé celui de Carly, ce soir, Matt avait été transporté douze ans plus tôt, jusqu'à cette nuit où il avait vu se transformer en femme cette petite fille frisée qu'il avait toujours plus ou moins considérée comme une quatrième sœur. Or, elle était devenue cette nuit-là une femme, une femme magnifique avec de grands yeux bleus qui l'adoraient, une bouche douce aux lèvres peintes d'un rose léger qui tremblait quand il la regardait. Son corps mince et ferme gainé d'une robe de satin se pressait contre le sien à la moindre occasion. Il voulait simplement lui rendre service en l'accompagnant au bal. Simplement lui rendre service, rien de plus ! Mais comme tous les services qu'il rendait, celui-ci s'était retourné contre lui comme un boomerang revanchard.

Il ne pouvait même pas reprocher à Carly ce qui s'était passé ce soir-là. Elle avait dix-huit ans et vivait depuis toujours ou presque sous un globe de verre où la confinait sa lugubre grand-mère de crainte que la réalité ne la fasse déchoir. Carly n'avait jamais eu de petit ami. Pendant des années, Matt avait accueilli avec bonheur l'admiration qu'elle lui portait. Comme une plante se nourrit du soleil, il y puisait courage et force. En retour, il portait à Carly une affection distraite qui prenait rarement la forme d'une vraie tendresse. À l'époque, tout le monde le considérait comme un bon à rien, comme un gibier de potence. Tout le monde sauf Carly. Elle le trouvait merveilleux. Il le savait. En fait, la vénération de Carly le touchait. Elle l'avait incité à devenir quelqu'un de bien, à résister aux tentations qui l'auraient entraîné au désastre que tout Benton lui prédisait en guise d'avenir. Un jour, il l'avait trouvée en train de pleurer parce qu'elle n'avait pas de cavalier pour le bal. Il n'avait pas réfléchi plus d'un quart de seconde : il l'accompagnerait au bal, elle retrouverait le sourire, il redeviendrait son idole. Tout serait comme avant.

C'est alors qu'elle l'avait surpris. Ce soir-là, son vilain petit canard de bonne copine s'était transformé en un cygne gracieux. Quand elle était sortie de la maison, il en était resté bouche bée. Elle était splendide ! Malgré sa stupéfaction initiale, Matt Converse avait relevé le défi. Pas de problème. Il avait dansé avec elle dans l'immense gymnase décoré de papier crépon, faisant d'elle la princesse enviée de toutes les filles de l'école. Il l'avait aussi tenue à bonne distance du punch au rhum, une boisson dont il avait lui-même consommé une quantité suffisante pour être absolument sûr qu'elle contenait bien du rhum. Quand avait-il commencé à la désirer ? Impossible à dire. Mais quand ils étaient retournés vers sa voiture, il ne lui paraissait plus inenvisageable de musarder en route avant de la raccompagner chez sa grand-mère…

Elle s'était blottie sur le siège passager de sa voiture, la tête appuyée en arrière, les yeux rêveurs. Elle lui avait confié que la plupart de ses amies de classe avaient loué des chambres dans l'unique motel que Benton comptait à l'époque. Elles comptaient y faire la fête jusqu'au petit matin.

« Pas question que tu y ailles ! » avait-il répondu d'un ton brusque, en partie à cause de la grand-mère, mais surtout parce que la perspective qu'elle évoquait lui semblait trop tentante.

Tandis qu'ils roulaient, elle avait déclaré avoir soif. Rien d'étonnant à cela : Matt ne l'avait laissée prendre que quelques gorgées d'eau de toute la soirée. Il s'était arrêté dans une épicerie ouverte jour et nuit et avait acheté une boisson gazeuse pour elle et une bière pour lui. Ils avaient repris la route. Elle lui avait demandé avec tant d'insistance de goûter à sa bière qu'il avait fini par se garer sur le bas-côté, lui avait tendu sa cannette. À la toute première gorgée, Carly s'était étouffée, avait froncé le nez d'un air de dégoût. Il avait ri : « Frisette, tu es trop petite pour boire de la bière. »

Elle s'était redressée sur son siège et l'avait regardé droit dans les yeux : « Je suis bien plus grande que tu ne le penses. » Puis, elle l'avait embrassé sur la bouche, un baiser chaud et doux comme un café très sucré.

À ce moment-là, Matt avait perdu tout contrôle de lui-même.

Après, bien après, il l'avait ramenée chez elle. Puis, il était rentré chez lui pour dormir quelques heures. À son réveil, le souvenir de ce qu'il avait fait l'avait rendu malade. Littéralement malade. Son estomac se révulsait. Matt n'osait plus poser les yeux sur un miroir. Il se disait qu'il n'arriverait plus jamais à regarder Carly en face.

Qu'aurait-il pu dire ? « Désolé, j'ai commis une erreur, j'ai l'impression d'avoir couché avec ma sœur » ?

Matt grimaça au souvenir de ce lendemain pénible. Avec le recul, il se disait qu'il aurait dû dire quelque chose. Peut-être pas exactement qu'il avait l'impression d'avoir couché avec sa sœur. Mais quelque chose, au moins. Quelque chose d'un peu délicat, de raffiné. En tout cas, quelque chose. Sur le coup, il n'avait rien trouvé de mieux que d'éviter Carly tout l'été. C'était nul de sa part, vraiment nul.

Voilà pourquoi cette nuit, en guise de pénitence, il avait sauvé la vie de son chat et s'apprêtait à le lui rapporter sain et sauf. Confusément, le shérif avait l'impression qu'il devrait quand même lui présenter des excuses sincères en bonne et due forme. Un jour, demain ou après-demain, peut-être.

Maintenant qu'elle était devenue arrogante et vindicative, elle l'inviterait sans doute à se les mettre où elle pensait, ses excuses.

Souriant à la perspective de cette scène, Matt rentra enfin chez lui. Cette fois, Dieu merci, il n'y avait pas de comité d'accueil intempestif. Il gravit l'escalier, le fauve de Carly prudemment enfermé dans un fourre-tout de toile que Toler avait cédé à la bonne cause. Matt le tenait à bout de bras devant lui comme s'il contenait une bombe.

Il était plus de quatre heures du matin. La maison de la grand-mère de Carly avait été fouillée et photographiée, les empreintes relevées. Le terrain alentour ainsi que les bâtiments adjacents avaient également été scrutés. Enfin, l'équipe avait sauvé ce foutu chat des crocs du chien. Mais juste au moment où Matt avait enfin réussi à l'enfermer dans le fourre-tout de Toler, son téléphone avait sonné. Cindy Nichols ! Des coups dans sa chambre à coucher l'avaient réveillée et la faisaient mourir de peur. Des fantômes, sans aucun doute. Matt ne s'en était même pas étonné. Depuis quelque temps, madame Nichols entendait régulièrement des fantômes cogner dans ses murs. Matt s'était déplacé à plusieurs reprises pour faire semblant de chercher le surnaturel, mais surtout, pour rassurer la dame craintive. Cette fois, il n'en avait ni le courage ni la patience. D'un ton très professionnel, il avait demandé à son interlocutrice où elle se trouvait. Madame Nichols s'était enfermée dans la garde-robe de sa chambre et chuchotait le plus discrètement possible dans son téléphone portable pour ne pas attirer l'attention du fantôme. Il ne fallait surtout pas qu'elle lui révèle sa cachette ! Matt avait envoyé Antonio régler l'affaire. Ça lui apprendrait à rire de son supérieur quand celui-ci devait grimper aux arbres après les chats.

Matt espérait en secret que le fantôme soit bien au rendez-vous, cette fois. Il terroriserait Antonio et ce serait bien fait pour lui.

Matt était donc reparti vers chez lui en tenant à bout de bras son offrande de paix. Il était debout depuis… Depuis la veille au matin ! Pas étonnant qu'il soit moulu. Il faudrait qu'il parle au Conseil du comté. Soit ces braves gens devraient débloquer des fonds pour engager un ou deux adjoints supplémentaires, soit ils feraient les patrouilles eux-mêmes à l'avenir.

Arrivé en haut de l'escalier, Matt se rendit compte qu'il ne savait pas dans quelle chambre se trouvait Carly. Peu importe. Il avait cinquante pour cent de chances de tomber juste. L'important, c'était qu'il se débarrasse du fauve et qu'il redescende au salon pour dormir quelques heures. Sa chambre possédait une porte bien solide ainsi qu'un verrou. En l'occurrence, c'était exactement ce dont il avait besoin. Il enfermerait son captif dans sa chambre, puis il irait voir si Dani était rentrée. Si elle était là, il irait se coucher. Si elle n'était pas là…

Si elle n'était pas là, quoi ? Dani avait vingt ans ! Elle était à l'université neuf mois par an, loin de lui. Autrement dit, son grand frère n'avait aucune idée de ce qu'elle faisait de ses jours et surtout, de ses nuits. Qu'importe qu'elle soit dans sa chambre ce soir ! Matt allait enfermer le chat dans la sienne, descendre au salon, s'écraser sur le sofa et dormir du sommeil du juste.

Il ouvrit doucement la porte, bloqua la sortie avec ses jambes pour que le chat ne puisse pas se sauver, puis il ouvrit le sac de toile et en expulsa le monstre. Il éprouva une certaine satisfaction à le voir tomber lourdement sur le sol puis s'immobiliser, l'air ahuri. Matt observait encore le chat quand il se rendit compte qu'il faisait relativement clair dans la chambre. La porte de la salle de bains était entrouverte, laissant filtrer un rai de lumière. Matt tourna la tête vers le lit pour savoir si c'était Carly ou Sandra qui l'occupait. Personne ! Les oreillers étaient en désordre ainsi que les draps, mais le lit était vide.

L'affaire était claire : la personne qui avait défait le lit se trouvait maintenant dans la salle de bains. Voilà ! Mystère résolu. Matt tourna la tête et son regard se posa à l'autre bout de la pièce. Là, dans son confortable fauteuil tout rapiécé, était lovée Carly. Elle avait replié ses genoux contre sa poitrine. Elle semblait égarée, incroyablement minuscule.

Elle le regardait. À demi dissimulée par les ombres, elle observait chacun de ses gestes sans bouger, sans faire un bruit, comme si elle ne voulait pas qu'il la voie. Matt se sentit déstabilisé, nerveux, presque coupable. Carly avait dû le voir laisser tomber son précieux chat sur le sol. Peut-être avait-elle même perçu la satisfaction qu'il en avait éprouvée.

Mais il y avait autre chose. Son poing pressé contre ses lèvres, Carly retenait ses sanglots. Des larmes ruisselaient sur ses joues.

Oh non ! Pas ça ! Depuis sept ans, Matt nageait dans une marée rose. Depuis que sa mère était morte, depuis qu'il avait renoncé à une carrière prometteuse dans les Marines pour s'occuper de ses sœurs cadettes, il avait dû affronter chaque jour l'éventail complet des émotions féminines, toutes plus mystérieuses et imprévisibles les unes que les autres. Maintenant qu'il voyait enfin la lumière au bout du tunnel, maintenant que la petite dernière allait prendre le chemin de l'université, ce n'était vraiment pas le moment qu'il ajoute une femme problématique à la horde de celles qui l'entouraient déjà.

Pas question. Jamais de la vie.

Oui, mais... C'était Carly... Il veillait sur elle depuis qu'elle avait huit ans. À sa grande exaspération, Matt se rendit compte qu'il possédait encore envers elle un instinct protecteur très fort. Leur amitié s'était fracassée sur le siège arrière de sa voiture, mais l'infrastructure, les bases restaient intactes. En fait, leur relation était un peu comme la bicyclette : quand on sait comment ça marche, on ne peut pas oublier. Quoi qu'il en soit, il ne pouvait pas la laisser pleurer toute seule dans le noir.

Quelle plaie, quand on y pense.

— Salut, Carly! lança-t-il d'un ton faussement enjoué. Quoi de neuf?

— Va-t'en.

Elle avait la voix rauque. Ayant souvent entendu cette même voix chez ses sœurs, Matt sut tout de suite qu'elle avait beaucoup pleuré. Néanmoins, elle le rejetait très nettement.

Parfait! Elle ne voulait pas de lui? Parfait. La conscience tranquille, il pouvait maintenant faire demi-tour, se diriger vers la porte et...

Carly renifla. Pas un petit reniflement délicat, féminin. Un reniflement du fond des tripes à faire rougir un soudard.

Résigné, Matt soupira. Il entra complètement dans la pièce et referma la porte derrière lui. Le chat cracha dans sa direction, puis alla se terrer sous le lit. Matt lui accorda à peine un regard. Il traversa la pièce en maudissant le hasard qui lui avait fait ouvrir la porte de sa chambre à ce moment précis. Arrivé devant le fauteuil rapiécé, il s'immobilisa, enfonça ses mains dans ses poches et se mit à se balancer d'un pied sur l'autre. Il regardait Carly sans rien dire à travers les ombres qui dansaient sur elle. Elle leva les yeux vers lui, le regard rendu brillant par les larmes et par la lumière qui filtrait de la salle de bains.

« Vue d'ici, pensa Matt, elle a l'air encore plus petite et plus fragile. » Carly était enroulée sur elle-même comme un trombone. Elle pencha sa tête bouclée, exposant au regard de Matt la colonne blanchâtre de sa nuque. Elle portait un pantalon de pyjama et un petit haut de tricot qui lui découvrait la taille. Elle avait les pieds nus. À l'exception de sa nouvelle couleur de cheveux et des courbes féminines qui étaient apparues sur son corps, elle était restée en tous points identique à la gamine qu'elle était à seize ans.

« C'est bien ma veine ! » soupira Matt intérieurement.

— J'ai retrouvé ton chat ! lança-t-il.

Avec un peu de chance, la disparition de ce monstre à poil serait la cause des tourments de Carly et lui, son sauveur, redeviendrait son idole. Le problème serait réglé et il irait dormir sur ses deux oreilles.

— Merci beaucoup, répondit-elle d'un ton cassant. Maintenant, va-t'en !

Bon. Décidément, Matt n'était pas en veine cette nuit-là. Non seulement Carly lui refusait les lauriers qu'il avait mérités en risquant sa peau pour son foutu chat mais, en plus, elle lui en voulait ouvertement. Connaissant les femmes, il savait qu'un rien peut les faire pleurer. Mais Carly ne s'était pas contentée de quelques larmes. Elle avait ouvert les écluses en grand. Elle avait les yeux gonflés et le nez rouge, les joues luisantes de traces de pleurs.

« C'est bien ma veine ! » se répéta Matt.

— Bon. Ça suffit, Frisette ! Pourquoi tu pleures ?

Un peu rugueux, comme entrée en matière. Mais Matt ne tenait plus sur ses jambes. Cette femme qui pleurait constituait le coup de grâce. En plus, c'était Carly. N'importe quelle femme en pleurs éveillait l'instinct de protection et de consolation de Matt Converse. Mais Carly, c'était encore pire. Alors, il restait là. Au lieu de fuir comme un lâche ou d'aller se coucher avant de s'effondrer d'épuisement, il restait là. Pour lui, cette simple présence aurait dû au moins lui rapporter quelques points.

Carly posa sur lui un regard dur.

— Es-tu sourd ou idiot, Matt Converse ? Je t'ai dit de t'en aller.

Si elle comptait éloigner Matt avec sa hargne, c'était raté. Sa voix rauque et querelleuse bouleversa le shérif. Avec son gabarit de moustique, ses grands yeux bleus et ses frisettes, Carly avait toujours eu l'air d'une gamine effarouchée. Mais Matt savait d'expérience qu'elle possédait une combativité hors du commun. Elle avait eu une enfance plus difficile encore que la sienne. Elle ne s'était pas laissée abattre. Aujourd'hui encore, elle ripostait, protestait, luttait. Qu'ils soient hommes ou femmes, Matt avait toujours admiré les combatifs, les persévérants.

— Ni sourd, ni idiot, répondit-il. Je veux savoir pourquoi tu pleures et je ne partirai pas d'ici tant que tu ne me l'auras pas dit.

— Tu vas rester planté là toute la nuit, alors. Moi, ça m'indiffère.

Matt soupira. À ce train-là, il ne verrait pas son oreiller de sitôt.

— Arrête tes enfantillages, Carly...

— Et toi, arrête de te mêler de ce qui ne te regarde pas ! Qu'est-ce que ça peut te faire, pourquoi je pleure ?

— Ça peut me faire que je suis ton plus vieil ami...

Quelquefois, ça marchait. Quelquefois, une gentillesse bien placée arrivait à calmer une femme en pleurs. À cette heure-là de la nuit, Matt était prêt à tout pour consoler Carly et aller s'écraser sur son sofa.

— Non, Matt. Nous ne sommes pas des amis. Nous ne sommes même plus des connaissances.

Bon. Ça n'avait pas marché. Carly renifla encore, tout aussi disgracieusement que la première fois. Matt renonça à fermer l'œil avant l'aube. Il s'accroupit au pied du fauteuil.

— Qu'est-ce qui se passe, Carly ? demanda-t-il d'une voix si tendre qu'il en fut lui-même surpris.

Elle le fixa d'un regard furieux, mais ses lèvres tremblaient.

— J'ai fait un mauvais rêve. Ça va bien, maintenant. Ça irait encore mieux si tu me laissais tranquille.

— Veux-tu me raconter ton mauvais rêve ?

— Non.

— Est-ce que c'était au sujet de ta mère ?

La mère de Carly avait été une ivrogne folle des hommes. Quand elle décidait d'aller faire la fête, elle laissait son enfant unique aux voisins, parfois pendant plusieurs jours d'affilée. Une fois, elle n'était tout simplement pas revenue. Carly avait appris plus tard qu'elle était partie en Californie refaire sa vie avec son petit ami du moment. Quand les voisins avaient compris que Carly était abandonnée pour de bon, ils avaient appelé les services sociaux pour qu'ils la prennent en charge. C'est comme ça qu'elle s'était retrouvée dans une institution gouvernementale pour les « enfants en situation de crise », ainsi que l'expliquaient pudiquement les autorités. Elle y était restée jusqu'à ce que sa grand-mère vienne la chercher. Carly n'avait jamais rencontré la vieille dame jusque-là. Cela, Matt le savait. Tout Benton le savait. Pendant des années, Carly avait fait des cauchemars qui tournaient tous autour de sa mère, de l'abandon. Cela, personne ne le savait. Personne, sauf Matt. Elle le lui avait confié, un jour, sanglotant comme un petit animal blessé dans ses bras maladroits, presque réticents. D'aussi loin que Matt se souvienne, Carly n'avait jamais pleuré rien d'autre que le départ de sa mère.

— Non ! s'écria-t-elle.

Elle était furieuse. Furieuse que Matt lui ait rappelé qu'il connaissait son secret le plus douloureux.

— Ce n'était pas à propos de ta mère ?

— Non ! C'était à propos du Foyer, voilà !

Ah. Le Foyer. Cette fameuse institution où les autorités avaient parqué la pauvre gamine en attendant que sa grand-mère vienne la chercher.

— Ça devait être vraiment horrible, pour que tu pleures comme ça.

144

— Oui… C'était vraiment… horrible.

Matt comprit qu'elle parlait de l'institution, pas du cauchemar. Il se rendit soudain compte qu'elle lui avait rarement parlé de son séjour là-bas. Elle n'y était pas restée très longtemps, peut-être une semaine ou deux. Trop court pour traumatiser un enfant. En tout cas, c'était ce qu'il avait pensé jusqu'ici. Quant à sa grand-mère… Sa grand-mère disait toujours qu'il faut serrer les dents sans se plaindre, qu'il ne sert à rien de pleurer le passé. Elle n'avait jamais manifesté envers Carly la moindre ouverture pour qu'elle lui parle du Foyer.

— Est-ce que tu veux bien me raconter ? demanda Matt avec beaucoup de douceur.

— Ça faisait des années que je n'y avais pas repensé, murmura-t-elle d'une voix si basse qu'il dut tendre l'oreille. Je ne sais pas pourquoi, justement ce soir… J'ai rêvé que j'y étais encore. Avec les vieux lits superposés en métal qui grinçaient chaque fois qu'on bougeait. Dans mon rêve, j'entendais un lit grincer.

Elle s'arrêta soudain, les yeux écarquillés. Puis, elle soupira.

— J'avais tellement peur…

Sa voix tremblait. Pressant de nouveau son poing contre sa bouche comme pour s'arrêter de pleurer, elle fixa sur Matt un regard de défi. « Si jamais tu te moques de moi, je t'arrache les yeux. » Brusquement, de grosses larmes jaillirent de ses yeux et dévalèrent ses joues déjà rougies.

Matt eut l'impression de recevoir un coup de poing en pleine poitrine.

— Ma petite Carly… murmura-t-il en se relevant. Ça va aller, tu vas voir.

Elle ne lui opposa aucune résistance. Il la souleva du fauteuil comme si elle pesait le poids d'une plume. Il s'assit à sa place et la déposa sur ses genoux. Elle enroula ses bras autour de son cou, enfonça son visage contre son épaule. Elle pleura encore de longues minutes. Matt ne disait rien, se contentant de temps à autre d'un petit « Ça va aller… », « Ça va passer… » Mais il la tenait serrée contre lui et tendait l'oreille à son récit incompréhensible. Il était là, simplement. Au fil des ans, il avait compris que c'était souvent le meilleur moyen d'apaiser l'autre, de lui rendre sa force et sa sérénité.

Toutes ses larmes épuisées, Carly s'arrêta de pleurer. Elle reposait inerte sur les genoux de Matt, ses bras enroulés autour de son cou, sa tête appuyée contre son épaule. Sa respiration restait saccadée, mais elle ne pleurait plus.

— Ça va mieux ? demanda Matt en lui caressant les cheveux.

Les boucles de Carly s'enroulaient autour de ses doigts, fraîches, un peu rugueuses. Comme avant. Matt sentit sa joue qui frottait contre celle de Carly. Elle avait la peau toute mouillée. Toute douce aussi. Elle sentait le savon. Son savon à lui. Elle avait dû prendre une douche avant de se coucher. Ses cheveux sentaient le shampooing aux fruits.

Elle acquiesça d'un hochement de tête. Matt le sentit contre sa poitrine plus qu'il ne le vit.

— Je me sens tellement idiote, dit-elle d'une voix chevrotante. Je ne pleure jamais. Pas très souvent.

— Je sais, répondit-il en jouant avec ses boucles.

— Tu aurais dû partir. Je ne serais pas morte, tu sais.

— Je sais.

— C'est toi qui me fais ça. Tu es la seule personne avec laquelle je pleure. C'est toi qui fais sortir ça de moi.

— À ton service, madame.

Carly prit une inspiration oppressée, détacha son visage de l'épaule de Matt. Elle s'assit bien droite sur ses genoux et le regarda dans les yeux.

— Je n'en reviens pas, souffla-t-elle en essuyant ses joues de ses deux mains.

— De quoi ?

Matt la regardait sans rien faire. Elle était assise sur ses genoux, ses pieds flottant à quelques centimètres au-dessus du sol. Matt avait passé ses bras autour de sa taille sans la serrer. Elle était chaude et douce, très féminine. Depuis quelques minutes déjà, il avait une conscience aiguë des courbes fermes de ses fesses posées sur ses cuisses. Et chaque fois qu'elle bougeait, la conscience que Matt avait de son anatomie s'aiguisait encore. Ce n'était pas désagréable. Mais quand même, inutile que Carly le sache. Elle aurait pu se fâcher.

— De tout ça, dit-elle enfin. Toi, moi, tout ça…

Elle fit un grand geste qui les englobait, eux, le fauteuil rapiécé, toute la pièce. Elle renifla encore et s'essuya le nez du revers de la main. Matt sourit. Elle ressemblait plus que jamais à la petite fille frondeuse qu'elle avait été. Les yeux de Carly se posèrent sur son visage. Il la sentit se raidir.

— Imbécile, cracha-t-elle.

Ah ! Il n'aurait pas dû sourire.

Il était si fatigué qu'il avait l'impression de couler au fond de son fauteuil. Le moindre mouvement exigeait de lui un effort surhumain. Sa tête était appuyée contre le dossier. Ses mains caressaient distraitement le dos de Carly. Il aimait le contact de sa peau, pas la peine de prétendre le contraire. Il se sentait bien, au chaud, à l'aise. Il était même un peu excité. La femme assise sur ses genoux, il l'aurait volontiers entraînée jusqu'à son lit. Sauf que c'était Carly. Il avait déjà commis cette erreur. Il ne remettrait pas le couvert.

Ce qui ne l'empêchait pas d'apprécier le paysage : joli visage malgré les yeux gonflés, le nez rougi, le regard presque haineux ; épaules fines et nues sous leurs deux bretelles de marguerites crochetées vaguement ridicules ; divine surprise !, les seins étaient souples et ronds dans le haut de tricot ; taille mince et bien découpée, légèrement bronzée. Le reste du corps de Carly était caché dans son pantalon de pyjama. Qu'importe ! Matt aurait mis sa main au feu qu'elle était partout aussi douce et féminine qu'au bas de son dos. Il se laissa imprudemment aller à se rappeler son ventre plat et lisse, ses jambes fines, les bouclettes qui avaient éclos en haut de ses cuisses, plus serrées encore que celles de ses cheveux. Et ses fesses ! Il se rappelait distinctement ses fesses. Rondes et mignonnes, séduisantes comme l'enfer, affolantes avant même qu'il n'ait retiré la culotte de coton blanc grand-mère que Carly portait sous sa robe de bal.

Matt sentait monter en lui une sensation sans équivoque. « Je n'aurais jamais dû penser à ça », se dit-il.

— Est-ce que tu as entendu ce que je viens de te dire ? demanda Carly.

Matt s'obligea à se désintéresser de la manière dont elle se trémoussait sur lui pour reporter toute son attention sur ses paroles et sa colère.

— Je t'ai traité d'imbécile, précisa-t-elle.

— Je sais, répondit-il tranquillement. J'ai entendu.

Il était trop fatigué pour se battre. Sans compter qu'elle avait raison…

— Et alors ! lança-t-elle en pointant son menton vers lui.

Le geste avait imprimé dans la colonne vertébrale de Carly une ondulation qui se propagea jusqu'à ses fesses. À peine un sursaut, mais diablement efficace.

— Tu as raison, convint-il. Je suis un imbécile.

Le regard qu'elle lui adressa aurait pu incendier une forêt entière. C'est comme ça, les femmes. On est d'accord avec elles ? Ça les fâche encore plus.

— Est-ce que tu sais de quoi je parle, au moins ? demanda-t-elle d'un ton furieux.

Elle se tenait toute droite. Immobile, mais en un lieu particulièrement sensible de l'anatomie de Matt. Il colla ses mains contre son dos. La peau de Carly était comme du satin chaud. Matt fit glisser ses mains vers le bas...

Non ! Pas question. Arrête. Arrête tout de suite !

Matt noua ses mains dans le dos de Carly et les immobilisa.

— Bien sûr, que je sais de quoi tu parles. Tu es encore furieuse contre moi parce que je t'ai déflorée il y a douze ans et parce que je ne t'ai pas reparlé après.

Il la faisait enrager exprès. D'abord, il voulait voir si les yeux de Carly lançaient encore des étincelles et si ses joues rosissaient comme autrefois. Et puis surtout, il voulait la contrarier suffisamment pour qu'elle se lève enfin et qu'elle mette un terme à ce supplice avant qu'il n'ait épuisé toute sa capacité de résistance. Évidemment, il aurait pu la repousser physiquement, la prendre par la taille, l'obliger à se remettre sur ses pieds. Mais il n'avait déjà plus la force d'agir. Carly était tellement tendue qu'il craignait qu'elle ne casse cette partie si vitale et si fragile de son anatomie d'un coup de ses fesses tétanisées par la hargne. Non, vraiment, il n'avait plus la force ni la volonté nécessaires pour l'obliger à se lever.

Comme il l'espérait, les yeux de Carly s'agrandirent et lancèrent des étincelles. Ses joues s'empourprèrent. Ses lèvres s'entrouvrirent pour laisser passer l'air qu'elle inspirait goulûment. Et là, sans crier gare, elle lui envoya un grand coup de poing au visage.

Malgré sa fatigue, Matt l'intercepta. Réflexe professionnel, sans doute. Il fit un bond de côté qui envoya Carly contre sa hanche. Les deux se retrouvèrent face à face dans le fauteuil. Haletante, surprise, Carly resta serrée contre lui, sa poitrine contre la sienne, sa jambe enroulée autour de sa hanche. Matt la tenait d'un bras ferme et gardait son poignet entre ses doigts de l'autre main.

— Espèce de salaud, cracha-t-elle en le regardant droit dans les yeux.

Leurs visages n'étaient plus qu'à quelques centimètres l'un de l'autre. Matt voyait clairement la colère qui étincelait dans les yeux de Carly et la contraction furieuse de ses lèvres. Elle ne se débattait pas, mais sa respiration restait oppressée, plus entravée par la rage que par l'effort. Matt sentait ses seins contre sa propre poitrine, leur chaleur, leur douceur. Il inhalait l'arôme de savon et de shampooing aux fruits qui émanait d'elle. Soudainement, il crut la voir nue sous la douche, dans sa salle de bains à lui, passant sur son corps le savon qu'il avait lui-même acheté et dont il s'était servi jusque-là.

— Espèce de salaud, imbécile, pourri…

Inutile de le nier. Elle avait raison. Il était un salaud. Et même plus encore qu'elle ne le pensait. En ce moment même, malgré tout, malgré l'affection profonde qu'il lui portait et le souvenir encore très vif du marasme qu'il avait déclenché en cédant à ses instincts les plus bas, il la désirait tellement qu'il en avait mal dans chacun de ses os.

— Tu es vraiment le pire salaud que j'aie connu de ma vie, conclut-elle, les dents serrées.

— Je suis désolé, fit-il.

Et il était sincère. Cela faisait longtemps qu'il lui devait des excuses. L'heure n'était plus à la provocation. Il voulait simplement qu'elle sache qu'il avait regretté son geste et la fuite qui avait suivi. Mais il savait qu'il était trop tard. Quoi qu'il puisse dire pour la rendre furieuse, pour qu'elle se lève d'un bond, il sentait clairement que ses instincts primaires étaient maintenant trop éveillés pour qu'il puisse leur résister une seconde de plus.

— Je suis désolé, répéta-t-il. Je n'aurais pas dû me laisser emporter comme je l'ai fait le soir du bal. Et je n'aurais pas dû disparaître après. À vrai dire, je n'aurais jamais cru que je pourrais te désirer à ce point. Nous avions toujours été des amis, des copains. Quand je me suis réveillé, le lendemain matin, et que je me suis rendu compte de ce que j'avais fait, j'ai eu l'impression que je t'avais trahie, que j'avais abusé de ta confiance. J'ai eu honte et c'est pour ça que je me suis tenu loin de toi.

C'étaient de belles excuses. Exhaustives, précises et, surtout, absolument sincères. Matt desserra les doigts qu'il avait enroulés autour du poignet de Carly et attendit, résigné. Si elle voulait encore le frapper, qu'elle le fasse. Il était prêt à accepter ses coups, à se tenir droit sous la grêle. Mais Carly ne dit rien. Elle le regardait. Elle respirait plus calmement. Elle appuya ses doigts libérés contre la poitrine de Matt. Il la sentait moins tendue, moins hargneuse. Sa colonne vertébrale était redevenue souple. Ses bras avaient repris leur douceur. Des vagues de chaleur émanaient d'elle, se succédant lentement.

— J'étais un gamin, ajouta-t-il, les yeux rivés sur ceux de Carly.

Autant en finir. Autant tout dire maintenant. Après, il se lèverait et sortirait de cette pièce avant de refaire une bêtise qu'il regretterait toute sa vie.

— J'étais un gamin stupide, reprit-il. Je me suis comporté comme un gamin stupide. Pardonne-moi, je t'en prie.

Carly baissa les yeux. Ses mains remontèrent sur la poitrine de Matt jusqu'à ses épaules. Elle se détendit complètement. Elle était maintenant allongée contre lui, sa poitrine contre la sienne, sa hanche contre la sienne. Toutes ces courbes douces et cette chaleur affolaient Matt. Il sentait le cœur de Carly battre et ses seins se presser contre sa propre peau. L'odeur du savon lui montait à la tête.

« Arrête ! s'admonesta-t-il intérieurement. Lève-toi, va-t'en d'ici ! »

Mais il n'en fit rien. Il resserra ses mains sur la taille de Carly, luttant de toutes ses forces pour ne pas les faire descendre vers ses fesses.

Carly le regarda de nouveau.

— Je... commença-t-elle.

Mais elle s'arrêta soudain pour s'humecter les lèvres. Matt n'entendit plus rien. Fasciné, il n'arrivait plus à détacher son regard de sa bouche entrouverte. Il avait fait glisser ses doigts sous la ceinture du pantalon de pyjama de Carly, ce qui n'était peut-être pas étranger au fait qu'elle avait perdu le fil de ses pensées. Les mains de Matt semblaient animées d'une vie propre. Elles n'en faisaient qu'à leur tête. Lui-même était incapable de les raisonner, de les ramener en des lieux moins troublants.

— Matt, souffla Carly.

Sa voix tremblait. Elle prit une inspiration oppressée. Matt sentit ses seins s'écraser contre son propre torse. Il vit que les lèvres de Carly tremblaient. Soudain, il se rappela combien ces lèvres étaient douces et chaudes...

Elle ferma les yeux et, pour une raison mystérieuse, leva son visage vers lui. Et là, que Dieu le pardonne, Matt entra dans l'un de ces trous noirs où la raison n'a plus cours. Enivré par l'odeur du savon mêlée à la douceur de la peau de Carly, il pencha la tête vers elle et l'embrassa.

12

Carly n'en revenait pas. Après douze ans d'absence, un mari et plusieurs petits amis, elle n'avait rien oublié des baisers de Matt. En fait, elle n'avait rien oublié de Matt, point. Elle le désirait autant ce soir qu'en cette période trouble de son adolescence où elle tremblait d'amour devant lui. Elle le désirait même encore plus. Car maintenant, elle était assez vieille pour savoir exactement ce qu'elle désirait.

Et Matt était assez vieux pour le lui donner.

Carly comprit tout cela dès l'instant où il posa ses lèvres sur les siennes. D'abord, il se contenta de l'embrasser doucement, comme un papillon qui effleure des pétales du bout de ses ailes. Les lèvres de Matt étaient fermes et sèches, diaboliquement délicates. Il était beaucoup plus grand que Carly, beaucoup plus large et plus fort, musculeux dans ces endroits du corps où elle n'était que finesse, ferme là où elle était douce. Elle aimait ces différences, l'écart de leurs tailles, la force paisible de Matt, ses muscles puissants. Elle les avait toujours aimés.

Elle aimait aussi ses baisers.

Les mains de Matt descendirent encore et s'aplatirent contre le bas de son dos, l'attirant vers lui. Il la désirait très fort. La preuve en saillait sous son jean, incontestable comme le roc. Carly se sentait légèrement étourdie. Sa raison lui avait tant crié qu'il ne fallait pas, qu'elle ne devrait pas. Elle semblait en être devenue aphone. Ou alors, Carly était devenue sourde à sa voix. Elle ne sentait plus qu'une tension qui montait en elle, une pulsation qui battait au fond d'elle.

Cela faisait très, très longtemps qu'elle n'avait pas ressenti cela.

— Dis-moi que tu me pardonnes, murmura-t-il tout contre elle.

Carly sentait son souffle sur sa peau. Elle ouvrit les yeux. Elle ouvrit la bouche pour protester. Jamais elle ne lui pardonnerait !

Il l'embrassa de nouveau, câlin, enjôleur.

En douze ans, Matt avait appris la douceur et la lenteur. Carly ne voulait pas lui rendre son baiser, mais ce fut plus fort qu'elle. Elle enfonça ses ongles dans les épaules de Matt, bien déterminée à ne pas lui accorder l'abdication totale en enroulant ses bras autour de son cou. Mais elle lui rendit son baiser.

Un baiser. Un seul. Mon Dieu, Matt embrassait tellement bien !

— Carly…

Ce fut Matt qui rompit leur étreinte et s'écarta pour éloigner leurs lèvres. Il avait la voix rocailleuse.

Carly rouvrit les yeux. Les cheveux noirs de Matt étaient plus courts qu'autrefois, mais toujours aussi rebelles. Ils ondulaient légèrement. Matt avait toujours son sparadrap sur le front. Oui, les choses avaient changé. Il y avait maintenant des voleurs à Benton. Et Matt, aussi ahurissant cela soit-il, était devenu shérif. Ils avaient grandi. Ils étaient devenus presque étrangers l'un à l'autre. Les yeux de Carly plongèrent dans ceux de Matt. Il la regardait. Ses yeux n'avaient pas changé. Ils étaient encore aussi sombres, les paupières un peu lourdes. Ils lui promettaient des extases comme elle n'aurait pas pu en imaginer dans ses pires délires. Forte et virile, sa bouche était aussi restée la même. Ses courbes étaient si sensuelles que Carly dut prendre sur elle pour en détacher son regard.

Elle avait espéré que le visage de Matt la ramènerait à la raison, lui rappellerait tous les bons motifs qu'elle avait de ne pas s'approcher de lui. Ce fut l'inverse qui se produisit. Oui, Matt était resté le même. Mais au lieu de penser : « Le même salaud qu'avant… », Carly se disait avec enchantement : « C'est Matt ! C'est lui ! » Il était encore plus beau, encore plus attirant. Et il savait encore la ravir et l'affoler comme aucun homme n'avait su le faire depuis. C'est Matt ! Ce bon vieux Matt dans les bras duquel elle était si bien…

— Je te pardonne, dit-elle enfin.

Elle savait qu'elle allait maintenant commettre une bêtise, une énorme bêtise. Elle s'efforça de rassembler suffisamment de forces pour sortir des bras de Matt avant de céder à la tentation. Ils étaient nez à nez dans le grand fauteuil, couchés sur le côté, imbriqués l'un dans l'autre. Les deux mains de Matt la pressaient contre lui, mais elle n'aurait aucun mal à s'en dégager. Il lui suffisait de se redresser, de se lever et de s'éloigner. Très simple.

Mais elle ne pouvait pas. Bientôt, peut-être. Mais pas maintenant, pas encore.

— Enfin ! s'exclama-t-il d'une voix douce.

Il lui sourit. En voyant ses lèvres qui lui souriaient, Carly sentit son sang battre à ses tempes. Elle inspira, regarda Matt dans les yeux. Ses pupilles noires flamboyaient. Il l'embrassa encore, très doucement, très délicatement, avec tant de tendresse qu'elle en fut grisée. Carly pensa confusément qu'il faisait exprès de prendre son temps pour mieux la tenter, pour la convaincre de céder pas à pas. Tant pis ! La barbe qui commençait de poindre sur ses joues lui griffait légèrement la peau. Il avait le corps ferme et chaud, magnifiquement viril. Mais surtout, elle adorait être blottie contre lui, dans ses bras. Elle en frissonna.

Il dut sentir son tremblement, car il se raidit soudain et sa respiration s'accéléra. Puis, sans sommation, il l'embrassa comme elle voulait qu'il l'embrasse, comme elle avait besoin qu'il l'embrasse, comme elle avait tant souhaité être embrassée durant ses interminables nuits de solitude. Matt enfonça sa langue dans sa bouche, l'explorant avec avidité. Carly n'arrivait plus à penser. La chaleur la faisait grésiller comme une goutte d'eau sur une plaque brûlante. Elle enroula ses bras autour du cou de Matt, ferma les yeux et l'embrassa sans retenue, profitant pleinement de l'instant présent, se promettant qu'après, ce serait fini. Un baiser, un seul. Après, ce serait fini.

Mais Matt fit glisser ses mains dans son pyjama, jusqu'à la naissance de ses fesses. Là, il les immobilisa.

Seigneur ! Carly sentit son cœur manquer quelques battements et crut qu'il allait bondir hors de sa poitrine. La pulsation qui battait en elle fit place à un ouragan affamé, une tornade de désir, un tremblement de terre. Matt avait des mains fortes aux doigts longs. Il les appuyait fermement contre sa chair. Carly ne souhaitait plus qu'une chose, qu'il les fasse descendre sur ses fesses. Elle le voulait tellement qu'elle dut se retenir pour ne pas prendre les mains de Matt dans les siennes et les amener où elle voulait qu'elles soient. Elle resserra ses bras autour de son cou, l'embrassa avec fièvre et s'abandonna au mouvement de vague qui l'envahissait et l'amenait contre la bosse dure qui saillait dans le jean de Matt.

Il releva soudain la tête, éloigna ses lèvres de celles de Carly. Ivre de désir, elle ouvrit les yeux et vit qu'il l'observait. Il haletait, ses yeux étincelaient, sa poitrine se pressait contre ses seins, ses bras s'étaient durcis autour d'elle. Tout le corps de Matt semblait vibrer d'une faim, d'une urgence qui témoignait clairement du désir qu'il avait d'elle.

— Nous ne devrions pas, dit-il d'une voix rugueuse.

Mais quoi qu'il en dise, ses yeux continuaient de la dévorer et n'exprimaient aucune intention d'interrompre leurs caresses.

Le voyant la regarder comme ça, Carly se sentit incendiée par une nouvelle vague de désir. Elle attendit d'avoir repris son souffle pour parler.

— Non, nous ne devrions pas, concéda-t-elle.

— Il faudrait…

Mais Matt s'interrompit, l'attira plus près de lui, comme si son corps ne comprenait pas ce que sa bouche tentait de dire, ou comme s'il ne voulait plus lui obéir.

— Oui, il faudrait, souffla-t-elle.

Les mains de Matt se remirent à parcourir ses rondeurs, se posèrent enfin sur ses fesses. Tremblante de plaisir, Carly étouffa un petit cri. Le contact chaud, presque rêche, de ces mains puissantes aux longs doigts enflamma chacune de ses terminaisons nerveuses et la fit trembler des pieds à la tête.

— Mon Dieu, Matt…

C'était tout ce qu'elle pouvait dire, tout ce qu'elle pouvait penser. Sa raison l'avait désertée. Son cerveau n'était plus qu'un désir en ébullition. Mais elle voulait prendre son temps. Elle ne voulait pas d'une exultation trop soudaine qui aurait suspendu son plaisir trop vite. Entre ses paupières à demi fermées, elle vit que Matt la regardait avec des yeux brillants. Il avait toujours su lire dans ses pensées. En cet instant même, il savait exactement à quel point elle le désirait. Se sentant nue devant lui, elle en frissonna.

— Tu n'as pas de culotte, murmura-t-il d'une voix que Carly ne lui connaissait pas.

Elle sourit. Le souffle lui manquait pour expliquer qu'elle ne portait jamais de culotte sous son pyjama. Elle se contenta de hocher la tête de gauche à droite.

La mâchoire de Matt se contracta, ses mains aussi. Il agrippa ses fesses rondes et lisses, attira Carly vers lui lentement, mais sans hésitation.

Carly tremblait. Elle ferma les yeux. Elle était consumée par son désir, ne sentait plus ses muscles ni ses os. Son esprit tournoyait à toute vitesse. Elle était comme saoule. Elle resserra son étreinte autour de Matt, leva le visage vers lui et ses lèvres allèrent vers les siennes. Elle l'embrassa comme si sa vie en dépendait.

Il l'embrassa jusqu'à la rendre folle, jusqu'à ce qu'elle ne sache plus où elle était, jusqu'à ce que son corps soit parcouru de soubresauts, entièrement offert à Matt. Soudain, il cessa de l'embrasser. Il se recula. Il releva la tête. Ses mains abandonnèrent ses fesses et glissèrent hors de son pyjama. Il desserra les bras qu'il avait refermés sur elle.

Éberluée, le souffle court, Carly ouvrit les yeux. Il lui fallut quelques secondes pour comprendre qu'il tentait de lui ôter son pyjama, de la mettre nue. Elle gémit. Elle désirait aussi être nue avec lui et qu'il soit nu contre elle, près d'elle, sur elle, en elle…

Elle abaissa ses mains pour l'aider. Leurs regards se croisèrent. Les yeux de Matt étaient noirs et luisants comme l'onyx, à demi fermés par la hâte qui le dévorait. Il respirait fort et son visage était rouge d'exaltation. À le voir ainsi, Carly se sentit fondre. Elle le désirait plus qu'elle n'avait désiré quiconque de toute sa vie. Il la souleva pour se caler au fond du fauteuil et voulut la déposer sur lui, mais il ne réussit qu'à la faire glisser de l'autre côté. Il l'agrippa pour la replacer sur ses cuisses. Ils tombèrent du fauteuil et s'effondrèrent sur le sol.

Elle tomba sur lui. Pas de mort, pas de blessé. Seulement un homme et une femme désorientés, affamés, consumés de désir. Il fallut à Carly quelques instants pour retrouver ses esprits. Elle releva la tête et regarda Matt. Il était allongé sur le dos, le torse de Carly le surplombant, ses épaules larges à la hauteur du visage et des yeux bleus de Carly. Il avait replacé ses mains sur sa taille. Il la regardait avec de grands yeux, la respiration oppressée, mais il ne faisait aucun effort pour reprendre leurs ébats.

— C'est une ceinture à coulisse, murmura Carly.

C'était simple. Il suffisait de la dénouer, de tirer sur la coulisse et son pantalon s'enlèverait tout seul. Les mains de Matt passèrent de sa taille à ses hanches, s'immobilisèrent. Il continuait de fixer Carly, l'air de ne pas comprendre.

— Mon pyjama, dit-elle. C'est une ceinture à coulisse. Il suffit d'enlever le nœud et…

Elle s'arrêta soudain. Matt avait les sourcils froncés. Il semblait fait de pierre. Elle abaissa ses mains jusqu'à la ceinture de son pantalon pour la dénouer elle-même. Pourquoi expliquer quand on peut agir ? Et puis, elle aimait l'idée d'être nue sur lui des pieds jusqu'à la taille tandis qu'il aurait gardé ses vêtements. Cette perspective l'excitait plus que tous ses fantasmes réunis des dernières années.

— Attends ! souffla Matt. Arrête !

Il referma ses doigts sur ses mains pour les immobiliser. Carly le dévisagea, stupéfaite. Il avait les yeux étincelants de passion, le visage rouge de désir. Il serra encore ses doigts sur ses mains, puis il roula sur le côté. Elle glissa sur la moquette. Ils se retrouvèrent allongés sur le côté, face à face, leurs mains entrelacées.

Carly eut le sentiment que ce changement de position n'annonçait pas une extravagance érotique.

— Que se passe-t-il, Matt ?

À son grand désarroi, elle constata qu'il grimaçait. Il avait les sourcils froncés, les dents serrées. On aurait dit qu'il souffrait.

— C'est impossible, dit-il enfin d'un ton exténué. C'est impossible.

Il libéra ses mains, s'assit, puis se releva d'un bond. Trop abasourdie pour l'arrêter, Carly s'assit à son tour sans cesser de le regarder, ses deux mains posées sur la moquette de part et d'autre de ses hanches, ses jambes étendues devant elle.

— Matt…

Elle dut se tordre le cou pour le regarder dans les yeux. Il bougeait sans arrêt, comme si le regard étonné de Carly le mettait mal à l'aise. Enfin, il enfonça ses mains dans ses poches, fit un pas en arrière.

— Nous avons déjà commis cette erreur, dit-il.

Il la regardait comme s'il venait de découvrir qu'elle portait une ceinture d'explosifs à la taille. Lentement, il recula vers la porte.

— C'est impossible, Frisette. Nous sommes des amis. Des amis. Nous ne pouvons pas faire ça.

— Comment ça, « nous ne pouvons pas faire ça » ?

— La dernière fois, tu m'en as voulu pendant douze ans !

Il parlait plus vite à présent. Arrivé à la porte, il saisit la poignée sans se retourner.

— Je tiens trop à toi pour faire ça, ajouta-t-il. Il y a des tas de filles avec lesquelles je peux coucher. Toi, tu es ma seule amie.

— Quoi ?

Maintenant, elle comprenait. Il la laissait là, au bord de l'abîme, seule. Le salaud. Décidément, le salaud !

— Je veux que nous restions amis, dit-il en ouvrant la porte. Tu vas voir, c'est mieux comme ça. Penses-y un peu et tu verras.

Il sortit dans le couloir plongé dans l'obscurité.

— Bonne nuit, Carly, murmura-t-il en refermant la porte.

Il avait disparu. Comme ça. D'un coup.

Carly n'en revenait pas. Il était parti, la laissait seule dans sa chambre à lui, assise au milieu de sa moquette beige hideuse, le corps encore parcouru de soubresauts de désir. Hugo sortit précautionneusement son museau de sous le lit. Lentement, Carly prit la pleine mesure de ce qui venait de se passer. La haine et la colère se cristallisèrent en elle.

13

Le lendemain matin, quand Carly descendit l'escalier, elle transpirait la rage par tous les pores de sa peau. Au moins, le comportement disgracieux de Matt avait effacé de son esprit les autres moments pénibles de la nuit… Elle était furieuse contre lui, à tel point qu'elle n'avait pas fermé l'œil, tout entière occupée à le détester. Complètement traumatisé par ses aventures, Hugo s'était obstiné à se blottir contre elle en lui enfonçant ses griffes dans la peau chaque fois qu'elle changeait de position. Sans compter que le corps de Carly avait persisté toute la nuit à grésiller de désir pour Matt. Pour couronner le tout, elle était furieuse contre elle-même ! Elle savait depuis toujours que Matt était un salaud séduisant, un minable doté d'un physique de demi-dieu, un splendide innommable. Mais qu'est-ce qui lui avait pris, pour l'amour du ciel ? Qu'est-ce qui lui avait pris ?

Rien. Elle avait cessé de penser, c'est tout. Elle était tellement enivrée de désir qu'elle avait mis son cerveau en veilleuse. Évidemment ! Que peut-on espérer d'une femme qui a retrouvé une quasi-virginité à force d'abstinence ?

Vers huit heures du matin, alors qu'elle avait complètement renoncé à dormir, elle s'était rappelé qu'elle était dans la maison de Matt. Il n'était donc pas exclu qu'elle le rencontre en descendant l'escalier. Au début, cette perspective l'horrifia. Elle aurait préféré, et de loin, ne plus jamais avoir à poser les yeux sur cet individu méprisable. Mais peu à peu, les avantages de cette obligation pénible lui étaient apparus clairement. Au contraire ! Une fois déjà, il l'avait plaquée et elle était restée seule à ruminer sa disgrâce. Cette fois, ça ne se passerait pas comme ça ! Oh, non ! Cette fois, il allait voir de quel bois elle se chauffait. C'en était fini de la petite Carly toute mignonne, toute douce. Maintenant, Carly avait des griffes et des crocs. Elle allait l'attaquer de front, déployer son vocabulaire des grands jours sans craindre d'être entendue, sans s'interroger une seconde sur l'impact que ses propos pourraient avoir sur Matt.

Rien que d'y penser, elle respirait déjà mieux.

En lissant ses cheveux dans le miroir, toutefois, elle eut un doute. Elle avait l'air d'avoir passé la nuit dans une machine à laver. Pas vraiment idéal pour la confiance en soi. La Carly nouvelle qu'elle voyait dans sa tête insulter Matt était plus jolie, plus jeune, bien plus attirante que la femme qui maniait le séchoir devant elle. Elle se raisonna, s'admonesta. Après tout, son attitude devait s'enraciner dans ses convictions et sa détermination, pas son allure. Il lui fallut quelques minutes pour s'en convaincre. Elle finit par y arriver. Elle accepta cette vérité un peu déprimante : la Carly nouvelle ressemblait en tout point à l'ancienne, surtout quand elle n'avait pas dormi de la nuit. Comme toujours, le manque de sommeil lui collait des cernes noirs sous les yeux, lui faisait éclater de petits vaisseaux rouges autour de l'iris et lui donnait la peau terne, sans compter qu'il la rendait affreusement susceptible, voire agressive. Ça, c'était plutôt un bon point en l'occurrence. Aujourd'hui, son irascibilité constituerait un atout de taille dans sa conversation avec Matt, la dernière de sa vie. Tout d'abord, elle lui conseillerait d'aller se faire… Puis, elle lui enverrait à la tête une bordée d'injures en vrac. Enfin, elle lui ordonnerait de se tenir définitivement à bonne distance d'elle : elle ne voulait plus le voir, plus jamais de sa vie !

Il voulait des amis ? Qu'il aille au zoo !

C'est presque le sourire aux lèvres qu'elle descendit l'escalier. La tête haute, mais une main prudemment posée sur la rampe. Puisqu'elle se métamorphosait ce matin même en Carly nouvelle, en Carly sûre d'elle et maîtresse de sa destinée, ce n'était vraiment pas le moment de rater une marche pour débouler l'escalier cul par-dessus tête. Matt n'était pas dans le salon. Tant pis. En fait, il n'y avait personne. Carly soupira. Ses épaules s'affaissèrent. Elle qui était prête à tuer, elle n'avait personne pour assouvir sa soif de vengeance. Cet instant de découragement ne dura guère. Carly se redressa et reprit sa marche d'un air altier. Manifestement, il y avait du monde dans la cuisine. Des éclats de voix et des odeurs alléchantes de petit-déjeuner parvenaient jusqu'à elle. Il était tentant d'affronter Matt en face d'un vaste auditoire, d'autant plus tentant que l'ancienne Carly n'aurait jamais osé un comportement d'une telle grossièreté. Mais au fond, elle ne voulait pas étaler en public les raisons de sa haine envers Matt. La meilleure solution consisterait donc à lui demander de lui parler en privé. Le tout avec courtoisie, comme sa grand-mère le lui avait enseigné.

Plaquant un sourire poli sur ses lèvres rehaussées d'un brillant rosé de bon goût, Carly se dirigea d'un pas déterminé vers les voix. Elle alpaguerait Matt dès qu'elle poserait les yeux sur lui. Dommage qu'elle n'ait pas emporté dans son fourre-tout des vêtements un peu plus olé olé… Avec son pantalon trois-quarts blanc et son t-shirt orange orné d'une grosse bouche rouge sur le devant, son assaut ne serait sans doute pas très flamboyant. Tant pis ! D'un pas résolu, Carly se planta sur le seuil de la cuisine.

Une joyeuse cacophonie l'accueillit. Une bouilloire sifflait ; fourchettes, couteaux et assiettes s'entrechoquaient ; des hommes et des femmes parlaient à toute vitesse presque sans respirer. La bonne odeur des crêpes et du sirop, des œufs, du bacon et du café saturait l'air. D'habitude, ces arômes familiers ouvraient l'appétit de Carly. Ce matin, ils n'eurent aucun effet sur elle. Elle tenait tellement à dire à Matt ses quatre vérités qu'elle en oubliait d'avoir faim.

Carly hésita. Il y avait tellement de monde ! Après tout, c'était peut-être mieux comme ça. Carly et Matt pourraient trouver sans peine un coin dans la maison où ils seraient à l'abri des oreilles indiscrètes quand elle lui assénerait son adieu sans équivoque.

Vêtue d'un pantalon noir et d'une tunique noire, comme toujours, Sandra officiait aux fourneaux. Carly ne voyait que son dos, mais elle la savait heureuse. Enfin, elle avait retrouvé ingrédients et ustensiles de cuisine, tout ce qui faisait son bonheur. Ses longs cheveux ramenés d'un côté de son visage, Melissa portait une robe d'été vert vif. Elle se tenait debout derrière une chaise où était assise une autre très jeune femme qui lui ressemblait beaucoup. Une autre sœur de Matt, sans doute. Un peu plus grande et plus mince que Lissa, l'inconnue portait un haut de tricot noir. Ses cheveux tout aussi noirs, coupés au carré, lui arrivaient à l'épaule. Elle se penchait sur un catalogue d'échantillons de tissus posé devant elle sur la grande table ronde de la cuisine. Près d'elle était assise une femme de l'âge de Carly qui désignait l'un des échantillons du bout du doigt. Chemisier sans manches de soie blanche, collier de perles, ses cheveux blonds soigneusement coiffés, elle avait des traits délicats, une silhouette élancée. À côté d'elle, un homme en chemise blanche et cravate rouge lui ressemblait tant qu'ils ne pouvaient qu'être apparentés. Enfin, deux adjoints de police en uniforme complétaient la tablée. Le gros Antonio de la nuit dernière attaquait avec appétit une assiettée de crêpes. Beaucoup plus jeune que lui, l'autre arborait une chevelure rousse flamboyante coupée à la dernière mode. Contrairement à son collègue, il avait fini de manger. Une troisième fille, cheveux courts et noirs, sortait une boîte de jus d'orange du réfrigérateur. La troisième sœur de Matt, sans doute. Elle portait une robe turquoise qui lui arrivait aux genoux.

Carly se rappela qu'on était dimanche matin. À Benton, les dimanches matins sont consacrés à l'église. Du moins l'étaient-ils autrefois. De fait, tout le monde semblait habillé pour la messe. À l'exception des deux adjoints, évidemment. Carly se sentit coupable. Elle aussi fréquentait l'église le dimanche matin. Avant. Quand elle était gamine. Sa grand-mère constituait l'un des piliers de la Première Église baptiste de Benton et n'aurait jamais toléré qu'elle manquât la messe, sauf dans des cas extrêmes. Une fièvre à tuer un cheval, par exemple. Depuis qu'elle avait quitté Benton pour l'université, Carly ne fréquentait plus l'église. Quand elle y allait avec John, c'était toujours pour un mariage ou des funérailles.

Elle était grande, maintenant. Elle faisait ce qu'elle voulait ! La petite fille qu'elle avait été rôdait encore en elle et s'en voulait un peu d'avoir déserté la maison du Seigneur. Carly redressa les épaules. Ce n'était quand même pas parce qu'elle était revenue à Benton qu'elle devait régresser jusqu'à sa petite enfance ! Elle était adulte, nom d'un chien ! Elle pouvait faire ce qu'elle voulait.

Ne pas aller à l'église, par exemple. Au moins aujourd'hui. Tous ses vêtements étaient encore dans le camion, de toute façon. Et puis, elle avait trop à faire.

Quoi qu'il en soit, Matt n'était pas là.

Antonio enfourna un généreux morceau de crêpe.

— C'est le meilleur petit-déjeuner de ma vie ! dit-il à Sandra.

— Pas question que je mette une robe rose bonbon ! lança d'un air scandalisé la jeune femme avec les cheveux au carré. La robe que j'ai essayée était vert foncé !

— Ce n'est pas rose bonbon à proprement parler, répliqua la femme blonde, légèrement piquée. Le vert foncé convient bien à l'automne, mais pas à l'été. C'est exactement la même robe, mais dans une teinte plus estivale.

— Allons, Dani ! gloussa Lissa. Tu seras tellement mignonne en rose bonbon !

— Je te rappelle que tu vas devoir la porter aussi, la robe rose bonbon ! rétorqua Dani.

C'était donc elle, Dani, la deuxième sœur de Matt.

— Merci pour le petit-déjeuner, mademoiselle Kaminski, fit le deuxième adjoint. C'était vraiment délicieux.

— Sandra, répondit Sandra. Appelez-moi Sandra. Et vous, Antonio ? Reprendriez-vous un œuf ? Une crêpe, peut-être ?

Les antennes de Carly se déployèrent à la vitesse de l'éclair. Sandra faisait les yeux doux à Antonio… Elle se laisserait peut-être convaincre de rester à Benton, après tout. Une bonne nouvelle ! Pour l'auberge, s'entend. Pas pour le tour de taille d'Antonio. Quand Sandra aimait quelqu'un, elle le gavait comme une oie.

— Impossible ! répondit Antonio d'un air de regret. Ce serait avec grand plaisir, mais je crois que j'en aurai assez avec cette assiette.

— Enfin ! s'exclama l'autre adjoint. J'ai cru que tu n'allais jamais arrêter de t'empiffrer.

— La ferme, Toler ! trancha Antonio. Sinon, la prochaine fois, c'est toi qui iras chasser les ratons laveurs dans le grenier de madame Nichols.

— Erin, pourrais-tu me passer le jus d'orange, s'il te plaît ? demanda le clone mâle de la femme blonde.

— Bien sûr, chéri.

Souriante, la fille aux cheveux noirs et courts traversa la pièce, jus d'orange en main. C'était la plus âgée des trois sœurs de Matt. Maintenant qu'elle la voyait, Carly croyait la reconnaître. Évidemment, la jolie femme qu'elle avait devant elle était bien différente de la petite fille impertinente à la figure barbouillée de confiture qu'elle se rappelait vaguement.

— Tu ne voulais pas que les cravates et les ceintures des garçons d'honneur soient assorties aux robes des demoiselles d'honneur ? demanda Lissa.

— C'est la coutume, répondit la femme blonde.

Lissa et Dani s'échangèrent un regard complice.

— Matt sera tellement chou en cravate rose bonbon, déclara Lissa d'un ton solennel.

Elle et Dani éclatèrent de rire en chœur.

— Collin en portera une aussi, je vous signale ! lança Erin d'un ton digne.

— Il sera chou comme tout, marmonna le second adjoint.

Il avait sans doute espéré que sa remarque acerbe passerait inaperçue. Hélas ! tout le monde s'était tu au moment précis où il avait ouvert la bouche. De sorte que tout le monde entendit ce qu'il disait. Les yeux se tournèrent vers lui. C'est ainsi que l'assemblée découvrit Carly, qui se tenait toujours sur le seuil.

— Bonjour ! s'exclama Lissa en souriant d'un air taquin. Bien dormi ? Tu veux manger ?

— Euh… Oui. Bien dormi. Non, pas manger. Pas faim. Merci.

Carly ne savait plus où se mettre. Matt n'était pas dans les environs et tous ces gens rassemblés devant elle étaient de parfaits inconnus. À l'exception de Sandra, bien sûr. Celle-ci salua Carly d'un geste vague de sa cuillère, puis retourna à ses fourneaux sans plus s'occuper d'elle. Se rappelant l'objectif qu'elle s'était fixé avant de descendre l'escalier, Carly avança d'un pas dans la pièce.

— Matt n'est pas là ? demanda-t-elle d'un ton plus assuré.

— Non, et il ne devrait pas revenir de sitôt, répondit Erin en la dévisageant sans vergogne.

Carly se sentait à la fois abandonnée et soulagée. La Carly nouvelle s'était tenue prête à monter au front, mais elle ne souffrait pas trop d'avoir à reporter l'offensive. Carly n'avait jamais aimé la confrontation. Elle découvrait en cet instant que la préparation à la bataille, l'embuscade et le traquenard guerrier s'avèrent beaucoup plus exténuants qu'on ne pourrait le croire au premier abord.

— Il est parti travailler très tôt, ajouta Erin une fois son inspection terminée.

— Oui, très tôt, confirma Dani dans une grimace. Vers cinq heures du matin, en fait. Il sortait quand je suis rentrée. Je peux vous dire qu'il n'était pas de très bonne humeur.

Matt de mauvaise humeur ? Ah ! Ça, c'était réjouissant !

Dani cessa à son tour d'observer la nouvelle venue des pieds à la tête. Elle échangea ensuite avec Lissa un regard lourd de signification.

— S'il t'a vue rentrer à cinq heures du matin, ça ne m'étonne pas qu'il ait été de mauvaise humeur, déclara

Antonio. Ce n'est quand même pas une heure, pour une jeune fille.

Dani lui fit une grimace, puis lui adressa un sourire éclatant.

— Et Erin, alors ? demanda-t-elle. Elle n'est pas rentrée du tout, elle ! Elle est arrivée il y a une heure à peine pour s'habiller pour l'église…

Erin sembla embarrassée. Les deux jeunes hommes attablés firent grise mine à l'unisson. Le blond crucifia Dani d'un regard mauvais. Le roux gardait l'œil rivé sur Erin. « On dirait qu'il y a un malaise », pensa Carly. Quoi qu'il en soit, ce n'était pas son problème.

— Ça suffit, Dani ! lança Erin.

La femme blonde n'avait pas quitté Carly du regard.

— Vous ! dit-elle soudain. Vous, je vous connais !

En effet. Maintenant que Carly la regardait plus attentivement, elle se rendait compte qu'elle la connaissait aussi.

— Carly Linton ! ajouta la femme.

— Shelby Holcomb, répondit Carly.

Shelby Holcomb ! Mademoiselle Parfaite… Elle avait deux ans d'avance sur Carly à l'école secondaire. Shelby Holcomb avait toujours tout bon. Principale meneuse de ban de l'équipe de football, fille la plus appréciée de toute l'école, chevelure parfaite, tenue vestimentaire parfaite, dentition parfaite. La studieuse petite Carly, la frisée petite Carly n'existait même pas à ses yeux. Si Carly-le-crapaud-oublié-de-tous savait qui était Shelby-la-superstar-enviée-de-chacune, c'était uniquement parce que Shelby avait eu Matt dans la peau un certain temps. Elle ne s'en était pas cachée, bien au contraire.

Pendant toute une année, elle avait poursuivi Matt de ses assiduités au vu et au su du tout-Benton. Le seul obstacle à sa victoire avait sans doute été Elise Knox.

Carly n'aurait jamais cru qu'elle pourrait en être reconnaissante à Elise Knox. Aujourd'hui, pourtant, elle trouvait que son intervention avait été celle d'un ange. Elise Knox était pourtant loin de mériter l'auréole. Mais au moins, elle avait empêché Matt de tomber entre les griffes de Shelby Holcomb.

Puis, Elise avait vogué vers d'autres cieux. Et, de toute évidence, Shelby avait fini par mettre le grappin sur Matt. Elle fréquentait sa maison à l'aube un dimanche, prenait le petit-déjeuner à sa cuisine, était au mieux avec ses sœurs… La nuit précédente, Lissa avait dit que Matt n'amenait jamais de filles à la maison et que Shelby allait « en claquer d'une crise cardiaque » quand elle apprendrait que Carly avait dormi chez lui. Carly et Sandra, en fait. À ce moment-là, Carly n'avait pas compris que Lissa parlait de Shelby la parfaite, la reine de Benton, la redoutable impératrice de la Géorgie.

Et si, pour reprendre les termes inoubliables de Matt, Carly était sa seule amie, alors… Alors, Shelby devait être l'une des filles avec lesquelles il couchait. Peut-être même la seule.

Carly eut l'impression qu'une bombe lui explosait dans la tête.

« Je vais le tuer », pensa-t-elle.

Que Matt la trompe avec Shelby, c'était vraiment le comble ! Innommable, répugnant, impardonnable ! Puis elle se rendit compte que c'était l'inverse. Matt trompait Shelby avec elle, et non le contraire. Car il fallait se rendre à l'évidence : Carly n'était réapparue dans la vie de Matt que la veille au soir. S'il sortait avec Shelby avant cela, c'était elle qui était la maîtresse clandestine. Pas Shelby.

« Je vais le tuer, se redit Carly. Cette fois-ci, je vais le tuer. »

Bien sûr, elle avait souvent pensé cela, pas plus tard qu'il y a quelques secondes à peine. Mais maintenant que la perfidie de Matt lui apparaissait dans tout son éclat, elle se sentait possédée d'une furieuse envie de le trucider deux fois.

— Combien de temps allez-vous rester à Benton ? demanda Shelby, les sourcils légèrement froncés.

— Nous nous y installons, répondit Carly avec un sourire qui se voulait poli. Enfin… J'espère que nous allons nous y installer.

— Nous allons ouvrir une auberge ! précisa Sandra, confirmant ainsi qu'elle avait renoncé à repartir pour Chicago.

Carly aurait dû s'en réjouir. Ce ne fut pas le cas. Dans l'état actuel des choses, rien ne pouvait la réjouir, hélas ! Sauf peut-être d'assister à l'éventration de Matt suivie d'une éviscération en bonne et due forme.

— En tout cas, moi, j'irai manger chez vous ! s'écria Antonio en reposant enfin sa fourchette.

Sandra lui adressa un sourire qui aurait éclipsé le soleil le plus radieux.

— Mon Dieu, mon Dieu ! gloussa Lissa. Nous avons oublié de faire les présentations !

La jeune fille semblait s'amuser follement. Carly préférait ne pas s'interroger sur la cause de cette allégresse suspecte.

— Tu connais Shelby, tu nous connais, poursuivit Lissa. Je te présente les adjoints de Matt, Antonio Johnson et Mike Toler, et le frère de Shelby, Collin, qui est également le fiancé de ma sœur Erin. Oh, mais j'y pense ! Si tu connais Shelby, tu connais Collin aussi !

— J'ai rencontré Antonio hier soir, précisa Carly.

Elle ne jugea pas utile pour l'instant de souligner qu'il avait failli la faire mourir de peur. Antonio la salua d'un petit hochement de tête. Aujourd'hui, avec sa mine épanouie et son estomac repu, il avait plutôt l'air du père Noël que du croquemitaine qu'elle avait rencontré la veille. Carly sourit à Mike Toler, qui bredouilla quelques syllabes assez indistinctes : « Enchanté », peut-être.

— Collin ? poursuivit Carly. Oui... Enfin, il me semble...

— Mais le contraire ne serait pas très étonnant, répondit Collin. J'ai sept ans de moins que Shelby, ce qui fait que...

— Allons, allons ! lança Shelby en se levant d'un bond. Il faut y aller si nous ne voulons pas être en retard à l'église.

Elle crucifia au passage son frère d'un regard noir. Ah ! La distinguée Shelby ne voulait pas qu'on lui rappelle son âge. Carly sourit. Elle avait deux ans de moins que Shelby. Au moins, elle possédait ce léger avantage sur Mademoiselle Parfaite.

La tablée s'ébranla. On s'anima, se leva, débarrassa la table. Shelby était grande et mince, encore plus mince que dans son adolescence. Elle portait une jupe droite noire et des escarpins à talons hauts qui ne déparaient pas son chemisier sans manches de soie blanche et son collier de perles. Carly cessa de sourire. Le bon goût de Shelby, sa taille élancée, sa minceur... Tout cela compensait largement les deux petites années minables qu'elle avait de plus qu'elle. Carly était contrariée. Elle ne l'aurait avoué pour rien au monde et en avait elle-même à peine conscience, mais elle était contrariée. « Enfin, quoi ! grommela-t-elle intérieurement. Si Matt veut sortir avec une grande femme mince qui fait une consommation industrielle de laque et de mascara, grand bien lui fasse ! »

Elle-même, avec son gabarit de moustique et ses petites rondeurs, avait autant de chance d'être élégante que son chat en avait d'apprendre à voler. Cette triste constatation ne rasséréna pas Carly. Elle remonta à l'étage pendant que tout le monde s'affairait, coinça Hugo sous son bras et traîna son sac toujours affreusement lourd dans l'escalier. Contrariée ? Non. Elle était furieuse. Carly avait beaucoup de qualités, certes, mais elle n'était pas élégante.

Shelby, oui. Shelby était l'élégance même.

Carly suffoquait tellement de rage qu'elle dut se contenter de saluer la petite assemblée d'un lointain signe de la main. Si quelqu'un s'était approché d'elle, elle l'aurait égorgé. Elle grimpa inélégamment sur le siège conducteur du camion, empêcha Hugo de s'enfuir d'une petite tape sur la fesse, puis attendit que Sandra finisse de chuchoter avec Antonio par la vitre. Le sourire fixe, Carly ruisselait de sueur. Enfin, Sandra conclut ses conciliabules. Carly démarra et sortit de l'entrée asphaltée en marche arrière. Elle adressa un signe de la main aux trois adorables sœurs Converse, à la chic Shelby et à son distingué frère, tous empilés dans une imposante voiture noire. Dans l'état d'exaspération où elle était, Carly prit un virage légèrement trop serré pour regagner la route. Elle accrocha au passage la boîte aux lettres sur pied qui trônait devant la maison de Matt.

En fait, elle ne l'accrocha pas vraiment. Elle la ratatina, la pulvérisa, l'anéantit.

— Seigneur ! souffla Sandra.

La boîte de métal racla contre le côté du camion, puis son poteau de bois céda dans un craquement sinistre.

— Tu ne sais pas conduire, ma parole ! reprit Sandra.

— Toi non plus, je te signale. Et pas un mot sur la boîte aux lettres, compris ?

174

Un coup d'œil dans le rétroviseur lui prouva que le joyeux quintette entassé dans la voiture noire n'avait rien vu de son méfait. Il s'éloignait déjà vers l'église, équipée pieuse et distinguée tout à sa joie. Les deux adjoints avaient insisté pour accompagner Sandra et Carly au manoir Beadle. Ils attendaient patiemment dans leur voiture de patrouille garée le long du trottoir. Le camion leur bloquant la vue, ils n'avaient pas pu constater la destruction de la boîte aux lettres. Si l'objet avait appartenu à quelqu'un d'autre, n'importe qui mais pas Matt… Carly se serait précipitée hors de son véhicule pour confesser sa maladresse, se confondre en excuses, offrir un substantiel dédommagement. À tout le moins, elle aurait laissé un mot d'excuses avec son nom et son adresse. Mais puisque la boîte aux lettres appartenait à Matt, elle sortit le camion de la petite allée comme si de rien n'était, sa bonne conscience à peine écorchée par son infraction. Elle sourit intérieurement. Elle se serait volontiers décerné la médaille d'or de la justice en marche.

14

— C'est un délit de fuite, non ? fit Sandra d'une voix hésitante. En plus, c'est la boîte aux lettres du shérif...

— Que le shérif aille au diable !

— On dirait que tu t'es levée du mauvais pied, ce matin... Ou est-ce que ce serait le shérif qui te fait de l'effet ? Hein ? Le beau shérif à femmes ?

Carly enfonça l'accélérateur d'un coup de pied brusque. Sandra dut s'agripper à sa ceinture de sécurité pour ne pas être éjectée de son siège. Mais tout cela n'avait rien à voir avec la question qu'elle venait de poser. Non, Carly n'en pinçait pas pour le shérif. Elle était de mauvaise humeur, voilà tout.

— Et toi ? lança-t-elle d'un ton sec. Je pensais que tu retournais à Chicago ? Je pensais que ce n'était pas ton truc, les vieilles bicoques déglinguées, les petites villes pleines de psychopathes ?

— Benton mérite une seconde chance, fit Sandra d'un ton débonnaire.

— C'est ça, oui... À moins que l'adjoint du shérif ne te fasse de l'effet ? Hein ? Le bel adjoint à femmes ?

Sandra restait prudemment accrochée à sa ceinture de sécurité. Hugo, que Carly avait posé derrière son siège, contre la paroi de la cabine, enfonçait ses griffes de toutes ses forces dans le vinyle pour éviter de tomber. Le camion filait à vive allure dans Benton. Fort heureusement, la bourgade était déserte à cette heure.

Ses citoyens se trouvaient tous à l'église ou se terraient chez eux pour éviter qu'on sache qu'ils n'y étaient pas.

—Le bel adjoint à femmes ? demanda Sandra dans un grand sourire. Le bel adjoint affamé, tu veux dire ! Il faut savoir exploiter ses atouts, dans la vie. Toi, tu pourchasses les hommes à femmes. Moi, j'ai plus de succès avec les hommes affamés. Quoi qu'il en soit, nous finirons bien par en épingler un.

— Je n'ai pas l'intention d'épingler qui que ce soit.

— Eh bien moi, si ! Arrête, Carly, arrête !

Quoi ? Inutile de crier comme ça ! Carly était déjà debout sur les freins. Quand même, elle s'y était prise un peu tard. Depuis quand Benton s'était-elle dotée de ce feu de circulation qui n'existait pas dans son enfance ? Heureusement, le camion avait de bons freins. Heureusement pour la police, surtout. La voiture des deux adjoints était paisiblement arrêtée à l'intersection, réglementaire, baignant dans l'ignorance heureuse du monstre qui avait failli l'emboutir.

— Tu es de mauvaise humeur ou quoi ? demanda Sandra d'un ton inquiet. Écoute… Il n'y a pas grand monde sur la route et il ne pleut pas. En plus, il fait grand jour. Je pourrais peut-être conduire ?

— Non, merci. Je tiens à ma peau. Et pour répondre à ta question : non, je ne suis pas de mauvaise humeur. J'ai simplement très, très envie de sortir de ce foutu camion.

Ça, au moins, c'était vrai. La climatisation avait rendu l'âme et le soleil plombait dans la cabine. Évidemment, impossible d'ouvrir les fenêtres de plus de quelques centimètres, sinon Hugo prendrait la poudre d'escampette à la moindre occasion. Carly transpirait comme un ours en pleine canicule. Pour couronner le tout, Hugo lui envoyait de grands coups de queue dans le visage. Terrifié, il n'en était pas moins très mécontent de son sort et tenait à le faire savoir à qui de droit. En plus, il muait.

— Moi aussi, j'ai envie de sortir du camion, répondit Sandra d'une voix conciliante.

Le feu passa au vert. La voiture des adjoints démarra le plus sereinement du monde. Ses occupants ne semblaient pas s'être rendu compte qu'ils étaient suivis de près, de très près même, par un énorme camion lancé à vive allure. Carly prit une inspiration profonde pour se calmer, puis elle démarra.

— Tu sais… commença Sandra. Les poils de chat… Tu ne penses pas que…

— Non.

Elles en avaient déjà parlé vingt fois, pas la peine de remettre le couvert. Sandra détestait les chats. Carly possédait un chat. Sandra devrait vivre avec, voilà tout. Sur ce point au moins, Carly ne céderait pas d'un centimètre.

— Bon, comme tu voudras. Autant que tu le saches tout de suite, c'est toi qui passeras l'aspirateur dans l'auberge.

— Parfait.

L'église de Benton apparut sur leur gauche, modeste bâtiment de briques surmonté d'un haut clocher, entouré d'un stationnement suffisamment vaste pour accueillir les spectateurs d'un gigantesque stade de foot. Assez étonnamment sans doute, il ne restait pas un espace libre. En passant devant l'église, Carly eut la vision d'une horde de petits diables courant derrière elle pour la punir de ne pas assister à l'office. Elle enfonça l'accélérateur.

— Si tu veux te remarier un jour, ton chat pourrait poser problème. Il y a beaucoup d'hommes qui détestent les chats.

— Tant pis. Moi, je vis avec mon chat et c'est comme ça. De toute façon, je n'ai pas l'intention de me remarier. J'ai déjà donné, merci.

— Oui… Moi aussi.

Carly connaissait l'histoire de Sandra. Quand elle avait ouvert son restaurant, La Maison dans l'arbre, quatre ans plus tôt, Sandra avait été sa première employée. Elle avait alors trente-deux ans et se débattait dans les subtilités absconses des procédures de divorce. Elle était déprimée, fauchée comme les blés, et très, très irritable. À l'origine, Carly l'avait engagée comme serveuse. Mais Sandra ne possédait pas un sens aigu de la diplomatie. À un client qui se plaignait de l'odeur un peu rance d'une sauce, elle avait répondu qu'il n'avait qu'à aller prendre une douche : c'était lui qui sentait le rance. Carly était sur le point de la mettre à la porte quand son chef des cuisines, qui lui coûtait pourtant une fortune en salaire et avantages sociaux de toutes sortes, avait brusquement décidé que ces basses œuvres n'étaient pas dignes de lui, que sa place n'était plus aux fourneaux de La Maison dans l'arbre. Tout ça un samedi soir, en plein coup de feu. Carly s'agitait en tous sens pour rallier ses employés restants, tous plus ou moins sur le point de craquer. C'est alors que Sandra, révulsée par un bœuf Stroganoff qui sortait des cuisines et qu'elle avait jugé à grands cris « plus immonde que de la nourriture pour chien », avait jeté crayon et calepin à la poubelle pour prendre les fourneaux d'assaut. Bouche bée, Carly avait alors vu atterrir sur les tables des assiettes somptueuses et succulentes. Ses clients se récriaient d'admiration. Elle comprit qu'elle avait entre les mains un génie de la gastronomie. À la fin de la soirée, elle avait confié officiellement ses cuisines à Sandra. Plus tard, elle l'avait soutenue dans son divorce. Sandra l'avait soutenue dans le sien... Elles avaient géré un restaurant ensemble, perdu leur gagne-pain ensemble, pris ensemble le chemin de leur nouvelle vie. À peine deux jours plus tôt, Carly avait quitté le petit appartement minable dans lequel elle avait emménagé après la mise en vente de son chic condominium, dans la foulée de son divorce. Sandra avait quitté la petite maison minable qu'elle partageait avec une tante et une cousine depuis trois ans. Escortées d'Hugo et de leurs maigres possessions, les deux femmes avaient grimpé dans le camion de location pour faire route vers Benton, aimable bourg de la Géorgie.

Carly pensa, non sans une certaine amertume, qu'elles étaient un peu les Laurel et Hardy de la restauration.

Sandra resta plongée quelques secondes encore dans ses pensées.

— Bon, d'accord, dit-elle enfin. Mais même sans vouloir se marier, on peut avoir un homme dans sa vie, non ? C'est sympa, avoir un homme dans sa vie ! En tout cas, c'est toujours mieux qu'un vibromasseur.

— Tu trouves ?

— Tu as déjà vu un vibromasseur t'offrir un cadeau, toi ? Ou te masser les pieds quand tu es fatiguée ? De toute façon, ne me dis pas que tu n'aimerais pas jouer au docteur avec le shérif. J'ai bien vu la façon dont tu le regardes…

— Ça suffit, Sandra !

Carly soupira. En niant fougueusement, elle ne ferait qu'aviver les soupçons de son amie.

— Bon, d'accord, je l'admets… dit-elle d'une voix plus calme. Il est beau garçon. J'admets qu'il est beau garçon. Et alors ? Je le connais, ce type. C'est un moins que rien. Crois-moi, je sais de quoi je parle.

— Si tu le dis…

Sandra n'était pas convaincue. Le camion prit un virage un peu sec. Sandra s'agrippa de plus belle à sa ceinture de sécurité.

— Pour moi, reprit-elle néanmoins, les hommes, c'est comme les chaussures. C'est difficile d'en trouver qui t'aillent vraiment. Quand tu mets la main dessus, mieux vaut s'en emparer avant que quelqu'un d'autre ne le fasse.

— Jolie philosophie.

Si les hommes étaient des chaussures, alors Matt était une paire d'escarpins à talons hauts, fabuleusement beaux et séduisants. Mais une cause constante de souffrances, entorses et fractures de toutes sortes. Mais pourquoi penser à Matt ? Non, pas du tout, elle n'y pensait pas. Ça lui était venu comme ça. Elle ne pensait pas à Matt, elle n'y pensait jamais, elle n'y penserait plus jamais de sa vie.

— Antonio, il est du signe du Lion, déclara Sandra. Je lui ai demandé. Tu sais ce qu'on dit ? Les Poissons et les Lion, ça fait des étincelles. Des étincelles positives, je veux dire.

Sandra marqua une légère pause, puis lança un regard en coin à Carly.

— Est-ce que tu connais la date de naissance du shérif ? demanda-t-elle.

Évidemment que Carly la connaissait ! Le 16 novembre. Pendant des années, le choix du cadeau d'anniversaire idoine pour Matt l'avait occupée de longues semaines chaque automne.

— Non, répliqua-t-elle pourtant. Aucune idée ! Au fait, tant qu'à demander à Antonio sa date de naissance, tu lui as demandé s'il était marié, j'espère ?

Carly crut que la mâchoire de Sandra allait tomber sur le plancher du camion et rouler sous leurs sièges. Il n'aurait plus manqué que ça.

— J'ai complètement oublié ! Incroyable, hein ? J'ai complètement oublié de lui demander s'il était marié !

— On a les priorités qu'on peut.

Le camion prit encore un virage puis, au sommet de la colline, apparut soudain le manoir de la grand-mère. Non, le manoir de Carly. Elle avait encore du mal à se faire à l'idée, mais cette maison lui appartenait désormais. Le soleil avait banni les ombres inquiétantes de la nuit précédente. Le grand bâtiment blanc se dressait au milieu des vieux arbres feuillus. Il respirait la convivialité. L'horreur avait disparu. Carly frissonna en repensant au cambrioleur qu'elle avait surpris la veille au soir. En voyant la voiture des adjoints se garer au bas de la colline, elle se rappela que Matt et ses acolytes avaient fouillé les environs et n'avaient rien trouvé d'alarmant. Matt avait bien des défauts. Ça, Carly le savait et pouvait discourir sur le sujet pendant des heures et des heures. Il avait bien des défauts, mais jamais il ne lui aurait caché la vérité s'il avait pensé une seconde qu'elle pouvait être en danger dans sa maison. Forte de cette assurance, elle se dit qu'il n'était pas question qu'un voleur de seconde zone l'empêche de prendre sa nouvelle vie à bras-le-corps.

Carly se gara derrière la voiture de police. Les adjoints en sortirent et s'approchèrent du camion. Grand et large comme une grange, la peau plus noire que le charbon, les traits carrés, Antonio arrivait, d'un pas lent mais assuré, l'air un peu chagrin. Mike avait placé sa main en visière devant lui pour ne pas être ébloui. Bien bâti, assez joli garçon malgré sa coupe de cheveux à la mode et parfaitement ridicule, il arrivait aussi, d'un pas lent mais assuré.

— On dirait qu'ils n'ont pas l'air contents, constata Carly en serrant le frein à main.

— Peut-être qu'ils ont vu la boîte aux lettres…

— Comment veux-tu qu'ils aient vu la…

Carly n'eut pas le temps de réagir. Sandra avait ouvert la porte. Trop tard ! Hugo s'était enfui, visant la liberté avec la précision d'un missile balistique.

Carly se jeta vers lui pour le rattraper. Trop tard ! Elle laissa retomber ses mains impuissantes sur ses cuisses.

— Désolée, fit Sandra en descendant du camion. Je ne l'ai pas fait exprès.

Carly se redressa et prit une inspiration profonde.

— Ça ne fait rien.

Au moins, tant que le chien diabolique de la nuit dernière n'était pas là pour le pourchasser, Hugo serait en sécurité. Enfin, probablement. En tout cas, Carly l'espérait. Que pouvait-elle faire de plus ?

— C'est le chat d'hier ? demanda Mike d'un ton inquiet.

— Oui, c'est le chat d'hier, confirma Sandra en roulant de gros yeux qui disaient clairement l'amour qu'elle portait à l'animal.

— Ah, dis donc ! lança Mike en souriant. Vous auriez dû voir Matt…

Antonio lui asséna un tel coup de coude dans les côtes que Mike n'eut jamais le loisir de finir sa phrase. Il posa sa main sur ses côtes en lançant un regard plein de reproches à Antonio. Très vite, cependant, son sourire s'épanouit de nouveau.

— Voulez-vous que nous l'attrapions ? demanda Antonio d'un ton doucereux.

Le sourire de Mike s'éteignit. Visiblement, cette perspective le faisait paniquer. Pourquoi ? Carly n'en avait aucune idée.

— Non, merci, répondit-elle en soupirant. Il va se débrouiller.

Après tout, Hugo était dans le même bateau qu'elle. Sa vie d'avant, c'était fini. Il devrait s'adapter, voilà tout.

— Au fait ! lança Antonio d'un air dégagé. La vitesse est limitée à 40 kilomètres/heure dans tout Benton. Je vous dis ça pour que vous le sachiez. Vous n'aviez pas vu les panneaux, sans doute.

Sandra poussa une sorte de gémissement indistinct.

— Non, je ne les ai pas vus.

Et le pire, c'était que Carly disait vrai. Elle se dit que l'exaspération a des effets secondaires fâcheux. Par exemple, elle tend à rendre aveugle aux panneaux de signalisation…

Antonio hocha la tête de haut en bas, puis se tourna vers Sandra. Carly sortit enfin du camion surchauffé.

Elle se passa les deux mains dans les cheveux, souleva les bouclettes qui tombaient sur sa nuque et son front dans l'espoir de se rafraîchir un peu. Elle se dirigea vers l'avant du camion. À son corps défendant, elle persistait à chercher Hugo des yeux. L'animal avait disparu. Hier, à cette même heure, elle en aurait été mortifiée. Aujourd'hui, la crainte persistait mais Carly s'était résignée. Hugo et elle venaient de plonger dans une existence nouvelle. Ils allaient devoir apprendre à nager, et vite. Même si elle n'avait pas choisi ce bouleversement, Carly restait convaincue qu'il annonçait des jours meilleurs, pour elle comme pour Hugo. À tout le moins, il constituerait une « expérience de vie inoubliable », de celles dont on parle tant à la télé. Carly n'avait guère eu le temps de regarder la télé depuis qu'elle avait fermé son restaurant, mais il lui semblait qu'on devait encore parler de ce genre de choses dans les émissions.

Elle grimaça. Son restaurant lui manquait, son condominium, sa voiture, son compte en banque. Surtout son compte en banque. Par contre, à sa grande surprise, elle se rendit compte que John ne lui manquait pas, ni sa vie conjugale. Pas une minute. John et elle s'étaient laissés dévorer par un tourbillon d'activités censé les mener à la réussite, à la sécurité, au statut social. Et l'amour, dans tout ça ? Qu'était-il advenu de leurs espoirs de jeune couple ? Quand prenaient-ils encore le temps d'être bien ensemble ? La vie sans John ? Facile ! Carly redressa les épaules. Elle se promit qu'à partir de ce jour, de cet instant même, le but de sa vie serait de devenir la femme qu'elle avait toujours voulu être.

D'un coup s'ouvrait devant elle un parterre infini de possibilités toutes plus alléchantes les unes que les autres.

Elle s'approcha de Sandra et des deux hommes.

— C'est très gentil de votre part ! susurrait son amie. Tenez ! Pour vous remercier, venez donc dîner un de ces soirs avec vos épouses…

— Je ne suis pas marié, répondit Mike. Mais j'accepte l'invitation avec plaisir.

— Moi non plus, fit Antonio. Je veux dire, moi aussi. Je veux dire, j'ai perdu ma femme, je suis veuf, mais j'accepte l'invitation avec plaisir. Vous êtes tellement bonne cuisinière !

— Merci, répondit Sandra d'un ton modeste, mais l'œil triomphant.

Carly ne put s'empêcher de réprimer un petit sourire. Quand Sandra voulait quelque chose, elle s'arrangeait pour l'obtenir…

— Regarde comme ces messieurs sont aimables, reprit-elle en papillonnant des cils en direction d'Antonio. Ils vont nous aider à décharger le camion.

— C'est vraiment très gentil, fit Carly dans un sourire avenant. Mais je me demande… Je ne veux pas que vous ayez des problèmes. Vous êtes en service, après tout…

Évidemment, leur proposition d'aide était tentante. Cependant, Carly ne voulait pas abuser des deniers publics. Si les services de police de Benton payaient Mike et Antonio pour assurer la sécurité de la population…

— Non, non, dit Mike. Nous ne sommes pas en service. De toute façon, Matt a dit qu'il fallait vous aider à décharger.

Carly perdit son sourire.

— Et nous serons ravis de le faire ! lança Antonio en toute hâte. Ce n'est pas seulement parce que Matt l'a dit. Ça nous fait vraiment plaisir. Au fait ! À propos de Matt… Il vient de nous appeler par la radio pour nous demander si nous savons qui a défoncé sa boîte aux lettres. Un voisin lui a téléphoné pour lui dire qu'elle était complètement cassée. C'est bizarre. Elle était encore debout quand nous avons quitté la maison ce matin. Enfin, j'imagine que nous l'aurions vu, si elle avait été cassée. Et vous ? Quand vous avez sorti le camion de l'allée, avez-vous vu si la boîte aux lettres était encore là ?

Sandra faisait grise mine. Elle avait l'air d'avoir avalé un insecte peu ragoûtant.

— Si elle avait été cassée, nous l'aurions sans doute remarqué, répondit Carly dans un grand sourire.

Elle prit le bras de Sandra et serra ses doigts bien fort pour lui interdire toute protestation. D'ailleurs, elle n'avait pas menti. La boîte aux lettres de Matt était cassée quand elles étaient parties et, de fait, elles l'avaient remarqué. Évidemment, c'était elle qui l'avait broyée. Mais là n'était pas la question. De toute façon, quelque contrariété qu'elle puisse occasionner à Matt, ce ne serait jamais rien en comparaison du raz-de-marée d'amertume qu'il avait fait déferler sur sa vie.

— C'est ce que je me disais aussi, concéda Antonio dans un haussement d'épaules. Voudriez-vous ouvrir le camion ? Nous allons commencer tout de suite.

Carly prit une inspiration profonde en vue d'expliquer aux deux adjoints qu'elle les remerciait de leur aide, mais qu'elle préférait refuser. Pas question qu'elle soit redevable à Matt. Elle n'eut pas le temps de prononcer un mot. Sandra lui écrasa le pied d'un coup de talon.

— Aïe !

— Oh ! Excuse-moi, je ne l'ai pas fait exprès.

Sandra mentait si effrontément que Carly l'aurait volontiers giflée. Mais son amie lui prit les clés des mains et les tendit à Antonio dans un sourire enjôleur.

— C'est tellement aimable à vous, dit-elle.

— Avec plaisir, ma petite dame.

Munis des clés, Antonio et Mike se dirigèrent vers l'arrière du camion.

— Tu es folle ou quoi ? siffla Sandra dès qu'ils eurent tourné le dos. Si tu leur dis que nous n'avons pas besoin d'aide, je t'assomme. Il fait chaud comme dans un four et ça monte à pic jusqu'à la maison. Si tu veux t'empoisonner la vie pour un truc qui remonte au Déluge, tant pis pour toi ! Moi, je n'ai rien à voir là-dedans. D'abord, qu'est-ce qu'il t'a fait, le shérif, pour que tu le détestes à ce point-là ?

— De quoi tu parles ?

— De rien !

Sandra fit volte-face et prit dans la cabine le sac de Carly, le sien ainsi que la casserole qui lui avait tenu compagnie une bonne partie de la nuit précédente.

— Allez ! ajouta-t-elle. Dépêchons-nous avant que ces deux-là ne se rendent compte qu'il fait une chaleur d'enfer et qu'ils feraient mieux d'aller se cacher dans leurs bureaux climatisés.

Carly grimaça, mais elle dut admettre que Sandra n'avait pas tort. Elle lui reprit son sac. On aurait dit qu'il contenait une enclume, peut-être deux. Carly grimpa à l'assaut de la colline, Sandra sur ses talons. Mike les suivait, jonglant adroitement avec une armée de balais-éponges, de balais-brosses, de balais à franges et autres ustensiles du même acabit. Il y avait même un aspirateur dans le lot. Antonio venait ensuite, les bras chargés d'une pile de boîtes.

Non seulement il faisait chaud, mais il faisait humide. La terre elle-même semblait transpirer. Le ciel était d'un bleu impeccable, pas un nuage en vue.

Les oiseaux sifflaient, les sauterelles stridulaient, les cigales chantaient, les moustiques attaquaient par hordes entières. Le feuillage des arbres offrait une protection bien appréciable contre les rayons du soleil. Le problème, c'est qu'ils emprisonnaient au sol la chaleur, les insectes et l'humidité de la veille, ajoutant à la touffeur. Arrivée presque en haut de la côte, Carly se dit qu'elle aurait dû emménager en Alaska. Elle avait perdu l'habitude. Elle avait oublié à quel point l'été plombe en Géorgie.

Elle avait oublié à quel point l'été pique de mille dards en Géorgie.

— Ah tiens ! lança Sandra d'un ton triomphant. Mon téléphone !

Carly se retourna. Sandra venait de retrouver son téléphone portable dans l'herbe, ainsi que son immense fourre-tout de plastique. Essoufflée, trempée de sueur, cernée par une meute de moucherons, elle rayonnait néanmoins. Pas besoin d'être grand clerc pour comprendre la raison de cette béatitude soudaine : Antonio avait forcé le pas pour marcher à côté d'elle.

Décidément, l'attirance est chose puissante et mystérieuse…

— Super ! lança Carly, soucieuse de maintenir de bonnes relations avec sa responsable en chef des cuisines.

Faisant mine d'attendre les autres, elle déposa son sac atrocement pesant à ses pieds et s'absorba dans la contemplation de la maison en s'étirant discrètement le dos. Avec son toit à visière et sa tourelle octogonale, sa véranda large et ses fenêtres à volets, la demeure avait un charme un peu suranné, idéal pour une auberge. Mais la peinture pelait en maints endroits. Plusieurs volets étaient à moitié décrochés et pendaient à leurs charnières comme des planches saoules. Le toit de la véranda s'affaissait dangereusement d'un côté. Se rappelant le bruit d'eau qu'elle avait entendu la veille dans la maison, Carly se dit que le toit dans son ensemble mériterait sans doute une bonne inspection. Sans parler de l'électricité, de la plomberie, de...

Une explosion de cris la fit sursauter. Des aboiements, en fait. La bouche béante, Carly vit Hugo qui jaillissait de sous la véranda, le chien diabolique à ses trousses. Hugo grimpa l'escalier quatre à quatre, le chien sur ses talons. Carly se tourna d'un bond. Elle empoigna l'un des balais que Mike apportait et poussa un hurlement de guerre que le Grand chef Geronimo lui-même n'aurait pas désavoué.

— Hugo !

Balai en main, elle atteignit le haut des marches juste à temps pour voir Hugo se jucher sur le dossier de la causeuse. Incapable d'atteindre ce perchoir commode, le chien redoubla de jappements et se mit à sautiller de manière frénétique au pied du meuble. Ses griffes dérapaient sur le bois du plancher. Ses aboiements aigus se répercutaient contre les murs.

— Vilain chien ! glapit Carly en donnant un coup de balai furieux devant l'animal.

Il aboya de plus belle. Hugo profita de la confusion générale pour bondir vers Carly dans l'espoir de trouver refuge dans ses bras. Déstabilisée, elle fit quelques pas vers l'arrière et tenta de retenir Hugo. Mais le chat fila comme une flèche et Carly débola l'escalier à la renverse.

Arrivée sur l'herbe, elle resta immobile, allongée sur le dos, tentant désespérément d'arrêter l'univers de tourner autour d'elle. Une nuée de poils de chat voletait au-dessus de son corps inerte.

Puis, elle sentit un contact humide et chaud sur sa joue. Elle tourna la tête et se retrouva nez à nez avec le chien du diable.

15

Le chien lui léchait la joue. Il avait de petits yeux inquiets, une tête minuscule et triangulaire, des oreilles pointues. Il était si maigre que Carly voyait ses côtes saillir à travers son pelage noir et rugueux. Soudain, il fit volte-face et partit à courir.

— Carly !

Ayant déposé leurs fardeaux respectifs, Sandra, Antonio et Mike accouraient vers elle comme un troupeau de bêtes affolées, criant son nom, faisant de grands gestes. Carly aussi, si elle avait pu bouger, se serait volontiers sauvée comme le chien. À les voir depuis le sol, les trois humains avaient l'air d'une horde de barbares.

— Ça va ? demanda Sandra en s'arrêtant net, juste avant d'écraser la tête de Carly sous sa semelle.

Antonio et Mike la suivaient de près. Tous trois étaient hors d'haleine, le visage rougi par la course et rongé par l'inquiétude.

Carly regarda leurs figures crispées, puis les branches noueuses des arbres et leurs feuilles luisantes de soleil, le ciel bleu étincelant. Elle prit une inspiration prudente, puis une autre. Ça sentait la terre humide, l'air humide, les chaussures humides. Carly reprit peu à peu sa respiration normale. Elle tenta de faire bouger ses doigts et ses orteils. Ils fonctionnaient à merveille, de même que ses bras, ses jambes et son cou.

Cette fois encore, elle survivrait.

Escortée d'un chœur de « Attention ! », « Soyez prudente ! », « Tu devrais attendre un peu », Carly s'assit prudemment. Le balai qu'elle avait réquisitionné pour sa tentative ratée de sauvetage gisait près d'elle. D'autres balais, de toutes sortes, l'aspirateur ainsi qu'un assortiment généreux de boîtes et de sacs jonchaient l'endroit qui lui avait servi de base de lancement pour son assaut. Hugo et le chien avaient disparu. Les aboiements s'étaient tus. Le chien devait avoir abandonné la partie.

Pauvre petit chien ! Il semblait tellement affamé !

Évidemment, cela ne l'autorisait pas à dévorer Hugo.

— Avez-vous vu dans quelle direction est parti mon chat ?

Elle décida de se relever d'un coup. Des mains agrippèrent ses bras pour l'aider dans son entreprise. Elle n'était pas blessée, mais la solidarité de ses trois infirmières improvisées lui fit chaud au cœur. Elle se sentait étourdie. Encore heureux que le gazon n'ait pas été tondu depuis des semaines. L'herbe avait amorti sa chute.

— Il est là ! lança Antonio en désignant un énorme bouleau d'un coup de menton.

Carly leva les yeux haut, très haut, jusqu'au faîte de l'arbre. Perché sur une branche, Hugo la dévisageait.

— Reviens ici tout de suite !

Le chat balança sa queue avec dédain. Ce fut la seule preuve qu'il avait entendu. Naturellement, pas question qu'il obéisse.

— Ce foutu chat ! marmonna Carly entre ses dents.

— Ça, tu peux le dire ! confirma Sandra.

Carly la fixa d'un œil sinistre. Mike et Antonio échangeaient des regards épouvantés.

— Vous savez quoi ? demanda soudainement Mike. On devrait peut-être attendre de voir s'il ne va pas redescendre tout seul.

Carly fronça les sourcils. Un je-ne-sais-quoi lui soufflait que les deux hommes n'étaient pas ravagés par l'envie de grimper à l'arbre pour récupérer Hugo. De toute façon, à quoi bon ? Contrairement à la veille au soir, Carly savait où il était. De plus, il s'y trouvait en sécurité. Si son chat persistait à rester perché trop longtemps, alors elle commencerait à s'inquiéter. C'en était fini de la vie de château ! Hugo avait passé son existence luxueuse à observer le monde à travers les fenêtres panoramiques d'un appartement juché au sommet d'une tour. À partir d'aujourd'hui, il allait devoir vivre sa vie au lieu de la regarder passer à ses pattes de l'autre côté d'une vitre. Cela ne s'annonçait pas facile, mais c'était comme ça.

— Bien sûr, dit-elle. D'ailleurs, je…

La porte de la maison s'ouvrit à la volée. Carly sursauta. Un homme aux cheveux blancs, la soixantaine, sortait de chez elle. Il portait un pantalon foncé et une chemise bleue à manches courtes, le tout très propre et bien repassé. Une ceinture à outils était attachée à sa taille. Quelques secondes plus tard, un homme plus jeune vêtu d'un jean fit son apparition, les cheveux clairs, la carrure massive.

Carly les regarda d'un air ahuri. Mais qui étaient ces gens ? Et que faisaient-ils chez elle ?

— Nous avons presque terminé ! déclara le plus vieux avec un clin d'œil.

Il s'accroupit pour enfoncer un tournevis dans la porte. Le plus jeune la tenait pour la stabiliser. Il adressa un petit signe de la main à Carly.

— Salut, Walter ! lança Antonio. Salut, Barry ! Carly, vous devriez entrer pour vous asseoir un peu.

— Non, ça va, répondit-elle malgré les élancements qu'elle sentait dans tout le corps. Dites-moi, Antonio… Qui sont ces hommes ?

— Walter et Barry Hindley, répondit-il en l'escortant dans l'escalier, flanqué de Mike et Sandra.

Walter et Barry Hindley… Ah oui ! Walter tenait la Quincaillerie Hindley de Benton quand Carly était jeune. Peut-être avait-il pris sa retraite depuis. L'intérêt de ce magasin, c'est qu'en plus de vendre des clous, marteaux et autres vis et mèches de perceuse, il offrait à la clientèle un bon assortiment de bonbons et de bandes dessinées. Tous les enfants de Benton étaient des clients réguliers de la Quincaillerie Hindley. Walter n'avait qu'un fils, Barry. Comme il avait un an de plus que Carly et qu'il était très sportif, elle ne l'avait jamais fréquenté. À vrai dire, elle n'avait jamais fréquenté beaucoup de garçons. Surtout pas les sportifs, tous plus alléchés par les blondes pulpeuses que par les vilains petits canards comme elle.

Elle fit quelques pas vers eux et reconnut leurs visages.

— Bonjour, monsieur Hindley ! Bonjour, Barry ! dit-elle en s'efforçant de ne pas grimacer malgré ses muscles endoloris.

Très bien. Elle savait maintenant qui étaient ces gens. Mais que faisaient-ils chez elle ?

— Bonjour, Carly ! répondit Barry en l'examinant des pieds à la tête.

Visiblement, il était surpris. Soit de la voir tout court, soit de la voir telle qu'elle était devenue. Barry n'avait pas changé. Quelques kilos de plus, peut-être. Mais dans l'ensemble, il était resté le même.

— Bonjour, Carly ! lança monsieur Hindley dans un sourire. Je suis content que tu sois revenue.

Lui aussi avait pris quelques kilos, ainsi que quelques rides. À part cela, il n'avait pas beaucoup changé non plus.

— Moi aussi, je suis contente, dit Carly en leur souriant à tous deux. Mais dites-moi… Qu'est-ce que vous faites ici ?

— Tu n'étais pas au courant ? demanda Barry. Matt nous a dit de changer tes serrures dès aujourd'hui. Il paraît que tu as besoin de quelque chose de solide.

— J'aurais aimé mieux attendre cet après-midi, précisa monsieur Hindley, mais Ellen et moi recevons nos petits-enfants. J'ai préféré manquer l'église et m'y mettre avec Barry pour finir à temps et passer l'après-midi avec les petits !

— Ah. Euh… Non, je n'étais pas au courant.

Puisque Barry tenait la porte grande ouverte, Carly avança jusqu'au seuil sans autre cérémonie. Fort heureusement, quelqu'un avait eu la bonne idée d'allumer les climatiseurs. Il faisait vingt degrés de moins à l'intérieur qu'à l'extérieur.

— C'est gentil à vous d'avoir manqué l'église pour installer mes serrures, dit-elle. Et merci, Barry, d'avoir laissé tes enfants pour aider ton père.

— Ce ne sont pas les miens, mais ceux de ma sœur, fit Barry en regardant Carly droit dans les yeux. Je n'ai pas d'enfants. Je ne suis pas marié.

— Ah ! Très bien…

Tout sourires, Barry était visiblement ravi d'exposer son statut de célibataire. Carly soupira intérieurement. Dommage… Ce type ne l'intéressait pas. Il ne l'avait jamais intéressée. Et surtout, Carly s'en rendit compte avec un certain dépit, il ne l'intéresserait pas tant qu'un certain shérif rôderait dans les environs…

— Nous t'installons des serrures à pêne dormant, précisa monsieur Hindley. C'est ce qu'il y a de mieux. Et nous avons arrangé tes fenêtres pour que personne ne puisse entrer par là. Ron Graves passera installer ton système de sécurité un peu plus tard. Une fois cela fait, il faudrait être Houdini lui-même pour entrer par effraction dans ton manoir.

— Quel système de sécurité ? demanda Carly.

Elle s'en voulait un peu de ne pas arriver à s'intéresser à Barry. Tant pis ! Les deux adjoints et Sandra l'avaient rejointe sur le seuil et stagnaient là, comme en attente d'un signal.

Monsieur Hindley plissait les yeux en regardant la porte de très près. Repérant un trait de crayon qu'il avait dû y faire plus tôt, il plaça la serrure à la position voulue. Barry lui tendit la perceuse.

— Matt a dit qu'il fallait qu'il soit installé aujourd'hui même pour que tu puisses dormir tranquille ce soir, expliqua Barry.

— Il a appelé Ron à l'aube, précisa monsieur Hindley. À cause de l'effraction de la nuit dernière. Matt a dit que c'était urgent, alors Ron a accepté.

Matt a dit ! Matt a dit ! La journée était à peine commencée que Carly en avait déjà plus qu'assez de se faire répéter les propos de Matt comme s'ils étaient paroles d'évangile. Chaque fois, son exaspération montait d'un cran. Elle regarda Barry bien en face. Finalement, il n'était pas si mal. Plutôt gentil, pour autant qu'elle se souvienne. Quoi qu'il en soit, cela faisait du bien de constater que la gent masculine disponible de Benton ne se résumait pas à Matt Converse.

Carly ouvrit la bouche pour dire un mot aimable, mais monsieur Hindley démarra sa perceuse. Son vrombissement réduisit à néant les manœuvres d'approche que Carly aurait pu avoir quelque velléité d'entreprendre. Barry lui fit quand même un clin d'œil.

« Assez plaisanté ! » pensa Carly. Barry n'était peut-être pas mal fait de sa personne, mais l'heure n'était pas au batifolage. En fait, Carly était encore trop furieuse contre Matt pour penser à quoi que ce soit d'autre.

— Si vous ne voulez pas du système de sécurité… cria Antonio en voyant Carly se renfrogner. Vous pouvez toujours appeler Ron Graves pour décommander. Mais Matt a dit qu'il vous en fallait un.

— Bien sûr, qu'il nous en faut un ! glapit Sandra avant que Carly ait pu dire un mot.

D'un œil assassin, elle l'enjoignit de continuer à se taire, puis elle l'entraîna dans la maison.

Ce n'était pas que Carly ne voulait pas de ce foutu système d'alarme. Elle se demandait bien comment elle ferait pour le payer, mais là n'était pas la question pour le moment. Le problème, c'était qu'elle ne pouvait faire un pas chez elle sans qu'on lui parle de Matt ! Matt a dit ceci, Matt a dit cela… Se croyait-il tout permis, celui-là ? En tout cas, pas chez elle ! Cette époque-là était révolue, finie ! Il n'avait même pas pris la peine de lui demander son avis ! C'était un monde, tout de même ! La même chose avec les serrures. La même chose avec les adjoints réquisitionnés pour décharger le camion. C'était sa maison, non ? Sa maison, ses portes, ses affaires ! Matt n'avait pas à se mêler de ça. Matt n'avait pas à se mêler de sa vie, point. À la première occasion, elle lui dirait clairement sa façon de penser. Une fois cela fait, elle envisagerait sérieusement de dresser un bilan exhaustif des hommes célibataires et potables de Benton.

Quand elle arriva devant le miroir de l'entrée, traîné là par une Sandra à la poigne de fer, Carly n'en crut pas ses yeux. C'était infernal, à la fin !

Malgré les efforts qu'elle n'avait pas économisés, malgré ses années de maniement expert du séchoir et malgré les miracles de la chimie moderne appliquée aux soins capillaires, ses frisettes étaient revenues. C'était insoutenable… Pas tant les frisettes en soi, d'ailleurs. Mais cette détermination que sa vie semblait mettre à inverser le cours du temps depuis qu'elle avait remis les pieds à Benton… C'était insoutenable !

— C'est pas vrai… souffla-t-elle à son reflet.

Boucles et bouclettes s'en donnaient à cœur joie sur son crâne, son front, sa nuque.

— Sandra ? Carly ? cria Antonio depuis le seuil pour couvrir le bruit de la perceuse. Nous allons continuer à décharger !

— Merci, c'est très gentil ! répondit Sandra d'une voix faussement enjouée. Nous arrivons tout de suite !

— Pas de problème, fit Antonio d'un geste rassurant de la main. Prenez votre temps, pas de problème…

Les adjoints s'enfoncèrent dans la touffeur estivale. Dès qu'ils furent hors de portée de voix, Sandra planta ses doigts dans le bras de Carly pour la traîner dans la pièce d'à côté. Arrivée à destination, elle lâcha sa proie et croisa les bras d'un air déterminé. Encore sous le choc de sa chute et de sa chevelure frisottée dans le miroir, Carly s'effondra sur un sofa.

— Écoute-moi bien, toi ! siffla Sandra entre ses dents. Il n'est pas question que tu refuses le système d'alarme. Je ne sais pas pourquoi tu es si fâchée contre le shérif à femmes et je m'en fiche ! Mais moi, je veux mon système d'alarme. Toi, tu gardes ton chat. Moi, j'ai mon système d'alarme.

Carly avait les mains liées. Elle ne pouvait pas se permettre de perdre Sandra, tout simplement. Tant pis pour Matt ! Elle trouverait un autre moyen de lui expliquer sa façon de penser. Quoi qu'il en soit, il ne perdait rien pour attendre. Mais Sandra lui était indispensable. Et Sandra était une trouillarde.

— Soit ! lança Carly. Tu l'auras, ton système d'alarme.

Elle se redressa et croisa les bras à son tour. Enfin, pas tout à fait. Avec ses muscles endoloris, l'attitude impériale relevait de l'exploit. Sans compter que le canapé bourré de crin de cheval était dur comme un roc sous ses atours de velours somptueux. Douleurs musculaires et crin de cheval ne faisaient pas bon ménage. Carly l'avait constaté à chacune de ses chutes quand elle était petite.

— Parfait ! répliqua Sandra d'un ton victorieux.

Antonio arrivait, les bras chargés de boîtes. Sandra se tourna vers lui en entendant ses pas. Elle lui adressa un sourire à faire fondre un glacier.

Carly profita de ce qu'elle avait le dos tourné pour lui tirer la langue. Puis, cherchant le moyen d'apaiser son âme, son cœur et son corps, elle tendit instinctivement la main vers l'élixir qui avait su consoler toutes ses peines d'enfant : elle prit une petite menthe, la sortit de son papier cellophane et l'engloutit d'un geste.

Vers la fin de l'après-midi, le camion était entièrement déchargé. Des boîtes s'empilaient dans tous les coins de la maison. Une partie des vêtements était déjà rangée dans les placards et les penderies. Les salles de bains avaient été fournies en serviettes, savons et autres accessoires. Ayant pris une quantité massive d'analgésique, Carly se sentait presque bien. Elle avait déjà déballé la plupart de ses affaires. Elle avait même fait son lit dans son ancienne chambre. Officiellement, elle la réintégrait parce que c'était l'une des petites chambres de l'arrière : en s'y installant, elle libérait une chambre plus vaste de l'avant pour les futurs clients de l'auberge. En réalité, elle l'avait choisie parce qu'elle s'y sentait bien. Sandra avait opté pour une autre petite pièce de l'arrière, voisine de celle de Carly. Ce n'était pas un hasard… Au total, il restait à l'étage quatre chambres à louer. Carly se réaccoutumait peu à peu aux lieux. La demeure comptait une salle de bains et six chambres au rez-de-chaussée, deux salles de bains et six chambres à l'étage. Les combles se composaient d'une seule vaste pièce. Carly espérait que leurs affaires iraient suffisamment bien pour qu'elles puissent un jour aménager des chambres sous le toit. Pour l'instant, leur budget leur permettait seulement de retaper les deux étages inférieurs. Mis à sac par le rôdeur, le boudoir de sa grand-mère avait retrouvé un semblant d'ordre. Les marques dans le plâtre nécessiteraient l'intervention d'un spécialiste. Sinon, le rez-de-chaussée était relativement prêt. Avec un bon ménage et quelques couches de peinture, les salons de l'avant et de l'arrière, la salle de musique qui s'ouvrait en face des salons avant, la salle à manger adjacente à la salle de musique, la cuisine et la salle du petit-déjeuner située à côté de la salle à manger pourraient bientôt accueillir les premiers clients de l'auberge. Sandra et Carly devraient évidemment acheter de nouveaux appareils électroménagers, plus puissants. Pour le moment, l'essentiel de l'argent dont elles disposaient servirait à redécorer les chambres et à financer quelques projets essentiels tels que la réfection du câblage électrique.

Carly avait toujours vu la maison sombre et fermée. Depuis ce matin, le manoir semblait prendre un visage plus riant, comme s'il s'éveillait après un long sommeil. Au soir, sans qu'elle sache exactement comment la chose s'était produite, Carly s'aperçut qu'une foule de gens avait accouru chez elle, tous et toutes visiblement désireux de manger. Et pas n'importe quoi : la cuisine de Sandra. Heureuse comme un poisson dans l'eau, Sandra régnait sur les fourneaux. Elle concoctait un délicieux ragoût de crevettes à partir d'ingrédients qu'elle avait trouvés dans la dépense et dans le congélateur. Carly préparait une salade, l'une des seules tâches ou presque que Sandra voulait bien lui confier. Les tomates et les oignons avaient été généreusement offerts par madame Naylor, qui était arrivée vers les seize heures pour offrir à Carly son célèbre quatre-quarts au chocolat. La voisine était escortée de sa fille, Martha Highcamp, et d'une amie presque aussi âgée qu'elle. Par des voies que Carly avait du mal à reconstituer, les trois femmes s'étaient finalement invitées à manger. Madame Naylor avait mis les tomates et les oignons de son jardin à la disposition de Sandra. Bien sûr, son quatre-quarts au chocolat ferait un dessert des dieux. Exténués par le déchargement du camion, Antonio et Mike s'obstinaient néanmoins à rester dans les parages dans l'espoir d'un bon repas. Ayant terminé l'installation du système d'alarme, Ron Graves avait multiplié les commentaires élogieux sur les arômes qui émanaient de la cuisine, puis il avait accepté avec empressement l'invitation de Sandra. Loren Schuler était passée pour faire enlever les restes du bureau saccagé de sa tante, mais avait trouvé au manoir son amie Martha Highcamp, qui siégeait comme elle au comité de préparation des festivités de la fête nationale du 4 Juillet. Finalement, elle avait résolu de rester aussi. Erin, la sœur de Matt, était venue rapporter à Sandra une boucle d'oreille qu'elle avait laissée chez elle. Perchée sur un tabouret dans la cuisine, bavardant à droite et à gauche, elle ne manifestait aucune intention de s'en aller. La voyant rire avec Mike, Carly en conclut que c'était surtout pour lui qu'elle restait. Contrairement aux autres convives, elle ne semblait pas motivée avant tout par les talents culinaires de Sandra. Considérant que la jeune femme était fiancée à Collin Holcomb, le plaisir manifeste qu'elle avait à se trouver en compagnie de l'adjoint incitait Carly à penser que les noces n'iraient peut-être pas comme prévu. Après tout, peu importe ! La vie d'Erin, ce n'était pas ses oignons. À propos d'oignons, Carly avait déjà bien assez à faire à trancher les siens finement pour ne pas encourir les foudres de Sandra. Les ragots allaient bon train dans cette petite ville. Ce n'était pas une raison pour espionner Erin. Carly décida qu'elle, au moins, ne se mêlerait jamais des commérages. Ce n'était pas parce qu'elle était revenue à Benton qu'elle devait se laisser posséder par les démons qui sévissaient dans la ville.

Heureuse de voir tous ces invités autour d'elle, Carly s'étonnait que la tablée se soit organisée si vite et si spontanément. Mais au fond d'elle, c'était Matt qu'elle aurait voulu voir à ses côtés. Sa sœur et ses adjoints étant là, sa présence n'aurait rien eu d'insolite. Sans s'avouer à elle-même qu'elle espérait entendre sa voix sur le seuil, elle l'avait guetté tout l'après-midi. Elle avait même planifié sa réaction. Tout en coupant les oignons selon les instructions de Sandra, elle continuait à tendre l'oreille. Les invités étaient déjà assis autour de l'immense table faite sur mesure pour le manoir que Carly se surprit encore à regarder vers la porte en espérant voir Matt.

Ce n'est pas vraiment qu'elle l'espérait. Elle s'y attendait, plutôt. Pour elle, la nuance était de taille. Elle s'attendait à ce que Matt apparaisse sur le seuil, mais elle ne l'espérait pas à proprement parler.

Avec la lumière et les rires des invités, la salle à manger n'avait plus rien à voir avec la chambre des horreurs de la nuit précédente. À la demande générale, Carly raconta sa rencontre inopinée avec le rôdeur. Elle trouva même quelques éléments qui rendirent son compte rendu presque drôle. Le sentiment d'horreur qu'elle avait éprouvé quand l'homme lui avait saisi le poignet lui paraissait maintenant excessif. L'endroit de la pièce où le voleur s'était terré n'était plus un recoin sinistre. Ce n'était qu'un coin ordinaire de la pièce, un coin où s'était réfugié un voleur malchanceux découvert par le plus grand des hasards. Tous les convives rirent de bon cœur quand elle joua pour eux le rôle d'Hugo, celui de Sandra et celui de Matt. Ensuite, Mike se lança dans une description hilarante du combat épique que Matt avait dû livrer pour ramener Hugo de l'arbre où il avait trouvé refuge. Tout le monde rit à gorge déployée. La conversation repartit de plus belle.

Carly se tenait un peu en retrait. Elle se revoyait, terrifiée dans la maison plongée dans le noir, courant vers la sortie, se heurtant à Matt. Elle se revoyait, affolée par la peur, pleurant dans l'obscurité, sanglotant contre la poitrine de Matt. Matt qui la tenait contre lui, qui la protégeait, qui la consolait, qui l'embrassait...

Et Matt qui la quittait. Parce qu'ils étaient amis, simplement amis, et qu'il voulait que les choses en restent là entre eux.

Chaque fois qu'elle se rappelait la désertion de Matt, son sang bouillait.

La destruction accidentelle de sa boîte aux lettres n'était rien en comparaison de ce qu'il méritait, se répétait-elle en fulminant. Ce qu'il méritait ? Il méritait... Il méritait...

Carly avait beau convoquer son imagination, elle ne trouvait jamais de châtiment assez fort pour l'ingrat. Un jour, elle trouverait. Et alors, Matt n'aurait qu'à bien se tenir.

— Je vais aller découper le gâteau, lança-t-elle à la cantonade.

Elle quitta la joyeuse tablée en emportant son assiette. Elle voulait se réfugier dans le silence de la cuisine. Elle était furieuse contre Matt, elle en avait plus qu'assez de Matt, elle ne voulait plus jamais le voir de sa vie. Cependant, elle n'arrivait pas à se réjouir du fait qu'il ne les avait pas aidées à emménager, qu'il n'était pas venu manger avec elles, qu'il n'avait même pas demandé de leurs nouvelles… Ce mutisme la rendait folle. Carly se répétait que c'était parce qu'elle avait hâte de lui dire ses quatre vérités, parce que Matt l'obligeait à les garder pour elle en jouant les hommes invisibles. Elle se rappelait qu'il avait eu le dernier mot, au sens propre comme au sens figuré. Elle ne pourrait pas trouver l'apaisement tant qu'elle ne lui aurait pas craché à la figure qu'elle non plus, elle ne voulait pas de lui.

Carly s'apprêtait à jeter les restes de son ragoût de crevettes quand elle vit que son chat, finalement descendu de son perchoir sylvestre, se tenait sur le réfrigérateur et regardait fixement par la fenêtre. Elle pensa d'abord qu'il s'adonnait à sa grande passion, l'observation des oiseaux. Mais Hugo ne semblait pas d'humeur ornithologique. Il avait le poil hérissé comme s'il avait peur. Il ne bougeait pas d'un millimètre.

Carly regarda par la fenêtre à son tour. De l'autre côté de la grande cour arrière se dressait l'imposante grange peinte en noir qui n'abritait plus, depuis des années, qu'un bric-à-brac hétéroclite d'objets que personne ne s'était résolu à jeter. À côté d'elle s'étendait le champ de maïs. Une légère brise s'était levée. Les barbes des épis ondulaient. Il était environ vingt heures. La nuit ne tomberait pas avant vingt-deux heures. La touffeur de l'après-midi avait cédé la place à une chaleur moins écrasante et de longues ombres s'allongeaient sur l'herbe. Une petite chose noire se dirigeait furtivement du champ de maïs vers la maison, disparaissant à l'occasion sous un buisson, se confinant le plus possible à l'ombre. Tandis que Carly l'observait, la petite chose noire s'arrêta à découvert et leva la tête en humant l'air.

Le ragoût de crevettes avait attiré le chien diabolique hors de sa cachette.

L'animal avait probablement faim. Carly se rappelait ses côtes saillantes, ses yeux noirs et affamés. Il lui avait léché la joue…

Elle tenait encore l'assiette qu'elle n'avait presque pas touchée. Elle était tellement occupée à guetter la voix de Matt, pendant le repas, qu'elle n'avait guère avalé que quelques bouchées. Décidément, ce plat délicieux méritait mieux que de finir à la poubelle…

— Ce n'est pas parce qu'il te pourchasse que nous pouvons le laisser mourir de faim, déclara-t-elle à Hugo.

Le chat répondit d'un regard méprisant accompagné d'un coup de queue non moins dédaigneux. Carly ouvrit la porte de la cuisine et traversa l'étroite véranda qui courait contre la façade arrière de la maison.

Dès qu'il la vit, le chien courut se réfugier sous un buisson. Visiblement, il n'avait pas une très haute opinion des humains. Carly n'avait jamais eu de chien mais, contrairement à Hugo, elle ne leur vouait aucune détestation particulière. Sa grand-mère n'avait jamais accepté qu'elle adopte un animal domestique. Quand Carly était enfin devenue maîtresse de ses choix, elle avait acheté Hugo.

Et Hugo haïssait les chiens, ce qui avait coupé court à toute possibilité d'adoption canine.

Carly descendit l'escalier, puis traversa la cour jusqu'au buisson sous lequel le chien avait disparu. L'arbrisseau était en fait plus grand qu'elle, rond et vert, couvert de fleurs blanches grosses comme des boules de neige. Carly s'accroupit et regarda sous les branches basses. L'espace d'un instant, elle crut que le chien avait réussi à s'enfuir sans qu'elle le voie. Puis, elle le repéra, tassé contre le tronc, la fixant de ses grands yeux terrifiés.

— As-tu faim ? demanda-t-elle d'une voix douce. Viens ! Je t'ai apporté à manger.

L'animal s'aplatit contre le sol. Carly posa l'assiette par terre. Les narines du chien palpitèrent.

— Viens ! répéta-t-elle.

Puis, se rappelant ces sons ridicules que produisait Matt pour amadouer l'animal, elle claqua de la langue en direction du chien.

Contre toute attente, il se laissa convaincre. Rampant sur le sol, la queue entre les jambes, il se dirigea vers elle. Elle continua de l'encourager. Arrivé à la lisière du buisson, le chien s'arrêta net. Il hésita, regardant tour à tour l'assiette et Carly, tentant de déterminer si elle était digne de confiance.

— Je ne te ferai pas de mal, murmura-t-elle. Je te le promets.

Elle poussa l'assiette vers lui.

Le chien la regarda longuement, puis sortit de sa tanière. Arrivé à l'assiette, il dévora le ragoût comme s'il n'avait pas mangé depuis des semaines.

Carly sentit son cœur se contracter. Ce pauvre chien était tellement maigre, presque squelettique. Un peu plus grand que son chat, mais pas beaucoup, il devait bien faire trois à quatre kilos de moins que lui. L'ascendance aristocratique de l'himalayen bleu sautait aux yeux. L'absence de pedigree du chien était tout aussi évidente : bâtards de génération en génération. C'était un petit chien sans prétention, avec des yeux et des oreilles trop grands pour son visage triangulaire, de hautes pattes grêles comme des bâtons et une longue queue toute tachée de boue. Son pelage était terne et emmêlé, entièrement noir à l'exception d'une tâche blanchâtre sur la poitrine.

Le mieux serait sans doute de l'emmener à la four-rière. Mais en le voyant avaler son ragoût de crevettes avec appétit, Carly sut qu'elle n'en serait pas capable.

Elle tendit la main pour le caresser. Elle procédait à gestes lents et prudents. L'animal n'appartenait à personne, c'était évident. De plus, Carly l'avait vu pourchasser Hugo tous crocs sortis. Il pouvait aussi bien la mordre. Quand elle posa les doigts sur lui, le chien leva sa tête si brusquement qu'elle retira sa main. Ils se regardèrent dans les yeux quelques secondes. Ceux du chien étaient grands, noirs et tristes. Ils témoignaient de la cruauté du monde envers les petites bêtes abandonnées. Le chien semblait résigné. Puis, peu à peu, il se mit à agiter la queue.

Carly décida de tenter sa chance.

— Bon chien… murmura-t-elle en s'approchant un peu.

Il avait recommencé à lécher l'assiette déjà vide. Carly le caressa plus fermement. Il releva la tête et se mit à remuer la queue avec frénésie. C'était une femelle. Carly la prit dans ses mains, toute tremblante, puis se releva.

— Bon chien… répéta-t-elle.

La chienne était chaude dans ses bras, toute frétillante, frissonnante, affreusement légère. Elle n'était pas habituée à la gentillesse. Sur son ventre, une ligne dure et surélevée ressemblait à la cicatrice d'une coupure. Ses poils étaient couverts à cet endroit d'une substance sèche et friable. La chienne avait des puces, si ce n'est pire.

C'était ridicule, mais Carly trouvait qu'elle lui ressemblait. Pas telle qu'elle était devenue, mais telle qu'elle était enfant, avant que sa grand-mère n'entre dans sa vie. Elle aussi avait été mal aimée, mal nourrie, sale et négligée, méfiante. Elle savait ce que l'on ressent quand on est petit, seul et désespéré.

— Ne t'inquiète pas, dit-elle en regardant l'animal dans les yeux. Ça va aller.

La chienne poussa un petit gémissement. On aurait dit qu'elle comprenait. Plus émue qu'elle ne l'avait été depuis longtemps, Carly la serra contre elle. L'animal leva la tête et lui lécha le menton.

Carly sut alors qu'ils étaient liés l'un à l'autre, à la vie, à la mort. Sandra allait l'égorger. Hugo ferait sans doute une crise cardiaque. Tant pis pour eux ! Il faudrait qu'ils s'y fassent. Elle garderait le chien.

Autrefois, elle avait été sauvée d'une vie misérable et sans espoir. Aujourd'hui, elle sauverait cet animal.

— Je vais te trouver un joli nom, murmura-t-elle.

Elle réfléchit quelques secondes, puis ce fut comme une évidence.

— Annie ! Annie... Est-ce que ça te va ?

Comprenant que son existence venait de prendre un tour merveilleux, la chienne agita la queue. N'importe quel nom, elle aurait été ravie. N'importe quel nom, pourvu qu'on lui en donne un.

— Bon chien, fit Carly. Bon chien, Annie.

Elle l'emporta dans la maison.

16

Le 4 Juillet, fête nationale. Nuit chaude et étoilée. Carly et Sandra étaient assises sur une couverture au milieu d'une foule bruyante rassemblée au parc de Benton pour admirer le feu d'artifice. Sandra finissait d'engloutir un sandwich au jambon. Carly savourait un mélange épais et savoureux d'eau, de glace pilée, de jus de citron et de sucre qu'elles avaient inventé à l'époque de La Maison dans l'arbre et qu'elles avaient baptisé « Passion citron ». Habillée de noir, comme toujours, Sandra arborait de longs pendants d'oreille qui dessinaient les lettres U, S et A en lumières clignotantes. Carly s'était également vêtue pour l'occasion : short bleu marine, t-shirt rouge festonné d'étoiles blanches, casquette de base-ball en jean ornée d'un drapeau des États-Unis sur l'avant. Sous des dehors anodins, la casquette de base-ball remplissait une triple mission : elle témoignait du patriotisme de Carly ; elle la rendait vraiment très mignonne ; et, surtout, elle cachait ses bouclettes qu'elle avait ramenées en queue-de-cheval.

— Euh… Tu sais… chuchota Sandra, le regard fuyant. Je pense que le shérif sait qui a démoli sa boîte aux lettres.

— Ah oui ? demanda Carly. Comment ça ?

Sandra la regarda d'un air trop innocent pour être honnête.

— Tu l'as dit à Antonio !

Depuis trois jours, depuis leur emménagement, Antonio fréquentait assidûment le manoir Beadle. Il faisait pour ainsi dire partie des meubles. Quand il ne dormait pas et qu'il n'était pas en service, il rôdait autour de leur cuisine. Cela ne dérangeait pas Carly, au contraire. Elle l'aimait bien et il ne rechignait jamais à leur donner un coup de main. Il avait apporté sa tondeuse et coupé le gazon autour de la maison. La vie amoureuse de Sandra semblait prendre du mieux et l'aidait à accepter certaines contrariétés domestiques telles que l'adoption d'Annie. Hélas ! Antonio ramenait constamment Matt à la mémoire de Carly…

— Disons que… marmonna Sandra. Il était en train de me raconter que le shérif avait versé du béton autour du poteau de sa nouvelle boîte aux lettres pour éviter que l'incident ne se reproduise. Et… J'ai laissé échapper que notre camion y était peut-être pour quelque chose. Je ne l'ai pas fait exprès, je te jure ! Ça m'a échappé ! Mais… Je voulais quand même te le dire parce que… Euh… Antonio l'a dit au shérif.

— Quoi ! Et lui, qu'est-ce qu'il a dit ? Matt, je veux dire. Qu'est-ce qu'il a dit ?

Trop tard. Elle n'aurait jamais dû demander. Après tout, qu'en avait-elle à faire de ce que disait Matt ? Sa bouche avait parlé plus vite que sa cervelle n'avait pensé. Sandra la regarda par en dessous, hésita. Carly prit une inspiration profonde, attendit patiemment.

— Il a dit… lâcha finalement Sandra. Il a dit : « Cette fille est la pire emmerdeuse que j'aie rencontrée de toute ma vie. »

— Ah oui ? Ah ! Très bien. Je vois !

Carly suffoquait d'indignation. Elle jeta un regard sombre en direction des locaux de la police, un long bâtiment de brique d'un seul étage qui jouxtait la caserne des pompiers, juste de l'autre côté du parc. Matt n'y était pas. Il était là, dans la foule, qui surveillait. Carly l'avait aperçu une fois depuis le début de la soirée, de loin. Lui ne l'avait sans doute pas vue. Pas encore. Mais il ne perdait rien pour attendre.

La Carly nouvelle rugissait en elle, assoiffée de vengeance.

Avant ce soir, Carly n'avait pas revu Matt depuis leur rencontre dans sa chambre à coucher. Antonio avait brillé par sa présence depuis leur emménagement. Matt, au contraire, avait resplendi par son absence.

Il n'était pas passé les voir, n'avait pas appelé, ne leur avait transmis aucun message, ni par Antonio ni par ses sœurs. Les filles Converse leur avaient pourtant toutes rendu visite à tour de rôle. Pas de bouquet de bienvenue, pas de message électronique, pas même un mot gentil par la poste…

Tant pis.

Comment ça, tant pis ? Pas question ! C'était innommable de sa part ! Inacceptable ! De la goujaterie à l'état pur !

Peut-être était-ce chez lui une méthode, une habitude enracinée de longue date. Rencontre furtive mais torride, puis silence radio intégral. Depuis que Matt avait refermé la porte de sa chambre derrière lui, la colère de Carly n'avait cessé de croître. Si elle ne se débarrassait pas très vite de cette pression qui montait en elle, elle exploserait.

En fait, l'espérance d'alpaguer le shérif et de lui parler entre quat'z'yeux n'était pas étrangère à sa présence au feu d'artifice annuel de Benton.

Rien que d'y penser, Carly sentait son cœur battre les tambours de guerre et son instinct de vengeance trépigner d'impatience.

Toutefois, quand le premier pétard éclata dans le ciel, Carly n'avait toujours pas pu adresser un mot à Matt. Elle n'était pas plus avancée que le soir où il l'avait plantée là, haletante, au beau milieu de sa chambre à coucher. Oh, bien sûr, elle l'avait vu à plusieurs reprises. Uniforme kaki, étoile rutilante, revolver à la ceinture, le bon shérif de la bourgade de Benton était partout. Partout, sauf auprès d'elle. Flanqué de ses adjoints, il sillonnait la foule composée de la population de la ville et des environs au grand complet. Tandis que les lumières rouges, blanches et bleues s'allumaient dans la nuit, il parcourait les îlots de gens assis sur des couvertures ou des chaises pliantes ainsi que les bouquets de citoyens massés debout autour du parc. Tout ce beau monde avait le visage tourné vers le ciel. Sauf le shérif et ses adjoints, qui arpentaient inlassablement le parc, redoutables de méthode et d'efficacité.

Sur la couverture où Carly avait pris place se trouvaient évidemment Sandra, mais aussi madame Naylor, qui les avaient attirées près d'elle à grands cris, sa fille Martha avec sa famille, Loren Schuler et Bets Haskell, une autre ancienne de l'école, ainsi que leurs familles respectives. Leur petite troupe attirait de nombreux visiteurs. Le bruit du retour de Carly s'était répandu dans la ville comme une traînée de poudre et tout un chacun venait la saluer et lui donner son opinion sur ses chances de réussite dans la reconversion du manoir en auberge. Barry Hindley était passé, manifestant très clairement son intérêt envers Carly. Elle n'avait pu que déplorer d'être encore trop dévorée par sa colère envers Matt pour pouvoir se laisser courtiser en toute sérénité. Hal Reynolds, un ancien de l'école, était venu renouer d'anciens liens. Hélas ! il n'intéressait pas Carly non plus. Antonio, évidemment, se pointait régulièrement à leur couverture pour échanger quelques mots avec Sandra et puiser des gâteries dans la glacière qu'elle avait apportée. Chaque fois, Sandra continuait de rayonner plusieurs minutes après son départ.

Carly soupira. Au moins, son amie trouverait bientôt à remplacer son vibromasseur. Quant à elle... C'était une autre histoire.

Au total, tous les adjoints trouvèrent le temps d'interrompre leurs patrouilles pour venir échanger quelques mots. Un à un ou deux par deux, ils vinrent même à plusieurs reprises puiser dans la glacière aux délices que Sandra avait préparée. De toute évidence, Antonio avait répandu la bonne nouvelle parmi ses collègues. En outre, Heather, la fille adolescente de Martha, était une amie de Lissa Converse. La petite sœur de Matt était donc passée avec son amoureux, Andy. Ils avaient grignoté un biscuit au citron. Carly en était sûre : tôt ou tard, le grand manitou des services policiers de Benton, Matt Converse lui-même, finirait par s'arrêter à leur couverture. À moins, bien sûr, qu'il n'évite soigneusement toute rencontre avec Carly.

Peu à peu, cette hypothèse gagna en crédibilité. Fulminante, Carly s'aperçut qu'elle regardait Matt plus souvent que le feu d'artifice. L'ancien mauvais garçon, mauvaise graine, honte de Benton, était devenu un homme respecté de tous, aimé de la plupart et pourchassé de quelques-uns. Ou plutôt, de quelques-unes. Plus il arpentait les lieux, plus les femmes semblaient fleurir sur son passage. Carly n'en était pas surprise. Depuis toujours, Matt devait repousser les assauts féminins pour vivre un peu tranquille. À trente-trois ans, célibataire, titulaire d'un emploi stable et certainement rémunérateur, ce demi-dieu si splendide qu'il restait beau même en uniforme constituait un gibier de choix pour les dames de Benton.

Et cela enrageait Carly au plus haut point. La pire emmerdeuse qu'il ait rencontrée de toute sa vie, hein ? Pauvre Matt, il n'avait encore rien vu...

Il n'eut même pas l'élégance de lui adresser un signe de la main. Ni de près ni de loin, rien du tout. Pourtant, il savait pertinemment où elle était assise. Si tous ses adjoints affluaient vers la glacière comme des abeilles vers un pot de miel, il était impossible que le shérif ignore l'emplacement de ladite glacière, de la couverture et de Carly posée dessus. Mais non ! Il s'obstinait à parcourir le parc en long et en large, distribuant sans compter les sourires, les tapes dans le dos, les poignées de main, à l'occasion un froncement de sourcils quand il rencontrait un éméché. Et de ces lieux verdoyants et rieurs, quel était le seul recoin qu'il n'avait pas honoré de sa présence ? Les malheureux dix mètres carrés de Carly !

Coïncidence ? Certainement pas. Carly pensa soudain que ce pauvre imbécile de Matt s'imaginait peut-être qu'elle le désirait. Bon, oui, d'accord, elle le désirait. Et alors ? Cela n'avait rien à voir ! Rien qu'à penser qu'il pouvait croire qu'elle le désirait donnait à Carly l'envie de le battre avec un gourdin. Cet arriéré de shérif pouvait-il vraiment être arrivé à se convaincre qu'elle le voulait alors que lui ne voulait pas d'elle ? Du moins, il ne voulait pas d'elle « comme ça » ? Comme amie, oui. Mais pas comme amante, amoureuse, compagne... Carly voyait rouge, et pas seulement parce que des pétards écarlates illuminaient le ciel de Benton. Elle voyait rouge à l'idée que Matt puisse s'imaginer qu'elle mourait d'envie d'être à lui, comme sans doute la majeure partie de la population féminine de cette ville. Une femme en short blanc minuscule se leva quand il passa près d'elle. Carly crut défaillir en voyant le shérif lui enrouler la taille de ses deux bras et se pencher vers elle. Elle était sur le point de hurler quand elle s'aperçut que c'était Erin, la sœur de Matt. Ils se parlaient à l'oreille pour couvrir le bruit du feu d'artifice... Carly se calma un peu, mais son cœur faillit de nouveau lui sortir de la poitrine quand elle vit une autre femme en short blanc se lever et serrer le shérif contre elle. À la lumière des pétards, Carly vit que cette grande mince à la chevelure impeccable n'était nulle autre que Shelby Holcomb.

Shelby Holcomb! Shelby qui, contrairement à Carly, appartenait à la catégorie des femmes avec lesquelles Matt couchait…

Carly sentit sa rage tonitruante faire place à une colère sourde. Des visions de meurtre soigneusement planifié se firent jour dans sa tête. Car elle venait de comprendre que ce qu'elle vivait là n'avait rien d'exceptionnel. Au contraire, son désarroi avait tout le terne du déjà-vu.

Matt la traitait aujourd'hui exactement comme il l'avait traitée dans les jours, les semaines et les mois qui avaient suivi ce fameux bal de fin d'études.

Oui, c'était bien sa méthode habituelle. Carly crispa les mâchoires.

Incapable d'affronter le malaise suscité par la sexualisation de leur relation, Matt ne trouvait rien de mieux à faire que de la fuir. Une fois encore, une fois de trop. Pourquoi n'avait-elle pas compris plus tôt? Que lui fallait-il? Que Matt s'allume un néon au-dessus de la tête : « Je ne veux plus entendre parler de Carly Linton »?

Comme douze ans plus tôt, il refusait de voir qu'elle le désirait.

Non, elle ne le désirait pas. En tout cas, pas quand elle était éveillée et en pleine possession de ses moyens.

De toute façon, il la désirait aussi, c'était très clair. À tout le moins, il l'avait désirée. Il pouvait bien jouer les cow-boys de carton-pâte, il ne pourrait jamais dire le contraire. Par ailleurs, Carly n'était plus une jeune fille prude et timide de dix-huit ans. Elle était une adulte de trente ans et, oui, elle avait vu quelques pénis passer dans sa vie. L'oie blanche, c'était fini ! Elle le désirait, et alors ? Mais elle savait, elle savait que Matt Converse la désirait du fond de ses tripes...

Mais ce pauvre imbécile ne voulait pas le reconnaître. Il ne pouvait pas affronter son désir envers elle. Prétendument parce qu'il l'aimait trop ! Prétendument parce qu'il voulait qu'ils restent amis...

Prends garde à toi, Matt Converse, prends gaaaaaaaaaarde à toi !

Mais non, elle ne l'aimait pas ! Carly en aurait grincé des dents.

Le feu d'artifice éclata en un bouquet spectaculaire. Le vacarme intérieur de Carly se tut. Face au tintamarre effroyable des pétards, auquel s'ajoutait le chant patriotique tonitruant joué à pleins poumons par la fanfare de l'école secondaire du comté de Screven, son cœur vengeur n'était pas de taille. Une immense bannière étoilée s'alluma dans le ciel. Quand elle s'évanouit sous un tonnerre d'applaudissements et de cris de joie, l'odeur de la poudre couvrait presque celle de la bière.

La fête était finie. Les gens commençaient à rassembler glacières, chaises pliantes et couvertures. Carly comprit que Matt ne viendrait pas. Lui qui voulait tant qu'ils soient amis ! Pour un ami, vraiment, son comportement laissait à désirer. C'était le moins qu'on puisse dire. Il l'avait ignorée, tout simplement ! Pas une visite, pas un signe, pas un regard...

Elle était bien d'accord pour qu'ils soient amis. Mais elle refusait catégoriquement d'être traitée en femme invisible.

— Doux Jésus ! s'écria madame Naylor en s'étirant le cou pour mieux voir. Avez-vous vu ça ?

Carly se demanda si elle avait grandi ou si c'était madame Naylor qui avait rapetissé en vieillissant. Quoi qu'il en soit, elle lui paraissait bien moins imposante maintenant. Elle était toutefois restée aussi replète et grisonnante et, surtout, aussi curieuse qu'autrefois.

— Qui est-ce ? demanda sa fille Martha en s'étirant le cou à son tour.

Cette femme aux cheveux bruns et courts était bâtie comme un déménageur de pianos et possédait un rire à faire trembler les montagnes. Ce n'était pas pour rien qu'elle avait dirigé l'équipe féminine de hockey sur gazon à l'école secondaire.

Carly ne voyait qu'une mer de dos, de chevelures et de nuques. Avec sa taille, pour peu qu'une foule un peu compacte la cerne, des tas d'événements palpitants pouvaient se dérouler non loin d'elle sans qu'elle en sache rien.

— Le shérif est en train d'arrêter quelqu'un, expliqua Sandra, forte de son avantage physique.

Elle regarda encore la scène, frétilla, puis lança une œillade entendue à Carly.

— Il est vraiment beau garçon, ajouta-t-elle. Un homme en uniforme, c'est tellement séduisant…

Carly la fit taire d'un regard sombre, puis elle grimpa sur leur énorme glacière. Pas question qu'elle rate le spectacle !

Matt se tenait au milieu de la rue. Effectivement, il était beau garçon. Même en uniforme. Surtout en uniforme. Mais cela, Carly le savait déjà. Elle focalisa toute son attention sur l'incident qui se déroulait sous les yeux ébahis de la population de Benton. Très calme au milieu de la foule, Matt emmenait par le bras un petit homme décharné qui avait les mains menottées derrière le dos. Il adressait des hochements de tête à une femme tout aussi maigre qui hurlait contre l'homme. Apparemment, Matt voulait la tenir à bonne distance de son captif. Il était impossible d'entendre ce qui se disait sur les lieux de l'altercation. Mais à voir

Matt si placide, ce n'était certainement rien de grave. L'homme constituait sans doute plus une nuisance qu'un réel danger.

— Oh! s'exclama madame Naylor d'un ton dépité. C'est Anson Jarboe. Il est probablement saoul, comme d'habitude. Ida porte sa croix avec cet homme.

L'arrestation devenant moins alléchante, les badauds se détournèrent pour reprendre leurs préparatifs de départ. Seule Carly resta en poste sans remarquer que la foule s'égaillait autour d'elle. Matt entraîna le contrevenant au poste de police, de l'autre côté de la rue. Il claqua la porte derrière eux et Carly n'eut plus rien d'autre à regarder qu'un bâtiment de brique.

Elle cligna des yeux, désenvoûtée, puis elle regarda autour d'elle. Constatant qu'elle était seule à avoir observé la scène jusqu'au bout, elle descendit précipitamment de son perchoir. Heureusement, personne n'avait remarqué son étrange comportement. Elle se précipita sur la couverture pour la replier, puis elle la déposa sur le couvercle de la glacière. Elle se baissait pour ramasser l'énorme verre de plastique qui contenait le reste de son Passion citron quand Sandra l'interpella à voix basse.

— Moi, chuchota-t-elle, il ne faudrait pas insister longtemps pour que je remplace mon vibromasseur par le shérif à femmes. Même s'il me considérait comme la pire emmerdeuse qu'il ait rencontrée de toute sa vie…

Évidemment, Sandra avait remarqué que Carly observait l'incident plus longtemps que les autres… Bon, d'accord, elle observait Matt plus longtemps que les autres !

— Ah oui ? demanda Carly d'un ton dégagé. Eh bien moi, tu vois, je ne me contente pas de si peu.

Quelques minutes plus tard, elles firent leurs adieux au groupe qui les avait accompagnées pendant le feu d'artifice. Elles soulevèrent leur énorme glacière chacune par une poignée, puis se dirigèrent vers leur camionnette flambant neuve. Enfin, leur camionnette d'occasion flambant neuve, un véhicule que Carly avait acheté pour la modique somme de trois mille dollars comptant après avoir rendu le camion de location. La camionnette était garée derrière la banque.

— Carly…

— Oui, quoi ?

Carly n'avait pu s'empêcher de sursauter. À ce moment précis, elles passaient devant les locaux de la police. Carly avait regardé dans les fenêtres pour tenter d'apercevoir ce qui se passait à l'intérieur. Les stores étaient baissés. Carly n'avait rien vu.

— Carly… reprit Sandra. Il faut que j'aille faire pipi.

Carly regarda son amie et ralentit le pas. Elle sourit. Elle n'en revenait pas ! Pour la première fois de sa vie, la chance frappait à sa porte et elle ne restait pas sourde à ses appels !

— Non, je ne peux pas me retenir jusqu'à ce que nous soyons rentrées, ajouta Sandra.

Un passant les bouscula. La glacière vint heurter le tibia de Carly. Mais Carly s'en rendit à peine compte. Cette fois, elle s'était arrêtée complètement. Elle écoutait d'une oreille attentive le petit démon qui chuchotait dans son conduit auditif.

— Qui te parle de te retenir ? demanda-t-elle enfin dans un sourire. Mais non, surtout pas ! Tu pourrais te rendre malade… Quoi qu'il en soit, tu as de la chance. Je connais justement des toilettes pas loin.

— Où ça ? demanda Sandra, autant soulagée que mystifiée.

— Par ici !

218

Carly reprit sa marche et s'enfonça dans la foule avec la détermination d'un joueur de rugby.

La Chambre de commerce de Benton avait fait de son mieux pour enjoliver le bâtiment de brique. Des bacs à fleurs ornaient la grande fenêtre et les deux petites qui s'ouvraient de part et d'autre de la porte de métal gris. Malgré les barreaux, le tout semblait presque joyeux. Les pétunias mauves, le lierre et les capucines rosées ajoutaient un je-ne-sais-quoi de pimpant au bâtiment sinistre. Un réverbère à l'ancienne éclairait le panneau fixé sur la porte : Services de police – Comté de Screven.

Carly en sourit d'aise. À dix-huit ans, elle pensait qu'elle n'avait d'autre choix que de subir en silence le comportement mufle de Matt. Aujourd'hui, à trente ans, elle savait qu'on a toujours le choix. Calme, animée d'une hargne sourde et puissante, elle allait faire la preuve par neuf que l'histoire ne se répète pas.

Cette fois, elle allait traquer ce salaud de Matt.

— Il y a des toilettes là-dedans, dit-elle à Sandra dans un grand sourire aimable.

Tenant d'une main la poignée de la glacière et de l'autre son grand verre de Passion citron, elle réussit néanmoins à ouvrir la porte. Émerveillée, Sandra la précéda dans les locaux des Services de police du comté de Screven.

17

— Merci, Matt ! lança Anson Jarboe.

Le shérif referma sur lui la porte de la cellule, puis il secoua la tête d'un air déconcerté. Osseux, chétif, ses cheveux blancs emmêlés, ses yeux bleus injectés de sang, Anson arborait sa salopette et son t-shirt habituels. Son visage aussi avait sa couleur habituelle : rouge alcool profond.

— Tu ne penses pas que tu ferais mieux d'arrêter de boire ? demanda Matt en replaçant les menottes à sa ceinture.

— Mais j'ai arrêté ! Dix fois, vingt fois ! Ça ne marche pas, avec moi. En plus, ça fait du bien à Ida. De me crier dessus, je veux dire. Ça la soulage. Ça fait sortir le méchant. Mais quelquefois, tu sais quoi ? Elle me fait peur...

— Comme ce soir, par exemple, répliqua Matt d'un ton sec.

Il se détourna d'Anson et se dirigea vers son bureau, endroit stratégique d'où il pouvait lire les messages qu'il avait reçus en son absence tout en ayant son prisonnier à l'œil, ainsi que la porte d'entrée. Tous ses adjoints étant affectés au feu d'artifice, il était seul avec son captif dans le poste de police.

Plusieurs paquets marqués « Prioritaires » gisaient sur son bureau. Parmi les enveloppes ordinaires ne figurait pas la lettre qu'il attendait. Marsha Hughes n'avait toujours pas reparu, ni saine et sauve, ni morte. Matt avait enquêté sur son passé et son mode de vie ainsi que ceux de son petit ami. Marsha avait deux ex-maris qui vivaient en Géorgie et une sœur au Tennessee, mais aucun d'eux n'avait répondu aux messages téléphoniques que le shérif de Benton leur avait laissés. Kenan avait vécu à Clearwater, en Floride. La police lui avait rendu visite à plusieurs reprises pour des allégations de violence conjugale. Kenan n'avait toutefois jamais été arrêté. Matt s'intéressait quand même à ce que les policiers de Clearwater savaient de lui. Ses collègues lui avaient promis une copie de leur dossier par exprès.

Jusqu'ici, rien.

— C'est la fête nationale, nom d'un chien ! grommela Anson en retirant ses chaussures pour s'allonger sur sa couchette. J'ai bu un petit verre, c'est bien normal ! Cette vieille folle, elle voudrait que je reste assis toute la journée à regarder la télé avec elle.

La prison de Benton comptait trois cellules alignées contre la façade est du bâtiment. Un mur blanc cassé qui montait jusqu'aux trois quarts de la pièce les séparait de la porte d'entrée et dissimulait judicieusement les prisonniers à la vue des visiteurs.

— Je ne sais pas ce que j'aurais fait si tu n'étais pas intervenu, poursuivit Anson. Je me répète, mais c'était vraiment gentil de ta part !

— La prison, ce n'est pas un hôtel, répondit Matt en ouvrant son courrier.

Tout Benton le savait, Anson et Ida Jarboe se chamaillaient depuis le jour de leur mariage, quarante et quelques années plus tôt. En général, c'était parce qu'il buvait. Quand il était à jeun, les autres sujets de dispute ne manquaient pas. Moins impétueux que sa femme, Anson faisait généralement les frais de ces altercations. Très souvent, quand il avait bu, il ne prenait même plus la peine de rentrer chez lui. Il se présentait au poste de police pour se constituer prisonnier. Cette tactique lui permettait de ne pas avoir à affronter sa femme avant d'avoir cuvé sa bière.

— Dommage… répondit Anson dans un petit rire. Ta cellule ferait un bon hôtel, Matt. Tu me réveilles pour le petit-déjeuner ?

Le shérif répondit d'un grognement indistinct. Anson et Ida Jarboe constituaient un excellent repoussoir pour les candidats au mariage… Matt parcourut distraitement une publicité qui vantait les mérites d'un nouveau vaporisateur d'irritant pour les yeux, l'indispensable outil de travail du policier moderne.

La porte s'ouvrit. Matt leva les yeux.

L'amie de Carly entrait à reculons. Matt fronça les sourcils. Il avait beaucoup entendu parler de Sandra dernièrement. Un peu trop, même. Antonio ne cessait de vanter ses talents de cuisinière. Cependant, Matt ne s'attendait pas à la voir arriver au poste de police, surtout pas à cette heure de la nuit. Elle traînait une gigantesque glacière. Carly tenait l'autre poignée. Pour le compte, Matt faillit perdre sa mâchoire. Carly avait la tête baissée, mais ses jolies petites fesses pointaient sous l'effort. Elle marchait à pas minuscules mais pressés pour éviter que la porte ne se referme sur elle.

Matt ne put s'empêcher de sourire.

Elle leva brusquement les yeux. Leurs regards se croisèrent. Matt eut l'impression de rentrer chez lui. En regardant ces yeux bleus de faïence, il eut le sentiment soudain que son errance était terminée. Puis, il se rappela qu'il avait vu ces yeux-là des milliers de fois dans sa vie. Ils faisaient partie de son enfance, de son adolescence, de sa jeunesse insouciante joyeusement gaspillée, de ses premiers pas dans l'âge adulte. L'espace d'un instant, Matt sentit néanmoins éclore en lui la joie de retrouver des lieux auxquels on appartient. Au point d'oublier que ce n'était pas pour rien qu'il se tenait à bonne distance de ces yeux-là depuis quatre jours. Au point d'oublier qu'il avait dû changer de marque de savon, l'odeur de sa marque habituelle faisant monter en lui des visions érotiques de Carly dans ses bras. Au point d'oublier qu'il avait bien failli tomber dans la fosse aux lions pour ces yeux-là.

Se rappelant soudain tout cela, il déclencha intérieurement l'alerte rouge. Trop tard, peut-être.

Carly lui sourit, douce comme un ange.

— Tu ne vois pas d'inconvénient à ce que Sandra utilise vos toilettes ? demanda-t-elle d'une voix de miel.

Matt Converse sut alors que ses ennuis ne faisaient que commencer. Il connaissait bien Carly. Plus elle souriait suavement, plus elle bouillait de rage.

Oh non ! Il n'avait vraiment pas besoin de ça en ce moment…

— Pas de problème, fit-il néanmoins. C'est au bout du couloir.

Il désigna d'un coup de menton un corridor qui s'ouvrait sur sa droite et qui menait aux toilettes, à la salle de repos et aux bureaux des adjoints, mais aussi à l'entrepôt des pièces à conviction et à l'armurerie, verrouillés à double tour.

— Merci, dit Sandra.

Matt était médusé par sa taille et son gabarit. Et si le noir amincissait, ainsi que ses sœurs le lui martelaient depuis des années, alors Sandra était encore plus bâtie qu'elle n'en avait l'air dans son pantalon et sa tunique d'ébène. Elle était cependant très attirante. Matt comprenait qu'elle soit tombée dans l'œil d'Antonio. En l'état actuel des choses, elle lui était plutôt tombée dans l'estomac, d'ailleurs, mais c'était une autre histoire. Carly et Sandra posèrent la glacière, puis Sandra se dirigea à pas pressés dans la direction que Matt lui avait indiquée. Carly s'avança d'un pas tout aussi déterminé vers Matt.

Son premier instinct fut de se lever. Carly était une femme, après tout, et sa fréquentation assidue de ses sœurs lui avait inculqué les bonnes manières. Mais Carly était aussi son amie, sa vieille copine, presque un copain de régiment. Et Matt ne voulait surtout pas que cela change. S'il commençait à se lever dès qu'elle entrait dans une pièce, cela la ferait passer instantanément dans une autre catégorie. Or, Matt ne voulait surtout pas mélanger les catégories. Carly était son amie, point final. Il resta donc assis et, pour mieux souligner son geste, s'adossa confortablement à son fauteuil, étendit les jambes et croisa les mains sur son ventre pour se donner l'air encore plus décontracté.

Copain de régiment ou pas, Carly était quand même devenue une femme. Elle était menue mais possédait toutes les rondeurs qu'il fallait. Ses jambes fines et bronzées sortaient d'un short lui arrivant à mi-cuisses. La plupart des femmes que Matt connaissait auraient porté des sandales à talons pour embellir encore leurs jambes. Carly se contentait de chaussures de tennis toutes simples. Néanmoins, ses jambes étaient bien assez belles pour mettre Matt à feu et à sang. Il s'efforça de ne plus y penser, de ne plus les regarder. Carly portait un short bleu marine qui habillait bien ses hanches minces et sa taille fine. Son t-shirt rouge tomate mettait sa poitrine en valeur. Sa bouche si douce qui avait causé par deux fois déjà la perte du shérif était grande ouverte en un sourire trop angélique pour être honnête. Son petit nez charmant avait pris un coup de soleil, ses joues aussi. Le visage rosi, Carly semblait sortir d'une extase. Elle plissait ses yeux bleus de faïence. D'entre ses paupières jaillissaient des étincelles sinistres. Quant à ses cheveux... Matt n'avait jamais vu quelqu'un d'aussi frisé qu'elle, et d'aussi fâché de l'être. Pour l'occasion, elle les avait cachés sous une casquette de base-ball en jean. Toutefois, plusieurs frisettes avaient réussi à s'échapper de leur carcan et encadraient le visage de Carly. Au total, elle était jolie, vraiment jolie. Elle était devenue blonde alors qu'elle avait toujours été châtain clair. Elle était devenue ronde et douce alors qu'elle avait toujours été maigre. Peut-être était-ce pour cela que Matt avait du mal à la garder dans la catégorie des amis. C'était bien Carly qu'il avait devant lui, son vieux copain de régiment… mais en drôlement mieux. En plus joli, plus attirant. Beaucoup trop attirant pour le laisser indifférent.

Pour éviter de penser qu'il aimerait tant l'avoir dans ses bras, Matt se concentra sur l'orage qui menaçait de lui éclater à la figure. Tout en Carly annonçait la tempête : sa démarche, son regard étincelant, son sourire…

— Jolie casquette, fit-il d'un ton nonchalant.

Il savait qu'il jetait de l'huile sur le feu, mais c'était vraiment trop tentant. Comment résister à faire enrager Carly alors qu'elle était si belle quand elle se mettait en colère ?

— Va te faire foutre !

Elle avait atteint son bureau. Elle le contourna. Matt fit rouler sa chaise vers l'arrière pour se donner du champ. On ne sait jamais. Carly pouvait l'agresser. Il devrait alors prendre la fuite. Toutefois, il continua d'affecter la décontraction. Pour se donner une contenance, certes, mais surtout parce que cette posture je-m'en-foutiste mettait Carly hors d'elle.

— J'ai entendu dire que tu avais cassé ma boîte aux lettres.

— J'ai entendu dire que tu m'avais traitée d'emmerdeuse.

Carly se tenait devant lui, à quelques centimètres à peine de ses genoux, le fixant d'un air mauvais. Toujours installé confortablement, Matt l'observait d'en bas. C'était une nouvelle position, en quelque sorte. Matt l'appréciait. Carly se troubla.

— Tu ne devrais pas écouter les ragots, dit-il.

Elle était maintenant si près de lui que ses jambes nues et bronzées frôlaient presque sa hanche. S'il le voulait, il n'aurait qu'un geste à faire pour lui attraper la taille et l'asseoir sur lui pour...

Seigneur Dieu ! Mais qu'allait-il penser là ? Non, pas question ! Il fallait qu'il sorte cette idée stupide de sa tête, et tout de suite ! Coucher avec Carly ? Pas question ! C'était la dernière des bêtises à faire ! Carly n'était pas du genre à se satisfaire d'une amourette d'un soir. Elle n'était même pas du genre à se satisfaire d'une aventure de trois ou quatre mois, de ces parenthèses torrides mais sans lendemain qu'on peut s'offrir de temps à autre. Pour Carly, la relation sexuelle menait à l'engagement amoureux. Et l'engagement amoureux, c'était la hantise de Matt Converse.

— Toi ! lança-t-elle en tendant vers lui un index accusateur. Toi, tu as des problèmes, des trucs que tu devrais régler.

— N'est-ce pas notre cas à tous ? demanda-t-il dans un sourire.

— Ce que tu fais... Tes opérations commando... Ça me dégoûte !

— On dirait que nous avons eu un accident de voiture, ma parole !

Un peu d'humour n'a jamais fait de mal à personne. En situation de conflit, c'est même un excellent moyen de désamorcer la confrontation. Mais les yeux de Carly étincelèrent de plus belle.

— Tu m'évites, cracha-t-elle.

Elle était donc hermétique à son humour. Très bien. Un changement de stratégie s'imposait. Mais lequel ?

— Tu m'évites, reprit-elle, exactement comme tu m'as évitée pendant tout l'été après…

Elle hésita. Matt savait très bien de quoi elle parlait. Souriant, il se demanda néanmoins quel degré de précision elle apporterait à la description de la scène qui s'était déroulée sur le siège arrière de sa voiture.

— … après mon bal de fin d'études, conclut-elle enfin.

Excellente porte de sortie ! Pas de description crue, rien de vulgaire, rien de choquant. Très Carly, en somme. Sa petite Carly qui avait bien grandi, qui était devenue blonde, qui avait pris des rondeurs là où il faut, qui éveillait en lui des instincts animaux.

— Tu ne trouves pas que tu exagères ? lança-t-il. Je me suis déjà excusé de ce que j'ai fait il y a douze ans.

En plus, il y avait mis les formes. Il s'était même tellement bien excusé qu'ils avaient refait la même bêtise, ou presque, et qu'elle ressurgissait devant lui pour le lui reprocher !

— Ce que je peux te dire, Matt, c'est que tu es vraiment nul avec les femmes.

— Comment ça ?

Aucune d'elles ne s'était jamais plainte ! Enfin, presque… Maintenant qu'il y pensait un peu, Matt se rendait compte qu'en fait, elles avaient été très nombreuses à lui reprocher ce que Carly appelait ses « opérations commando » : je m'approche, je t'embrasse (et plus si affinités), puis je me sauve en courant.

— Comment ça, « Comment ça » ? C'est clair, non ? Tu es nul avec les femmes.

Et là, sans sommation, elle lui retourna son grand verre de citronnade sur la tête.

Matt s'immobilisa quelques secondes, glacé au sens propre comme au sens figuré.

— Carly ! rugit-il en se levant d'un bond.

Il se frotta la tête à deux mains. Ses cheveux étaient mouillés, froids, collants. Des gouttelettes d'eau volaient en tous sens. Un demi-citron écrasé gisait par terre. Matt le regarda d'un air atterré.

— Bonne nuit, Matt, déclara Carly. En fait, bonne continuation. J'espère bien ne jamais te revoir.

Elle le gratifia de l'un de ces sourires angéliques dont elle avait le secret. La fureur de Matt ne la décontenançait pas le moins du monde. Alors qu'il jurait, frappait du pied en secouant sa tête, éclaboussait tout le poste de police ou presque, elle posa calmement son verre désormais vide à l'envers sur une pile de papiers, puis fit volte-face, bien déterminée à marcher d'un pas altier jusqu'à la porte.

— Ah, ça alors ! s'écria Matt. Pas question !

Il l'attrapa par la taille sans trop savoir pourquoi. Il ne pouvait quand même pas la laisser partir comme ça après ce qu'elle venait de faire ! Lui, le shérif de Benton, il resterait planté là, la tête dégoulinante de citronnade glacée ? Pas question !

Carly se retourna d'un bond. Elle ne souriait plus. Son visage était rouge de colère, ses yeux lançaient des hallebardes et sa bouche si douce n'était plus qu'une fine ligne toute crispée. Elle se redressa pour le toiser du haut de son mètre cinquante-sept.

— Tu vois ce que je te dis, Matt ? Tu es vraiment nul avec les femmes !

Cette fois, elle hurlait. Elle était tellement hors d'elle que ses pieds quittèrent presque le sol tandis qu'elle lui aboyait à la figure. Matt resserra instinctivement son étreinte sur ses hanches pour tenter de la calmer.

— Et ce n'est pas seulement avec les femmes que tu es nul ! tempêta Carly. Tu es nul en général, Matt ! L'ensemble de ton œuvre ! Tu es nul, tu m'entends ? Un gros nul ! Un énorme nul !

Soudain, Matt prit la pleine mesure du grotesque de la situation. Carly si petite, si menue, si mignonne, mais enragée comme une lionne, décochait ses flèches en toutes directions, agrippait la chemise du shérif à deux mains et lui vociférait des insultes à la figure. Et lui, le représentant des forces de l'ordre en uniforme, le représentant de la loi, pour l'amour du ciel, lui qui faisait presque deux fois son poids et trente bons centimètres de plus qu'elle, lui se tenait là devant elle, la tête trempée de citronnade, tentant désespérément de la maîtriser.

Dieu qu'elle lui avait manqué ! Dieu qu'il la désirait ! Trempé jusqu'aux os, frissonnant, englué par sa potion de sorcière, furieux comme le diable à peine trente secondes plus tôt, il était soudain consumé par une attaque de désir si féroce qu'il en avait mal dans les os. Il n'avait plus qu'une idée en tête : l'embrasser comme un dément, la soulever de terre et l'asseoir sur son bureau, puis l'allonger et...

— Tu te prends pour qui, pour traiter les gens comme ça ? fulminait Carly. Tu te prends pour qui, pour me traiter comme ça, moi ? Est-ce que tu t'imagines par hasard que...

Carly était un train dément lancé à pleine vitesse. Matt l'arrêta d'un baiser.

Elle avait le goût de la citronnade. L'intérieur de sa bouche était tendre et chaud, de la citronnade tendre et chaude. Matt était assoiffé d'elle. Sa langue s'enfonça dans la bouche de Carly, avide, affamée de sa bouche comme tout son corps l'était de son corps à elle. Il referma ses bras sur elle et la serra tellement fort qu'il sentit ses mamelons durcis frotter contre son torse à travers leurs vêtements. Matt était comme ivre. La douceur des seins de Carly pressés contre lui, toutes ces rondeurs, cette souplesse féminine, la chaleur qui émanait de sa peau, son abandon quand elle lâcha finalement sa chemise pour enrouler ses bras autour de sa nuque et lui rendre son baiser... Matt devenait complètement fou.

Son cœur battait la chamade. Son sang rugissait dans ses veines. Il brûlait de désir pour Carly. Elle ne l'arrêterait pas, il en était sûr. Elle lui appartiendrait. Tout ce qu'il avait à faire, c'était de...

Il renforça la pression que ses lèvres exerçaient sur celles de Carly, la força à se pencher vers l'arrière, s'apprêta à la soulever de terre et à la porter jusqu'à son bureau, à l'allonger au milieu des papiers, tant pis pour les conséquences !

Une sorte de hoquet collectif lui fit ouvrir les yeux au moment précis où tombait la casquette ridicule de Carly.

Devant Matt se tenaient ses trois sœurs ainsi qu'Antonio, Shelby, Collin, le jeune Andy qu'il avait expulsé de chez lui quelques soirs plus tôt et Craig, le petit ami de Dani. Tout ce beau monde s'entassait sur le seuil, certains déjà dedans, d'autres encore dehors. Les passants allaient et venaient derrière eux. Les visiteurs dévisageaient Matt les yeux écarquillés, la bouche grande ouverte.

Et merde !

Carly s'était rendu compte que quelque chose clochait. Comme elle se crispait, qu'elle cessait de l'embrasser, il la redressa doucement, décolla sa bouche de la sienne et releva la tête. Il voulait la protéger de la curiosité, des moqueries et, pour l'une des personnes présentes au moins, de l'agression. Mais Carly tournait déjà la tête. Trop tard ! Du reste, qu'aurait-il pu faire ? La cacher sous sa chemise ? La pièce était éclairée comme un bloc opératoire. Impossible de dissimuler l'identité des acteurs aux yeux du public.

— Excuse-nous, Matt... souffla Erin.

Pour couronner le tout, Anson Jarboe observait la scène avec un ébahissement bien visible. Dans le couloir, Sandra contemplait le tout, les yeux gros comme des pastèques.

Matt avait rarement été aussi gêné de sa vie. Et qui s'en étonnerait ? Ce n'était quand même pas tous les jours qu'un shérif en uniforme était surpris à embrasser passionnément une femme, les cheveux dégoulinant de citronnade.

Carly regardait, elle aussi, leurs spectateurs.

— Bonsoir ! lança-t-elle avec un aplomb que Matt ne put s'empêcher d'admirer.

Néanmoins, ayant la peau très pâle, son embarras n'en était que plus voyant. Le visage de Carly prit peu à peu la teinte de son t-shirt écarlate. Elle desserra l'étreinte de ses bras autour du cou de Matt. Elle imprima sur son torse une légère poussée du bout de ses doigts pour lui signifier qu'il devait maintenant la laisser partir.

Matt aurait bien voulu. Il aurait vraiment bien voulu. Il était tout à fait d'accord avec Carly. Le mieux aurait été qu'il la laisse partir et qu'elle sorte avec dignité. Mais il y avait un problème. Sous cet éclairage violent de bloc opératoire, si Carly s'éloignait d'un pas, tout un chacun pourrait constater de ses yeux l'état d'excitation dans lequel se trouvait le shérif Matt Converse.

Une telle exhibition ne manquerait pas de porter sa propre gêne à son comble, et sans doute aussi celle de l'auditoire.

— Voudriez-vous nous laisser quelques instants, s'il vous plaît ? demanda Matt avec toute la distinction qu'il put rassembler dans les circonstances.

Carly exerça une pression plus forte de ses doigts sur son torse pour qu'il la libère enfin.

— Euh... Nous reviendrons plus tard ! lança Erin.

Matt se serait prosterné à ses pieds. D'une main douce mais ferme, sa sœur fit sortir la petite troupe du poste de police. Évidemment, restaient Anson et Sandra, manifestement très intéressés par la scène qui se déroulait sous leurs yeux. Matt ne pouvant rien y faire, il décida de les ignorer.

La porte se referma avec un claquement discret.

— Écoute, Frisette... murmura Matt.

Carly le regardait d'un air féroce. Matt n'y comprenait plus rien. Après le baiser passionné et tout à fait réciproque qu'ils venaient d'échanger, Carly le dévisageait maintenant avec haine.

— Pauvre tarte ! cracha-t-elle.

Elle lui asséna un coup de pied dans le tibia, se dégagea de son étreinte et marcha d'un pas décidé vers la porte.

Le souffle coupé par la douleur, Matt sautilla quelques instants sur place et se frotta la jambe. Puis, voyant que Carly s'apprêtait à sortir, il se redressa et alla vers elle en boitant.

— Qu'est-ce que tu fais, Carly ?

— Je ne veux plus jamais te voir de ma vie, pauvre imbécile ! Tu te tiens loin de moi, tu m'entends ?

— Quoi ?

Elle lui adressa un dernier regard assassin. Matt alla vers elle, mais sa douleur au tibia était trop forte. Il ne put la rattraper. De plus, le trottoir devait être noir de gens qui stagnaient là pour connaître la fin du spectacle. Le shérif s'était déjà rendu bien assez ridicule comme ça pour ce soir. Impuissant, il vit Carly ouvrir la porte, sortir, et lui claquer la porte au nez.

— Ce n'est pas possible, grommela-t-il. Dites-moi que je rêve...

Il retourna à son bureau en claudiquant. Il avait mal à la jambe, mal à l'amour-propre, il était trempé, gluant de sucre. Comble de malchance, la climatisation fonctionnait affreusement bien dans le poste de police. Matt frissonna. Hélas ! il ne vit pas le quartier de citron qui gisait encore par terre, glissa dessus et se rattrapa de justesse. Au comble de l'exaspération, il envoya d'un coup de pied l'agrume maudit voler dans le décor. Le quartier de citron rebondit contre le mur et atterrit sur une pile de papiers très importants qui trônaient sur le bureau de Matt. Accablé, le shérif comprit que Satan lui-même lui avait patiemment concocté cette nuit d'enfer dans ses grands chaudrons de fonte noircie.

— Merci ! lança Sandra. Pour les toilettes, je veux dire.

Ah tiens ! Il l'avait complètement oubliée, celle-là. Tout comme il avait oublié Anson. Sandra passa devant lui comme un courant d'air, la mine vaguement inquiète. Elle eut un regard pour la glacière mais préféra l'abandonner derrière elle. En quelques secondes, elle avait quitté les lieux.

— Eh ben, dis donc ! souffla Anson Jarboe.

Matt se retourna vers lui, constata d'un œil maussade le désordre que Carly avait causé dans le poste de police.

— À côté de toi, mes problèmes avec ma femme, c'est vraiment de la petite bière, conclut le prisonnier d'un air ahuri.

— La ferme, Anson. Sinon, je te ramène chez toi.

Matt ramassa la casquette de Carly qui était tombée par terre, la déposa sur son bureau à côté du verre vide qu'elle avait retourné sur ses documents. Le quartier de citron dégouttait maintenant sur un mandat d'arrestation que le shérif devait mettre à exécution le lendemain à l'aube. Une fois séché, le mélange du jus de citron, de l'eau et du sucre se remarquerait à peine. En tout cas, il espérait que personne n'irait deviner d'où provenait l'auréole jaunâtre. Réconforté malgré tout par ce maigre espoir, Matt prit l'agrume délinquant entre le pouce et l'index et le laissa choir dans la poubelle. Puis, il alla chercher une serpillière dans le cagibi réservé aux produits d'entretien.

18

Cette foutue bonne femme n'était donc jamais seule ? Terré dans le noir, l'homme observait Carly Linton contourner la camionnette qu'elle venait de garer. L'homme sentait son cœur battre à tout rompre dans sa poitrine, sa respiration s'accélérer, les paumes de ses mains devenir moites. L'adrénaline… Il était comme un chasseur qui vient d'apercevoir sa proie. Il était déjà fin prêt à lui régler son affaire quand l'autre, la grande Noire, descendit de la camionnette pour la rejoindre.

Déçu, l'homme crispa ses mâchoires à s'en faire éclater le crâne. Impossible d'agir. Même si l'autre avait été aussi menue que Carly. Dès qu'il aurait attrapé la première, l'autre serait partie en hurlant. Évidemment, l'endroit était isolé, il était tard, il faisait sombre. Et s'il les attaquait maintenant, tandis qu'elles étaient encore sur le chemin qui mène à la maison ?

Non ! Ce serait idiot. Il avait patiemment éliminé tous les obstacles. Carly était le dernier. Il ne voulait pas rater son coup.

Elle aussi, il l'éliminerait. Quand le moment serait venu. Quand sa chance aurait tourné, comme elle tourne toujours.

D'ici là, il faudrait qu'il soit prudent. Surtout, il ne fallait pas effrayer la femme. Sinon, elle se méfierait et cela lui compliquerait la tâche. Elle avait déjà peur au point de s'être fait installer de nouvelles serrures et un système d'alarme. Pourtant, il ne l'avait pas effrayée délibérément jusqu'ici. En fait, il ne savait même pas qu'elle était là quand elle l'avait découvert. Le plus drôle, c'est qu'il n'avait même pas eu à s'introduire de nouveau dans la maison pour connaître les mesures de sécurité qu'elle avait prises. Ça, ça le faisait vraiment rire ! L'information lui avait été offerte sur un plateau d'argent.

Mais cela ne réglait pas son problème. S'il ne pouvait plus se faufiler dans la maison aussi discrètement qu'avant, il faudrait qu'il lui mette le grappin dessus en dehors de chez elle.

Il s'était bien douté qu'elle irait au feu d'artifice. La ville tout entière y va. Lui-même y était allé. Il avait vu la femme. Il avait pensé la suivre en espérant qu'elle s'éloignerait de la foule. Mais il y avait trop de monde. Quelqu'un aurait pu l'apercevoir.

Il avait donc quitté le feu d'artifice avant le bouquet final et s'était placé en embuscade dans la cour du manoir. Il serait plus facile de l'attraper quand elle rentrerait.

Si elle rentrait seule, bien sûr.

Mais elle n'était pas rentrée seule. Par contre, le chien semblait avoir disparu. Ça, c'était une bonne nouvelle. En tout cas, l'homme ne l'avait pas vu et il ne l'entendait plus aboyer. Peut-être avait-il fini par lever le camp. Peut-être les coyotes lui avaient-ils porté le coup de grâce.

C'était peut-être le signe que sa chance commençait à tourner pour le mieux.

En s'appliquant, il trouverait sûrement le moyen d'attirer Carly hors de sa forteresse sans déclencher le système d'alarme.

Et là, les gens de Benton auraient de quoi alimenter leurs commérages pour très longtemps.

19

— J'ai tout vu ! J'ai tout vu et ça m'a donné chaud, chaud...

Le geste excessif, les yeux roulant de droite à gauche, Sandra faisait mine de se rafraîchir le visage avec un éventail imaginaire.

— Arrête un peu, tu veux ? demanda Carly d'un ton las.

— Mais quand tu lui as donné un coup de pied dans le tibia, alors là ! En général, les hommes n'aiment pas beaucoup ça. Enfin, il me semble. À moins qu'ils soient pervers, bien sûr. Est-ce que le shérif à femmes est pervers ? Si c'est ça, dis-le-moi tout de suite que je lui saute dessus.

— Sandra...

Contrainte d'entendre la nième variation sur le même thème depuis que Sandra était montée à côté d'elle dans la camionnette, Carly commençait à sentir la nausée lui monter dans la gorge. Déjà qu'elle avait dû subir l'humiliation de traverser la petite foule bruissante des proches, amis et connaissances en tous genres de Matt quand elle était sortie des bras de Matt lui-même... Évidemment, tout ce beau monde s'était tu dès qu'elle avait posé le pied sur le trottoir. Il ne fallait pas être grand clerc pour en déduire qu'elle était le principal sujet de leurs conversations animées. Un chœur de « Bonsoir, Carly ! » s'était élevé de la meute qui la dévorait des yeux. Elle avait quand même réussi à sourire. Elle avait rendu leurs saluts aux membres de ce drôle de comité d'accueil. Heureusement, sa camionnette était garée dans une petite rue transversale. En tournant le coin, Carly s'était dit qu'elle n'avait jamais été aussi soulagée de se faire engloutir par la nuit.

Quand elle l'avait rejointe, Sandra était dans tous ses états. Assise au volant, immobile, Carly avait les yeux hagards, l'esprit vide. Peu à peu, elle assimilait ce qui venait de se passer. Enfin! Elle avait lâché la Carly nouvelle sur Matt comme un loup affamé sur un agneau. Elle lui avait dit ce qu'elle pensait de lui, et avec panache encore! Elle lui avait jeté à la figure toute la souffrance et la colère qu'elle avait en elle depuis douze ans et celles qu'il lui avait causées plus récemment. C'est alors qu'il s'était tourné vers elle et l'avait embrassée. Le cycle infernal s'était réamorcé à la seconde même. Évidemment, Carly ne s'attendait pas à cela. Prise de court, elle n'avait pu brider à temps l'adolescente impétueuse qui vivait encore en elle. En un clin d'œil, elle était redevenue l'ancienne Carly. Elle s'était liquéfiée dans les bras de Matt. Elle avait rendu les armes. Au lieu de la rupture ferme et définitive qu'elle s'était promise, elle n'avait réussi qu'à retourner à la case départ. Heureusement que leurs ébats avaient été interrompus…

Un bon point pour elle : elle avait quand même réussi à envoyer un bon coup de pied dans le tibia de Matt et à lui cracher tout le mal qu'elle pensait de lui.

Le retour au manoir s'était avéré pénible. Sandra ne cessait de disséquer l'incident, d'en proposer des interprétations toutes plus abracadabrantes les unes que les autres. Au début, Carly avait essayé de lui faire croire qu'elle et Matt s'étaient échangé un baiser fraternel de vieux amis. Sa tentative avait été accueillie d'un tonnerre de protestations tel qu'elle n'avait pas insisté. Sandra avait vu, de ses yeux vu, et elle n'allait pas s'en laisser remonter !

— Mais ce que je ne comprends pas, poursuivait-elle, c'est que tu lui aies dit que tu ne voulais plus le voir ! Moi, je peux te dire une chose : s'il m'avait embrassée comme ça, je lui aurais sauté dessus avant qu'il ait eu le temps de dire « ouf ! »

Le sourire de Sandra étincelait dans l'obscurité. Les deux femmes grimpaient la côte menant au manoir. Une forte odeur d'herbe fraîchement coupée imprégnait l'air. Les grenouilles chantaient à cœur joie. Carly n'en pouvait plus d'entendre Sandra rejouer le film de la soirée. En l'occurrence, la meilleure des défenses lui parut être l'attaque associée à la diversion.

— Pourquoi tu ne sautes pas sur Antonio, alors ? lança-t-elle.

— Un peu de patience ! s'exclama Sandra dans un grand sourire. Je ne veux pas qu'il me prenne pour une femme facile.

Déjà plus de vingt-trois heures. La nuit était noire comme un four, humide comme une serre et plus généreuse en moustiques qu'un marécage tropical. Carly avait garé la camionnette au bas de la colline. En haut, le manoir resplendissait, toutes lumières allumées. Avant de partir au feu d'artifice, Sandra et Carly avaient convenu d'un coup d'œil silencieux qu'elles ne regarderaient pas à la dépense. Il n'était pas question qu'elles reviennent au manoir dans l'obscurité complète. Tant pis pour la facture d'électricité ! Le système d'alarme valait bien chacun des dollars qu'il avait coûtés. Carly n'aurait pas pu dormir sans. Cependant, ce fidèle gardien de leurs fenêtres et de leurs portes ne pouvait rien pour elles quand elles se trouvaient dehors. Instinctivement, malgré la pente et la chaleur, les deux femmes marchaient vite. Carly jetait autour d'elle des regards inquiets.

Sans vouloir tout à fait l'admettre, elle avait un peu peur de ces lieux, de sa propre maison. À tout le moins, le soir et la nuit. Malgré la présence de Sandra, Annie et Hugo, elle s'éveillait à deux ou trois heures du matin, le cœur battant la chamade sans raison particulière. Elle tendait l'oreille. Que s'attendait-elle à entendre ? Elle l'ignorait. Tout ce qu'elle savait, c'était qu'elle était dévorée par la peur.

Terreurs nocturnes. Elle en faisait quand elle était petite, quand elle avait emménagé dans ce manoir avec sa grand-mère. Le pédiatre avait précisé qu'elles étaient assez fréquentes chez les enfants, qu'il ne fallait pas s'en alarmer. Dans le cas de Carly, elles s'expliquaient probablement par son changement d'environnement et par le fait que sa mère lui manquait. Il avait promis qu'elles disparaîtraient.

Elles avaient disparu, mais au bout de plusieurs années seulement. Elles s'étaient d'abord espacées, puis elles n'étaient plus revenues. Carly n'avait plus fait ensuite que des mauvais rêves, une fois de temps en temps, comme tout le monde. Jusqu'à ce qu'elle dorme dans la chambre de Matt. Jusqu'à ce qu'elle revienne à Benton.

Elle frissonna. Ses terreurs nocturnes allaient-elles reprendre comme avant ? Elle se souvenait distinctement du cauchemar qu'elle avait fait chez Matt. Elle s'était revue petite fille effrayée, abandonnée par sa mère, placée dans un foyer d'accueil. Depuis, quand elle se réveillait ainsi le cœur dans la gorge, elle ne se rappelait pas ce qu'elle avait rêvé. Elle ne se réveillait pourtant pas pour rien... Elle avait dû rêver, non ? Sans doute. Elle avait dû faire un cauchemar dont elle avait tout oublié dès qu'elle avait ouvert les yeux.

Au moins, elle ne hurlait plus comme quand elle était petite.

Quand elle se réveillait, le cœur affolé, elle écoutait le silence et elle attendait. Peu à peu, son pouls s'apaisait. Elle se rendormait. Au matin, ses craintes de la nuit semblaient lointaines et puériles, un peu ridicules. Quoi qu'il en soit, elle n'en dirait rien à personne. D'ailleurs, à qui pourrait-elle en parler ? Citadine jusqu'au bout des ongles, Sandra avait déjà bien assez de mal à s'adapter à la campagne. Elle était tellement peureuse ! Carly ne voulait pas qu'elle reparte à Chicago, elle ne voulait pas la perdre. Quant à Matt... Matt s'était volatilisé après l'avoir embrassée dans sa chambre. Elle l'avait revu quelques heures plus tôt à peine, mais le moment n'avait pas été propice aux confidences. Pas vraiment, non. D'ailleurs, cela faisait bien longtemps que Carly ne voulait plus se confier à Matt.

Il savait qu'elle faisait des cauchemars étant enfant. Mais elle ne lui en parlerait plus. Elle ne lui parlerait pas des terreurs qui avaient recommencé à l'éveiller la nuit, qui lui faisaient exploser le cœur dans la poitrine. Elle avait mis un terme à ce jeu de cache-cache grotesque entre elle et Matt. Tant mieux ! C'était fini, terminé.

Hélas ! il l'avait embrassée et son baiser était allé droit à l'âme de Carly. Dommage... Elle aurait préféré refermer plus nettement la porte du passé.

— Antonio était sur le trottoir quand j'ai quitté le poste de police, raconta Sandra. Il m'a accompagnée jusqu'à la camionnette. Tu sais ce qu'il m'a dit, à propos de toi et Matt ?

Elle riait sous cape. Carly ne dit rien.

— Il a dit : « Ça chauffe, on dirait ! »

Elle avait parlé d'une voix grave et salace, imitant sans doute le ton d'Antonio.

Carly poussa un grognement indistinct. Elle ne voulait pas savoir ce qu'Antonio avait dit, ce qu'il avait pensé, ce qu'il avait sous-entendu. Elle voulait simplement se coucher pour oublier la scène.

— Mais ce que je ne comprends pas, reprit Sandra d'un ton plus sérieux, c'est que tu ne couches pas avec lui. Tu en as envie, pourtant, ça saute aux yeux !

Elles atteignirent la véranda éclairée. Loin des arbres noirs, Carly se sentit tout de suite mieux. Cependant, elle n'était pas tout à fait rassurée. Trop pressée d'enfoncer la clé dans la serrure, elle faillit laisser tomber son trousseau. C'était stupide. Elle ne pouvait s'empêcher de penser que des yeux l'observaient dans la nuit, qu'ils scrutaient le moindre de ses gestes. C'était vraiment stupide.

— Non ! lança-t-elle en ouvrant finalement la porte. Non, je n'ai pas envie de coucher avec Matt. Ce type a trop de problèmes, crois-moi…

Elle poussa un soupir de soulagement en entrant dans le vestibule. Le signal d'alarme émit un son cristallin indiquant qu'elle avait quarante-cinq secondes pour le désactiver avant qu'il n'ameute la ville entière. Musique aux oreilles de Carly ! Personne n'était entré chez elle en son absence.

— Des problèmes ? demanda Sandra. Quel genre de problèmes ?

— Des problèmes d'érection, lança Carly.

Bouche béante, Sandra ouvrit des yeux comme des pastèques. Carly en aurait presque ri. Au moins, elle avait réduit au silence sa crécelle d'amie pendant quelques secondes.

— Tu mens comme un arracheur de dents, souffla Sandra finalement.

Carly verrouilla la porte. Le vestibule sentait la peinture fraîche. Elle avait fini de le repeindre et s'attaquait maintenant à la pièce suivante. Hugo était assis sur le radiateur. Il se dressa sur ses quatre pattes et s'étira pour saluer sa maîtresse. Puis, il sauta par terre avec un bruit sourd. Annie accourut depuis la cuisine, ses griffes patinant sur le parquet, sa queue battant de droite à gauche comme un pendule devenu fou.

L'apercevant, Hugo fila pour lui échapper. Annie lança un aboiement joyeux et courut à sa suite. Visiblement, cette chienne s'amusait comme une folle avec l'himalayen.

— Hugo ! Annie ! Arrêtez ! Arrêtez tout de suite !

Carly soupira. Comme s'ils allaient l'écouter ! Ils n'avaient même pas ralenti. Elle écouta leur cavalcade et soupira encore.

— Bienvenue à l'Auberge du zoo Beadle ! lança Sandra d'un ton sec.

Elle avait clairement désapprouvé l'intégration d'Annie à leur petite troupe. En fait de parasite à quatre pattes, Hugo lui suffisait amplement. Carly renonça à justifier une fois de plus l'adoption de la chienne. Les épaules affaissées par le découragement, elle partit dans la direction que les animaux semblaient avoir prise. Sandra se dirigea vers la cuisine.

— Annie, calme-toi ! Hugo, arrête de faire…

La minette. C'est ce qu'elle allait dire : « Hugo, arrête de faire la minette ! » Mais ce mot lui rappelait trop Matt, Matt et son ironie, ses propos désobligeants envers son himalayen de race.

— Arrête de faire le bébé ! dit-elle finalement.

Elle retrouva son chat juché sur la cheminée de la pièce du fond. Elle l'emporta jusqu'à la cuisine en tentant de calmer par la parole la chienne qui dansait à ses pieds. Annie était prise de délire, proche des convulsions. « Ils sont comme des enfants, pensa Carly, comme des frères et sœurs qui se chamaillent. Ils finiront bien par s'entendre. »

Carly entra dans la cuisine et posa le chat sur une armoire.

— C'est pas vrai, hein ? lança Sandra.

— Quoi ?

— Tu sais très bien de quoi je parle ! Le shérif…

Carly s'agenouilla près d'Annie. La chienne agita sa queue, posa ses pattes avant sur les jambes de sa maîtresse pour lui lécher le visage.

— Alors ? fit Sandra. C'est pas vrai, hein ?

— Non, soupira Carly.

Matt aurait amplement mérité qu'elle le calomnie, mais elle ne s'en sentait pas le courage. Elle n'aimait pas mentir, voilà tout.

— Non, ce n'est pas vrai.

Sandra fronça les sourcils.

— Bon chien ! disait Carly en grattant Annie derrière les oreilles.

Elle prit l'animal dans ses bras. Au comble de l'extase, Annie ouvrit la gueule, sortit la langue et se mit à haleter. Sandra la contempla quelques secondes. Puis, elle ouvrit le réfrigérateur et en sortit un morceau de jambon qu'elle lui lança. La chienne l'attrapa au vol et l'engloutit goulûment.

— Tu vois ? demanda Carly. Tu l'aimes, ce chien.

— Je n'ai pas vraiment le choix ! Si tu m'avais dit que tu allais avoir un chien, je ne serais jamais venue. Mais tu n'as rien dit ! Voilà, le problème. Tu n'as rien dit et tu as ramené ce chien sans me demander mon avis.

Elles revenaient régulièrement sur le sujet depuis que Carly avait adopté Annie. Sandra se plaignait mais, au fond, elle ne détestait pas l'animal. Elle lui lança d'ailleurs un autre morceau de jambon. Puis, elle en envoya un à Hugo, qui avait observé toute la scène d'un air scandalisé.

— Tu vois ? demanda Carly dans un grand sourire. Hugo aussi, tu l'aimes bien.

Sandra retourna au réfrigérateur en grommelant. La chienne agitait la queue en la regardant, les yeux pleins d'espoir. Elle ne s'était pas encore tout à fait accoutumée à sa nouvelle vie, mais Carly ne s'inquiétait pas. Très vite, elle prendrait sa place dans la maisonnée. Pour l'instant, elle restait timide. Elle ne s'approchait pas des inconnus et s'aplatissait au sol dès qu'on élevait la voix. Elle se montrait toutefois enthousiaste et affectueuse envers les gens qu'elle connaissait. Sauf Hugo, évidemment, mais c'était un chat. Carly était convaincue qu'Annie leur était reconnaissante de l'avoir adoptée. Sandra affirmait en ricanant qu'un chien ne connaît que la reconnaissance du ventre, mais Carly n'en démordait pas : Annie éprouvait de la gratitude envers elles, une vraie gratitude du cœur. Elle l'avait emmenée chez le vétérinaire. Il avait estimé son âge à cinq ans et l'avait vaccinée. Selon lui, Annie vivait dans l'errance depuis longtemps, peut-être depuis toujours, mais elle ne présentait pas de problèmes de santé majeurs. Elle était trop maigre. La cuisine de Sandra aurait tôt fait d'y remédier. Et puis, la chienne avait une cicatrice récente sur le ventre. On aurait dit le souvenir d'une estafilade juste entre les deux pattes avant. La plaie s'était refermée d'elle-même. Grâce aux coups de langue assidus d'Annie, elle guérirait très vite. La substance foncée qui maculait son pelage n'était rien d'autre que son propre sang. La chienne avait été lavée, brossée. Elle avait subi un traitement contre les puces. Proprette, bien nourrie, le poil noir ondoyant légèrement, l'Annie nouvelle affichait en permanence une mine béate.

Elle était même plutôt belle, dans son genre. En tout cas, elle n'était pas méchante.

— Bon chien, Annie ! murmura Carly.

Annie regardait Hugo lécher soigneusement son morceau de jambon avant de le prendre entre ses

dents. Elle le fixait d'un œil envieux mais sans l'attaquer, sans même gémir. Quand Hugo eut enfin terminé son festin, les deux animaux se tournèrent
comme un seul homme vers Sandra, toujours penchée
dans le réfrigérateur.

Elle referma la porte d'un coup sec en se redressant.
Dans sa main trônait une vulgaire boisson gazeuse.

Déçue, la chienne s'effondra par terre. Le chat battit
l'air de sa queue et entreprit de se laver une patte avec
une indifférence affectée.

Voyant que les deux animaux semblaient mieux
s'accepter, Carly voulut contribuer à leur bonne
entente. Elle amena Annie jusqu'à Hugo.

— Vous voyez comme c'est agréable d'être amis ?
leur demanda-t-elle.

Elle tendit la main vers Hugo pour le caresser mais
aussi, discrètement, pour le retenir au cas où l'envie lui
prendrait d'attaquer Annie. Puis, elle approcha la
chienne encore un peu, mais quand même à bonne
distance des griffes du chat.

— Vous êtes de bons amis maintenant, poursuivit-
elle. Vous voyez…

Annie aboya. Hugo bondit sur ses quatre pattes en
crachant. Annie se débattit pour courir après le chat.
Heureusement, Carly la tenait d'une main ferme.

— Vous voyez comme c'est agréable d'être amis ?
répéta Sandra d'un ton ironique.

Elle sortit de la cuisine, sa boisson gazeuse à la
main.

— Tu verras ! lui lança Carly. Tu verras bien qu'ils
finiront par s'aimer !

Avant de se coucher, Carly prit un bain dans
l'immense baignoire ancienne aux pieds en forme de
pattes de lion. À défaut d'être aussi pratique qu'un
modèle moderne, elle possédait un cachet remarquable. Il était déjà près d'une heure du matin quand

Carly enfila son pyjama. Escortée d'Annie, dont les griffes cliquetaient sur le parquet à chaque pas, elle passa devant la porte déjà close de la chambre de Sandra pour se diriger vers la sienne. Sa chambre avait très peu changé depuis son enfance. La tapisserie à bouquets de lavande et les rideaux blancs vaporeux étaient ceux qu'elle avait choisis en guise de cadeau pour son quinzième anniversaire. Au pied de son lit, le tapis tressé aux teintes pastel était le même. Son lit n'avait pas changé non plus : un modèle double à tête et pied de laiton. Seule l'ancienne couette lavande à licornes de son adolescence avait cédé la place à un couvre-lit blanc. Enfant, Carly s'était toujours sentie en sécurité dans cette pièce. Aujourd'hui… Aujourd'hui, ce n'était plus tout à fait le cas. Hugo s'était couché à ses pieds. Annie l'avait fixé d'un long regard dévoré d'envie, puis s'était résignée en grommelant à dormir sur le tapis. Carly se glissa entre les draps. Elle n'avait pas peur. Enfin, presque pas. Et puis, elle était fatiguée, beaucoup trop fatiguée pour faire de mauvais rêves. Et surtout, son esprit était tout entier habité par Matt. Matt qui faisait semblant de s'extasier sur sa casquette quand elle était entrée au poste de police. Matt qui la dévisageait d'un air ahuri, le visage et les cheveux pleins de citronnade. Matt qui l'embrassait…

Non, non et non ! Ce n'était pas le moment de penser à ça. En fait, ce n'était jamais le moment de penser à Matt, point final !

Cependant, les souvenirs assaillaient Carly. Elle finit par s'endormir en les répudiant l'un après l'autre, un peu comme elle aurait compté des moutons noirs.

Elle dormit bien. Très bien même. Jusqu'à ce qu'elle s'éveille en sursaut. Elle cligna des yeux, encore hébétée. Puis elle comprit. Hugo s'était appuyé de ses quatre pattes sur elle pour sauter sur l'armoire qui se dressait près du lit. Sa queue fouettant l'air, il la fixait bizarrement depuis son poste d'observation.

Mais ce n'était pas à cause d'elle qu'il avait fui. La chienne avait posé ses pattes avant sur le rebord de la fenêtre qui donnait sur le toit de la véranda arrière. Soudain, elle se mit à pousser des cris perçants.

Les rideaux étaient fins, presque transparents, et légèrement entrouverts. En se couchant, Carly avait vu par leur interstice une bande de nuit étoilée. Maintenant, horrifiée, elle ne voyait plus rien. Plus d'étoiles, plus de clarté lunaire, plus rien.

Seulement du noir, de l'opaque.

Il y avait quelqu'un, quelqu'un ou quelque chose qui se tenait devant sa fenêtre et bloquait la lumière des étoiles et de la lune.

20

Le chien. Ce foutu chien ! Il était dans la maison.

L'homme retourna en vitesse jusqu'au bord du toit, s'accroupit, s'agrippa au rebord et sauta. Heureusement, la véranda n'était pas très haute. Longeant en partie la façade arrière, elle arrivait juste en dessous des fenêtres de l'étage. Plus tôt, alors qu'il s'apprêtait à quitter les lieux, il avait levé les yeux et il l'avait vue. Elle était là, sa silhouette se découpant nettement sur la fenêtre éclairée : Carly et ses cheveux blonds frisés, Carly en pyjama. C'est drôle, il ne se rappelait pas qu'elle avait les cheveux frisés. À vrai dire, il ne se rappelait pas grand-chose de cette époque. Il n'avait pas pu voir à travers les rideaux entrouverts, à peine une bande verticale découpée dans la chambre éclairée. Il avait quand même vu que c'était une chambre à coucher. Sa chambre à elle. Elle s'apprêtait à se mettre au lit.

L'une des fenêtres de sa chambre donnait directement sur le toit de la véranda, à l'arrière de la maison.

L'homme s'était dit qu'il avait de la chance. Depuis quelque temps, d'ailleurs, la chance lui souriait presque en permanence.

Carly avait éteint les lumières. Elle avait disparu dans le noir. Mais l'homme, lui, avait continué de rôder aux alentours. C'était peut-être le moment.

C'était peut-être l'occasion rêvée d'aller chercher la fille.

L'homme savait comment fonctionnait le système d'alarme. Seules les fenêtres du rez-de-chaussée y étaient reliées.

Encore un coup de chance : il avait un coupe-verre dans sa voiture.

Il lui avait laissé une heure pour s'endormir. Puis, il avait grimpé sur le toit de la véranda. La gouttière lui avait servi d'échelle. C'était facile, tellement facile ! Une fois sur le toit, il avait vérifié que les fenêtres de l'étage n'étaient pas raccordées au système d'alarme. On ne sait jamais. Mais elles ne l'étaient pas. Encore sa chance… Il avait examiné les volets, le châssis de la fenêtre, la vitre. Parfait. Tout était allé comme sur des roulettes. À travers le rideau entrouvert, il avait aperçu une tache blanche. Le lit. Son lit à elle.

Sous cette tache blanche se dessinait une forme. C'était elle, son corps à elle.

Avec cette chance qui lui souriait avec éclat, pensait-il, il pourrait certainement régler toute l'affaire dès cette nuit. Il avait sorti le coupe-verre de sa poche.

Après, ce serait fini. Une nouvelle vie commencerait.

Il venait de poser son coupe-verre sur la vitre quand le rideau avait bougé. Instinctivement, l'homme avait baissé les yeux. Il était là, qui le regardait par la fenêtre. Le chien.

Le même chien. Ce foutu chien.

L'homme courait déjà vers le bord du toit quand l'animal s'était mis à japper.

Ouaf, ouaf, ouaf. Ouaf, ouaf, ouaf, ouaf !

21

Hugo avança vers Carly comme un cheval de parade, levant haut ses pattes à chacun de ses pas, secouant la tête d'un air incrédule. Sous le soleil d'après-midi, les bardeaux d'aluminium du toit brûlaient comme des braises.

Carly sourit.

— Comment es-tu monté jusqu'ici ?

Elle alla vers le chat, le prit dans ses bras et le ramena vers la zone ombragée dans laquelle elle travaillait. Hugo hésita quand elle le reposa sur le toit, puis il comprit que les bardeaux n'étaient pas aussi brûlants de ce côté-ci. Il agita la queue de gauche à droite et regarda Carly au fond des yeux. Il voulait établir clairement que la légère erreur d'appréciation climatique qu'il venait de commettre n'entamait en rien sa dignité. Cela fait, il s'assit au pied de la cheminée et entreprit de faire sa toilette.

Carly n'en fut même pas offensée. Elle avait compris depuis longtemps déjà qu'un chat ne remercie pas. La gratitude n'est pas leur fort, à ces animaux-là.

Elle empoigna son marteau et se remit à travailler. Il faisait chaud, en cet après-midi du 5 juillet. Carly remplaçait les clous des bardeaux qui avaient disparu au fil des ans, puis elle déposait une goutte de peinture scellante rouge sur chacun d'eux pour éviter que la pluie ne s'infiltre par les trous. Ce travail était plus fastidieux

que complexe, mais la touffeur le rendait particulièrement pénible. Carly devait aussi se rappeler constamment l'endroit précis où elle se trouvait afin de ne pas
tomber du toit. Elle travaillait dans l'ombre projetée
par le noyer le plus proche de la maison. Elle espérait
se déplacer en même temps que cette tache un peu
fraîche, mais il n'était pas sûr que le feuillage du noyer
arrive à la protéger jusqu'à l'autre bout du toit. Si elle
ne voulait pas fondre comme un bonhomme de neige,
il faudrait qu'elle termine ses réparations après le coucher du soleil. Sachant que le toit trônait à quelque
douze mètres du sol, il ne serait pas très prudent de
travailler le soir. Une chute pourrait s'avérer mortelle.

De toute façon, Carly ne voulait pas se trouver dehors
à la nuit tombée. Elle ne l'aurait pas avoué même sous
la torture, mais ces lieux la terrifiaient dès que le soleil
avait disparu à l'horizon. À terme, cette épouvante risquait de poser problème. Carly en était bien consciente.
Comment vivre dans une maison dont on a peur ? Peut-
être que ce n'était qu'une question de temps… Peut-être
qu'après avoir vécu tant d'années en ville, il lui faudrait
quelques semaines pour se réhabituer à la campagne.
Peut-être que les yeux qu'elle sentait posés sur elle dans
la nuit étaient ceux des grenouilles qui s'époumonaient
le soir venu. Peut-être que ce froid qui l'envahissait
chaque fois qu'elle plongeait son regard dans les
ombres de la cour n'était dû qu'au refroidissement de
la sueur sur sa peau. Peut-être…

Mais peut-être pas.

Et si le cambrioleur rôdait encore aux alentours ? Et
s'il n'attendait que l'occasion propice pour agir ?

Rien que d'y penser, Carly était parcourue de frissons des pieds à la tête.

La nuit précédente, elle avait rassemblé tout son
courage pour allumer la lampe de chevet et regarder
par la fenêtre. Il n'y avait personne. Rien. Personne.

Seulement les arbres silencieux, les étoiles clignotantes et la nuit. Annie tremblait à ses pieds. Un nuage était passé, dissimulant les étoiles, faisant virer le ciel au noir. Elle avait cru qu'une silhouette lui bloquait la vue des étoiles. Ce n'était peut-être qu'un nuage... Peut-être. Mais peut-être pas. À bien y penser, c'était possible, très possible même. Probable, en fait.

La chienne avait pu être éveillée par un écureuil ou un raton laveur qui courait sur le toit de la véranda. Après tout, elle adorait pourchasser Hugo. Un autre animal pouvait tout aussi bien stimuler son instinct de chasse. Ou alors, une branche était tombée dans la cour et l'avait effrayée.

Comment savoir ? Quoi qu'il en soit, l'hypothèse du cambrioleur semblait douteuse. Très douteuse, même.

Cependant, Carly n'avait pas réussi à se rendormir. Elle avait passé le reste de la nuit blottie comme un petit animal dans son lit, les yeux rivés sur la fenêtre. À quelques reprises, les étoiles avaient disparu. Chaque fois, c'était un nuage qui passait. Enfin, sans doute. En tout cas, Annie et Hugo avaient continué de dormir du sommeil du juste.

Au petit matin, Carly avait constaté qu'une branche était en effet tombée sur le toit de la véranda arrière.

« Tu vois ? s'était-elle lancée intérieurement. Une branche, rien de plus ! Pas de quoi en faire un drame ! »

Le bruit avait dû réveiller Annie.

À force de raisonnement, Carly finit par s'en convaincre. Puis, l'électricien était arrivé pour adapter le câblage du manoir aux appareils électroménagers puissants dont elles auraient besoin pour leur auberge. Carly lui avait expliqué ce qu'il fallait faire. Quelques minutes plus tard, Sandra était allée en ville pour faire les courses. Carly avait enfilé son plus vieux jean et un t-shirt vert fatigué. Un foulard noué sur ses cheveux, elle avait sorti le marteau et les clous. Consciencieusement, elle avait cloué les fenêtres de sa chambre. Système d'alarme ou pas, elle n'aurait pas pu dormir tranquille sans cela.

Si le cambrioleur revenait, il aurait une drôle de surprise. Les fenêtres ne s'ouvriraient plus.

Carly avait toute confiance en son système d'alarme, pourtant. Mais comme le disait sa grand-mère : « Prie le bon Dieu, mais n'oublie pas de recharger ta carabine. »

Carly sourit. « Amen ! » pensa-t-elle.

Pendant qu'elle y était, elle cloua pratiquement toutes les fenêtres de la maison. À tout le moins celles de l'étage, car les châssis du rez-de-chaussée étaient trop beaux pour y enfoncer des clous. Carly l'envisagea, cependant. Puis elle y renonça. Le système d'alarme fonctionnait bien. C'était un modèle dernier cri, hypersensible et fiable. Il les protégerait. Elle et Sandra, Annie et Hugo. Tout ce petit monde pouvait dormir en paix.

Carly compta les fenêtres du rez-de-chaussée. Si elle ne voulait pas les clouer, c'était simple : elle achèterait des manches à balai qu'elle couperait de la bonne longueur pour bloquer les fenêtres sans endommager les châssis. C'est alors que Sandra était revenue avec les courses.

Surprise le marteau à la main, le sac de clous suspendu à la taille, Carly dut penser très vite pour expliquer son attirail. La nuit précédente, les aboiements d'Annie n'avaient pas réveillé Sandra. Celle-ci ignorait tout des terreurs nocturnes de Carly, de sa crainte grandissante face aux lieux, de ce qu'elle voyait ou croyait voir par sa fenêtre quand elle était couchée. Ces temps-ci, heureusement, Sandra n'avait qu'une idée en tête : Antonio.

Néanmoins, Carly ne voulait pas l'effrayer. Entre la perspective d'une extase charnelle dans les bras du shérif adjoint et la possibilité de voir le voleur renaître de ses cendres, Sandra pouvait opter pour la sécurité, pour le retour à Chicago. Carly ne voulait pas risquer de la voir déguerpir, elle et ses talents culinaires avec.

Quand Sandra lui avait demandé ce qu'elle faisait avec son marteau, elle lui avait répondu le plus naturellement possible qu'elle allait réparer le toit.

De toute façon, c'était nécessaire : le toit fuyait. Elle était donc allée chercher son échelle et s'était bravement attaquée aux bardeaux d'aluminium rouge.

— Alors ? demanda-t-elle à Hugo. Qu'est-ce qui t'amène dans les parages ?

Puisqu'elle devait s'acquitter d'une tâche fastidieuse, autant l'agrémenter d'un brin de conversation. Hugo, hélas ! ne semblait pas d'humeur à papoter. Il posa sur elle un regard vide, puis il reprit sa toilette. Pour lui, c'était à ce moment précis la chose la plus importante du monde.

Cependant, Carly connaissait bien son chat. Cette indifférence apparente traduisait la philosophie de sa race : « Que veux-tu ? La vie n'est pas que thon et jattes de crème. »

— Je sais que tu ne t'entends pas très bien avec Annie, poursuivit Carly en tapant de bon cœur sur un clou. Je sais que tu préférerais retourner à notre bel appartement avec la climatisation centrale et la vue imprenable sur le lac. Je sais qu'il fait chaud ici et que tu mues et que tu as probablement attrapé quelques puces et que tu détestes les chiens. Mais vois-tu, tout est question de point de vue, dans la vie. Considère cette épreuve comme l'occasion de mieux te connaître toi-même et de gagner en sagesse...

— À qui parles-tu ?

Carly sursauta. Cette voix sortie du néant faillit lui valoir un bon coup de marteau sur le pouce. C'était Matt. Juché sur l'échelle qu'elle avait adossée au mur, il la regardait d'un air étonné. Sa tête et ses épaules semblaient posées sur les bardeaux comme un buste de pierre.

— À Hugo.

Elle replaça le clou et l'enfonça d'un coup sec. Puis, elle se rassit sur les talons et dévisagea Matt d'une mine renfrognée.

— As-tu attrapé mon cambrioleur ?

— Pas encore, mais j'y travaille.

— Si tu n'es pas ici pour raisons professionnelles, qu'est-ce qui me vaut le plaisir ?

— Je t'ai rapporté ta glacière. Et ta jolie casquette aussi.

Manifestement, l'accueil glacial de Carly ne le décontenançait pas. Carly se remit à quatre pattes pour clouer les bardeaux. Matt grimpa sur le toit. Il portait un t-shirt gris de l'équipe des Braves d'Atlanta, un jean qui avait connu des jours meilleurs et des chaussures de sport exténuées. Habillé comme un pouilleux, mal rasé, ses cheveux frisottant dans la chaleur humide, ses yeux plissés pour se protéger des reflets du soleil sur le toit, Matt restait beau comme un dieu. Quelle plaie ! Carly s'assombrit.

Elle pensa soudain avec un déplaisir extrême qu'entre elle et Matt, c'est à elle qu'échoirait le rôle du monstre dans *La Belle et la Bête*.

— Un peu lent de la comprenette, Matt ? Je t'ai dit que je ne voulais plus te voir.

— C'était avant de m'envoyer un coup de pied dans le tibia ou après ?

Matt entra dans la zone d'ombre où travaillait Carly. Il avançait à pas prudents. Ayant souvent réparé le toit du manoir dans sa jeunesse, il savait qu'à cette hauteur, un faux pas ne pardonne pas.

— Salut, Minette ! lança-t-il à Hugo.

— Arrête de l'appeler comme ça ! Et pour ton information, c'était après le coup de pied dans le tibia, mais je ne vois pas ce que ça change.

— Pourquoi veux-tu que j'arrête de l'appeler Minette ? Il adore ça ! Hein, Minette ?

Lui ayant jeté un regard méprisant, Hugo s'éloigna d'un pas altier.

— Bon, d'accord... Il n'aime pas que je l'appelle Minette.

— Il te déteste, point.

Carly n'avait pas oublié le récit de Mike et Antonio, le sauvetage épique du chat par le shérif, le soir même de son arrivée.

— C'est bien possible, fit Matt sans trop s'émouvoir.

Il sourit et s'assit à l'endroit que le chat venait de délaisser. Excellent choix : c'était le seul plan horizontal de tout le toit.

Carly enfonça un clou d'un geste sec.

— Résumons, fit-elle d'un ton cassant. Tu m'as rapporté ma glacière et ma jolie casquette. Tu as même grimpé jusqu'ici pour m'annoncer la bonne nouvelle. Je t'en remercie, c'est très gentil. Maintenant, va jouer ailleurs.

Matt la regarda quelques instants, le visage impénétrable. Toujours à quatre pattes sur les bardeaux, Carly devait se tordre le cou pour le voir, ce qui ne l'aidait pas à interpréter son expression faciale.

— Tu as de très jolies fesses, déclara-t-il soudain.

Carly s'immobilisa, le marteau en l'air. Elle avait mal entendu, ce n'était pas possible, elle avait mal entendu. Et pourtant, non ! Étouffant de rage, elle se rassit sur ses talons et crucifia Matt d'un regard sombre.

— Ça suffit ! Dégage !

Matt lui répondit d'un grand sourire.

— Il paraît que j'ai besoin de Viagra ?

Carly soupira intérieurement. Sandra était allée en ville…

— Tu ne devrais pas écouter les cancans, répondit-elle.

Elle reprit son travail en réussissant le tour de force de ne plus présenter ses fesses à Matt.

— Et toi, tu ne devrais pas dire n'importe quoi.

— Qu'est-ce qui te fait penser que ça vient de moi ? Il y a des centaines de femmes dans les environs qui ne demandent pas mieux que de parler de toi et de tes prouesses. Ou de tes échecs, tiens, qu'est-ce que j'en sais, après tout ?

Elle asséna sur le clou un coup de marteau à fendre en deux la tête d'un buffle. Décidément, elle avait bien fait de s'imaginer que c'était Matt… La colère décuplait ses forces.

— Des centaines ? dit-il. Non, pas vraiment. Pas dernièrement, en tout cas. En fait… En fait, il n'y a eu personne ces derniers temps.

— C'est ça, oui… Très crédible. Et…

Elle se reprit à temps. Encore un peu et elle l'aurait appelée Mademoiselle Parfaite.

— Et Shelby, alors ?

— Nous sommes sortis ensemble quelques mois. Nous avons rompu en mars.

— Ah ! Vous avez rompu en mars, mais elle est chez toi à l'aube le dimanche, tes sœurs semblent considérer que tu lui appartiens et elle m'a regardée d'un air meurtrier le soir où…

— Le soir où elle nous a surpris en train de nous embrasser dans mon bureau ?

Matt avait parlé d'une voix douce comme la soie. Carly sentit une bouffée de désir lui monter au visage. Elle dut se faire violence pour l'expulser hors d'elle. Elle espéra que Matt attribuerait sa rougeur soudaine à la chaleur. Elle replaça son clou et l'écrabouilla avec une sauvagerie dont elle ne se serait pas crue capable.

— Erin est fiancée au frère de Shelby, reprit Matt. Et comme je lui tiens lieu de mère et que je ne connais rien en arrangements floraux ni en robes, Shelby s'est offerte pour organiser les noces. C'est la raison pour laquelle elle est encore dans mon entourage.

— Et c'est la raison pour laquelle elle me regarde d'un air assassin, je suppose ?

— Jalouse, Frisette ?

Pour le compte, Carly s'envoya un bon coup de marteau sur le pouce. Elle poussa un cri, lâcha son outil et secoua sa main.

— Non, je ne suis pas jalouse ! cracha-t-elle. Je n'arrive pas à croire que tu puisses me soupçonner d'être jalouse !

Matt lui sourit. Se sentant sur le point d'exploser, Carly comprit juste à temps que ce serait le meilleur moyen de convaincre Matt qu'il avait raison. Or, il avait tort. Elle n'était pas jalouse, pas du tout. Il ne fallait pas qu'elle explose. Surtout pas. Elle prit une inspiration profonde et opta pour la dignité. Elle reprit son marteau.

— Écoute, dit-elle, je travaille. Tu n'as rien d'autre à faire qu'être ici ?

— Non, répondit Matt en lui prenant le marteau des mains. J'ai pris l'après-midi de congé.

C'était donc la raison pour laquelle il n'était pas en uniforme…

— Alors, profites-en pour aller à la pêche, chasser les papillons, je ne sais pas, moi ! Profites-en pour t'amuser un peu.

Se rasseyant sur ses talons, Carly regarda Matt d'un air grognon. Pas question qu'elle se batte avec lui pour récupérer son marteau. Ce serait indigne d'elle et surtout, parfaitement inutile. Les ans lui avaient appris qu'il ne sert à rien de s'opposer à Matt : il avait toujours été plus têtu qu'une mule. Carly tendit la main vers son petit pot de peinture. Elle savait qu'en l'ignorant elle le ferait sortir de ses gongs. Or, c'était précisément l'objectif qu'elle cherchait à atteindre. À gestes tranquilles, elle entreprit de recouvrir de peinture rouge les têtes des clous qu'elle venait d'enfoncer.

— Mais je m'amuse, figure-toi ! lança Matt. Je m'amuse follement, même. Je fais de la moto.

Carly s'arrêta net.

— Tu fais encore de la moto ? Eh bien ! « Plus ça change… »

— … Moins c'est pareil, justement ! J'ai pris du galon : maintenant, je roule en Harley-Davidson.

— Ah ! Très impressionnant ! Une Harley-Davidson, quelle ascension sociale, mon cher ! Toutes mes félicitations ! Mais dis-moi… Si tu allais retrouver ta Harley-Davidson, que je finisse mon toit en paix ?

— Je venais te proposer de venir faire un tour avec moi.

Prise de court, Carly resta muette quelques secondes.

— Quoi ? coassa-t-elle enfin.

— Est-ce que tu voudrais faire un tour de moto avec moi ? Après ça, on pourrait aller manger quelque part.

Carly replaça soigneusement son pinceau dans le pot de peinture. Puis, elle regarda Matt bien en face.

— Dis donc… Es-tu en train de me demander de sortir avec toi, par hasard ?

Matt la regarda quelques instants.

— Oui. As-tu quelque chose contre ?

Carly ne répondit pas tout de suite. Elle l'avait tellement détesté ! C'était quand, déjà ? Ah oui ! La nuit précédente… Il lui avait fait mal, elle lui en avait voulu. Elle lui en voulait encore, d'ailleurs. À tout le moins, une partie d'elle lui en voulait. Mais une autre partie d'elle, son cœur, ne cessait d'exulter : « C'est

Matt ! C'est lui, c'est Matt ! » Un bouquet de souvenirs explosait dans sa mémoire. Une chanson lui trottait dans la tête : elle parlait du passage de l'enfance à l'âge adulte. Comment Carly pouvait-elle oublier que c'était Matt qui l'avait métamorphosée en femme ?

— Tel que je te connais, lança-t-elle, c'est encore l'une de ces opérations commando dont tu as le secret... Tu m'embrasses et tu fiches le camp.

Il lui sourit lentement, les yeux dans les siens, le regard pétillant. Peu à peu, son sourire plissa ses paupières. Carly avait du mal à respirer. Elle adorait ce sourire. Elle l'adorait et s'en voulait de l'adorer. Où cela l'avait-il menée jusqu'ici ? Nulle part. Mais elle ne pouvait pas s'empêcher de l'adorer.

— Tu prévois déjà que je vais t'embrasser ? demanda Matt d'un ton moqueur.

— Je ne sais pas. Est-ce que tu en as l'intention ?

— Je ne sais pas. Peut-être.

— Peut-être ? Quel enthousiasme, shérif !

Elle reprit son pinceau. Déconcertée, la vision brouillée, elle se mit à déposer des gouttes de peinture au hasard sur les bardeaux. Son cœur battait si fort qu'elle sentait son sang cogner à ses tympans. Son estomac se contractait. Sortir avec Matt, l'embrasser... Dieu du ciel ! Rien que d'y penser, elle en attrapait le tournis. Mais ce n'était pas une chose à faire. Ce serait une erreur, une grossière erreur. Carly le savait dans chacune des fibres de son être. Elle voulait pourtant tellement la commettre, cette erreur ! Elle savait déjà qu'elle la commettrait. Elle savait déjà qu'elle se jetterait dans le feu et qu'elle s'y consumerait. Cette fois, elle le ferait les yeux grands ouverts. Et si elle se brûlait, elle ne pourrait s'en prendre qu'à elle-même.

Carly se rassit sur ses talons et regarda Matt d'un air féroce.

— Je te préviens ! lança-t-elle. Si tu me parles encore d'amitié et toutes ces niaiseries, je t'arrache la tête à coups de pioche.

Matt la contempla quelques instants, les yeux brillants. Puis, il rit. Il tendit le bras vers elle et l'attira contre lui avec son pinceau dégoulinant de peinture rouge.

— Tu me fais peur, Frisette. Tu me fais vraiment peur, des fois.

Et il l'embrassa.

22

Matt embrassait toujours aussi bien… Carly ferma les yeux et sombra. Il l'attira vers lui. Elle enroula ses bras autour de son cou. Matt avait les lèvres fermes, sèches et chaudes comme du pain sorti du four. Il effleura de sa langue la bouche de Carly. Elle écarta les lèvres presque malgré elle. Tout son corps tremblait. Il était incendié. Il avait faim. Matt était tout contre elle et elle le désirait à la folie. Elle se pressa contre lui pour lui rendre son baiser.

Matt sentait légèrement le musc et sa bouche en avait le goût. Sa langue était chaude, puissante, exigeante. Il l'enfonça dans la bouche de Carly. Elle se sentit tout étourdie, comme si elle flottait, comme si Matt était devenu son unique point d'ancrage, comme si elle risquait de dériver comme une feuille morte au vent si elle cessait de s'agripper à lui. Elle frôla sa langue de la sienne et explora l'intérieur de sa bouche comme il le faisait avec elle. Il la fit tourner pour qu'elle pose sa tête sur son épaule massive. Carly se sentait petite, toute petite. Mais comme elle était dans les bras de Matt, elle se laissait envahir avec joie par cette délicieuse faiblesse. Elle inspira en tremblant de tout son corps et se mit à caresser la nuque de Matt. Elle se rendit compte qu'elle tenait encore le pinceau à la main. Elle le laissa tomber. Il s'abattit sur le toit avec un bruit sec.

Carly passa ses doigts dans les cheveux de Matt. Il était penché vers elle et lui arquait le dos en maintenant sa tête contre son épaule. Il fit glisser sa bouche sur ses joues, sur sa mâchoire. Puis, il abattit une pluie de petits baisers sur son cou, lui suçota le lobe de l'oreille. Il se remit à l'embrasser comme un fou. Il la serrait très fort contre lui, écrasant sa poitrine contre la sienne. Carly sentait l'envie qu'il avait d'elle, l'urgence qui l'habitait, la tension qui raidissait ses épaules et son dos. Elle sentait aussi la manifestation de son désir pressé contre son ventre. Son cœur battait si vite qu'elle crut qu'il allait jaillir de sa poitrine.

Matt fit glisser ses mains sur ses seins, les couvrant de ses doigts puissants. Carly étouffa un gémissement de plaisir et frissonna.

Soudain, Matt releva la tête en brisant leur étreinte. Carly entrouvrit les yeux et le regarda d'un air éberlué. Il avait le visage très rouge et ses yeux étincelaient. Il respirait très fort.

Il la voulait, c'était manifeste. Il la désirait terriblement.

Il avait laissé sa main sur sa poitrine. Elle regarda ses longs doigts d'homme, magnifiques et bronzés, posés fermement sur son t-shirt vert élimé. Elle respira plus fort. C'était la main de Matt qu'elle voyait sur elle, cette main dont elle avait rêvé des millions de fois et qu'elle reconnaîtrait partout, cette main chaude et puissante posée sur son sein. Elle sentit ses mamelons durcir. Une vague de chaleur déferla en elle et le désir lui fit creuser les reins. Elle dut ouvrir la bouche pour inspirer. Elle suffoquait.

— Matt... murmura-t-elle en tremblotant, pleinement offerte.

Elle ferma les yeux et savoura sa propre reddition. Elle approcha sa bouche de celle de Matt.

— Carly... fit-il d'une voix rauque. Arrêtons là.

Quoi ?

Carly rouvrit les yeux.

— Comment ça ? bafouilla-t-elle.

Il était encore penché vers elle et la tenait contre lui. Elle glissa contre son épaule et s'assit toute droite. Il resserra son emprise sur sa taille pour l'empêcher de se relever d'un bond. Leurs yeux se croisèrent. Matt la regardait d'un air moqueur.

« Cette fois, je vais le tuer, pensa-t-elle. Cette fois-ci, je vais vraiment le tuer. »

— Nous sommes sur le toit, rappela-t-il.

Malgré l'éclair railleur qu'elle voyait dans ses yeux, il la regardait avec passion. Il respirait péniblement, il avait les joues rouges de désir.

— Un geste un peu brusque, poursuivit-il, et nous nous fracassons dix mètres plus bas. Ce serait dommage…

Elle le fixa d'un regard dur. Il sourit.

— Tu es magnifique, murmura-t-il en passant le bout de son index sur l'arête de son nez.

Elle le dévisagea d'un air soupçonneux, le sourcil froncé. Personne ne lui avait jamais dit qu'elle était magnifique. Ni John, ni Matt. Personne. De toute façon, c'était faux.

— N'importe quoi ! lança-t-elle.

— Non, crois-moi : tu es magnifique. Tu es vraiment magnifique.

Il fit glisser ses doigts sous son menton et l'embrassa encore. Un baiser tendre et délicat, mais tout aussi brûlant que les précédents. Carly se sentit fondre contre Matt, comme si ses os s'étaient soudainement dissous. Elle enroula ses bras autour de sa nuque et lui rendit son baiser avec une fougue qui la fit trembler.

— Allez, ouste ! dit-il soudain. Tout le monde descend ! Tu sauras retrouver la terre ferme sans tomber de l'échelle ?

Il s'écarta d'elle, se releva et la regarda. Elle était encore assise sur le toit. Elle resta quelques instants adossée contre la cheminée, sa peau incendiée par la chaleur qui émanait des briques, des bardeaux d'aluminium et de l'air lui-même. Il faisait encore grand jour. Le soleil de l'après-midi perçait à travers les branches du noyer et dessinait sur le toit des motifs alambiqués d'ombre et de lumière. Le ciel était d'un bleu étincelant, ponctué çà et là de nuages duveteux comme de la ouate. Un couple de geais bleus voletait d'une branche à l'autre. Un écureuil courait dans le noyer. L'odeur de la peinture montait vers Carly et lui piquait la gorge.

Tant pis pour l'odeur de peinture ! C'était une journée radieuse, splendide, rutilante. Carly sourit. Elle avait rendez-vous avec Matt !

Et si, enfin, sa vie prenait du mieux ?

— Carly ! appela Matt d'un ton sec.

Il lui tendit la main pour l'aider à se relever. Elle le regarda d'un air dur. En tout cas, pas question qu'il sache à quel point elle était troublée ! Mais à quoi bon ? Matt la connaissait trop bien et son trouble était trop visible.

— Quoi ? Je ne suis pas sourde ! Tu embrasses bien, mais pas au point de me faire perdre la tête !

Elle prit la main que Matt lui tendait et se releva.

— Tu vas regretter ce que tu viens de dire… fit-il en lui déposant un baiser sur les doigts.

Le cœur battant, Carly le regarda faire. La bouche de Matt était chaude et tendre. Il leva les yeux vers elle. Ils étincelaient de passion. Carly ne savait plus que penser. Le geste de Matt était tellement déconcertant, tellement romantique, tellement contraire au Matt qu'elle avait toujours connu… Elle qui croyait tout savoir de lui ! Voilà qu'elle découvrait Matt l'amoureux. Comme le shérif, il faisait partie intégrante de l'adulte que Matt était devenu. Carly prit soudain la pleine mesure de la signification de son geste, de ce baiser tendre sur ses doigts. Ses genoux faillirent se dérober sous elle.

Matt avait beaucoup changé mais, au fond, il était resté le même. Il était resté celui qu'elle désirait plus que tout, celui qui la consumait.

— Viens ! ordonna-t-il.

Il se dirigea vers l'échelle à pas prudents, ses doigts étreignant ceux de Carly.

— Attends ! lança-t-elle. Il faut que je ramasse mes outils.

Elle retrouvait ses sens. Quand même ! Elle ne pouvait pas abandonner son matériel comme ça ! Son marteau, le clou qu'elle avait sorti de sa poche, le pot de peinture… Son pinceau encore trempé de rouge gisait aux pieds de Matt. Elle se pencha pour le ramasser.

Matt le lui prit des mains, le planta dans le pot de peinture et passa l'anse à son bras. Puis, il enfonça le marteau et le clou dans la poche de son jean, reprit la main de Carly et l'entraîna vers l'échelle.

D'un signe de tête, il la fit passer avant lui. Puis, il entreprit de descendre à son tour. Carly ne pouvait s'empêcher de regarder ses longues jambes puissantes, les rondeurs appétissantes de ses fesses moulées dans son jean délavé. C'était Matt ! Il était splendide et, très bientôt, il serait à elle… Rien que d'y penser, Carly faillit manquer un barreau.

Elle se rattrapa de justesse. Ce n'était pas le moment de se casser le cou ! Pas au moment précis où s'ouvrait devant elle la perspective d'une éblouissante soirée…

Ils étaient presque arrivés en bas quand Carly s'aperçut qu'on les regardait. Hugo les dévisageait depuis une branche basse du noyer, l'air dégagé, battant l'air de sa queue. Carly avait tout oublié de son chat trop choyé depuis que Matt avait commencé à l'embrasser sur le toit. Il fallait qu'elle se rende à l'évidence : Matt, ses baisers, ses mains lui faisaient perdre la tête. Par ailleurs, le très aristocratique Hugo avait fini par s'acclimater à la vie sauvage. Tant mieux ! Il était maintenant capable de passer du toit au noyer. Ce n'était pas un mince exploit pour un himalayen dorloté…

Décidément, Benton avait des impacts inattendus aussi bien sur Carly que sur son chat. Depuis son retour, elle avait à peine pensé à John, à son divorce, à sa vie d'avant. Madame John Grunwald n'était plus qu'une vague silhouette perdue dans les brumes d'une existence terne. En fait, Carly n'avait jamais porté le nom de son mari. Toutefois, même si elle avait gardé son nom de jeune fille en se mariant, elle avait joué le rôle de Mme John Grunwald pendant des années. Un rôle qui, aujourd'hui, semblait n'avoir jamais été fait pour elle. Sa vraie vie était ici. Elle releva les yeux vers Matt et son pouls s'accéléra. Sa vraie vie était avec Matt.

Elle faillit manquer un autre barreau.

Elle se ressaisit. Ses yeux se posèrent sur Annie, qui l'attendait au pied de l'échelle en agitant joyeusement la queue. Et derrière Annie… Antonio, Mike et Sandra observaient la scène dans un silence suspect. Leurs visages exprimaient la surprise, la curiosité, les supputations en tous genres sur les faits et gestes dont le toit venait d'être témoin. Du coin de l'œil, Carly aperçut Erin qui s'extirpait du siège passager d'une petite voiture rouge garée devant la maison. La jeune femme s'arrêta net en voyant son frère descendre du toit.

« Toute la bourgade est assemblée pour le spectacle, ma parole ! » pensa Carly.

Enfin, elle posa le pied par terre.

— Alors ? lança Sandra d'un ton exagérément joyeux. Tu as fini de réparer les bardeaux ?

— En grande partie, oui.

Carly essuya ses paumes moites sur son jean. Elle était fière de sa voix assurée, de son air dégagé. Elle se pencha pour tapoter la tête d'Annie. Elle était fière aussi de ne pas regarder Matt, qui venait d'atterrir derrière elle. Elle se releva. Elle devait avoir le visage écarlate. Après ce qui s'était passé, quoi de plus naturel ? Et quoi de plus embarrassant ?

— Qui c'est, ce chien ? demanda Matt en déposant le pot de peinture à ses pieds.

Annie reniflait ses chaussures d'un air méfiant. Contrairement à Carly, Matt semblait parfaitement à l'aise. Sa voix n'avait pas le timbre outrageusement guilleret de qui veut paraître trop désinvolte...

Les yeux de Matt et Carly se croisèrent. Ce fut plus fort qu'elle : elle lui sourit. Il la regarda et lui sourit lentement. Elle crut que son cœur allait exploser dans sa poitrine. Un bruissement discret lui rappela qu'un public les observait. Rougissant de nouveau, elle riva ses yeux sur le chien qui frétillait à ses pieds.

— C'est Annie, fit-elle. Le chien qui a pourchassé Hugo le soir de notre arrivée... Nous avons décidé de l'adopter.

— Parle pour toi ! protesta Sandra.

Carly fit celle qui n'avait rien entendu.

— Annie est adorable ! ajouta-t-elle à l'intention de Matt.

— Je n'en doute pas.

Matt se pencha vers le chien pour lui faire sentir ses doigts, puis le grattouilla derrière les oreilles. Antonio et Mike continuaient d'observer la scène en silence, immobiles dans leurs uniformes, l'air vaguement amusés.

— Alors ! lança Matt en se redressant. Quoi de neuf ?

Mike se mit à danser d'un pied sur l'autre en détournant le regard. Antonio se croisa les bras et s'éclaircit la gorge.

— On a reçu un appel radio pour toi il y a dix minutes, dit-il. Ton portable était éteint, apparemment. Madame Hayden promène son chien…

Matt se rembrunit. Antonio et Mike tentaient visiblement de ne pas sourire.

— Si mon portable est éteint, c'est que j'ai mes raisons, déclara le shérif.

Il enfonça ses mains dans ses poches, en sortit le marteau et le clou qu'il tendit à Carly.

— Et mes raisons, poursuivit-il, c'est que je suis en congé. Il va falloir que quelqu'un d'autre s'occupe de madame Hayden.

— Je vais envoyer Knight, répondit Antonio. Ce sera une mission très stimulante pour lui.

— Excellent ! lança Matt en souriant. Rien d'autre ?

Carly sentit une bouffée d'orgueil lui monter dans la poitrine. Elle repensait au petit garçon que Matt avait été, à l'adolescent et au jeune homme qu'il était devenu. Le gamin turbulent auquel toute la ville prédisait un avenir de truand ou de meurtrier en série n'avait finalement pas si mal tourné. « Chapeau, mon grand ! » se surprit-elle à penser. Elle sourit.

— Thompson s'est cassé la jambe en tombant d'un escalier et Brooks a une gastrite, déclara Antonio.

— C'est pas vrai ! soupira Matt. Déjà que nous manquons de personnel… Au total, nous ne sommes plus que six. Bon ! Quand tombait leur prochain quart de travail ?

— À vingt-trois heures dans les deux cas.

— Seigneur Dieu ! fit Matt. Qui prend leur relève ?

— Nous avons tous un double quart derrière la cravate. Nous allons devenir zombis si ça continue.

— « Pas le budget », grommela Matt. Bon… Je prends la relève de Thompson. Tu prendras celle de Brooks.

— Mais… protesta Antonio. Pourquoi moi ?

— Parce que tu es mon adjoint en chef. Si tu ne voulais pas du poste, il ne fallait pas le demander.

— Bien fait pour moi, grommela Antonio en lançant un regard oblique à Sandra. Et moi qui pensais que cette promotion n'avait que des avantages.

Matt étouffa un petit rire et tendit la main vers Carly. Sandra, Antonio et Mike dardèrent leurs regards vers leurs doigts entrelacés. Carly aurait voulu rentrer sous terre.

— Prête ? demanda Matt.

Carly approuva d'un hochement de tête. Matt se retourna vers ses adjoints.

— Rien d'autre ? demanda-t-il. Si c'est tout pour le moment, j'y vais.

— Mike et moi mangeons ici, ce soir, fit Antonio. Quoi ? Il faut bien qu'on mange…

— Salut, tout le monde ! lança Erin.

Elle s'approchait d'un bon pas, vêtue d'une minijupe en jean et d'un bustier blanc qui faisait ressortir son bronzage et ses cheveux noirs et brillants. Elle semblait contrariée. Le visage de Mike s'illumina en la voyant, mais elle ne regardait pas dans sa direction. Elle fixait alternativement Matt, puis Carly, puis leurs doigts entrelacés.

— Matt… Est-ce que je pourrais te parler une minute ?

— Quoi, encore ?

Il serra les doigts de Carly plus fort, puis il se détacha d'elle pour suivre sa sœur.

— Je vais chercher mon sac ! lança Carly d'un ton joyeux, soulagée de ne plus être le point de mire.

Elle venait de se rendre compte qu'elle portait sa culotte la plus antique et son soutien-gorge le plus laid. Il fallait qu'elle prenne une douche, qu'elle se maquille, qu'elle…

Si elle faisait l'amour avec Matt ce soir, ce qui était somme toute de l'ordre du possible, il fallait absolument qu'elle apporte quelques changements majeurs à sa tenue vestimentaire.

Elle courut presque jusqu'à la porte, dénouant d'un geste le foulard qui lui retenait les cheveux. À peine entrée dans la salle de bains, elle avait déjà déboutonné son jean. Elle jeta ses vêtements sur le sol, prit la douche la plus rapide de sa vie, se rasa les jambes et les aisselles si rapidement qu'elle faillit s'arracher la peau, puis contempla d'un air hagard la masse de boucles blondes qui dansaient sur sa tête. Elle soupira. Tant pis ! Elle passa une brosse dans ses cheveux, tenta de les placer du bout de ses doigts puis renonça. Elle étendit une noisette de crème teintée sur son visage. L'emballage ne promettait-il pas un teint radieux ? Elle déposa une touche de fard sur ses joues, un peu d'ombre sur ses paupières, une fine couche de mascara sur ses cils, un soupçon de brillant à lèvres rosé sur sa bouche. Puis, elle se regarda dans le miroir et sourit. Matt lui avait dit qu'elle était magnifique… Le lui avait-il vraiment dit ou l'avait-elle rêvé ? Non. Elle se rappelait distinctement ses mots, sa voix. Son cœur s'emballa. Elle s'enveloppa d'une serviette de bain et courut jusqu'à sa chambre.

En dix minutes chrono, elle avait accompli un véritable miracle ! Matt aurait à peine le temps de se rendre compte qu'elle lui manquait déjà…

Évidemment, pas question qu'il sache qu'elle s'était douchée, coiffée, maquillée et habillée en prévision de ce qu'elle espérait : quelques heures d'amour torride avec lui. Pas question qu'il le sache, elle en serait mortifiée ! Bien sûr… Bien sûr, connaissant Matt, il ne serait pas dupe. Mais si elle faisait assez vite, si elle dévalait l'escalier dans moins d'une minute, peut-être qu'il n'y verrait que du feu.

— Laisse tomber, lâcha Sandra quand elle fit irruption dans sa chambre. Le shérif vient de partir.

Assise au bord du lit de Carly, Sandra portait son accoutrement coutumier : collants noirs et grand t-shirt noir. Elle avait l'air d'une corneille posée sur l'édredon blanc. Ses pendants d'oreilles étaient ornés de petits visages jaunes et souriants. Mais Sandra ne souriait pas.

— Quoi ?

— Il passera te prendre dans une demi-heure. Mets un jean. Il va venir en moto.

Carly sentit ses genoux trembler. Était-ce encore l'une de ces opérations commando dont Matt avait le secret ?

Dans ce cas, elle ne se contenterait pas de l'égorger. Elle lui arracherait les ongles, l'écorcherait vif et le roulerait dans le gros sel.

— Il est parti ? croassa-t-elle. Où ça ?

Elle avança d'un pas plus digne. Arrivée devant la commode, elle en ouvrit le tiroir de lingerie pour en inventorier le contenu. Heureusement, elle possédait encore quelques dessous affriolants qui dataient de l'époque lointaine où elle avait encore une vie sexuelle. Ses yeux se posèrent sur un soutien-gorge de dentelle noire très échancré. Quelque part dans ce tiroir devait se trouver une petite culotte assortie…

De penser que Matt allait la voir dans ces dessous… Elle sentit son cœur s'affoler. La dernière fois qu'il avait vu ses sous-vêtements, elle portait des culottes de coton blanc qui lui arrivaient à la taille. Dieu merci, elle avait alors la poitrine trop plate pour s'embarrasser d'un soutien-gorge. Il aurait été fait du même coton pratique, sérieux, rébarbatif au possible.

Un peu comme elle, finalement. À l'époque. Car les temps avaient bien changé.

— Tu vas porter ça ? demanda Sandra.

Carly sentit sa détermination chanceler. Elle acquiesça néanmoins d'un hochement de tête.

— C'est Shelby qui a amené Erin jusqu'ici, reprit son amie. Elle attendait dans la voiture. C'est la raison pour laquelle Erin a voulu parler à Matt en privé. Il est allé voir Shelby dans sa voiture et il a téléphoné de son portable quelques minutes plus tard pour dire qu'il la raccompagnait chez elle et qu'il viendrait te chercher juste après.

Les doigts de Carly se crispèrent sur la petite culotte de dentelle noire. Matt était avec Shelby ? Sur le toit, il lui avait demandé si elle était jalouse. Elle avait nié.

Évidemment, qu'elle était jalouse ! Elle était dévorée par l'inquiétude, par la peur d'être rejetée, de le perdre.

— Le shérif est beau garçon, ajouta Sandra. En plus, Antonio dit que c'est un chic type. Le problème... Le problème, c'est qu'il n'a pas très bonne réputation. Du point de vue amoureux, je veux dire. Il séduit, il consomme, il jette. Antonio dit qu'il est allergique à l'engagement. D'ailleurs, c'est un Scorpion. J'ai demandé sa date de naissance à Antonio. Et les Scorpion, ça ne pense qu'au sexe. En plus, ça se voit sur sa figure ! Écoute... Si tu veux t'amuser avec lui, vas-y ! Mais ça fait tellement longtemps que tu n'as pas couché avec un homme... J'ai peur que ça te rende vulnérable. Et puis... J'ai l'impression que tu es en train de faire une grosse bêtise. Comme de tomber amoureuse, par exemple.

Sandra avait réconforté Carly pendant son divorce. Elle l'avait écoutée, conseillée, consolée. Elle avait pleuré avec elle et maudit avec elle l'homme qui détruisait sa vie. Elle savait mieux que quiconque à quel point cette rupture l'avait blessée. Carly n'avait aucun doute : les paroles de Sandra étaient celles du bon sens et de l'amitié. En fait, elle avait raison. Carly prit une inspiration profonde. Était-elle prête à tomber amoureuse de Matt ? Était-elle prête à prendre ce risque ?

Quelles questions idiotes !

Carly se retourna vers Sandra, la regarda dans les yeux et s'adossa contre sa commode.

— Tu sais quoi ? fit-elle tristement. Je crois que j'ai toujours été amoureuse de Matt.

— Ça va mal, répondit Sandra d'une voix douce. Tu ne trouves pas que tu as assez souffert ? Tu as vraiment envie de te faire déchirer le cœur encore ?

— Non. Si jamais Matt...

— Sandra ! hurla Antonio depuis le rez-de-chaussée. Carly !

Carly se redressa. Sandra se leva d'un bond.

— Descendez, vite ! C'est le chien ! Venez vite !

23

Une heure plus tard, Carly sortait de la salle d'examen de la clinique vétérinaire pour aller s'asseoir dans l'entrée. Sandra, Erin, Antonio et Mike l'accompagnaient. Les néons et la climatisation excessive donnaient à la pièce des allures de morgue. L'air était saturé de l'odeur du désinfectant, de l'urine animale et de la peur. Carly en avait presque la nausée. Elle frissonna et se frotta les bras dans l'espoir vain de se réchauffer. Elle était épuisée. Mais surtout, elle avait le cœur gros. En voyant Annie se tordre de douleur, elle avait failli s'évanouir.

Matt arrivait de l'autre côté de la porte vitrée. Carly traversa la pièce pour lui ouvrir. Antonio dut lui prêter main-forte tellement ses doigts tremblaient. Carly avait l'impression de voir, d'entendre et de ressentir à travers une brume épaisse.

Matt entra, regarda Carly et l'attira vers lui. Il enroula ses bras autour d'elle et la serra contre sa poitrine d'un geste tendre, puissant et protecteur. Oubliant le danger qu'il représentait pour sa santé mentale, elle appuya son front contre son épaule, agrippa son t-shirt et se laissa aller contre lui. Matt était massif et chaud. Il avait la poitrine musclée, les bras forts. Carly s'y trouvait si bien qu'elle en oublia qu'un public attentif les observait et qu'elle ferait sans doute mieux de se détacher de Matt. Dans tous les sens du terme. Mais c'était lui, c'était Matt. Elle était trop bien contre lui.

— Que s'est-il passé ? demanda-il.

— Annie a été empoisonnée.

Carly frissonna. Elle revoyait ce pauvre animal se tordre sur le gazon, les yeux exorbités de terreur. Elle-même gagnée par la peur, Carly l'avait pris dans ses bras et s'était mise à courir.

— Empoisonnée ? Quel genre de poison ?

— Ça pourrait être n'importe quoi, expliqua Antonio. De la mort-aux-rats, de l'herbicide, de l'antigel... Bart ne peut rien dire pour le moment.

Bart Lindsey était le vétérinaire de Benton. Dans la petite ville, tout le monde le connaissait.

— Un accident ? demanda Matt.

— Probablement, fit une voix derrière lui.

Le vétérinaire venait d'entrer. C'était un homme de petite taille au visage rond. Il portait des lunettes et son estomac retombait par-dessus sa ceinture. Sa blouse turquoise déboutonnée, ses cheveux gris dépeignés, il avait l'air fatigué.

— Il est impossible de l'affirmer en l'état actuel des choses, ajouta-t-il. Mais c'est probablement un accident. Au fait, Matt, content de te voir ! J'aurais aimé que ce soit dans des circonstances moins pénibles. Tu te rappelles certainement mon frère, Hiram ?

D'un hochement de tête, il désigna l'homme d'allure bourrue qui était entré à sa suite. Le nouveau venu avait les cheveux blancs et portait un pantalon kaki et une blouse semblable à celle du vétérinaire.

— La clinique lui appartenait autrefois, poursuivit Bart. Il me l'a vendue il y a vingt ans pour emménager à Macon. C'était sans doute lui qui travaillait ici quand tu étais enfant.

— Oui, je me rappelle, fit Matt.

— Moi, trancha Hiram Lindsey, je crois que c'est de la mort-aux-rats. Les symptômes sont assez typiques.

Carly frissonna. Matt resserra ses bras autour d'elle.

— Heureusement que nous étions là quand c'est arrivé, fit Erin. Annie s'est mise à trembler et à vomir. Elle avait de la mousse qui lui sortait de la gueule et elle est tombée. Bart dit qu'elle serait sans doute morte si nous ne l'avions pas amenée tout de suite à la clinique.

— Quoi ? s'exclama Matt. Elle n'est pas morte ?

— Non, fit Carly. Le docteur Lindsey dit qu'elle va s'en sortir.

Elle ferma les yeux et se pressa contre Matt. Elle consacrait toute son énergie à respirer le plus calmement possible. Et surtout, elle ne voulait pas éclater en sanglots devant tous ces gens.

— Seigneur... murmura Matt en frottant le dos de Carly.

Comme toujours, il semblait deviner avec exactitude ce qu'elle ressentait.

— Est-ce qu'on peut y aller ? demanda-t-il au vétérinaire.

— Oui, répondit Bart Lindsey, je vais garder Annie au moins pour cette nuit. J'ai dû l'anesthésier pour lui faire un pompage d'estomac.

— Merci, docteur, fit Sandra d'une voix blanche. Voulez-vous que nous réglions maintenant ?

Contre toute attente, Sandra avait été bouleversée de voir Annie se tordre de douleur sur la pelouse. Finalement, elle avait de l'affection pour cet animal...

— Quand vous viendrez la chercher, répondit Bart Lindsey. Rien ne presse.

— Alors, on y va ! lança Matt. Merci beaucoup, Bart. À la prochaine, Hiram !

— Bonne journée, répondit le vétérinaire.

— Au revoir, fit son frère. Dommage que nous nous soyons revus dans des circonstances aussi pénibles.

Matt escorta Carly vers l'extérieur en la tenant serrée contre lui. Peut-être se serait-elle effondrée sans son appui. Quand ils sortirent de la clinique climatisée, la chaleur écrasante leur fit l'effet d'un mur. Pour une fois, Carly s'en réjouit. Enfin, elle allait cesser de frissonner. La clinique vétérinaire était située à la limite du centre-ville, à quelques pâtés de maisons du parc central. La stratégie d'embellissement de la Chambre de commerce de Benton n'avait pas encore atteint ces zones périphériques... L'architecture de l'épicerie, de la pharmacie et du magasin d'alcools qui entouraient la clinique laissait beaucoup à désirer.

Carly respira profondément pour chasser l'air glacé qui avait pris possession de son corps. Même l'odeur affreuse de l'asphalte fondu par le soleil et celle des gaz d'échappement lui semblaient chargées d'une énergie vitale dont elle avait bien besoin. Une camionnette dont le pot d'échappement avait connu des jours meilleurs passa sur la route en klaxonnant.

— Salut, Matt !

Matt répondit d'un signe de la main. Le feu passa au vert et la camionnette s'éloigna.

Carly commençait à se sentir mieux. Avec un peu d'efforts, sans doute aurait-elle été capable de marcher d'elle-même.

Mais elle continua de s'appuyer contre Matt. Elle se sentait en sécurité avec lui.

Que craignait-elle exactement ? Carly ne le savait pas. Elle avait peur, c'est tout. Une peur confuse sans cause précise.

— Carly !

Une camionnette blanche s'arrêta non loin d'eux. Barry Hindley ouvrit la fenêtre du côté passager.

— J'ai entendu dire que ton chien était malade ? Est-ce qu'il va mieux ?

— Il va s'en remettre ! lança Sandra.

Carly n'aurait pas eu la force de répondre. Barry leur adressa un signe de la main et repartit.

— Alors ? demanda Erin. Qu'est-ce qu'on fait ?

Elle semblait accepter l'idée que Matt et Carly formaient un couple. « Ridicule ! » pensa Carly. Matt et elle, un couple ? Ah oui ? Peut-être... Ou peut-être pas. Comment savoir ?

Mike se tenait tout près d'Erin. Antonio marchait à côté de Sandra. Erin et Mike ? Bizarre. Erin était fiancée à Collin, non ? Peu importe ! Carly était trop exténuée pour y penser, trop inquiète pour Annie. Ce n'était pas le moment qu'elle dilapide son énergie à analyser les relations amoureuses des autres. Déjà qu'elle ne comprenait rien à ses propres amours. Ses amours ? Pas vraiment. Plutôt un jeu de cache-cache qu'elle jouait avec Matt. Ou qu'il jouait avec elle. Carly constata avec effroi qu'elle avait besoin de lui, de ses bras autour d'elle, de sa chaleur, de sa force. Elle avait besoin de lui, c'est tout.

Mais il voulait qu'ils soient amis, simplement amis.

— J'emmène Carly, déclara Matt.

Il ne lui avait même pas demandé son avis. Comme toujours.

Elle n'avait pas d'autres projets, là n'était pas la question. En fait, elle était ravie de rester avec lui. Mais cette manie qu'il avait de prendre des décisions unilatérales sans la consulter... C'était exaspérant, à la fin ! Oh, à quoi bon regimber ? Il était comme ça. Et surtout, Carly était trop épuisée pour se rebeller. Toutefois, Matt ne perdait rien pour attendre. Dès qu'elle serait remise de ses émotions, elle lui dirait sa façon de penser.

— Antonio et Mike, poursuivit Matt, vous allez ramener Erin et Sandra. Après, vous reprendrez le boulot. Nous n'avons que trois hommes pour l'instant, ce n'est pas le moment de traîner en route.

— Je dois retrouver Collin à dix-neuf heures au Café du coin, répondit Erin. Il y sera avec son copain de la fac de droit et sa femme. Tu sais, Tim Bernard ? Le témoin, le type d'Atlanta ! Ça ne te dit rien ?

Matt semblait complètement égaré. Erin le crucifia d'un regard assassin, puis elle jeta un coup d'œil à sa montre.

— Il n'est que dix-huit heures trente, constata-t-elle, mais il faut que j'aille me changer.

— Je peux t'emmener, si tu veux, proposa Mike.

— Parfait ! trancha Matt. Tu es venu dans ta voiture de patrouille, Mike ?

L'adjoint acquiesça. Il y avait effectivement deux véhicules de police dans le stationnement. Carly et Sandra étaient venues dans leur camionnette avec Erin et Antonio. C'était Sandra qui conduisait. Carly serrait Annie contre elle. Les yeux écarquillés par la terreur, les doigts enfoncés dans son siège, Antonio regardait l'asphalte se précipiter à leur rencontre… Mike leur ouvrait la route dans sa voiture de patrouille, sirènes hurlantes et gyrophares allumés.

L'autre voiture de police était celle de Matt. Les mots « Shérif du comté de Screven » s'étalaient d'ailleurs fièrement sur la portière.

— Résumons-nous, fit Matt. Antonio, tu ramènes Sandra chez elle. Mike, tu déposes Erin à la maison et tu retournes au manoir Beadle pour prendre Antonio. Si jamais vous n'êtes pas trop occupés, vous retournerez au bureau pour régler la paperasse en suspens.

— Pas trop occupés ? répéta Antonio avec un petit sourire. Tu plaisantes ou quoi ?

— On ne sait jamais, répondit Matt. La vie est pleine de surprises. Il pourrait bien neiger ce soir, par exemple...

— Je passerai te prendre au manoir dans une demi-heure, dit Mike.

Erin et lui se dirigèrent vers la voiture de patrouille des adjoints.

— Tu me donnes les clés ? demanda Antonio en regardant Sandra par en dessous. Avec toutes ces émotions, peut-être que tu préférerais ne pas conduire ?

Carly se rappela leur trajet mouvementé jusqu'à la clinique vétérinaire. Visiblement, Antonio tenait à sa peau ! Laisser Sandra prendre le volant une deuxième fois dans la même journée, c'était tenter le diable et risquer la mort...

Sandra réussit presque à sourire, plongea la main dans son fourre-tout et en sortit les clés de la camionnette, qu'elle déposa dans la paume de l'adjoint en chef.

— Antonio ! lança Matt. Appelle tout le monde par radio. On se retrouve au bureau à vingt-trois heures. On tâchera de se répartir le travail excédentaire.

Antonio acquiesça d'un hochement de tête, puis il prit Sandra par le bras et l'escorta jusqu'à la camionnette.

— À tout à l'heure ! cria Sandra par-dessus son épaule.

Carly hocha la tête et ne put s'empêcher de sourire en voyant les yeux outrageusement papillonnants que Sandra posait sur Antonio, sa démarche dansante et lascive, ses pendants d'oreilles virevoltants... Elle l'envia un peu. La bonne vieille concupiscence, rien de tel ! Pas de complications, pas de cœurs brisés, pas d'amertume. Si seulement elle était capable d'une telle légèreté !

— Ça va mieux ? lui demanda Matt.

Carly acquiesça en silence. Ses yeux croisèrent ceux de Matt et elle cessa d'envier Sandra. Matt la regardait avec sollicitude, avec affection. Jamais la concupiscence ne pourrait remplacer ça ! Le cœur de Carly battait si fort. Il devait bien y avoir autre chose entre eux, bien autre chose qu'une simple attirance…

De l'amour, peut-être ?

Carly étouffa un grognement dépité.

Matt l'entraîna vers sa voiture. Un klaxon résonna. Une main jaillit d'un véhicule beige arrêté au feu rouge.

— Matt ! Merci pour ta conférence de la semaine dernière !

— Avec plaisir !

— À bientôt !

Carly en était bouche bée.

— Dis-moi… articula-t-elle. Est-ce que je rêve ou c'était… Monsieur Simmons ?

— Oui !

Matt souriait de toutes ses dents. Monsieur Simmons était le directeur de l'école quand ils étaient jeunes. Chaque jour, il convoquait Matt à son bureau. Il faisait tellement de bêtises, à l'époque ! Et dire qu'il était devenu shérif…

— Incroyable ! souffla Carly.

— Comme tu dis. Jamais je n'aurais cru que je deviendrais copain avec Simon Simplet.

Carly éclata de rire. « Simon Simplet ! » Le nom que lui avait donné Matt, une trouvaille de l'adolescent rebelle. Carly se sentit un peu mieux.

— Ça t'a réussi…

— Quoi ?

— De devenir shérif.

— Je fais de mon mieux. Mais je n'ai pas l'intention de stagner là toute ma vie.

— Ah non ?

Ils étaient arrivés à la voiture de patrouille. Matt ouvrit la portière du côté passager pour faire monter Carly. Les sièges étaient brûlants. L'air ondulait sous l'effet de la chaleur. Mais Carly tremblait encore d'avoir vu Annie malade et elle accueillait avec bonheur cette chaleur étouffante. Elle s'enfonça dans son siège, boucla sa ceinture de sécurité et se détendit un peu. Le vétérinaire lui avait assuré que son chien survivrait…

Carly sentit son estomac se dénouer. L'observation des faits et gestes de Matt la distrayait de son inquiétude. Elle le connaissait depuis toujours. Pourtant, de grands pans de sa vie lui restaient étrangers. En fait, toutes les années qui séparaient son départ pour Chicago de son retour à Benton…

Matt s'installa au volant et démarra la voiture.

— Tu ne penses pas rester shérif ? demanda Carly.

— Non. J'ai toujours eu des responsabilités. J'avais trouvé un peu de liberté en m'engageant dans les Marines. Ça t'épate, que j'aie été dans les Marines, hein ? J'envoyais de l'argent à ma mère, je surveillais l'évolution des filles. Mais, somme toute, j'étais libre. Je vivais ma vie, je prenais du bon temps. Quand ma mère est morte… Que voulais-tu que je fasse ? Les filles étaient seules. Si je n'étais pas revenu, on les aurait envoyées dans un foyer d'accueil. Ce sont mes sœurs ! Que voulais-tu que je fasse ? Je suis revenu. Les services de police avaient besoin d'adjoints. C'est chronique, à Benton. Enfin, bref… J'ai été engagé, j'ai travaillé comme adjoint pendant un certain temps. Puis, le shérif Beatty a pris sa retraite. Il a appuyé ma candidature et j'ai été élu. C'est un bon boulot, d'ailleurs. Au moins, j'ai pu m'occuper de mes sœurs. Mais ce n'est pas ce que je voulais faire de ma vie. Lissa part à l'université le mois prochain. Je vais continuer jusqu'à ce qu'elle soit bien établie dans sa nouvelle vie, jusqu'à ce qu'elles soient toutes à l'abri. Et après... Après, ça tombe bien, ce sera la fin de mon mandat. Je sauterai sur ma Harley-Davidson et je roulerai vers le soleil couchant sans me retourner...

Matt souriait. Il plaisantait un peu, mais pas tout à fait. Carly crut entendre distinctement le fracas de son cœur qui volait en éclats. Elle voulait Matt. Matt voulait sa liberté. Leurs aspirations étaient incompatibles. Alors, quoi ? Était-elle condamnée à désirer l'inaccessible ?

Quoi qu'il en soit, pas question qu'elle lui dise qu'il venait de pulvériser ses rêves : l'amour-toujours, tout ça...

— À propos de ta moto... lança-t-elle d'un ton faussement joyeux. Où est-elle ?

— Garée devant chez toi. Je l'ai laissée là quand j'ai... quand j'ai dû...

— Quand tu as dû raccompagner Shelby chez elle ?

Ils passèrent devant les locaux de la police sans s'arrêter. Comment ça ? Matt la raccompagnait chez elle ? Déjà ? Elle ne voulait pas le lui demander, pas tant qu'elle n'aurait pas déterminé clairement ce qu'elle ressentait. Ce qu'elle pensait, ce qu'elle voulait. L'amour ? Le sexe ? Matt ?

— Oui, quand j'ai dû raccompagner Shelby chez elle. Qui t'a dit ça ?

— Quelle importance ?

Carly fixait Matt. Il tourna les yeux vers elle, l'air légèrement méfiant. Avec ses traits délicats, ses yeux sombres aux paupières lourdes, ses cheveux noirs et sa barbe naissante, il était si beau qu'elle en avait le souffle coupé. C'était Matt, son Matt ! Trop beau pour ne pas finir mal. Son meilleur ami devenu son amoureux. Son amoureux ? Non, pas vraiment. Non. Il n'était pas son Matt, pas son amoureux. Elle aurait beau essayer de croire le contraire, elle ne ferait que se mentir. Elle était amoureuse de lui depuis qu'ils étaient gamins. C'était son problème à elle, pas celui de Matt. D'ailleurs, il ne s'en était jamais caché : il l'aimait bien. Il l'aimait, mais pas comme amoureux. Comme ami. C'est tout.

Elle aussi, elle l'aimait. Mais pas comme ami.

C'était moche. Pour elle, en tout cas, c'était très moche.

— Aucune importance, répondit Matt. Tout le monde m'a vu partir avec Shelby. D'ailleurs, on ne peut pas faire un pas dans cette ville sans que la population au grand complet en soit informée. Bon. Qu'est-ce que tu veux savoir ? J'ai reconduit Shelby chez elle dans sa voiture. Je me suis fait raccompagner jusque chez moi et j'ai pris ma voiture de patrouille. Je suis retourné chez toi. J'ai vu qu'il n'y avait personne. J'ai fait deux ou trois appels pour savoir où vous étiez. On m'a dit ce qui était arrivé à ton chien.

— Et tu t'es rendu tout de suite à la clinique vétérinaire ? compléta Carly d'un ton pensif.

Matt était magnifique. Elle l'aimait, elle le voulait et...

— Oui.

— Pourquoi ?

Mais elle n'obtiendrait jamais ce qu'elle voulait de lui : l'amour-toujours, tout ça...

— Comment ça, pourquoi ? À ton avis ? J'ai cru que ton chien était mort. Je me suis dit que tu serais triste et que tu aurais besoin de moi.

Il la regarda du coin de l'œil, les sourcils froncés.

— Tu ne t'es pas trompé.

Et si elle pouvait quand même obtenir un peu de ce qu'elle voulait ? Après tout, Matt ne la repoussait pas. Si elle prenait ce qu'il lui offrait sans réclamer plus…

— Merci d'être venu.

Sa grand-mère disait qu'il faut savoir se contenter : « Pain sec vaut mieux que famine. » Carly réentendait presque sa voix. « Pain sec vaut mieux que famine » ? Mais que faire si la première bouchée vous creuse encore plus l'appétit ?

— Matt ?

— Oui ?

— Pourquoi as-tu raccompagné Shelby chez elle ?

— Elle n'allait pas bien.

— Comment ça, pas bien ?

— Elle pleurait. Elle n'arrive pas à se faire à l'idée que nous ne sommes plus ensemble. Elle était seule dans sa voiture et elle pleurait parce qu'elle pensait que j'avais rencontré quelqu'un d'autre. Et ce quelqu'un d'autre, si tu veux savoir, c'est toi. C'est pour ça qu'elle pleurait.

Carly baissa les yeux. Jamais elle n'aurait cru possible de s'apitoyer sur Mademoiselle Parfaite. En cet instant précis, pourtant, elle la plaignait de tout son cœur.

— Qu'est-ce que tu lui avais promis, exactement ? Avant de la plaquer, je veux dire.

— Rien du tout ! Je ne fais jamais de promesses. Si elle s'est imaginé des choses, ce n'est pas de ma faute.

Le pire, c'était qu'il était sincère. Carly n'avait aucun doute à ce sujet. Il jurait ses grands dieux, la main sur le cœur, complètement inconscient des ravages qu'il avait pu causer. Et qu'il pourrait encore causer. Carly faillit le gifler.

— Tu as couché avec elle, non ? Pour une femme, c'est une promesse !

— Pas du tout! Elle voulait se marier et je ne le voulais pas. Elle le savait dès le début. Je n'ai jamais rien fait qui puisse lui faire croire que je l'épouserais.

À part coucher avec elle... Carly préféra garder ses réflexions pour elle. Mais un signal d'alarme venait de s'allumer en elle : « Attention! Danger! Sauve-toi, vite! »

— Tu vois! Encore une de tes opérations commando! C'est ta grande spécialité, ça! Tu as vraiment des problèmes, Matt.

— Comment ça, des problèmes? Quand on ne veut pas se marier, c'est qu'on a des problèmes?

— Chaque fois que tu commences à te rapprocher d'une femme, tu prends peur et tu te sauves comme un voleur.

— Mais non, je ne prends pas peur!

— Mais si! Tu as fait le coup à Shelby. Tu m'as fait le coup à moi. Deux fois, en plus! Sans compter toutes ces pauvres femmes auxquelles tu l'as fait. Dis-moi, qu'est-ce que tu avais en tête quand tu m'as proposé d'aller faire un tour de moto avec toi?

— Je voulais t'inviter au restaurant.

Il lui jeta un coup d'œil oblique, puis il sourit.

— Bon, d'accord, poursuivit-il. Je voulais t'emmener au restaurant, puis coucher avec toi. Mais à bien y penser, je ne crois pas que ce soit une très bonne idée. Pas le souper. Ça, c'est une bonne idée. Mais le reste... Coucher, je veux dire.

Ils restèrent silencieux quelques instants. Carly tournait et retournait les données du problème dans sa tête. Ce type-là... Il y avait vraiment quelque chose qui ne tournait pas rond chez lui. C'était une bombe à retardement. Il faudrait être masochiste pour s'attacher à lui. Mais que faisait donc la police? Elle aurait dû l'obliger à porter un panneau « Danger » accroché autour du cou... Ah oui! Matt était le shérif... N'empêche. Quand un homme n'a qu'une tartine de pain sec à offrir, on ne le laisse pas se promener en pleine ville et ravager les cœurs candides.

Évidemment, il restait le sexe. Probablement très bien, d'ailleurs. Matt avait de l'expérience, en tout cas. Mais à part ça ?

Bim-bam, merci m'dame. Suivante !

Mais c'était Matt ! Carly l'aimait depuis toujours, elle le voulait depuis toujours. Un autre, elle lui aurait tranquillement tourné le dos en lui laissant son pain sec. Mais c'était Matt. Carly commençait à se dire que sa grand-mère n'avait peut-être pas tout à fait tort, avec son histoire de pain sec et de famine…

— Simple curiosité, déclara Carly d'une voix polie. Pourquoi n'est-ce pas une très bonne idée de coucher ensemble ? Tu as grimpé à une échelle pour me rejoindre sur le toit, tu m'as embrassée et tu m'as proposé d'aller faire un tour. Personne ne t'y obligeait, que je sache !

Ils roulaient vers l'ouest, vers le manoir Beadle. Le dernier feu de la ville de Benton passa au rouge. Matt arrêta la voiture et abaissa son pare-soleil. Carly en fit autant. Elle avait l'impression qu'il cherchait à gagner du temps. Il devait soupeser l'exacte quantité de vérité qu'il avait intérêt à dévoiler…

— Écoute, Frisette ! lâcha-t-il enfin.

Il semblait opter pour l'honnêteté. Un autre lui aurait menti et Carly l'aurait cru ou aurait fait semblant de le croire. Mais avec Matt, impossible. Malheureusement, la vérité fait parfois trop mal.

— Pardonne-moi d'être aussi cru, reprit Matt, mais les hommes pensent avec leur queue. Pas toujours, mais souvent. Si tu t'étais tenue à bonne distance de moi, rien de tout ça ne serait arrivé. Nous aurions été amis, tout aurait été parfait. Mais non ! Tu m'as renversé de la limonade sur la tête, je t'ai embrassée et… Et nous sommes dans le pétrin. En tout cas, moi, je suis dans le pétrin. Je te désire tellement que j'ai un bâton entre les jambes depuis que tu es partie de mon bureau en oubliant ta casquette ridicule. Et je sais que tu me désires aussi. Je te connais trop bien, Frisette. Je te désire, tu me désires. Quand je t'ai proposé la balade, je me disais que nous pourrions aller manger, peut-être faire l'amour, et après… Après, on verrait bien. Cela dit, tu as raison, pour les opérations commando. Quand je sens qu'une femme s'attache, qu'elle veut s'engager, je me sauve à toutes jambes. Et ça les fait souffrir. Toi… Toi, je ne veux pas te faire de mal. C'est pour ça que l'idée de coucher ensemble ne me paraît plus très bonne, finalement. Tu veux une chose et j'en veux une autre.

— Vraiment ?

Carly observa la lumière et l'ombre jouer sur le visage de Matt tandis qu'il redémarrait. D'un coup, sa décision fut prise. Par ici, le pain sec ! Et tant pis pour les conséquences !

— Oui, vraiment ! Moi, je veux coucher avec toi. Toi, tu veux l'amour, le mariage…

Il jeta un coup d'œil à la dérobée en direction de Carly et sembla lire sur son visage le début d'une protestation.

— Ne dis pas le contraire ! reprit-il très vite. Je te connais ! Je sais ce que tu veux. Je t'aime comme une sœur et, en même temps, je te désire à la folie. Je fais certainement une grosse bêtise en te disant ça, mais… Mais c'est la vérité : je ne m'engage pas. Même avec toi.

Carly sentit son cœur accuser le coup : « Je t'aime comme une sœur. » Elle tint bon. Et elle décida de faire front.

— Est-ce que c'est ce que je te demande ? Moi aussi, je veux vivre l'instant présent. L'amour-toujours ? Non merci ! Je suis déjà passée par là, je te signale. Tu sais, Matt, je suis plus vieille et plus raisonnable qu'avant.

J'ai été mariée. J'ai divorcé. Ce que je veux maintenant, c'est très simple : que du sexe, pas de corde au cou.

Malgré son air dégagé, son cœur battait très vite. Comme au casino : elle venait de miser gros et elle attendait que la bille s'immobilise dans la roulette.

24

— Tu parles ! fit Matt.

Manifestement, il ne croyait pas un mot de ce que Carly venait de lui dire. Elle comprit qu'il ne serait pas facile de le duper. Après tout, il la connaissait depuis toujours...

— Essaye un peu ! lança-t-elle. Tu verras bien.

Il lui jeta un regard sceptique.

— Pas question, Frisette.

Incroyable ! Ainsi donc, elle devrait déployer des trésors d'ingéniosité pour convaincre cet homme de faire l'amour avec elle ? Décidément, il y avait quelque chose qui ne tournait pas rond chez lui.

— Mais enfin, Matt ! Réfléchis ! Je ne suis officiellement divorcée que depuis quelques mois. Pourquoi voudrais-je me remarier ? Une fois m'a suffi, je t'assure.

— Ah oui ?

— Oui !

Carly regarda passer la Première Église baptiste de Benton sur leur gauche. Il fallait qu'elle pense vite. Dans moins de cinq minutes, ils seraient chez elle.

— Je suis affamée, reprit-elle. Et si nous allions manger ? Je te raconterais la triste histoire de mon déplorable mariage.

— Non.

— Non ?

— Tu t'imagines vraiment que je vais tomber dans ton piège ? Crois-moi, j'ai assez vécu pour détecter de très loin les femmes qui cherchent à m'attirer dans leur lit.

— Non mais… Pour qui tu te prends, à la fin ?

— Quoi ? Tu n'essaies pas de m'attirer dans ton lit ?

Carly se renfrogna. Il la connaissait vraiment trop bien.

— Peut-être… concéda-t-elle.

Elle prit une inspiration profonde.

— Matt ! Ça fait deux ans que je n'ai pas couché avec un homme. Essaie de comprendre !

Matt lui lança un regard en coin, puis reporta son attention sur la route. La chaussée devenait sinueuse et les nids-de-poule proliféraient. Carly vit qu'il serrait les dents. Sans sommation, il rangea la voiture sur le bas-côté. Carly s'efforça de ne pas afficher un air trop victorieux.

— Très bien, dit-il.

Il défit sa ceinture de sécurité et se tourna vers Carly. Le soleil couvrait d'or les épis de maïs qui poussaient en rangs serrés d'un côté de la route. De l'autre s'étendait un pré dévoré par le bétail. Les derniers rayons du jour illuminaient les clôtures et l'asphalte. Les yeux plissés, Matt regardait Carly d'un air soupçonneux. Mais elle voyait dans ses pupilles briller une lumière qu'elle connaissait bien : le désir.

Il avait beau dire, il la désirait autant qu'elle le désirait.

Carly sentit son cœur battre un peu plus vite.

— Et alors ? lança Matt. Tu veux rompre ton vœu de chasteté avec moi ?

— Je t'en prie ! C'est déjà assez gênant comme ça.

— Si c'est gênant, tu n'avais qu'à ne pas en parler. Comment se fait-il que tu n'as pas couché avec un homme depuis deux ans ?

— Depuis plus de deux ans, en fait.

— Frisette…

Carly détourna le regard et s'absorba dans la contemplation du ruban d'asphalte qui serpentait entre les champs, les arbres et les collines. Elle essuya ses mains moites sur son jean. Habituellement, elle n'aimait pas parler de sexe avec les hommes, décortiquer ses envies, ses manques. Cela la gênait, même avec quelqu'un comme Matt, pour qui elle n'avait jamais eu de secrets. Cependant, le jeu en valait la chandelle. Carly croisa résolument les bras.

— Comment ça se fait ? C'est très simple. Je n'avais personne avec qui coucher.

Matt la dévisageait toujours d'un air soupçonneux.

— Quoi ? reprit Carly. Je ne suis pas du genre à coucher à droite et à gauche, figure-toi !

Les yeux de Matt s'adoucirent un peu.

— Je sais, dit-il. En tout cas, je te crois.

Il tendit la main vers elle et enroula l'une de ses boucles autour de son doigt. Carly se recula instinctivement. Il sourit. Depuis qu'elle avait huit ans, ils jouaient régulièrement à ce petit jeu. Carly regarda Matt d'un air dur.

— Et ton mari ? demanda-t-il. Je pensais que tu n'étais divorcée que depuis quelques mois.

— Il avait une maîtresse. Ça m'a pris un certain temps pour comprendre. Nous ne faisions plus l'amour, mais je me disais que c'était parce qu'il était occupé, stressé… Je ne sais pas, moi ! Au début, les hommes veulent faire l'amour trois fois par jour. Et puis, ça s'arrête. De mon côté, j'étais très occupée au restaurant. J'étais propriétaire d'un restaurant, La Maison dans l'arbre…

Matt acquiesça d'un hochement de tête. Carly n'en fut même pas surprise. Évidemment, qu'il était au courant ! Les nouvelles vont vite à Benton.

— Quoi qu'il en soit, mon travail m'accaparait totalement. De toute façon... De toute façon, je n'avais plus envie de faire l'amour. Je n'en avais plus le temps, j'étais trop stressée... En fait, j'étais tellement occupée que je ne me suis même pas rendu compte que notre couple partait en lambeaux. Je n'ai jamais soupçonné qu'il puisse y avoir quelqu'un d'autre. Je m'en suis aperçue un jour où je suis rentrée du travail plus tôt que d'habitude. Il était avec sa maîtresse, dans notre lit.

— C'est moche, fit Matt d'une voix douce.

— Très moche. Horrible, en fait.

— Veux-tu que j'aille à Chicago lui flanquer mon poing sur la figure ?

Matt avait parlé d'une voix calme, presque détachée. Mais Carly comprit qu'il ne plaisantait qu'à demi. Elle regarda ses larges épaules appuyées contre la fenêtre, son cou, ses bras, tous ces muscles qui saillaient sous son t-shirt décrépi. Soudain, elle entrevit la scène : John, son cher mari, son grand intellectuel de mari, se faire casser la figure par Matt ! La bagarre n'aurait même pas lieu. John serait au tapis en moins de deux. Matt souriait vaguement, mais il regardait Carly d'un air sérieux. Elle n'avait qu'un mot à dire. Il partirait à Chicago pour asséner à John le coup de poing qu'il avait amplement mérité.

— Tu ferais ça ? demanda-t-elle, d'une voix à la fois admirative et narquoise. Oui, tu le ferais. N'est-ce pas ?

— Sans hésiter.

— Tu es mon idole, répondit-elle en battant outrageusement des cils.

C'était un autre de leurs jeux favoris quand ils étaient enfants, presque un rite. Cette fois, Carly était sincère.

— Je sais, répliqua-t-il froidement.

Mais les yeux de Matt n'étaient pas froids, bien au contraire.

Carly sentit son cœur s'affoler.

L'air vibrait entre eux comme sous l'effet d'un coup de chaleur. Matt était encore appuyé contre sa portière et Carly contre la sienne. Mais l'espace entre eux semblait avoir rétréci, comme si l'air et l'humidité s'étaient soudainement évaporés.

— Si tu veux mon avis, reprit Matt, ton ex-mari est un imbécile.

— Ma foi…

Carly ne put s'empêcher de sourire. Comme toujours, Matt montait au front. Chaque fois qu'un gamin avait essayé de l'intimider dans la cour d'école, chaque fois qu'une fille de sa classe avait tenté de l'humilier, Matt s'était interposé. Tous les jeunes de Benton le savaient : embêter Carly, c'était affronter Matt Converse tôt ou tard. Mieux valait s'abstenir. Carly se sentait légèrement étourdie. Cela lui faisait chaud au cœur de voir que Matt la défendait encore. Depuis qu'elle avait quitté Benton, elle s'était habituée à livrer seule toutes ses batailles. À tel point qu'elle en avait oublié qu'on peut parfois s'appuyer sur quelqu'un.

— Ma foi… répéta-t-elle. Tu n'as pas tort.

Matt la dévisagea encore un long moment sans parler.

— Au diable ! souffla-t-il enfin d'une voix rauque.

Il fit un bond vers elle. Elle décolla son dos de la portière et enroula ses bras autour de son cou. Il prit son visage entre ses mains et l'embrassa. Elle ferma les yeux en sentant ses lèvres fermes et chaudes s'appuyer sur les siennes. Quand Matt fit glisser sa langue dans sa bouche, elle s'abandonna à son baiser et sentit des aiguillons lui parcourir tout le corps. On aurait dit une affamée qui redécouvrait la nourriture.

Soudain, deux coups de klaxon les séparèrent. Essoufflée, égarée, Carly vit l'autre voiture de patrouille qui passait à leur hauteur. Avant de disparaître au virage, le conducteur leur adressa un signe joyeux de la main.

— Et merde ! fit Matt.

Lui aussi était essoufflé. Il tenait encore le visage de Carly entre ses mains. Elle avait gardé ses bras autour de son cou. Les yeux de Matt semblaient noirs dans ce presque crépuscule. Sa peau semblait faite de bronze. Le soleil déclinant révélait chacune des petites rides qui s'étaient formées autour de ses yeux et accentuait la cicatrice qu'il avait sur la lèvre. Carly tremblait. Matt était devenu un homme. Le garçon qu'elle avait connu n'avait pas disparu. Il avait grandi. Il avait pris de l'expérience. Il avait vécu sans doute des tas de choses dont elle ignorait tout. Ce mystère lui fit courir un frisson d'excitation dans le dos. Sa bouche devint sèche. Ses mamelons se durcirent contre le satin de son soutien-gorge. Elle dut gémir, car Matt se retourna vers elle et se remit à l'embrasser si intensément qu'elle perdit tout contact avec la réalité. Elle l'embrassa sans réserve, indifférente aux voitures qui pouvaient passer sur la route, aux cancans qui ne manqueraient pas de se déchaîner dans Benton. Ils pourraient en outre se faire accuser d'attentat à la pudeur ou de grossière indécence. Tant pis ! De toute façon, Matt était le shérif... Cela les mettait à l'abri des poursuites, mais les rumeurs n'en seraient que plus croustillantes.

— Arrête... dit Matt d'une voix sourde.

Il se détacha d'elle sans prévenir, dénoua les bras qu'elle avait enroulés autour de son cou et la repoussa contre la portière du côté passager.

— Matt ! gémit-elle.

— Nous ne sommes plus des adolescents, Carly. En plus, il fait plein jour ou presque. Et nous sommes dans une voiture de police, je te signale !

Il inspira profondément, s'enfonça dans son siège, agrippa le volant de ses deux mains et y appuya son front.

— Tant qu'à faire, on pourrait vendre des billets pour le spectacle, conclut-il.

Il avait raison. Carly le savait. Mais cela ne l'empêchait pas de le désirer très fort, tellement qu'elle en avait la tête qui tournait.

— Mets ta ceinture de sécurité, fit Matt en relevant la tête.

Ses yeux brillaient encore de désir, mais sa mâchoire crispée témoignait de sa détermination. Matt le shérif avait repris la situation bien en main.

Carly était déçue. Elle adorait lui faire perdre la tête. Néanmoins, elle boucla sa ceinture. Sans rechigner, sans tenter quoi que ce soit. Matt redémarra. Sans vergogne, il exécuta un demi-tour parfaitement illégal sur la route déserte et reprit la direction du centre-ville. Carly était abasourdie. Le cœur battant la chamade, elle ne pouvait s'empêcher d'imaginer ce que pouvait être l'amour avec Matt. La dernière fois qu'ils l'avaient fait, et la seule, elle n'était qu'une gamine, une vierge effarouchée complètement ignorante des choses de la vie. Lui n'avait que vingt et un ans. Et pourtant, Carly avait senti la terre trembler sous elle. Depuis, son cœur et son corps n'avaient jamais appartenu qu'à Matt.

Elle n'avait jamais cessé de l'aimer. Depuis tout ce temps, elle l'avait voulu aussi fort qu'en ce moment même.

Évidemment, pas question qu'elle le lui dise ! Ni maintenant ni peut-être jamais.

— Tu as faim ? demanda-t-il.

Faim de quoi ? De nourriture. C'était ce qu'il voulait dire. Carly secoua la tête. Matt avait les yeux très noirs, étincelants de désir. Intérieurement, elle en tremblait. Elle réussit néanmoins à préserver son apparence de calme. En tout cas, elle l'espérait. Elle espérait sincèrement duper Matt. Duper Matt ? Elle aurait presque souri de sa propre candeur. Elle désirait Matt plus que tout, et Matt le savait très bien.

— Que du sexe, pas de corde au cou ? dit-il en la regardant.

— Absolument ! lança-t-elle d'une voix qu'elle aurait voulue plus assurée.

Il acquiesça d'un hochement de tête, l'air presque sinistre.

Ils roulèrent encore quelques minutes en silence. Puis, Matt emprunta une route qui ne menait pas au centre-ville.

— Où allons-nous ? demanda Carly.

Elle sourit, raisonnablement satisfaite de constater que sa voix n'avait pas trop chevroté. En vérité, la seule perspective de coucher avec Matt l'incendiait. Son cœur menaçait à chaque instant de jaillir de sa poitrine. Mais au fait… Au fait, où pouvaient-ils aller ? Le manoir Beadle était une véritable auberge espagnole. Pas moyen d'y être tranquilles. La maison de Matt ne valait guère mieux. Son bureau ? Pas question, surtout pas après ce qui s'était passé le soir du feu d'artifice. Quant à la voiture, Matt venait d'annoncer qu'il s'y refusait.

L'hôtel ? Il n'y avait pas d'hôtel à Benton. Et même s'il y en avait eu un, Carly s'imaginait mal y louer une chambre avec le très convoité shérif. Toute la ville aurait rappliqué avant même qu'ils aient eu le temps de refermer la porte derrière eux. Tous les habitants de Benton les auraient escortés, jumelles en mains, fin prêts à colporter la fracassante nouvelle.

Carly constata tristement que les petites villes ne constituent pas l'idéal pour qui veut mener une vie sexuelle trépidante et sans entraves…

Matt lui jeta un regard de côté.

— J'ai un bateau, figure-toi. Et figure-toi que je loue un garage pour entreposer mon bateau. Au-dessus du garage, il y a un petit appartement qui est compris dans le loyer. C'est dingue, non ?

Carly se rappela ce que Lissa lui avait dit : Matt ne ramenait jamais de femmes à la maison. Tout s'éclairait ! Matt vivait avec ses sœurs. Il voulait leur donner l'exemple d'une vie rangée. Cependant, ni sa nature ni son physique n'étaient compatibles avec la chasteté. Matt, le rusé shérif, avait résolu le problème : le bateau, le garage, l'appartement…

Au fond, Carly n'en prenait pas ombrage. Elle se fichait bien de la vie sexuelle de Matt. Tant qu'elle pouvait en faire partie, c'était l'essentiel.

— Comme c'est commode ! lança-t-elle néanmoins d'un ton sarcastique.

Matt sourit.

Le garage était situé dans un quartier hérissé d'immeubles résidentiels et de locaux d'entreposage, ponctué de terrains vagues et de clôtures rouillées. Matt engagea sa voiture dans une courte allée de gravier qui menait à un petit bâtiment de deux étages aux murs couverts de bardeaux d'aluminium gris. Ce n'était en effet qu'un garage, un garage isolé qui semblait avoir perdu la maison à laquelle il avait dû être attaché. Matt ouvrit la grande porte métallique. Carly en profita pour inspecter les environs. Une camionnette était garée devant des locaux d'entreposage, à quelques dizaines de mètres de là. Mais il n'y avait personne en vue. Avec un peu de chance, le tout-Benton ne saurait jamais que Matt l'avait emmenée dans un garage isolé pour…

Matt fit entrer la voiture dans le garage. Puis, il referma la grande porte métallique derrière eux. Carly se rendit compte, à sa grande surprise, qu'elle avait le trac. C'était absurde, mais elle avait le trac.

Elle n'aurait pas dû attendre. Elle aurait dû passer à l'acte dans la voiture, quand elle en avait envie. Maintenant qu'elle avait un peu repris ses esprits, elle entendait sans cesse la voix de Sandra la mettre en garde : « Attention, tu vas te faire du mal ! Va-t'en pendant qu'il est encore temps... »

En dépit de ce que les experts pouvaient bien en dire, il vaut parfois mieux agir sous le coup de l'impulsion plutôt que de réfléchir. Au moins, on ne doute pas. Au moins, on n'a pas le trac.

Carly sortit de la voiture. Matt alluma la lumière. Le garage constituait la quintessence du dépouillement. Il y faisait une chaleur étouffante, comme dans tous les bâtiments désertés que le soleil bombarde de ses rayons. Une vague odeur d'essence suintait des murs. Des fissures et même des trous jalonnaient le sol de béton. Les murs étaient couverts de panneaux de bois nu. Le plafond exhibait sans honte ses poutres noircies, ses fils électriques, ses tuyaux de plastique blanc. Le tout était éclairé d'une simple ampoule. Des marches de bois aussi nues que les murs montaient vers une trappe qui menait sans doute à l'appartement.

Carly se prit à espérer que l'étage soit un peu moins déprimant que le rez-de-chaussée. Évidemment, cela n'avait pas d'importance. Ils n'y resteraient pas très longtemps, seulement le temps de...

En imaginant ce qu'ils feraient dans quelques minutes, Carly sentit son cœur battre plus fort.

— Comment tu le trouves ?

Carly sursauta. Matt l'avait rejointe et désignait d'un coup de menton un petit bateau dont il semblait très fier.

301

— Très joli, fit Carly.

En fait, elle l'avait à peine regardé. C'était un bateau. Il était blanc. Point final.

Matt la dévisagea. Elle se rappela qu'il la connaissait trop bien pour ne pas la deviner.

— Allez, Frisette ! fit-il d'un ton sec. Qu'est-ce qui se passe ?

Il ne se rapprocha pas d'elle et ne la toucha pas. Au contraire, il enfonça ses deux mains dans ses poches et se mit à se balancer d'un pied sur l'autre en étudiant le visage de Carly. Il était assez près d'elle pour qu'elle constate, une fois de plus, qu'elle lui arrivait à peine au menton et que ses épaules étaient deux fois moins larges que celles de Matt. S'il l'avait voulu, il aurait pu la coincer tout entière sous son bras et l'emporter comme un paquet de chiffons.

— Quoi, qu'est-ce qui se passe ? répliqua-t-elle.

Elle avait la gorge sèche et le cœur affolé. Elle ne maîtrisait plus assez ses réactions pour s'exprimer d'une voix calme. Encore un peu et elle se serait effondrée sur le sol de béton craquelé.

— Si tu as changé d'avis, pas de problème, fit Matt. C'est toi qui décides.

— Non, je n'ai pas changé d'avis.

Elle s'était démenée comme un diable dans l'eau bénite pour amener Matt jusqu'ici. Pas question qu'elle renonce maintenant ! Pas question qu'elle se dégonfle ! Elle était un peu nerveuse, voilà tout. Elle avait le trac.

— Alors, arrête de me regarder comme si j'allais te dévorer toute crue.

Carly ne put s'empêcher de sourire. Matt sourit à son tour, lui prit la main et l'embrassa. Puis, il posa sur elle des yeux si brûlants qu'elle sentit ses genoux trembler. D'un coup, toute sa nervosité disparut. Elle restait fébrile, mais c'était délicieux. L'impatience la gagnait.

Matt tenait toujours sa main dans la sienne. Il se dirigea vers l'escalier en l'entraînant. Elle tenta de ne plus penser à ses genoux qui tremblaient, à son cœur qui battait trop fort. Elle monta la première marche en s'agrippant à la barre de bois clouée grossièrement contre le mur et qui tenait lieu de rampe. Ce n'était pas le moment qu'elle trébuche et qu'elle aille s'écraser sur le sol de béton fissuré. Il faisait encore plus chaud dans l'escalier que dans le garage. L'air sentait la poussière. Carly tremblait. Mais elle ne voulait pas que Matt s'en rende compte. Elle ne voulait pas qu'il change d'avis. Il lui lâcha la main pour ouvrir la porte de l'appartement. Elle réussit à lui sourire.

Quoi qu'il arrive, elle assumerait. Elle irait jusqu'au bout. Elle ferait l'amour avec Matt. Sans hésitations, sans tabous.

Quant à la corde au cou, à l'attachement, tout ça... Ils verraient ça plus tard.

Matt ouvrit grand la porte et fit passer Carly devant lui.

Elle prit une inspiration profonde et entra.

25

L'appartement était modeste. Il se composait d'une grande pièce rectangulaire, d'une salle de bains et d'une cuisine minuscule. Matt entra derrière Carly et referma la porte. Mais il n'alluma pas la lumière. L'interrupteur se trouvait pourtant juste à côté de lui. Il le fit exprès, Carly en était sûre. Elle trembla plus fort. Ils étaient seuls, dans un appartement désert, au crépuscule. La pièce était éclairée uniquement par les derniers rayons du soleil qui filtraient à travers les rideaux fermés. Il faisait frais. Un climatiseur installé contre le mur du fond tenait la canicule en respect. Le sol était couvert d'une moquette beige anonyme. Des meubles fonctionnels décoraient l'appartement : un sofa recouvert d'un tissu brun usé ; une lampe ; un téléviseur ; un fauteuil inclinable hideux presque semblable à celui que Carly avait vu chez Matt. À l'autre bout de la pièce se dressait un grand lit. Carly n'osait pas trop le regarder. Risquait-elle d'y voir une fourrure d'animal sauvage ? Des draps de latex ? Des menottes attachées aux montants de bois ?

Après tout, c'était une garçonnière. L'antre du péché ! L'endroit idéal pour se payer du bon temps à l'insu des braves gens de Benton. Matt devait y avoir passé des heures particulièrement chaudes.

Partagée entre le désarroi et la fascination, Carly se rendit compte qu'elle n'avait aucune idée des fantaisies sexuelles qui pouvaient bouillonner dans l'âme et le corps de Matt devenu adulte, ce shérif admiré et respecté de tous.

— Zut! s'exclama-t-il soudain. J'ai oublié…

Il était encore derrière elle. Elle se retourna pour le regarder, soulagée d'avoir quelque chose à faire, d'échapper à l'attraction féroce que le lit exerçait sur elle. Mais quand elle posa les yeux sur Matt, elle sentit son sang lui battre aux tempes. Il était beau, vraiment trop beau. Ses yeux étincelaient comme s'il était sur le point de faire une bonne plaisanterie. Mais ils brillaient aussi de désir. De désir pour elle.

— Quoi ? demanda-t-elle.

— C'est idiot. J'ai oublié mes chaînes et mon fouet à la maison.

Le cœur de Carly manqua un battement. Puis, elle se rendit compte qu'il la taquinait et le cloua d'un regard assassin.

— Très drôle, fit-elle.

Mais elle ne put s'empêcher de rire. Son trac s'envola définitivement. Matt était peut-être ce beau grand ténébreux qui faisait fantasmer les femmes. Mais avant tout, il était Matt. Matt le protecteur, Matt le spécialiste des plaisanteries stupides, Matt qui lisait en elle comme dans un livre ouvert. Son Matt à elle.

Et s'il se révélait pervers au lit, eh bien, tant pis! Elle ferait avec.

Il lui sourit d'un air un peu ironique et lui prit la main. Elle serra ses doigts sur les siens comme une noyée qui s'agrippe à une bouée de sauvetage. Il avait la main forte et chaude, rassurante. Carly se laissa entraîner vers le lit. Son cœur battait à tout rompre. Elle se sentait rougir d'imaginer ce qui allait se passer entre eux. Matt se tourna vers elle.

Le moment était venu où il se déshabillerait et…

— Regarde au plafond, ordonna Matt.

Pervers, alors ? Très bien. Elle n'allait pas se dégonfler pour si peu. S'il voulait se jeter sur elle pendant qu'elle regarderait au plafond, c'était parfait.

Elle fit ce qu'il lui disait et attendit. Le plafond était d'un blanc défraîchi. Il y avait une toile d'araignée dans un coin mais, heureusement, aucune bestiole n'y attendait ses proies. Que faisait Matt ? Rien. Rien du tout. Lassée d'attendre, Carly abaissa ses yeux vers lui. Il la regardait, le sourire aux lèvres. Ironique. Le lit était couvert d'une couette tout à fait ordinaire aux motifs aztèques dans des tons de beige et d'ocre. Le lit était là, gigantesque. Tentant, effrayant. Si proche que les genoux de Carly le frôlaient presque. Elle s'efforça pourtant d'avoir l'air parfaitement détendue.

— Alors ? demanda-t-elle.

— Alors ? Tu vois : pas de miroirs, pas de caméras, pas de chaînes qui pendent du plafond. Rien d'anormal.

Il sourit franchement et secoua la tête.

— Tu as vraiment l'esprit tordu, ajouta-t-il.

— Comment ça, j'ai l'esprit tordu ? Mais je n'ai jamais pensé…

— Oh, si ! Tu y as pensé…

Les yeux de Matt pétillaient. Il lui prit l'autre main.

— Pour ton information, poursuivit-il, je viens ici pour regarder le sport à la télé. Avec mes sœurs, pas moyen d'avoir la télécommande plus de cinq minutes.

— Regarder le sport à la télé ? C'est ça, oui ! Et quoi encore ?

— De toute façon, soupira-t-il, ça fait une éternité que je n'ai pas mis les pieds ici.

Ça, c'était sûrement vrai. Carly avait déjà constaté qu'une fine couche de poussière recouvrait les meubles.

— C'est bien, ça ! lança-t-elle étourdiment.

Pourquoi avait-elle dit cela ? Et comment Matt inter-préterait-il ces mots ? Croirait-il qu'elle se réjouissait qu'il n'ait pas de vie sexuelle ? Penserait-il qu'elle aurait pris ombrage de ses amours ? Redouterait-il que, malgré leur pacte, elle veuille plus que du sexe sans entraves ? Comment savoir ? Comment savoir, quand on a la tête qui tourne et les genoux qui tremblent ?

Carly renonça. La présence imposante du lit la per-turbait. D'une seconde à l'autre, Matt la jetterait sur la couette et alors… Et alors, elle ne voulait même pas penser à ce qui se passerait. Elle ne le pouvait plus. Son sang rugissait tellement dans ses veines qu'elle n'arrivait plus à penser.

— Bon ! lança-t-elle d'un ton trop déterminé pour être honnête.

Il fallait agir. Il fallait agir avant qu'elle ne s'effondre, avant que Matt ne prenne ses jambes à son cou, avant que le plafond ne leur tombe sur la tête, avant qu'une catastrophe quelconque ne vienne mettre un terme dramatique et dérisoire à leur projet.

— Qu'est-ce qu'on fait ? ajouta-t-elle.

Matt amena sa main vers sa bouche. Puis il s'arrêta, leva les yeux vers Carly et sourit. Il embrassa sa main. Pas sur les doigts. Sur la paume. Elle le regardait sans un mot, le souffle court. Elle sentit son poignet qui tournait et les lèvres de Matt qui se pressaient contre sa peau. Elle sentit son souffle contre sa paume, le picotement de sa barbe naissante, la douceur de ses lèvres. Tout son corps se mit à trembler.

Elle prit une grande inspiration.

— Ce qu'on fait ? demanda-t-il le plus sérieusement du monde. Je ne sais pas.

Il posa les deux mains de Carly sur ses propres épaules, puis fit descendre les siennes jusqu'à sa taille et l'attira vers lui. Ses yeux pétillaient encore d'ironie, mais une flamme plus sombre s'était allumée en eux. La bouche de Matt était devenue invitante et sensuelle.

— Je ne sais pas, répéta-t-il. Je pensais que, peut-être, je pourrais t'enlever ton t-shirt. Après, tu m'enlèverais le mien. Après, je t'enlèverais ton pantalon. Après, tu m'enlèverais le mien… Tu vois ? Quelque chose dans ce genre.

Carly sentit sa poitrine se gonfler de désir. Elle avait le souffle court, affolé.

— Ça m'a l'air bien, articula-t-elle d'une voix tremblante.

Vraiment, ce n'était pas l'éloquence qui l'étouffait, ce soir…

— Dis-moi… commença Matt en glissant ses doigts sur la peau de son dos. Peux-tu me dire pourquoi tu as mis ton t-shirt à l'envers ?

— À l'envers ?

Carly regarda son t-shirt. Effectivement, elle l'avait mis à l'envers. Mais pourquoi ? Elle n'arrivait plus à penser. Les mains de Matt se promenaient sur son ventre, sur ses côtes, et se dirigeaient lentement vers sa poitrine en retirant son t-shirt à mesure. Oui, elle l'avait mis à l'envers. Au lieu des petits papillons brodés habituels, elle ne voyait que des fils noués de toutes les couleurs. Ah oui ! Ça lui revenait, maintenant. Elle s'était habillée trop vite parce que…

— Annie, fit-elle. Je me suis habillée trop vite à cause d'Annie. J'ai pris un t-shirt au hasard et…

— Je sais. Ne t'inquiète pas. Bart a dit qu'elle allait s'en sortir.

Matt avait la voix basse et rauque. Carly le regarda dans les yeux et sentit sa gorge devenir sèche.

— Il a dit qu'elle allait s'en sortir, répéta-t-elle d'une voix chevrotante.

Les mains de Matt s'étaient posées sur ses seins et les caressaient doucement. Elles étaient d'une fermeté et d'une douceur affolantes. Carly sentit ses mamelons se durcir et ses seins enfler sous les doigts de Matt. Elle étouffa un petit gémissement et se mit à trembler. Matt ferma les yeux une fraction de seconde, puis il se pencha vers elle et l'embrassa. Tendrement, d'abord. Puis, passionnément. Carly enfonça ses ongles dans ses épaules. S'il voulait lui faire oublier le souvenir atroce de la visite chez le vétérinaire, c'était réussi. Carly oublia tout. Matt détacha ses lèvres des siennes et lui retira son t-shirt. Elle se sentait légère comme une feuille au vent, étourdie. Si étourdie qu'il lui fallut quelques secondes pour se rendre compte qu'elle était debout devant Matt, en jean et en soutien-gorge.

C'était le soutien-gorge de dentelle noire qu'elle avait choisi précisément pour cette occasion. Sous son jean, elle portait la petite culotte assortie qu'elle tenait à la main quand Antonio s'était mis à crier. Elle s'était alors habillée en toute hâte et avait enfilé précipitamment les sous-vêtements les plus proches. Par chance, c'était aussi les plus séduisants qu'elle possédait, justement ceux qu'elle avait prévu de porter pour affoler Matt.

Son soutien-gorge semblait jouer son rôle à la perfection.

— C'est joli, dit Matt en faisant glisser son doigt le long de l'échancrure.

Captivés, ses yeux suivaient le tracé de la dentelle noire sur la peau claire de Carly. La bouche entrouverte, le souffle court, elle regardait les doigts de Matt parcourir son décolleté. Sa poitrine remplissait généreusement les provocants balconnets. Matt avait les doigts longs et bronzés, très masculins sur la peau blanche et douce encadrée de dentelle noire. Carly se surprit à remercier mentalement John d'avoir tant insisté pour qu'elle se fasse augmenter les seins. La dernière fois que Matt les avait vus, ils étaient encore minuscules. Aujourd'hui, ils s'affichaient conquérants, fermes, magnifiques. Et sensibles aussi. Tellement sensibles que Carly avait l'impression que chacune de ses terminaisons nerveuses s'affolait sous les caresses de Matt.

Elle était dévorée de désir pour lui. Elle n'avait qu'une hâte : enlever ce qui lui restait de vêtements, lui arracher les siens et... Non. Il valait mieux prendre son temps, faire monter le désir jusqu'au paroxysme. Le problème, c'était que le seul fait d'être enfermée avec Matt dans une pièce déserte constituait déjà pour Carly une sorte de paroxysme. Mais pour lui ?

— C'est mon tour, souffla-t-elle.

— D'accord.

Matt laissa retomber ses bras le long de son corps. Il continua d'agiter les doigts pendant quelques secondes, comme s'il avait du mal à les retenir de grimper encore à l'assaut des seins qu'il contemplait avidement. La respiration oppressée, Carly glissa ses mains sous le t-shirt de Matt et les fit glisser jusqu'à sa poitrine comme il l'avait fait avec elle. Il avait la peau chaude et lisse, légèrement humide. Ses muscles puissants se soulevaient au rythme de sa respiration. Son ventre et sa poitrine étaient couverts d'un duvet soyeux qui s'épaississait vers les épaules. Il avait les mamelons ronds et plats. Ils durcirent quand Carly passa les doigts sur eux. Elle sentit des pulsations parcourir ses cuisses et son ventre. Elle frissonna. Elle avait remonté le t-shirt de Matt jusqu'en dessous de ses bras. Elle redescendit ses mains vers ses mamelons et les caressa.

— Seigneur ! fit Matt.

Il avait les mâchoires serrées. Ses yeux étaient si sombres qu'ils paraissaient de jais. Carly vit qu'il aimait ce qu'elle lui faisait.

Elle inspira profondément et tenta de retirer le t-shirt de Matt. Mais il était tellement plus grand qu'elle qu'il dut l'aider. Il le laissa tomber par terre. Carly regardait fixement sa poitrine. Il avait les épaules larges et musclées, les bras ronds et puissants, le torse massif et solide. Un triangle de poils noirs couvrait sa poitrine et ses abdominaux fermes, puis disparaissait sous la ceinture de son jean. À l'échelle de ses épaules, ses hanches semblaient presque étroites. Il se tenait paisiblement devant Carly, musclé, le torse nu. Elle sentit le désir battre entre ses cuisses.

— C'est joli, dit-elle en relevant les yeux vers Matt.

Il avait le regard ardent d'un prédateur. Le cœur de Carly manqua un battement. Depuis tout ce temps qu'elle le connaissait, jamais Matt ne l'avait regardée comme ça.

Il tendit le bras vers elle, enfonça sa main sous la ceinture de son jean et l'attira contre lui. Ses doigts fermes et chauds pressaient contre la peau de son ventre tandis qu'il défaisait le bouton de métal. Carly sentait la chaleur qui émanait de lui ainsi que son odeur d'homme et de savon. Elle était plus aphrodisiaque que les eaux de toilette les plus coûteuses et les après-rasage les plus raffinés. Carly avait posé ses mains sur la taille de Matt et s'agrippait à lui. Elle aimait sentir sa peau brûlante sous ses doigts. En le regardant abaisser la fermeture éclair de son jean, elle vit qu'il était dévoré de désir pour elle. Elle aimait ça. Elle aimait le savoir à elle.

Un triangle de dentelle noire apparut dans l'échancrure de son jean, couvrant à peine une surface minuscule de sa peau. Le souffle de Carly s'affola quand elle vit Matt la regarder, quand elle le vit abaisser ses paupières lourdes et sensuelles vers le triangle de dentelle noire. Elle essaya d'avoir l'air calme, de ne pas lui montrer à quel point elle était excitée. Mais quand il fit glisser ses doigts sur la dentelle noire, en dessous de l'échancrure de son jean, elle ne put s'empêcher de gémir. Matt l'effleurait à peine à travers la dentelle. Pourtant, elle se sentit perdre la tête.

— Matt…

Il releva les yeux vers elle.

— Oui ?

Il avait murmuré d'une voix sourde. Il posa sur elle un regard brillant comme les braises. Sa main couvrit toute la dentelle et pressa lentement sa chair.

— Rien. Oh ! Mon Dieu…

Si elle ne s'était pas retenue à Matt, elle se serait effondrée sur le sol.

Matt enfonça ses doigts entre ses cuisses et la caressa à travers sa culotte. Ce fut plus fort qu'elle. Elle se pencha vers lui et posa son front contre sa poitrine en gémissant.

— J'adore la lingerie fine, souffla Matt tout contre son oreille. Et la tienne est diabolique.

— Je… J'essaierai de m'en souvenir…

C'était tout ce qu'elle réussit à articuler. Matt fit glisser sa main le long de son ventre et la caressa dans le cou du bout des lèvres. Elle aurait voulu lui dire que ce lent strip-tease mutuel était au-dessus de ses forces, qu'elle brûlait déjà, qu'elle était prête à céder à toutes ses fantaisies. Elle n'en pouvait plus. Dans quelques secondes, elle ne serait plus qu'une petite flaque aux pieds de Matt. Mais un instinct de combat lui monta soudain du fond du ventre. Si tout cela n'était qu'un jeu, elle n'allait certainement pas abandonner la partie et concéder la victoire trop vite. Pas question qu'elle jette Matt sur le lit. Pas question qu'il sache à quel point elle le désirait.

Il était temps qu'elle reprenne les choses en mains. Elle appuya sa bouche contre la poitrine de Matt et l'embrassa en faisant glisser ses lèvres le long de ses muscles fermes. Il avait la peau chaude et humide, légèrement salée. Carly sentait son cœur battre comme un forcené contre ses côtes. Elle avait du mal à respirer.

Elle fit glisser sa bouche jusqu'au mamelon de Matt et le prit entre ses lèvres, le léchant et le suçotant tandis que sa main descendait vers la saillie de son jean.

Matt s'immobilisa. Carly sentait le battement dément de son cœur sous sa bouche et cet autre muscle, celui du désir, durci sous ses doigts.

Matt lui prit soudain le visage entre ses mains et l'obligea à le regarder.

— Tu as bien grandi, Frisette, dit-il lentement.

Il pencha la tête vers elle et l'embrassa. Le sang de Carly se mit à bouillir dans ses veines. Elle enroula les bras autour du cou de Matt et lui rendit son baiser. Glissant ses mains autour de sa taille, Matt l'attira tout contre lui. Il l'embrassa lentement, très lentement, pour faire durer le plaisir. Il était torse nu et elle aussi, ou presque. C'était si bon qu'elle se pressa contre lui, contre sa force, sa chaleur et son désir. Elle appuya sa poitrine contre la sienne. Ses mamelons étaient si durs que la dentelle lui faisait mal en frottant contre sa peau. Elle gémit. Sa plainte sembla envoyer une décharge électrique dans le corps de Matt. Il l'embrassa passionnément, presque violemment. Il enfonça sa langue dans sa bouche. Carly tremblait en s'accrochant à lui. Elle aimait le sentir contre elle, elle aimait la chaleur et le goût de sa bouche, la densité de son corps. Matt fit glisser ses mains dans son jean, sous la dentelle noire. D'un mouvement sec, il plaqua Carly contre lui. Les paumes ouvertes, il serrait les chairs douces et rondes de ses fesses en frottant doucement son triangle de dentelle noire contre son propre jean pour qu'elle sente la puissance de son désir. Carly frissonna des pieds à la tête. Elle aurait voulu mourir sur-le-champ, ou rire, ou pleurer. Elle n'arrivait plus à penser.

Matt fit glisser sa bouche contre son cou puis, alors qu'elle se consumait contre lui, il releva la tête, sortit ses mains de son jean et recula d'un pas.

— Matt… protesta-t-elle.

— On va au lit.

Il la prit dans ses bras, la souleva et l'embrassa très fort. Puis, comme elle s'enroulait autour de lui et l'embrassait à son tour, il la déposa au milieu de la couette aux tons de terre. Il se redressa et lui enleva ses chaussures et son jean à petits gestes efficaces et rapides. Il jeta le tout sur le sol. Puis, il la regarda.

Un instant, elle se vit telle qu'il la voyait. Menue, mais pourvue de belles rondeurs. Sa peau laiteuse éclairant faiblement le crépuscule. Et, à l'exception de ces quelques centimètres carrés de dentelle noire qui la cachaient à peine, entièrement nue. Elle était appuyée sur ses coudes au milieu du lit, s'enfonçant légèrement dans la couette, un genou plié. Elle avait rejeté sa tête en arrière, de sorte qu'elle sentait ses boucles frôler le haut de son dos. Elle avait la bouche entrouverte et les yeux illuminés de désir.

— Tu es belle.

Matt défit le bouton de son propre jean et abaissa sa fermeture éclair sans cesser de la regarder. D'un geste, il se débarrassa de son jean et de son slip tandis que Carly gardait les yeux rivés sur lui, la gorge sèche et le cœur battant. Matt se redressa. Carly ne pouvait s'empêcher de le dévorer des yeux.

Comme il était beau ! Les épaules larges, les hanches étroites, les jambes longues et puissantes… Mais cela, elle le savait depuis toujours. Matt avait toujours été beau, d'aussi loin qu'elle se souvienne. Il y avait cependant une partie de son anatomie qu'elle n'avait jamais vue ou, à tout le moins, qu'elle ne se rappelait plus. Elle la fixait maintenant les yeux grands ouverts, comme frappée de stupeur.

— Mon Dieu ! souffla-t-elle enfin.

Matt sourit et produisit un son qui tenait à la fois du rire et du grognement. Ses yeux noirs et brûlants, chargés de mille promesses, arpentaient le corps de Carly dans toutes les directions. Elle avait l'impression de se consumer sous leurs rayons. Elle enfonça ses doigts dans la couette et inspira profondément.

— C'est toi qui me fais ça, murmura Matt en souriant toujours.

Puis, il s'allongea près d'elle et son poids la fit rouler contre lui.

26

Elle n'était pas la plus belle femme qu'il ait vue de sa vie. Elle n'était même pas la plus belle des femmes qui étaient passées dans son lit. Mais c'était Carly. Elle était douce et tendre quand elle roula contre lui. Il n'avait jamais désiré une femme autant qu'elle.

Ce n'était plus un bâton qu'il avait entre les jambes, mais un séquoia géant !

Et elle... Elle n'avait pas pu s'empêcher de le souligner. C'était tout Carly, ça ! Un naturel à toute épreuve...

En général, Matt ne mélangeait pas l'amour et le sexe. Mais cette fois, il souriait encore quand il l'embrassa.

Elle s'enroula autour de lui et soudain, il ne sourit plus. Il la fit rouler sur son dos, s'appuya de tout son poids sur elle et l'embrassa encore. Il était dévoré de désir, incendié, ravagé par l'envie d'entrer en elle et de s'y enfoncer, s'y enfoncer, s'y enfoncer jusqu'à ce qu'il explose, jusqu'à ce qu'il atteigne le nirvana suprême, l'extase que rien n'égale, même pas le football, même pas le bateau, même pas les balades en solitaire sur sa Harley-Davidson.

Il glissa sa main sous la hanche de Carly, lui plia le genou et se retrouva allongé entre ses jambes, pressé tout contre elle. Il lui suffirait d'écarter un peu la dentelle noire et il pourrait...

Non ! C'était ce qu'il avait fait, la dernière fois, avec Carly. La première et la dernière fois, en fait.

Matt constata avec une certaine honte que l'âge ne lui avait rien appris dans certains domaines : à trente-trois ans, il restait aussi impulsif et emporté qu'à vingt et un.

D'habitude, il arrivait à se contrôler. D'habitude, il était même plutôt bon au lit. Cela faisait des années qu'il s'entraînait et les candidates à l'orgasme n'avaient jamais manqué.

Il pouvait faire jouir Carly, cela ne faisait aucun doute. Elle respirait déjà très fort, elle tremblait, elle s'accrochait à lui. Ses hanches tendres lui étaient ouvertes et ses mamelons durcis qui pointaient sous le soutien-gorge de dentelle noire se frottaient contre sa poitrine. Elle était déjà toute chaude et tout humide. Lui était excité à l'extrême. Alors, pourquoi pas ? Pourquoi ne pas suivre ses instincts et s'enfoncer en elle ?

Mais c'était Carly. Il voulait prendre son temps. Quand ils en auraient terminé, il voulait la voir assouvie, exténuée, ravie. Il voulait qu'elle lui décerne, au moins mentalement, la médaille du savoir-faire et de la persévérance…

Il glissa sa main sous son dos et dégrafa son soutien-gorge d'un geste. Avec l'entraînement qu'il avait, ces petites attaches métalliques ne lui posaient plus problème depuis longtemps. Elle poussa un gémissement de protestation quand il écarta sa bouche de la sienne pour lui retirer son soutien-gorge. Il faillit changer d'avis et rester contre elle, mais c'est alors qu'il vit ses seins. Ronds comme de beaux fruits mûrs, surmontés d'une alléchante petite framboise. Il fallait qu'il y goûte, qu'il les prenne dans sa bouche, qu'il les lèche et qu'il en éprouve la fermeté du bout de ses dents. Carly se tordait sous lui. Il fit glisser sa main sous sa petite culotte de dentelle noire. Carly abattit ses deux mains sur sa nuque et referma ses jambes autour de lui. Matt se sentit devenir rigide à l'extrême, prêt à casser en deux. Mais il n'était pas question qu'il cède maintenant, qu'il renonce à l'emmener jusqu'au septième ciel.

Il fit glisser sa bouche entre ses seins, jusqu'à son ventre. Carly agrippa la couette à deux mains. Elle gémissait et ondulait des hanches à un rythme affolant. Mais Matt n'en avait pas terminé avec elle, pas encore. Elle était humide et brûlante sous ses doigts, mais il en voulait plus.

Il lui retira sa culotte et la jeta sur le sol. Agenouillé entre ses jambes, il se préparait à remonter vers sa bouche quand il la regarda. Elle était entièrement nue, les seins rosis par le désir et par ses baisers, les jambes ouvertes et offertes comme une reddition. Matt n'avait jamais été aussi excité devant une femme. Carly n'était que rondeurs, douceur et désir. Il la voulait tellement qu'il en avait mal dans chacun de ses os.

Il glissa ses mains sous ses fesses et les souleva légèrement. Puis, il posa sa bouche entre ses jambes et la goûta du bout de la langue.

Elle hoqueta, se raidit et tenta de refermer ses jambes comme pour se protéger, pensa-t-il, comme pour lui interdire cette ultime frontière de son intimité. Il resserra l'étreinte de ses doigts sur ses fesses, la souleva encore un peu et embrassa ce petit bouton de rose frémissant, le cœur de son plaisir. Il le lécha doucement puis enfonça sa langue en elle. Carly passait ses doigts dans ses cheveux. Elle le tenait maintenant contre elle, ses hanches se soulevant du lit à chacun des mouvements de sa langue.

— Matt...

Il leva les yeux vers elle et vit qu'elle le regardait, les yeux à demi fermés, embrumés de jouissance. Il se surprit à plonger son regard dans ces yeux bleus de faïence étincelants de volupté. Les yeux de Carly... Elle seule pouvait ouvrir sur lui de tels yeux. C'était Carly qui était nue devant lui, les jambes ouvertes, Carly qui le regardait l'embrasser entre les jambes, Carly qu'il allait faire jouir comme elle n'avait jamais joui. Matt n'avait jamais vécu ça. Sa vie sexuelle avait toujours été bien remplie, mais jamais il n'avait senti le désir et le plaisir l'incendier aussi fort.

— S'il te plaît... souffla-t-elle en lui tirant légèrement sur les cheveux.

Au diable ! Au diable, il n'en pouvait plus ! Il savait très exactement ce qu'elle voulait. Il le voulait aussi. Il remonta sur elle en l'enveloppant de ses bras et en l'embrassant. Elle referma sur lui ses jambes et ses bras. Il s'enfonça en elle. Elle était si étroite, si chaude et si humide qu'il en gémit contre sa bouche. Puis, il la prit férocement, profondément, sans penser à rien parce que c'était trop bon, c'était tout simplement trop bon et il voulait que ça dure toujours.

C'était bon comme un délire, bon comme un cri, comme une course folle.

Mais il ne pourrait pas faire durer le plaisir éternellement. La chaleur de Carly, ses ondulations et ses gémissements l'affolaient. Il le savait, il savait qu'il n'arriverait plus à tenir très longtemps. Il fit glisser sa main entre ses jambes et pressa ses doigts contre elle pour accroître son plaisir.

Elle jouit comme un feu d'artifice, se mit à trembler des pieds à la tête, enfonça ses ongles dans son dos en hurlant de plaisir.

— Matt, oh Matt, mon Dieu, mon Dieu, Matt, Matt, mon Dieu, Matt... je t'aime, je t'aime, oh mon Dieu, je t'aime, Matt...

Il s'enfonça une dernière fois en elle en la serrant très fort contre lui tandis qu'il s'envolait pour le septième ciel et qu'elle voguait sur la vague de plaisir qu'il avait déclenchée en elle.

C'était tellement bon, tellement bon…

Cependant, avant de retomber sur elle de tout son poids, il se surprit à penser : « Oh, non ! Pas ça… »

Il lui fallut quelques minutes de quasi-catatonie et quelques caresses appuyées sur son bras pour qu'il reprenne ses sens et roule enfin sur le côté. Il appuya sa tête sur son bras replié et mesura l'étendue des dégâts. L'atroce vérité se faisait jour en lui : s'il était resté si longtemps allongé inerte sur Carly, c'était parce qu'il ne voulait pas affronter la réalité. Aveuglé par l'un de ces épisodes de délire et d'oubli de soi dont il avait le secret, il était tombé tout droit dans la fosse aux lions, dans ce piège affreux qu'il avait évité avec grand soin depuis au moins sept ans.

La fosse aux lions, cette fois, c'était Carly. Ça le rassurait un peu, mais pas vraiment.

Il jeta un coup d'œil oblique vers elle. Elle s'était couchée en boule sur le côté, la tête reposant sur son bras replié. Elle le regardait. Malgré sa nudité complète, son corps se dissimulait à lui. Elle avait ramené ses genoux contre elle, cachant son petit bouquet de boucles douces. L'autre bras de Carly couvrait délibérément ses seins. Il savait qu'elle le faisait exprès, parce qu'il la connaissait bien. Il la connaissait trop bien. Carly devait être gênée maintenant, gênée d'être nue devant lui, gênée d'avoir eu tant de plaisir et de ne pas l'avoir caché.

Elle était nue, plus attirante que le diable, timide. Matt n'aurait qu'à tendre la main vers elle pour la prendre encore. Il sentit son sang rugir dans ses veines.

Puis, il se rappela l'erreur qu'il venait de commettre. Ce n'était vraiment pas le moment de recommencer. Cependant, il le voulait tellement que tous ses muscles se crispèrent. Sa mâchoire se contracta en une tentative ultime et désespérée de résister à la tentation.

« Pas de panique, se dit-il. Il n'est pas trop tard pour me sortir de ce mauvais pas. »

Carly roula sur le côté en s'éloignant de lui, se dirigea vers le bord du lit sans un mot, sans un geste dans sa direction.

— Attends ! lança-t-il en lui attrapant le poignet.

Il n'avait fait l'amour avec elle qu'une seule fois jusqu'ici, à l'arrière d'une voiture. Elle n'avait alors que dix-huit ans. Mais il la connaissait trop bien. Elle n'était pas du genre à se défiler en silence après l'orgasme.

Elle tourna la tête vers lui. Elle était déjà assise au bord du lit et lui montrait son dos étroit et les courbes douces de ses fesses. Matt lui en voulait un peu. Certes, il était en grande partie responsable de ce qui venait de se produire, mais elle l'avait voulu aussi. Le regard méfiant qu'elle lui lança dissipa sa colère. Se fâcher contre Carly ? Lui en vouloir d'être ce qu'elle était ? Autant reprocher à Bambi d'être une biche !

— Quoi ? demanda-t-elle.

Il la regarda plus attentivement. Elle était encore toute rose de désir et de plaisir. Sa bouche déjà charnue avait enflé sous ses baisers et ses seins, qu'il apercevait en partie, portaient encore, eux aussi, la marque de leurs étreintes. Quant à ses fesses… Matt ne les connaissait toujours pas aussi bien qu'il l'aurait voulu. Les boucles de Carly dansaient autour de son visage. Ses grands yeux bleus le regardaient sans ménagement, sa bouche… Matt sentit qu'il venait de franchir un cap.

Comme les arbres après une ondée, il se sentait revivre. Il sentait le désir croître en lui comme un séquoia géant, irrépressible.

Il voulait refaire l'amour à Carly, la faire jouir encore.

Non ! Non. Ce serait vraiment stupide, aussi stupide que de s'agiter dans les sables mouvants. Matt était sur le point de reprendre sa vie en mains, de reconquérir sa liberté chérie, de cueillir toutes les femmes qui lui feraient envie et qui seraient enchantées de lui ouvrir leurs bras et leurs jambes sans demander qu'il reste. Ce n'était pas le moment de tout gâcher. Il fut pris d'une telle terreur qu'il en trembla presque.

— Que du sexe, du super-sexe, fit-il. Mais pas de corde au cou. C'était bien ce qu'on avait dit ?

— Ce n'est pas grave, répliqua-t-elle. Tu as fait de ton mieux.

Il fallut quelques secondes à Matt pour comprendre ce qu'elle voulait dire. Sacrée Carly ! Incapable de la fermer ! Même quand elle était petite, fragile et démunie, elle disait toujours ce qui lui passait par la tête. Même quand elle risquait de se faire taper dessus, de se faire injurier. Aujourd'hui, devenue adulte, elle faisait semblant de s'apitoyer sur sa performance sexuelle ! Alors qu'elle savait très bien qu'il ne parlait pas de ça.

— Mais enfin, Carly !

— Laisse tomber.

Elle se paya même le luxe de lui envoyer une petite tape faussement réconfortante sur le bras. Matt savait très bien où menait ce petit jeu. Ils commenceraient à se chamailler, à se taquiner, puis elle dirait qu'il lui faisait mal alors qu'il la toucherait à peine. Au bout de quelques minutes, il s'excuserait et lui demanderait pardon. D'ailleurs, c'était le but du jeu. Au fil des ans, il avait fini par comprendre. Pour couronner le tout, Carly s'éloignerait d'un air digne et outragé, le visage fermé, mais rayonnante de son écrasante victoire morale. Et lui, il n'aurait même pas eu l'ombre d'une chance de se défendre...

Cette fois-ci, pas question ! Il s'assit dans le lit, enveloppa d'un bras la taille de Carly et la tira vers lui en l'allongeant sur la couette. Elle poussa de petits cris, donna des coups de pied en l'air. Il ne renonça pas. Il la coinça contre lui.

— Tu n'as pas le droit de faire ça ! lança-t-elle.

— Ah non ?

Ils étaient allongés sur le côté, nez à nez, les yeux dans les yeux. Le bras de Matt maintenait fermement la taille de Carly. Elle appuya ses mains contre sa poitrine pour le tenir à distance et le regarda d'un air féroce.

— Écoute, ma belle, je ne te reproche rien. J'aurais dû me douter. J'aurais dû me douter que ça ne marcherait pas, le sexe sans la corde au cou...

— Mais de quoi tu parles, à la fin ?

Les mamelons de Carly frottaient contre la poitrine de Matt. Il avait l'impression que deux braises lui brûlaient la peau. Les hanches de Carly ondulaient. Matt pensa qu'il lui serait facile, vraiment très facile, de lui écarter les jambes avec son genou...

— Tu sais très bien de quoi je parle ! J'ai entendu, Frisette. On avait dit : « Pas de corde au cou », mais tu me dis que tu m'aimes ?

Carly pinça les lèvres.

— Je dis toujours ça quand je jouis. C'est une habitude.

— Ce n'est pas vrai.

— Qu'est-ce que tu en sais ?

— Je le sais, c'est tout.

Elle se remit à gigoter, à presser ses mains contre sa poitrine. Étrangement, son bas-ventre se retrouva contre celui de Matt. La chaleur qui émanait d'elle, ses mamelons durcis contre lui, l'ondulation de ses hanches, le picotement soyeux des boucles entre ses jambes, tout cela le rendait dingue.

— Et qu'est-ce que ça peut te faire, après tout ? poursuivit-elle. Ce n'est pas parce que j'ai dit « je t'aime » dans un moment d'égarement qu'il faut prendre ça pour argent comptant. Je t'aime bien, pas plus. Et même si c'était vrai, je ne vois pas en quoi ça te concerne. Ça ne te regarde pas !

Ça ne le regardait pas ? Elle aurait quand même pu faire l'effort de comprendre son point de vue ! Elle était là, devant lui, toute rose avec ses grands yeux bleus, décoiffée et tellement belle, tellement belle... Elle se sentait visiblement très bien dans ses bras. Elle était douce et tremblante de désir. Matt sut qu'il aurait dû écouter sa peur, qu'il aurait dû prendre ses jambes à cou. Mais il la voulait trop. Lui aussi, il se sentait bien, blotti contre elle.

— Si, ça me regarde ! Ça me regarde parce que je t'aime bien et que je ne veux pas te faire de mal. Si je couche avec toi et que je file dans le soleil couchant comme un cow-boy solitaire, j'aurai l'impression d'être une ordure.

S'il se répétait cela suffisamment souvent, suffisamment longtemps, comme un mantra, peut-être arrive-rait-il finalement à sortir de ce lit sans refaire l'amour à Carly. Peut-être. Mais peut-être pas.

Il sentit Carly se raidir dans ses bras, furieuse de ce qu'elle venait d'entendre. Ses yeux s'agrandirent et le bombardèrent d'un regard assassin. Elle tenta encore de le repousser de ses mains, mais ne réussit qu'à s'éloigner de quelques centimètres. Ses mamelons se remirent à frotter contre sa peau tandis que son ventre se pressait contre le sien. Ou alors, c'était lui qui la serrait trop fort contre lui. Oui, peut-être. Peut-être que c'était lui qui la serrait trop fort contre lui.

— Écoute-moi bien, jolies fesses ! lança Carly. Tu t'imagines vraiment que tu peux me faire du mal ? Tu n'as rien compris, mon pauvre vieux ! Tout ce que je veux de toi, c'est ton corps et tes fesses. Rien de plus.

« Foutaises ! » pensa-t-il. Il était sûr de son fait : Carly disait n'importe quoi. Mais il n'avait plus envie de se battre. Le désir remontait en lui par vagues successives, impérieuses, balayant toute pensée rationnelle, toute peur, tout projet d'avenir. Il se rappela soudain qu'il lui avait dit, quelques minutes plus tôt à peine, que les hommes pensent parfois avec leur queue. Elle s'en servirait contre lui, c'était sûr. S'il se laissait entraîner dans cette conversation dont il ne voulait pas, elle se servirait de ses propos comme pièces à conviction.

— Jolies fesses ? demanda-t-il.

Il essaya de ricaner, mais il n'en eut pas la force. Il n'eut même pas la force de sourire. Il n'avait plus qu'une chose en tête : refaire l'amour à Carly. Elle était serrée contre lui et chacun des centimètres carrés de sa peau le tentait, l'attirait en un lieu où il ne voulait pas retourner, mais qu'il désirait plus que tout. En plus, elle n'arrêtait pas de bouger, de gigoter, de se tortiller. Matt plia son genou, essaya de le glisser entre ses jambes…

— Oui, jolies fesses, parfaitement ! Je ne te l'avais jamais dit ? Tu as vraiment de jolies fesses.

Il sourit finalement. Puis, il glissa son genou entre les jambes de Carly et posa sa main contre son sein. Il l'embrassa. Elle resta immobile pendant quelques secondes, mais il se mit à frotter son mamelon du pouce en appuyant sa hanche entre ses jambes. Elle gémit. Elle était redevenue toute chaude et humide. Elle enroula ses bras autour de son cou et l'embrassa à son tour.

Alors, il s'allongea sur elle et lui refit l'amour, magnifiquement, une fois de plus. Puis, il s'allongea sur le dos et l'assit sur lui et lui refit l'amour.

Après, comme elle était allongée sur lui, exténuée, ravie, comme il l'avait voulu, il pensa soudainement qu'elle avait joui deux fois.

Les deux fois, elle avait murmuré : « Oh, mon Dieu, mon Dieu, oh, mon Dieu… »

Mais elle n'avait plus dit : « Je t'aime. » Elle n'avait plus dit : « Matt. »

Ce qui résumait passablement bien la situation.

— Merde, fit-il d'un ton las.

Carly se redressa et posa son menton sur ses mains pour mieux le regarder. Il faisait presque noir dehors. Les derniers rayons du soleil s'étaient éteints. Cependant, Matt arrivait encore à distinguer les traits de Carly. Il ne savait pas s'il devait s'en désoler ou s'en réjouir. Aucun doute, la femme qui était allongée sur lui était bien Carly, une jolie femme au visage de poupée, aux bouclettes blondes, aux grands yeux bleus, aux lèvres rosies par leurs baisers. Toute en courbes et en peau douce et nue. Elle semblait endormie, alanguie. Elle sentait le shampooing, le sexe, le plaisir. C'était Carly, la seule femme au monde qu'il avait toujours trop aimée pour l'emmener au lit. Or, il venait de reposer le pied sur cette pente glissante qu'il avait étrennée douze ans plus tôt. Il venait de lui faire l'amour comme un dingue. Elle l'affolait, elle l'excitait. Mais il l'aimait comme une sœur. Non, pas comme une sœur. Pas vraiment. Même si les sentiments qu'il éprouvait pour elle étaient un peu de cet ordre. Le problème, c'était que Carly voulait l'amour-toujours et que cela ne cadrait pas avec ses plans d'avenir.

« Je t'aime, Matt », avait-elle dit.

— Qu'est-ce qui se passe ? demanda-t-elle.

Matt savait qu'il devrait se lever et partir. Mais il ne le pouvait pas. Il désirait encore Carly, encore et encore. Il savait qu'il n'arriverait plus à s'extirper ce désir du corps. Il n'avait pas réussi à résister la première fois et, maintenant, il se sentait devant elle plus faible que jamais. Il pourrait vivre avec elle une amourette torride jusqu'à ce qu'il quitte Benton sur sa Harley-Davidson. Mais il savait qu'elle ne le pourrait pas. Elle n'était pas comme ça. Cette perspective l'épouvantait, lui donnait la nausée, lui couvrait tout le corps d'une sueur froide.

« Je t'aime, Matt. »

« Tant pis pour moi », pensa-t-il. Depuis le début, il savait que c'était une erreur. Maintenant, il fallait passer à la caisse. Il fallait payer le prix fort. Matt connaissait bien Carly. Elle ne disait pas « Je t'aime » à la légère. Elle avait toujours eu l'art de dire le fond de sa pensée, même contre son propre intérêt, même contre son gré. Il savait qu'elle pouvait se montrer dure à l'extérieur, mais qu'elle était au fond un cœur tendre, un petit cœur de guimauve. C'était cela qui l'inquiétait maintenant. Elle n'avait pas eu beaucoup d'amour dans sa vie. Une enfance difficile, sans famille, à l'exception de cette vieille grand-mère austère et sèche. Puis, un mari qui l'avait trompée de la manière la plus cruelle et l'avait quittée pour une autre. Carly était une chic fille, une femme formidable. Elle n'avait pas mérité ce qui lui était arrivé, mais elle avait toujours affronté les épreuves avec courage. En fait, Matt était fou d'elle. Il l'aimait, même s'il n'en était pas amoureux. Amoureux ? Qu'est-ce que cela voulait dire, après tout ? Matt se serait arraché un bras plutôt que de la faire pleurer, de la faire souffrir comme il avait vu Shelby souffrir aujourd'hui. Pourtant, c'était là qu'il l'emmenait, vers cette destination atroce. Et le pire, c'est qu'il aurait dû s'en douter. En fait, il le savait depuis le début.

« Je t'aime, Matt. »

Si elle l'avait dit, c'était qu'elle le pensait. Il était fait comme un rat ! Maintenant, il n'avait plus le choix : soit il devait s'engager avec elle pour l'éternité, soit il devait renoncer à elle définitivement, se lever, se rhabiller, la ramener chez elle et partir en se disant qu'elle finirait bien par s'en remettre.

Et pendant qu'il y serait, il pourrait en profiter pour écraser quelques chiots et dépecer deux ou trois chatons sur son passage. Tant qu'à jouer les salauds de service...

Merde !

Impossible. Elle était douce et vulnérable. C'était Carly. Jamais il ne pourrait lui faire ça. De toute façon, il savait déjà qu'il ne cesserait plus de la désirer, qu'il la voudrait encore et encore. Bientôt. Souvent. Plusieurs fois par jour, sans doute. Jusqu'à ce que son désir s'use.

— Qu'est-ce qui se passe ? répéta-t-elle en fronçant les sourcils.

— J'abandonne, fit-il. Tu as gagné. Tu veux l'amour-toujours ? Très bien. Tu as gagné. Épouse-moi.

27

Matt venait-il vraiment de la demander en mariage ? Carly le regardait sans bouger, la bouche ouverte. Elle n'en croyait pas ses oreilles. Il était grand, massif, appétissant. Allongé sur ce lit dont la couette avait volé à l'autre bout de la pièce au cours de leurs ébats, une main derrière la tête, l'autre chaude et détendue posée contre le dos de Carly, Matt était plus beau que jamais. Il avait les cheveux ébouriffés, les yeux mystérieux qui donnaient envie de se jeter sur lui sans considération de bienséance. Mais il avait aussi la bouche tordue dans une sorte de grimace résignée.

Une grimace résignée ? Alors qu'il venait de la demander en mariage ?

— Tu plaisantes, je suppose ? demanda-t-elle en tirant sur les poils noirs qui frisottaient sur la poitrine de Matt.

— Aïe ! Non. Je ne plaisante pas.

— Tu me demandes en mariage ?

— On dirait bien. Oui, je te demande en mariage.

Pour un amoureux transi, il semblait décidément de très mauvaise humeur.

— On ne t'a jamais dit que ça se faisait avec des chandelles, des fleurs, un genou en terre ?

— C'est la demande qui compte, pas les accessoires.

Autrement dit, il avait pitié d'elle. Il se sentait coupable ! Carly n'en revenait pas. Tout ça parce qu'elle avait étourdiment soupiré : « Je t'aime, Matt. » Elle l'avait pensé, bien sûr. Les mots lui avaient traversé la tête… mais ils n'auraient jamais dû franchir ses lèvres. Avec un autre, elle aurait pu faire semblant que cela ne voulait rien dire, que c'était le genre de chose qu'elle pouvait gémir dans le feu de l'action. Mais pas avec Matt. Il la connaissait trop bien.

Elle avait entendu maintes fois parler d'amours nulles, de sexe nul, de rencontres nulles. Mais une demande en mariage nulle ? Ça, c'était vraiment trop fort !

— Imbécile ! cracha-t-elle.

Elle lui asséna un bon coup de poing dans les côtes, puis roula vers le bord du lit.

— Aïe ! Mais qu'est-ce qui te prend ?

Matt se frotta vigoureusement le flanc. Carly se leva, se tint bien droite à côté du lit et le dévisagea d'un air féroce, les deux poings sur les hanches.

— Écoute-moi bien, jolies fesses ! lança-t-elle en commençant de ramasser ses vêtements. On avait dit : « Que du sexe, pas de corde au cou. » Ça t'échappe ? C'est trop compliqué pour ta petite tête ?

Contre toute attente, Matt sourit légèrement. Carly se rendit compte qu'elle ferait mieux de remettre à plus tard le ramassage de ses vêtements. Ce n'était certainement pas en se penchant devant Matt en tenue d'Ève et en lui montrant ses fesses qu'elle établirait sa crédibilité.

— Arrête, Frisette.

Matt s'appuya sur son coude. Il continuait d'observer Carly avec un intérêt manifeste. Le regard assassin, elle réussit à prendre ses vêtements du bout des doigts en s'agenouillant comme une dame distinguée, malgré sa flagrante nudité et l'absurdité du décor.

— Tu meurs d'envie d'accepter, poursuivit Matt. Tu le sais aussi bien que moi. Accepte, reviens t'allonger près de moi et on n'en parle plus. Il nous reste… Il nous reste environ une heure.

— Tu sais quoi, Matt ? Va te faire foutre.

Carly ramassa le jean de Matt et le lui envoya à la figure.

— C'est précisément ce que je te proposais, répondit-il sans se démonter. Ça tombe bien : nous en avons amplement le temps.

Sans un mot, Carly se dirigea d'un pas ferme vers la salle de bains.

Elle ressortit quelques minutes plus tard, douchée, habillée, aussi présentable que possible, dans les circonstances. Matt avait allumé le plafonnier et se rhabillait tout en parlant dans son téléphone portable. Il fronça les sourcils et se passa la main dans les cheveux, visiblement soucieux. Il était si beau, si mâle, si sûr de lui. Carly l'aurait volontiers tué à coups de hache.

Elle allait d'un pas toujours aussi décidé vers la porte de l'appartement quand il l'arrêta en lui barrant le chemin. Carly envisagea de lui envoyer un coup de poing dans le ventre. À quoi bon ? Il aurait à peine tressailli. Il était trop grand, trop massif, trop musclé. Cela n'empêchait pas Carly de rêver d'une solide empoignade.

Il dut lire sur son visage, car il se mit à lui sourire d'un air moqueur.

Il termina sa conversation, referma son téléphone et le glissa dans sa poche. Puis, il prit la main de Carly. D'abord doucement, mais il finit par la tirer vers lui parce qu'elle résistait. Il mit un genou en terre et pressa la main de Carly contre son cœur. Elle sentait la chaleur et la puissance de son torse à travers son t-shirt.

Trop abasourdie pour parler, Carly renonça à récupérer sa main et dévisagea Matt d'un air interdit.

Lentement, ses sourcils se froncèrent.

— Je n'ai malheureusement pas de chandelles ni de fleurs sous la main, mais j'ai un genou en terre. Carly, ma chérie, mon ange, mon amour, veux-tu m'épouser ?

— Non.

D'un geste vif, elle retira sa main. Le téléphone portable de Matt sonna tandis qu'il se relevait. Carly profita de cette distraction momentanée pour le contourner et sortir de l'appartement.

Après l'air climatisé, le garage semblait plus sombre, plus torride, plus suffocant que l'enfer. Carly pensa qu'il n'était certainement pas très prudent de descendre l'escalier branlant dans le noir.

Tant pis ! Elle voulait mettre le plus d'espace possible entre elle et Matt. Et ce n'était certainement pas un escalier pourri qui allait lui faire peur.

La lumière s'alluma juste à temps pour lui éviter de se rompre les vertèbres contre le sol de béton. Carly comprit que Matt l'avait suivie. Elle ne se retourna même pas.

— Comment ça, non ? lança-t-il.

Arrivée au bas de l'escalier, Carly se retourna lentement pour le regarder d'un air sec et distant. Il avait déjà descendu la moitié des marches et semblait au comble de l'exaspération.

Avait-il vraiment cru qu'elle accepterait ? Avait-il vraiment cru qu'elle était folle de lui au point de se jeter sur sa demande en mariage comme un chien sur un os ? Au point d'accepter cette proposition qu'elle savait formulée uniquement sous le coup de la culpabilité ?

— N-O-N, épela-t-elle. Non. Non, non et non ! Tu ne sais pas ce que ça veut dire ? Allez, trêve de plaisanterie. Tu me ramènes chez moi.

— C'est toi qui m'as menacé de m'arracher les yeux si je faisais encore un... Comment tu appelles ça, déjà ? Ah oui ! Une opération commando. Alors, quoi ? Tu devrais être contente. Cette fois-ci, pas d'opération commando. Je te demande en mariage ! Qu'est-ce que tu veux de plus ?

— Tu peux te la mettre où je pense, ta demande en mariage.

— Allons, Frisette, ne dis pas n'importe quoi. Tu meurs d'envie d'accepter.

Carly eut l'impression que la rage allait lui faire jaillir les yeux de la tête. Elle bouillonnait, elle grésillait intérieurement comme une goutte d'huile sur une braise. Elle posa la main sur la poignée de la portière et crucifia Matt d'un regard haineux.

— J'en meurs d'envie ? Mon pauvre vieux, tu n'es quand même pas si éblouissant que ça au lit.

Elle ouvrit la portière à la volée, s'assit et boucla sa ceinture de sécurité. Il faisait encore plus étouffant dans la voiture, mais elle s'en fichait complètement. Elle aurait fait n'importe quoi pour partir de là au plus vite, pour s'éloigner de Matt, pour mettre un terme à cette scène grotesque.

La porte métallique du garage grinça, le plafonnier s'éteignit. L'obscurité revint. Matt ouvrit la portière du côté conducteur et s'installa au volant.

— Si je comprends bien, dit-il en enclenchant la marche arrière, tu es fâchée contre moi.

Carly ne put s'empêcher de ricaner. Ça, c'était Matt tout craché ! Perspicace, clairvoyant, lucide.

— Tu as trouvé ça tout seul ?

— Pourrais-tu m'expliquer pourquoi tu es fâchée contre moi ?

« Parce que tu me fais mal », pensa-t-elle. Mais elle ne le dirait pas, pas question. Elle avait sa fierté, tout de même !

— Parce que tu es un imbécile, peut-être ? dit-elle d'une voix doucereuse. Ça ne t'a pas effleuré l'esprit ?

Matt lui jeta un coup d'œil oblique, arrêta la voiture et alla refermer la porte du garage. L'horloge du tableau de bord indiquait vingt-deux heures vingt-cinq. Matt devait être au travail dans trente-cinq minutes. Parfait ! Plus tôt elle serait débarrassée de lui, mieux cela vaudrait. Il revint dans la voiture, descendit l'allée en marche arrière puis s'engagea sur la route sans dire un mot.

— Écoute… fit Matt avec la voix patiente d'un sage contraint de raisonner un fou.

En l'occurrence, une folle. En l'occurrence, Carly.

— Écoute… Nous nous connaissons depuis toujours. Je t'aime bien, tu m'aimes bien, parfait. Mais dès qu'on mêle le sexe à tout ça… Ça devait arriver. L'amour… C'était inévitable.

— Mais il n'est pas question de ça !

Heureusement, il faisait noir. Matt ne pouvait pas voir qu'elle avait rougi. Elle cherchait désespérément une arme pour combattre cette certitude humiliante que Matt la soupçonnait… Non, qu'il la *savait* amoureuse de lui. Un mensonge bien tourné ? Une crise de colère ?

— Laisse-moi finir, fit-il en levant la main pour la faire taire.

Carly serra les dents, croisa les bras et se mit à fixer la route. Les phares caressèrent un parking presque vide, puis un petit immeuble résidentiel. La voiture s'arrêta à un carrefour et prit à droite.

— Que cela nous plaise ou non, continua Matt, nous sommes empêtrés dans une relation à laquelle ni toi ni moi ne pourrons tourner le dos de gaieté de cœur. Le problème, c'est que je peux très bien m'accommoder d'une relation de sexe sans corde au cou. Mais pas toi. Je le sais, je l'accepte. À vrai dire, la situation n'est pas désespérée, bien au contraire. En nous mariant, nous pourrons coucher ensemble autant que nous le voudrons sans risquer de nous faire du mal. Et sans déchaîner les rumeurs dans la ville. Que des avantages, en fin de compte !

Matt réussissait même à parler de tout cela avec humour… Imbécile !

Carly bouillait de colère. Matt lui piétinait le cœur et il trouvait cela drôle ? Après tout, pourquoi s'en étonnait-elle ? Elle était déjà passée par là, elle connaissait bien le chemin. Elle avait même été prévenue en bonne et due forme par son amie Sandra.

— C'est très gentil à toi de t'inquiéter de moi, fit-elle d'une voix trop douce. Mais contrairement à ce que tu penses, je n'ai absolument pas l'intention de me remarier. À vrai dire, plus j'analyse la situation, plus je me rends compte que je te préfère comme amant. Amant très occasionnel…

— Non mais, je rêve ou quoi ? C'est la première fois que je demande une femme en mariage et ça la rend furieuse.

Furieuse ? Elle fulminait !

— Comme je te le disais tout à l'heure, jolies fesses, tes techniques amoureuses laissent à désirer. Désolée !

Matt n'eut pas le temps de répondre : son téléphone sonna. Il étouffa un juron entre ses dents et sortit l'appareil de sa poche.

— Quoi ? aboya-t-il.

Finalement, monsieur zen lui-même commençait à manifester une certaine contrariété ? Carly en aurait presque souri. Ce n'était pas un triomphe éclatant, mais cela valait toujours mieux que le ton moqueur et la mine résignée qu'il lui avait infligés jusqu'ici.

Carly ne voulait pas figurer au palmarès des nombreuses responsabilités que Matt assumait déjà. Ni aujourd'hui ni jamais. Tout ce qu'elle voulait, c'était qu'il soit aussi amoureux d'elle qu'elle l'était de lui. Cette brutale constatation lui noua la gorge. Après le fiasco de leur séjour dans l'appartement, après l'échec avéré du sexe sans corde au cou, le grand amour-toujours ne risquait pas d'arriver de sitôt.

— Tu plaisantes ou quoi ? cria-t-il dans le téléphone.

Il écouta encore quelques instants en fixant l'asphalte qui s'enfonçait dans la nuit.

— Très bien, dit-il enfin. J'arrive d'ici vingt minutes, maximum.

Il raccrocha et lança un regard à Carly.

— Antonio a roulé sur le pied de Knight avec sa voiture, dit-il en secouant la tête. Résultat ? Un adjoint de moins sur les rangs ! Décidément, je n'ai pas une minute à consacrer à ce genre de truc…

Il se gara devant le manoir Beadle. Ses phares effleurèrent sa moto, restée sagement là où il l'avait laissée. Carly regarda la colline, les fenêtres éclairées de cette maison blanche qui était redevenue la sienne. Soudain, elle se sentit si heureuse d'être chez elle que des larmes lui montèrent aux yeux.

Ou peut-être était-ce à cause de Matt.

Elle était follement amoureuse de lui, mais lui… Lui, il « l'aimait bien ». C'était humiliant, enrageant, déchirant.

— Tu sais, dit-elle en ouvrant sa portière, je crois que tu avais raison : ce n'était pas une bonne idée de coucher ensemble. C'était la première et la dernière fois.

Elle sortit, claqua la portière derrière elle et se mit à gravir la pente sombre qui menait à la maison. Les grenouilles la saluèrent de leur chant nocturne. Les insectes se joignirent à leur chorale. La lune luisait faiblement. Le ciel était émaillé d'étoiles. Il faisait chaud et humide. L'odeur des magnolias, de l'herbe fraîchement coupée et des noix pourrissantes saturait l'air.

— C'est ridicule… lança Matt en la rattrapant. Ni toi ni moi n'en serons capables.

— Parle pour toi.

— Allons, Carly, tu sais bien que…

— Je sais bien que c'est la meilleure chose à faire, voilà ce que je sais !

— Écoute… Ce n'est pas pour être désagréable, mais je te rappelle quand même que c'est toi qui m'as pratiquement supplié de coucher avec toi. Pas l'inverse ! Dis-moi si je me trompe, mais il me semble que ce n'est pas moi qui me suis plaint de ne pas avoir eu de relations sexuelles depuis deux ans…

— Et je trouve que j'ai drôlement bien fait de m'abstenir pendant deux ans ! Après ce qui vient de se passer, je trouve que l'abstinence ne manque pas de charme.

— Foutaises ! Tu as joui. Et plusieurs fois, encore !

Tout en le maudissant intérieurement, Carly adressa à Matt son plus joli sourire.

— Et alors ? lança-t-elle. Mon vibromasseur aussi me fait jouir. Et plusieurs fois, encore !

Matt s'immobilisa net. Carly sentait ses yeux posés dans son dos. Elle ne s'arrêterait pas pour si peu. « Tiens ! pensa-t-elle. Prends ça dans les gencives ! »

En quelques enjambées, Matt la rattrapa.

— J'en ai soupé de toutes ces bêtises ! C'est ta dernière chance. Veux-tu m'épouser, oui ou non ?

Il semblait exaspéré. Mais Carly ne lâcherait pas le morceau. Elle était tellement furieuse qu'elle aurait pu marcher pieds nus jusqu'au bout du monde, rien que pour faire enrager Matt.

— Non.

— Parfait ! En tout cas, tu ne diras pas que je ne te l'ai pas demandé. Je ne veux plus t'entendre dire que je suis le champion des opérations commando.

— Ne t'inquiète pas, ça n'arrivera plus.

— Ce qui veut dire ?

— Devine. Fais travailler ta tête, pour une fois.

Matt ne répondit pas. Ils marchèrent en silence pendant quelques secondes.

— Je pensais que tes adjoints t'attendaient ? lança finalement Carly.

— Qu'ils attendent ! Je te raccompagne jusqu'à ta porte.

— Non, merci. Je veux que tu partes.

— Pas question.

— Dégage ! Je commence à en avoir assez de ton arrogance. Tu t'imagines peut-être que toute la ville t'appartient ?

— Mon Dieu, non ! couina Matt d'un ton railleur. Carly, je t'en supplie. Ne dis pas cela, tu me brises le cœur. Désolé, Frisette ! Il va falloir que tu supportes mon arrogance jusqu'à ce que nous soyons arrivés à ta porte.

Ils se trouvaient déjà au bas de l'escalier. Carly monta les marches à pas pesants. Matt la suivit d'un pied plus léger. Mais il avait l'air renfrogné. C'était toujours ça de pris.

Le seuil était éclairé d'une lumière jaune et douce, accueillante. La maison elle-même semblait luire d'une manière invitante dans la nuit. Sandra avait laissé les rideaux ouverts. Carly remarqua que, vu du seuil, le vestibule d'entrée était élégant et serein. À travers le prisme des vitres plus que centenaires, même le portrait de l'arrière-grand-père qui trônait au-dessus de la cheminée arborait une mine plus avenante qu'austère. Sandra avait allumé toutes les lampes de la maison. Pas étonnant ! C'était la première fois que Carly s'absentait jusqu'à une heure aussi avancée. Sandra s'était retrouvée seule à la nuit tombée, ce qui n'était sans doute pas pour la rassurer.

Carly sortit ses clés de sa poche. Matt les lui prit des mains sans un mot, enfonça la clé dans la serrure, ouvrit la porte et recula d'un pas pour laisser Carly entrer. Le bourdonnement du système d'alarme se mit à résonner.

Il fallait au moins lui reconnaître ça : le shérif avait eu raison de faire installer le système d'alarme. Même si, comme toujours, il n'avait pas demandé l'avis de Carly.

Le système la rassurait. Les clous qu'elle avait plantés dans les fenêtres de l'étage aussi.

Hugo était allongé sur le radiateur, balançant mollement sa queue. Carly le prit dans ses bras et se retourna pour faire face à Matt qui était entré derrière elle.

— Bonsoir, Matt, fit-elle. Bonne nuit. Bonjour chez toi.

Éclairé par le plafonnier de l'entrée, il semblait plus grand que nature. Il avait l'air sombre et dangereux. La colère étincelait dans ses yeux. Il fixa Carly, le sourcil froncé. Il ne souriait pas. À un rien près, elle aurait pu l'accuser d'intimidation. Mais elle le connaissait trop bien. Elle savait qu'elle n'avait rien à craindre. Les yeux de Matt se posèrent sur sa bouche.

— Allez ! fit Carly. Merci pour la soirée. Tu peux aller au diable.

— Tu sais quoi, Frisette ? Tu es vraiment une emmerdeuse de première.

Matt avait le regard dur, mais la voix tendre.

Carly connaissait bien ce regard et cette voix. Matt était sur le point d'exploser. Eh bien, tant pis pour lui. Elle aussi, elle était sur le point d'exploser. Il n'y avait pas de quoi fouetter un chat.

— Dans ce cas… commença-t-elle.

Le téléphone de Matt sonna.

— Merde ! gronda-t-il en sortant l'appareil de sa poche.

Il l'ouvrit, répondit, écouta quelques instants.

— J'arrive, dit-il.

Il raccrocha.

— Comme je te le disais, fit-il, je n'ai pas une minute à consacrer à ce genre de truc. Pas ce soir, en tout cas. Je t'appelle demain.

— Pas la peine !

Carly savait qu'elle était puérile, mais elle s'en fichait. Matt la regarda encore, puis il tourna les talons et sortit. Elle referma la porte derrière lui, la verrouilla et le regarda descendre les marches par la petite vitre. Puis, Hugo toujours pelotonné dans ses bras, elle se dirigea vers la cuisine. Elle ne savait pas exactement depuis combien de temps Matt avait ouvert la porte d'entrée, mais le système d'alarme ne tarderait sans doute pas à se déclencher. Il ameuterait alors toute la ville...

Carly arriva juste à temps. Elle déposa Hugo et tapa le code au petit clavier. Le bourdonnement s'éteignit. Carly réamorça le système d'alarme et regarda autour d'elle. Tout était en ordre, à part quelques assiettes et quelques plats dans l'évier. La porte arrière était verrouillée. Carly resta quelques instants debout dans la cuisine, appuyée contre la table. Elle inspirait profondément pour tenter d'effacer de sa mémoire le souvenir du désastre de cette soirée. Il fallait qu'elle se reprenne avant de voir Sandra. Son amie comprendrait qu'il s'était passé quelque chose. Elle voudrait savoir...

Mais qu'est-ce qui lui avait pris, pour l'amour du ciel ? Qu'est-ce qui lui avait pris de coucher avec Matt ?

L'idée semblait pourtant bonne. Mais elle avait mal tourné. Dans l'égarement de leurs ébats, Carly avait dit : « Je t'aime, Matt. » Quelle idiote ! Maintenant, il savait. Il savait qu'elle était amoureuse de lui. Et surtout, il avait pitié d'elle. Il avait pitié d'elle ! Ça, c'était pire que tout.

Carly poussa un grognement et se détourna de la table. Elle ne pouvait pas rester ici, enfermée dans sa cuisine, à réfléchir à tout cela. Elle ne voulait plus y penser. Elle voulait tout oublier. Elle se dirigea vers le réfrigérateur, l'ouvrit et fit l'inventaire de ce qu'il contenait. Elle n'avait rien mangé depuis le midi. Elle avait fait l'amour, mais elle n'avait rien mangé. Non ! Il ne fallait plus qu'elle pense à ce qu'elle avait fait avec Matt. Le contenu du réfrigérateur, si tentant quelques secondes avant, lui sembla soudain terne et sans intérêt. De toute façon, elle n'avait pas faim. Elle avait les jambes qui tremblaient, les genoux qui tremblaient, tout le corps qui tremblait. C'est épuisant, le sexe. Surtout avec Matt.

Mais c'est tellement merveilleux, tellement fantastique…

Non ! Il ne fallait pas qu'elle y pense. Elle prit le jus d'orange, s'en servit un verre et en avala une gorgée en replaçant la bouteille dans le réfrigérateur. Elle manquait de sucre, voilà. C'était pour cela qu'elle tremblait. Un bon verre de jus d'orange, et tout rentrerait dans l'ordre.

Dès qu'elle aurait repris des forces, elle pourrait éjecter Matt de sa mémoire.

— Sandra ! cria-t-elle en allant vers l'arrière de la maison. Sandra ! C'est moi !

La télévision était allumée. Sandra devait la regarder dans le salon arrière. Carly pourrait la regarder avec elle. Non. Pas vraiment… Sandra devinerait tout de suite qu'il s'était passé quelque chose. Elle la harcèlerait jusqu'à ce qu'elle lui ait raconté sa soirée dans ses moindres détails.

Mais Sandra ne répondait pas. Elle n'était pas dans le salon arrière. Pourtant, elle avait bien dû y passer. Un magazine gisait sur le sol à côté de son fauteuil. Une canette de sa boisson favorite trônait sur la petite table à côté. Carly éteignit le téléviseur et fronça les sourcils. Hugo avait disparu. La maison était silencieuse. Presque trop silencieuse. Si au moins Annie avait été là ! Elle se serait jetée sur elle en agitant la queue. Elle l'aurait distraite. Décidément, Carly adorait ce petit animal bâtard sans prétention ni pedigree. Il n'était pourtant entré que très récemment dans sa vie. Hugo se montrait toujours d'une indépendance féroce. Annie était un compagnon fidèle. Comment avait-elle fait pour avaler ce poison ? Mystère... Dieu merci, elle allait s'en sortir. Bart l'avait promis. Carly prit la résolution de chercher le poison dès le lendemain. Peut-être que mademoiselle Virgie avait placé de la mort-aux-rats dans la maison.

— Sandra ?

Carly se dirigeait vers le salon de l'avant quand elle entendit le gargouillis de l'eau dans les tuyaux. Elle sourit. Sandra était en train de prendre un bain. Évidemment ! Il était presque vingt-trois heures. Sandra avait sans doute voulu s'offrir le luxe d'un moment de détente avant d'aller se coucher.

Son verre de jus d'orange à la main, Carly se félicita d'avoir pris sa douche à l'appartement de Matt. Le réservoir d'eau chaude du manoir Beadle était ancien. Un jour ou l'autre, il faudrait le remplacer. Pour l'instant, il fallait faire avec, même si ses performances limitées interdisaient de prendre deux bains d'affilée.

Hugo était revenu près de Carly. Il se frotta contre ses jambes tandis qu'elle éteignait les lumières du rez-de-chaussée. Depuis qu'elle avait surpris le voleur dans la salle à manger, elle traversait les pièces le plus rapidement possible quand elle y était seule. Ce soir ne faisait pas exception. Même en sachant Sandra à l'étage, elle continuait de redouter l'obscurité. Toutefois, l'électricité coûtait cher, et les deux femmes ne pouvaient pas se permettre de laisser la maison illuminée comme un sapin de Noël pendant toute la nuit. Carly devait se résoudre à vaincre ses peurs. Après tout, elles avaient acheté un système d'alarme qui fonctionnait parfaitement. Son œil rouge la réconforta quand elle traversa la cuisine pour éteindre les dernières lampes.

Le rez-de-chaussée était maintenant plongé dans le noir. Des ombres dansaient contre ses murs et firent battre le cœur de Carly un peu plus vite. Elle gravit en toute hâte l'escalier qui menait à l'étage. Hugo grimpa les marches de chêne poli plus vite encore, comme s'il faisait la course avec elle. La petite lampe suspendue en haut de l'escalier brillait. Celle de la salle de bains aussi. Évidemment, puisque Sandra s'y trouvait. Carly se dit qu'elle pourrait verrouiller la porte de sa chambre pour la nuit.

Avec la porte verrouillée, les fenêtres clouées et le système d'alarme réamorcé, sa chambre serait sûre, parfaitement sûre.

C'était idiot, Carly le savait, et elle ne l'aurait avoué pour rien au monde. Mais depuis qu'elle était revenue au manoir, elle craignait la nuit. Elle la craignait même de plus en plus.

Elle s'efforça d'oublier ses peurs comme elle s'était efforcée d'oublier Matt. Elle inspira profondément, prit une gorgée de jus d'orange et trouva ainsi le courage d'aller vers l'arrière de la maison. Hugo connaissait ses habitudes. Il ouvrit la marche. La salle de bains se dressait entre sa chambre et celle de Sandra. Un rai de lumière filtrait sous la porte. La chambre de Sandra était fermée. Celle de Carly était telle qu'elle l'avait laissée en partant, légèrement entrouverte. Les deux pièces étaient plongées dans l'obscurité. À part la lumière en haut de l'escalier et le rai qui filtrait sous la porte de la salle de bains, tout était noir.

Évidemment, puisque Sandra s'apprêtait à aller se coucher. Carly prit une inspiration profonde.

— Sandra ! C'est moi !

Pas de réponse. Avec le bruit de l'eau qui coulait, sans doute Sandra ne pouvait-elle pas l'entendre.

Hugo arriva à la porte de la salle de bains et s'arrêta net, regardant derrière lui si Carly le suivait. Il miaula. Un miaulement étrange…

Carly ralentit le pas. Cela faisait déjà longtemps que l'eau coulait, assez longtemps pour remplir la baignoire. Assez longtemps pour épuiser le réservoir d'eau chaude…

— Sandra ?

Hugo posa la patte sur la porte de la salle de bains. Elle s'entrouvrit de quelques centimètres, assez pour que Carly puisse voir que le rideau de douche était fermé. C'était un rideau blanc à l'ancienne, suspendu à une tringle ovale. Il encerclait la baignoire de fonte sur pattes, tout aussi antique. Le rideau n'était pas tout à fait fermé au coin. Carly aperçut la tête de Sandra qui reposait contre le bord de la baignoire. Ces quelques centimètres de cheveux noirs et courts étaient bien les siens.

Sandra prenait un bain en laissant l'eau couler, le rideau fermé ?

Sans égard pour l'intimé des humains, Hugo marcha jusqu'à la baignoire et miaula.

— Sandra ?

Mais Sandra ne fit pas un geste.

— Sandra ?

Carly ouvrit grand la porte. Le bruit de l'eau devint un tumulte. Il ricochait contre la céramique des murs et du sol. La buée avait envahi la pièce et embrumait le miroir. Au moins, le réservoir d'eau chaude semblait fonctionner...

— Sandra ?

Rien. Pas un geste. Pas un mot. Sandra était-elle tombée dans la baignoire ? Ou alors...

Carly ouvrit le rideau. Son cœur s'arrêta de battre. Sandra était allongée dans la baignoire, toute habillée, à l'exception de ses chaussures. Elle avait les genoux pliés et sa tête reposait mollement contre le bord. Une corde lui liait les chevilles. Ses bras étaient repliés derrière son dos. Il y avait du sang partout, sur son visage, sur son cou. Il s'égouttait dans l'eau teintée de rouge qui s'écoulait de la baignoire en tourbillonnant. Un gros ruban adhésif argenté couvrait la bouche de Sandra.

Carly ne put s'empêcher de gémir. Les yeux de Sandra s'ouvrirent, égarés, flous.

— Sandra ! Oh, mon Dieu, Sandra ! Que s'est-il passé ? Oh, mon Dieu ! Mon Dieu !

Carly se pencha vers son amie, arracha le ruban adhésif qui lui couvrait la bouche. Sandra la regarda vaguement, puis ses yeux se fixèrent derrière elle et s'agrandirent de terreur.

Il y avait quelque chose derrière Carly, quelque chose ou quelqu'un. Elle le sut avec une certitude qui lui glaça le sang.

Elle sentit ses cheveux se hérisser sur sa nuque. Elle se redressa d'un bond et se retourna.

28

Carly crut que son cœur allait exploser. Un homme entièrement vêtu de noir s'avançait vers elle, une cagoule rabattue sur le visage. Il s'était caché derrière la porte et avait attendu patiemment qu'elle entre dans la salle de bains.

Carly hurla. Son cri rebondit contre le plafond, contre les murs et le sol, puis s'évanouit. Hugo disparut sous la baignoire. Carly laissa tomber son verre de jus d'orange. Il se pulvérisa sur la céramique du sol. L'homme tendit une main blanche comme celle d'un mort et tenta de la refermer sur le bras de Carly, la manquant de quelques millimètres à peine. Carly hurla encore, fit en bond en arrière et se réfugia derrière la baignoire. Une lame apparut dans la main de l'homme.

— Viens ici !

Il avait la voix rauque, râpeuse, étouffée par la cagoule. Un murmure à peine audible dans le tumulte de l'eau qui coulait et dans l'écho des cris de Carly. Sandra restait atrocement muette. Elle roulait des yeux, le visage luisant d'eau et de sang. Elle se débattait tant bien que mal, comme un poisson échoué sur une plage. Ses mouvements attirèrent l'attention de l'homme. Dans un grognement, il tendit le bras pour enfoncer sa lame dans le corps de Sandra. Carly hurla et se jeta sur lui de toutes ses forces. La lame grinça contre le bord de la baignoire, manquant de peu l'épaule de Sandra. Surpris, l'homme fit un pas en arrière et faillit tomber sur le sol glissant.

— Ordure ! grogna-t-il.

Il retrouva son équilibre et s'avança vers Carly avant qu'elle n'ait eu le temps d'aller à la porte. Elle se réfugia derrière la baignoire. L'homme ne le pourrait pas. Il était trop grand, trop gros pour s'insinuer dans un espace aussi restreint. Il essaya de glisser ses jambes fortes entre la baignoire et le mur, mais n'y réussit pas. Il était tout de noir vêtu, le torse large, les bras et les jambes massifs. Sa cagoule ressemblait à celle d'un bourreau et semblait avoir été confectionnée pour la circonstance. Elle montait très haut. Elle était énorme, terrifiante. L'homme se pencha vers Carly, tendit le bras et l'attrapa par la taille.

Carly poussa un hurlement à réveiller les morts. Elle frappa l'homme à coups de poings désordonnés. Il enfonça ses doigts dans la chair nue de son bras et l'attira vers lui. Ses doigts semblaient faits de plastique. Carly s'agrippa au rebord de la baignoire, mais elle n'était pas de taille à lutter. Elle glissa, tomba dans la baignoire et se retrouva allongée sur Sandra. Elle sentit l'eau couler contre sa hanche. Désespérément, elle tenta de se redresser, mais les parois de la baignoire étaient trop glissantes.

Elle avait échappé aux doigts de l'homme en tombant, mais à quoi bon ? Elle était maintenant comme une tortue sur le dos. Elle lançait des coups de pied dans toutes les directions, tentant encore d'agripper le bord de la baignoire. Il était trop tard. Horrifiée, elle vit l'homme qui levait son couteau puis l'abaissait vers sa poitrine.

Hurlante, elle tenta d'esquiver le coup. Ce fut Sandra qui la sauva. D'un sursaut brusque de tout son corps, elle la rejeta hors de la baignoire. Le couteau manqua Carly de peu, raclant la baignoire dans un grincement affreux. Carly cria encore et retomba par terre à quatre pattes. Le sol de céramique était couvert d'eau, de verre brisé, de sang et des dernières gorgées du jus d'orange que Carly n'avait pas eu le temps d'avaler. Mais Carly saignait. Elle pensa que c'était à cause des éclats de verre. Ou alors, c'était le couteau de l'homme. Sa main gauche saignait. Elle saignait beaucoup, pourtant Carly ne sentait rien.

Elle était en état de choc. Elle entendit un rugissement rauque. Elle leva les yeux. L'homme glissa. Il faillit tomber sur le sol mouillé.

Carly se mit à ramper en direction de la porte. Elle en était plus près, maintenant. Mais ses mains et ses chaussures dérapaient sur la céramique en produisant des bruits de succion. Elle entendait le souffle de l'homme, le froissement de ses vêtements. Il venait vers elle. L'odeur du jus d'orange et du savon étourdissait Carly. Mais aussi celle de sa peur ainsi qu'une autre odeur. Une odeur douceâtre, écœurante, qui lui donnait presque la nausée. L'homme plaqua un tissu contre sa joue, un tissu froid et humide qui empestait cette odeur douceâtre et écœurante, cette odeur…

Carly sentit son sang se figer dans ses veines. Cette odeur…

L'homme était au-dessus d'elle et tentait de presser le tissu mouillé contre sa bouche. Carly se débattit, tomba sur le côté, heurta la céramique de sa hanche et de son épaule, tenta de ramper encore malgré l'eau, le sang et le verre brisé.

Le tissu tomba par terre juste sous ses yeux. Un tissu blanc, anonyme, plié en quatre. Et cette odeur…

L'eau détrempa le tissu en une seconde. L'odeur avait disparu.

— Ordure ! grogna l'homme.

Carly leva les yeux vers lui. Il lui agrippa les cheveux et lui tira la tête vers l'arrière. Elle grattait de ses ongles impuissants la céramique du sol.

Elle regarda sa cagoule noire de bourreau. À travers les trous découpés grossièrement, elle vit les yeux de l'homme ; bleu clair, d'un bleu clair très étrange, et injectés de sang. L'homme n'avait pas de cils. Ses pupilles n'étaient que des têtes d'épingles noires plantées dans le bleu clair de ses yeux froids comme de la glace. Des yeux de bête. L'homme la charcuterait sans hésitation ni remords.

Carly sentait son cœur battre à tout rompre. « C'est impossible, se répétait-elle. C'est impossible. » L'homme n'avait même pas l'air humain. C'était un monstre comme on en voit dans les films d'horreur, un monstre entièrement vêtu de noir et qui portait des gants chirurgicaux. Ses gants ! C'étaient eux qui donnaient à ses doigts la texture du plastique. Et l'homme était armé. Il avait un couteau. Carly était tellement terrifiée qu'elle en avait du mal à respirer. Elle arrivait à peine à bouger. Ses bras et ses jambes pesaient le poids du plomb. La scène semblait se dérouler au ralenti, comme si le temps s'était arrêté.

— Je me rappelle de toi, maintenant, fit l'homme de cette atroce voix rauque qui glissait sous sa cagoule.

Il était penché vers elle et l'observait. Les yeux écarquillés, paralysée par la peur, Carly ne voyait plus que la lame qu'il levait lentement. Il allait lui trancher la gorge. Elle en était sûre. Il allait lui trancher la gorge.

Carly entendait distinctement le bruit de l'eau qui continuait de couler, sa propre respiration affolée et celle de l'homme, sifflante, pesante. Elle sentait les doigts de l'homme dans ses cheveux et la dureté froide de la céramique mouillée sous ses mains. Son cœur semblait devenu fou. « Je vais mourir », pensa-t-elle.

Peut-être qu'elle n'aurait pas mal. Après tout, l'entaille qu'elle avait à la main ne la faisait pas souffrir. Peut-être qu'elle n'aurait pas mal. La lame s'enfoncerait d'un coup dans sa gorge. Elle sentirait le sang chaud qui coule, mais elle ne souffrirait pas. Elle saurait seulement qu'elle était en train de mourir et puis, plus rien...

Non ! Elle ne voulait pas mourir.

Elle poussa un hurlement si fort qu'il la fit revenir à la réalité. Il couvrit la pulsation frénétique de son sang à ses tempes, le rugissement de l'eau, sa respiration et celle de l'homme. Il couvrit tous les bruits de l'univers. C'était la vie, le désir de vivre qui hurlait par sa bouche.

Elle glissa sur sa gauche pour éviter la lame. Le couteau lui arracha une mèche en glissant sur son épaule. La douleur la transperça.

L'homme poussa un juron et resserra l'étreinte de ses doigts dans les cheveux de Carly. Il lui tira la tête en arrière pour essayer encore de planter sa lame dans sa gorge. Elle hurla. Désespérément. Son cœur battait si fort qu'elle l'entendait cogner contre ses côtes. Cette fois, elle n'échapperait pas à son bourreau. Tout son corps se couvrit d'une sueur froide.

L'homme la tenait d'une main trop ferme. Cette fois, elle n'échapperait pas à la mort. Tétanisée par la peur, elle suffoquait. « Je ne veux pas mourir, pensait-elle. Je ne veux pas mourir. S'il vous plaît, mon Dieu, s'il vous plaît, s'il vous plaît... »

Les ongles de Carly raclaient désespérément contre le sol. Soudain, ils trouvèrent un objet dur et coupant. Un grand éclat de verre.

La lame plongeait déjà vers sa gorge. Carly enfonça l'éclat de verre dans le genou de l'homme.

Il poussa un cri et laissa tomber le couteau. Il lâcha les cheveux de Carly. Elle était libre ! Enfin, elle était libre !

Elle se précipita vers la porte, le cœur battant la chamade, tout le corps couvert d'une sueur glaciale. Ses chaussures glissaient sur le plancher mais elle traversa le corridor et dévala l'escalier. Elle entendit un bruit derrière elle et se retourna rapidement. L'homme la poursuivait. Il titubait. Du sang coulait de son genou. Il titubait, il jurait, mais il la poursuivait. Elle dévala l'escalier à toute vitesse.

L'homme avait pris le temps de ramasser son couteau. La lame luisait dans sa main.

— Tu vas crever. Tu vas crever. Tu vas crever.

Son murmure rocailleux envoya dans les veines de Carly une décharge de terreur pure.

Elle sauta les dernières marches et atterrit dans le vestibule d'entrée. Elle se jeta vers la porte.

Mais l'homme était tout près, déjà trop près d'elle. Carly agrippa la poignée de la porte. Il était trop tard, elle le savait. Le temps qu'elle déverrouille la porte, qu'elle l'ouvre, qu'elle sorte, l'homme lui aurait enfoncé sa lame dans le dos. Elle n'avait pas le temps. Pas le temps d'ouvrir la porte, pas le temps de prendre le téléphone, pas le temps d'appeler à l'aide. Même pas le temps d'aller jusqu'au système d'alarme et d'appuyer sur le bouton qui alerterait directement la police. Tout cela prenait trop de temps, trop de secondes précieuses qu'elle n'avait plus. Elle n'avait même plus le temps d'allumer la lumière. En plus, ce n'était peut-être pas la meilleure chose à faire. Elle pourrait voir l'homme, mais lui aussi la verrait mieux.

— Tu vas crever.

Il était déjà dans le vestibule. Sa respiration semblait emplir tout l'espace. Il avançait vers Carly en boitant, mais il avançait vite. Même blessé, il marchait affreusement vite.

Carly hurla et s'élança dans le salon plongé dans le noir. Elle glissait dans ses chaussures trempées.

Heureusement, elle connaissait la maison comme sa poche et pouvait s'orienter sans lumière. Au moins, elle avait cet avantage sur l'homme. Elle connaissait bien la maison.

Mais lui aussi, visiblement.

Le voleur ! C'était le voleur qu'elle avait surpris dans la salle à manger ! Elle en était sûre. C'était lui.

Il était revenu. Pourquoi ? Pour elle, sans doute. C'était à elle qu'il en voulait. Carly sentit son sang se glacer dans ses veines.

Et soudain, elle sut ce qu'il fallait faire. C'était sa seule chance. Une chance mince, mais pas inexistante. Ça pouvait marcher, ça pouvait marcher...

Elle plongea vers la table qui se dressait à côté du sofa, empoigna le plat de cristal contenant les bonbons à la menthe et le jeta de toutes ses forces à travers la fenêtre. Le signal d'alarme se mit à hurler.

— Ordure !

Ça avait marché ! Ça avait marché. Le système d'alarme s'était déclenché ! Les secours allaient arriver...

Mais l'homme venait vers elle. Il était déjà dans le salon. Carly voyait sa silhouette énorme avancer vers elle. Malgré la sirène, malgré le hurlement du système d'alarme, il n'abandonnait pas.

S'il l'attrapait, il la tuerait.

Carly s'enfuit en direction du salon arrière. Ses pieds touchaient à peine le sol. Elle fit irruption dans la pièce plongée dans le noir et se dirigea vers la cuisine. Puis, elle s'arrêta net.

Sans savoir pourquoi, elle en fut convaincue. L'homme l'avait contournée. Il était là, dans la cuisine, silencieux. Il l'attendait.

Il était là. Il attendait qu'elle tombe dans son piège.

Le cœur de Carly manqua un battement.

Soudain, des coups furieux couvrirent le hurlement du système d'alarme. On cognait contre la porte, on tentait de l'ouvrir, on tapait du plat de la main contre la vitre.

Les secours étaient arrivés ! Enfin !

Carly fit volte-face et se mit à courir. Arrivée à la porte d'entrée, elle n'avait plus de souffle. Son sang battait tellement fort à ses tempes qu'elle n'entendait plus rien. Ni le système d'alarme ni les coups redoublés contre la porte, rien. Ni les pas de l'homme. Mais était-il encore là ? Il pouvait jaillir de l'obscurité à tout instant, plonger dans son dos la lame de son couteau. Alors que les secours étaient arrivés, il pouvait encore la tuer.

Carly saisit la poignée de la porte en jetant des coups d'œil affolés derrière elle. La sueur faisait glisser ses doigts. Elle n'arrivait pas à tourner la poignée, à déverrouiller la porte...

— Carly !

C'était Matt. Il s'engouffra dans la maison, le pistolet à la main. Carly se jeta contre sa poitrine et s'agrippa à lui. Soudain, ses jambes refusèrent de la porter. Elle dut s'accrocher à Matt pour ne pas tomber.

— Que se passe-t-il ? Carly, que se passe-t-il ?

Matt remit son pistolet dans son étui et referma ses bras autour de Carly. Juste à temps. Encore une seconde et elle se serait effondrée.

Matt était tellement solide, tellement fort, tellement chaud, tellement réconfortant. C'était Matt ! Il était là. Plus rien ne pouvait lui arriver. Elle ne mourrait pas. Elle était en sécurité.

— Sandra... Matt, oh, Matt ! Il est ici, dans la maison. Il est dans la cuisine... Le voleur... Sandra est dans la salle de bains... blessée... Matt, Matt...

Carly sentit qu'elle allait s'évanouir.

— Fouillez la maison ! lança Matt.

Il souleva Carly dans ses bras. Elle vit passer deux hommes. L'un d'eux alluma les lumières dans l'entrée. Antonio et Mike, l'arme au poing, s'élançaient dans les pièces.

— Sandra… Elle est dans la salle de bains à côté de ma chambre. Il l'a blessée…

— Antonio ! lança Matt. Va voir dans la salle de bains, à l'étage. Sandra est blessée. Mike, va voir dans la cuisine !

Antonio grimpa l'escalier quatre à quatre.

Exténuée, Carly laissa sa tête tomber contre l'épaule de Matt. Elle était étourdie. Son estomac se révulsait. Elle tremblait, elle était glacée. La pièce dansait autour d'elle. Elle avait l'impression de ne plus avoir de poids, de consistance, comme si elle avait quitté son corps. Elle ne s'était jamais évanouie de sa vie. Était-ce ce que l'on ressent quand on va perdre connaissance ?

— Seigneur Dieu ! s'écria Matt.

Il était en train de la porter dans le salon de l'avant quand il s'arrêta net. Carly réussit à stabiliser ses yeux suffisamment longtemps pour voir qu'il la regardait avec horreur. Elle était si faible qu'elle pouvait à peine lever la tête, mais elle réussit à suivre son regard. Blottie dans les bras puissants de Matt, pâle comme une morte. Elle tremblait. Elle était trempée. Son t-shirt bleu marine… Son t-shirt était plein de sang.

— Mais tu saignes ! Il t'a poignardée ! Le salaud ! Le salaud ! Carly, ne t'évanouis pas ! Carly, je t'en supplie, reste avec moi !

À peine avait-elle entendu ces mots qu'elle sentit ses forces la quitter. Elle ne s'évanouit pas, mais elle n'avait plus de tonus. Elle ferma les yeux et devint toute molle dans les bras de Matt. Il resserra son étreinte sur elle et l'emporta en courant.

Carly ne s'était pas évanouie. Au loin, elle entendit Antonio qui criait : « Appelez une ambulance ! »

29

L'homme s'était enfui comme Quasimodo, courant à demi, sautillant à demi dans les bois obscurs, le corps penché vers l'avant, la main plaquée sur sa blessure. Il ruisselait de sueur, une sueur de douleur autant que d'épuisement.

Il était blessé ! Cette bonne femme… Quelle ordure ! Elle lui avait enfoncé un morceau de verre dans le genou. Ses bords déchiquetés lui avaient fait plus mal qu'une lame. Il lui faudrait des mois pour s'en remettre. Mais, elle, elle allait crever.

Au début, il ne lui en voulait pas particulièrement. C'était une question de précaution, rien de plus. Mais cette sale bonne femme avait regimbé. Elle l'avait blessé et s'était enfuie. La prochaine fois, elle crèverait.

La police lui courait après. Au moins un policier, qui était sorti de la maison avec une lampe torche et un pistolet à la main. Il fouillait les alentours avec soin, avec efficacité. Il en viendrait d'autres, l'homme n'avait aucun doute à ce sujet. Cela faisait à peine quelques minutes qu'il s'était enfui de la maison. Le système d'alarme hurlait encore. Les lumières s'étaient rallumées dans le manoir. L'homme courait à travers bois pour tenter de rejoindre sa camionnette. D'autres adjoints sillonneraient bientôt les routes, tous gyrophares allumés. Mais alors, il serait déjà loin. Ils ne l'attraperaient pas. Pas ce soir. Jamais. Il n'était pas idiot. Il n'était pas imprudent. L'échec de ce soir ? Un coup de malchance, rien de plus.

C'était comme ça, dernièrement : parfois tout allait bien, parfois tout allait mal.

Il s'était débarrassé du chien. Un peu de mort-aux-rats mêlée à des restes, le tout placé sur une assiette cachée sous un buisson. Le chien avait tout englouti sans se méfier. L'homme était encore là, bien dissimulé, quand ils avaient trouvé le chien. Ils l'avaient mis dans une voiture et ils étaient partis à toute allure. Chez le vétérinaire, sans doute.

Ils étaient tous partis. La maison était vide. Et personne n'avait pensé à verrouiller les portes ni à enclencher le système d'alarme. L'homme avait vérifié. Il n'était pas idiot. Il n'était pas imprudent.

Alors, la chance lui avait souri de nouveau. Ils avaient laissé la maison grande ouverte, le système d'alarme débranché. Jamais l'homme n'aurait osé en espérer autant. Mais c'est comme ça. La vie, c'est comme ça : plein de surprises.

Comme on dit : « On ne sait jamais à quoi s'attendre, en ce bas monde. »

L'homme était parti. Il avait deux ou trois choses urgentes à régler. Puis, il était revenu et s'était installé dans la maison. Il s'était même offert le luxe de jeter un coup d'œil dans les penderies, dans les tiroirs. Un trésor l'attendait dans la cuisine : le code du système d'alarme. Encore un problème de réglé. L'homme commençait à se sentir chez lui, dans ce manoir. C'était une belle maison. Ancienne, mais vaste et bien meublée. Il s'était choisi l'endroit idéal pour faire le guet. Il avait élaboré un nouveau plan, une nouvelle stratégie. Étincelante de simplicité, facile comme tout. Le résultat direct des points qu'il avait marqués en se débarrassant du chien. L'homme attendrait dans la maison jusqu'à ce que Carly rentre et s'endorme. Ensuite, il l'emporterait. Il n'était attendu nulle part, ce soir. Il avait tout son temps. Les autres problèmes qu'il lui restait à régler pouvaient amplement attendre au matin. Le chien, par exemple. S'il n'était pas mort, il faudrait s'en occuper.

Il avait entendu l'autre femme rentrer. Sandra, à ce qu'il avait cru comprendre. Elle était accompagnée de son petit ami, l'adjoint du shérif. L'homme s'amusait comme un petit fou. Un représentant de la loi armé jusqu'aux dents badinait au rez-de-chaussée sans se douter que lui, là-haut, se terrait en attendant le moment propice pour agir. Puis, l'adjoint était parti. D'une fenêtre de l'étage, l'homme l'avait vu traverser la pelouse pour aller jusqu'à sa voiture. Alors, il était resté seul avec Sandra dans la maison.

Pendant une heure environ, il avait attendu dans une chambre vide de l'étage. Ensuite, il avait prévu se cacher sous le lit de Carly et attendre qu'elle s'endorme. Il y avait un verrou sur sa porte : l'homme ne pouvait pas risquer qu'elle s'enferme en se couchant. Il avait attendu, confortablement installé dans une chambre vide. Pourquoi s'aplatir sous un lit quand on peut prendre ses aises ? Il avait pensé se cacher dans la penderie, mais c'était trop petit. De plus, il ne savait pas si Carly était du genre à ranger ses vêtements ou si elle les laissait tomber en tas par terre. Comment savoir ?

L'avantage, c'est qu'il aurait pu jaillir de la penderie en criant « Bouh ! » pour lui faire peur, pour s'amuser. Ha ! Ha ! La bonne blague ! Mais alors, elle aurait hurlé, elle se serait enfuie. Il aurait fallu qu'il la pourchasse. Cette innocente facétie aurait réduit ses probabilités de réussite. Or, l'homme n'était pas idiot. Il n'était pas imprudent.

Il arrivait maintenant à sa camionnette, toujours claudiquant. Il repensait à tout cela. Il était amer. Il monta dans sa camionnette, étendit sa jambe et fouilla dans son sac. Il fallait qu'il arrête l'hémorragie. Il éclaira le contenu de son sac, pas plus de quelques secondes. Inutile d'attirer l'attention des policiers. Ils pouvaient arriver d'un moment à l'autre. Sa blessure était profonde. L'hémorragie n'arrêtait pas.

Tout ça à cause de ce foutu chat !

Dès son retour au manoir, l'homme avait inspecté rapidement l'étage pour vérifier que Carly n'était pas revenue pendant son absence. Puis, il s'était dirigé vers la pièce inoccupée dans laquelle il comptait se cacher. C'est alors qu'il avait entendu Sandra monter l'escalier. Elle parlait à quelqu'un. L'homme avait compris plus tard que c'était au chat. Il s'était glissé dans la chambre de Carly, s'était terré derrière la porte. L'escalier débouchait au milieu du couloir. Il n'aurait pas eu le temps de se rendre jusqu'à la pièce inoccupée de l'avant. Il espérait que Sandra irait directement dans sa chambre ou dans la salle de bains. Mais à tout hasard, il avait quand même remonté la fermeture Éclair du blouson qu'il portait toujours pour ce genre d'expédition. Il avait rabattu sa cagoule sur son visage. Juste au cas où Sandra l'apercevrait. Juste au cas où elle arriverait à se sauver. À vrai dire, l'homme n'était pas vraiment inquiet. Il n'était pas idiot. Il n'était pas imprudent. Sandra n'avait aucune raison d'entrer dans la chambre de Carly. Elle ne l'aurait sans doute jamais fait si ce foutu chat ne s'en était pas mêlé.

L'animal était entré dans la chambre et avait regardé l'homme dissimulé derrière la porte. Il s'était mis à battre l'air de sa queue et il avait miaulé.

— Qu'est-ce que tu regardes, le chat ? avait dit Sandra.

D'un coup, elle avait été là, devant lui, ses yeux emplis d'horreur.

L'homme n'avait pas prévu de la tuer. Il n'avait rien contre elle. Mais elle gênait ses plans. Elle était là, elle le regardait. Il n'avait pas le choix.

Il avait fallu qu'il s'occupe d'elle, qu'il règle ce problème inattendu.

Il était en train de mener son projet à terme quand il avait entendu Carly appeler son amie. Déjà elle montait l'escalier…

C'est alors que ce foutu chat était revenu. Il avait ouvert la porte de la salle de bains et il était entré dans la pièce, entraînant Carly à sa suite.

Il commençait à penser que les animaux lui portaient la poisse. Un karma, ou quelque chose du genre. Un truc bizarre. Sa vie était parfaite, mais venait toujours un moment où les animaux la perturbaient.

À la longue, il avait fini par les haïr.

L'homme pansait sa blessure avec du gros ruban adhésif. Il n'avait rien d'autre sous la main. Il pestait. Il déplorait, en vain, de n'avoir pas écarté le chat de son chemin avant qu'il ne fouine partout et se mette à miauler.

Soudain, il s'arrêta de trancher le ruban adhésif qu'il avait entamé avec son couteau. Il s'immobilisa.

Son mouchoir, son joli mouchoir blanc qu'il avait emporté dans sa poche pour chloroformer Sandra… Son mouchoir avait disparu. Il fouilla dans ses poches, dans son sac. Peine perdue. Le mouchoir avait disparu.

Maintenant qu'il y pensait, il se rappelait l'avoir plaqué sur le visage de l'autre, l'ordure. Elle s'était débattue et il avait laissé tomber le mouchoir.

Ce n'était qu'un mouchoir ordinaire, rien de spécial. Mais ses initiales étaient brodées dessus.

30

Décidément, Carly détestait les hôpitaux. Même si Matt avait dormi sur la chaise à côté de son lit, les bras croisés sur la poitrine, les jambes étendues en travers du matelas. Même s'il s'était réveillé grognon, mal rasé. Même s'il avait fait la vie dure à tous ceux et celles qui avaient croisé son chemin pendant que Carly prenait son petit-déjeuner.

Même s'il s'était mis en tête de la suivre jusque dans la salle de bains.

— Matt… S'il te plaît… Je vais prendre une douche.

Elle lui avait fermé la porte au nez, d'un geste doux mais ferme.

Les attentions de Matt et sa présence mettaient du baume sur son cœur malmené, maltraité, piétiné. Mais à bien y penser, Carly se disait qu'il n'y avait rien là d'extraordinaire. Après tout, il était le shérif. Il était aussi son ami. Après ce qui venait de lui arriver, il était normal qu'il la protège. Il se serait comporté exactement de la même manière envers l'une ou l'autre de ses sœurs.

Ce qui, somme toute, n'avait rien de particulièrement réjouissant.

Quand elle sortit de la salle de bains, Matt discutait avec Antonio dans le couloir. L'adjoint en chef avait l'air tout aussi exténué que lui. Carly portait des vêtements propres, un short en vichy et un t-shirt bleu pâle. Une bonne âme anonyme les lui avait apportés de chez elle pendant la nuit, en même temps que son sac à main contenant une brosse à cheveux et un peu de maquillage. Carly avait trois points de suture à l'épaule et un pansement autour de la main gauche. À part les picotements qui rappelaient constamment ces entailles à son bon souvenir, elle se sentait bien.

À tout le moins, tant qu'elle ne pensait pas au monstre et à sa cagoule noire. La nuit précédente, alors que le médecin avait fini de la recoudre, elle s'était soudainement sentie prise de vertiges, d'étourdissements, de nausées. Son corps se couvrait de sueur sans raison. Le médecin avait tenu à ce qu'elle reste à l'hôpital pour la nuit. Elle était en état de choc.

Carly avait évincé le monstre de sa mémoire comme elle évinçait toujours les mauvais souvenirs et les réalités trop dures. C'était une technique qu'elle avait développée dans son enfance. Le plus souvent, ça marchait. Le problème, c'était que les seules pensées susceptibles de lui faire oublier le monstre à la cagoule noire tournaient toutes autour de Matt. Or, Carly avait le cœur en miettes. Mieux valait ne pas penser à Matt non plus. Mais comment faire? À tout prendre, elle préférait que son cœur déchiqueté occupe son esprit. C'était toujours mieux qu'un monstre à cagoule, qu'une lame qui brille dans l'obscurité.

Elle pensait donc à Matt. Au sexe (très bien). Au refus de la corde au cou (beaucoup moins bien). À son cœur qui s'était serré quand Matt lui avait demandé de l'épouser, au fait qu'elle n'avait pas pris le temps de réfléchir, à la possibilité que, peut-être, il était sincère à ce moment-là…

Elle pensait aussi à Matt, un genou en terre, lui demandant sa main. Elle en souriait chaque fois. Il était irrésistible!

Ou plutôt, elle pensait qu'il aurait été irrésistible si seulement… Si seulement il ne lui avait pas demandé sa main par pitié, par pure pitié.

Elle avait pensé à tout cela, la nuit précédente, tandis que le médecin finissait de la recoudre. Cela valait toujours mieux que de penser au monstre.

Ensuite, on lui avait fait une piqûre. Elle avait dormi sans rêver. À neuf heures du matin, une infirmière l'avait réveillée en lui glissant un thermomètre entre les lèvres. Matt ronflait sur la chaise à côté de son lit.

Carly ne savait pas qu'il ronflait. Elle ne savait pas non plus qu'il était grognon le matin. Elle ne savait pas qu'il aimait le ketchup sur ses œufs. Il avait même insisté pour qu'elle en mette sur les siens.

Hélas ! ni les ronflements, ni les matins grognons, ni le ketchup ne changeaient rien à rien : elle restait follement amoureuse de Matt. Au réveil, elle l'aimait tout autant que la veille au soir.

Mais il n'était pas question qu'elle languisse pour un homme qui l'aimait comme une amie, comme une sœur. Un homme qui aimait coucher avec elle, mais qui n'assumait pas. Un homme que la perspective de vivre avec elle pour toujours révulsait, mais qui l'avait demandée en mariage sous le coup de la culpabilité.

Non, il n'en était pas question ! Même si cet homme était Matt Converse.

Carly avait certainement beaucoup de défauts, mais elle n'était pas masochiste. Elle aimait Matt à la folie. Lui, il l'aimait bien. Non, elle ne ferait pas un pas de plus sur cette pente glissante. Car il suffirait alors de quelques heures, de quelques jours pour qu'elle se fracasse, qu'elle se pulvérise contre la dure réalité.

Carly sortit dans le couloir.

— Où vas-tu ? lui demanda Matt.

Antonio et lui portaient des uniformes fripés. L'adjoint semblait fatigué, chiffonné. Le shérif semblait fatigué, chiffonné... mais il restait solide et terriblement attirant.

— Je vais voir Sandra, répondit Carly.

Matt hocha la tête en signe d'acquiescement. Elle sentit ses yeux posés sur elle tandis qu'elle s'éloignait.

L'hôpital West County était un bâtiment de brique à trois étages composé de deux ailes. Les sols étaient recouverts de lino gris et les murs peints de couleurs pastel. L'hôpital s'enorgueillissait de posséder un service efficace de radiographie ainsi qu'une salle d'urgence performante. Mais en cas de problème majeur, les patients devaient se rendre à Atlanta. Si Carly et Sandra étaient restées au West County, c'était que leurs blessures n'étaient pas très graves. Quelques points de suture, un pansement, une piqûre sédative et une bonne nuit sans rêves... Carly s'en était bien tirée. Sandra avait eu moins de chance : commotion cérébrale, coup de couteau dans la cuisse, peut-être quelques côtes fêlées.

Comme celle de Carly, la chambre de Sandra se résumait à un cube minuscule peint en gris. Une douzaine de ces espaces fonctionnels débouchaient sur le bureau des infirmières comme les rayons d'une roue de vélo. Vêtue d'une nuisette verte gracieusement fournie par l'hôpital, Sandra avait fait relever la tête de son lit pour s'asseoir à demi. Un pansement blanc formait un turban autour de son crâne. Une intraveineuse s'enfonçait dans son bras. Elle avait la cuisse enveloppée d'un pansement et surélevée par une poulie. Télécommande en main, Sandra regardait distraitement la télé en changeant constamment de chaîne.

— Bonjour ! lança Carly en entrant dans sa chambre.

Les deux femmes s'étaient parlé la veille, dans la maison, puis dans l'ambulance et dans la salle d'urgence. Ces bribes de conversation leur avaient fait revivre l'horreur. Elles avaient beaucoup pleuré, beaucoup tremblé. Mais elles avaient aussi relaté les faits à Matt et à ses adjoints pour qu'ils puissent commencer leur enquête. Après les larmes et la peur de la veille, Sandra semblait presque revenue à la normale.

— Tu es toute belle ! lança-t-elle en éteignant la télé. Tu sors déjà ?

— Bientôt. Veux-tu que je te rapporte quelque chose ?

— À manger. Quelque chose de bon. Les œufs de ce matin ont failli me rendre malade. Et aussi, une chemise de nuit présentable. J'ai dû demander à Antonio de quitter ma chambre pour aller aux toilettes. Tu imagines la scène, s'il m'avait vue là-dedans ? Il se serait enfui en hurlant d'horreur... Ah oui ! Rapporte-moi aussi l'horaire de télé.

— Pas de problème, fit Carly en s'asseyant près du lit. Comment te sens-tu ?

— Bof... Un peu comme si on m'avait frappée sur la tête, poignardée, droguée et battue. Tu vois le genre ? À part ça, pas trop mal.

Carly sourit. Pendant leurs divorces respectifs, Sandra et elle avaient souvent pris le parti d'en rire plutôt que d'en pleurer. Pourquoi pleurer ? Ça bouche le nez, ça fait les yeux rouges et ça ne soulage pas longtemps. Quand on rit, par contre, on se sent tout de suite mieux.

— Tu sais quoi ? répondit Carly. Je crois que tu m'as sauvé la vie la nuit dernière. Tu te rappelles quand je suis tombée sur toi ? Si tu ne m'avais pas éjectée de la baignoire, je crois qu'il m'aurait tuée. Il abaissait déjà son couteau sur moi.

— Évidemment, que je t'ai éjectée de la baignoire ! Tu es tombée sur mes côtes fêlées ! Tu t'imagines que ça fait du bien ?

Sandra cligna de l'œil et sourit.

— Sans compter que tu n'es pas un poids plume, ajouta-t-elle. En tout cas, tu pèses beaucoup plus lourd que tu n'en as l'air. Et tu sais quoi ? Tu m'avais sauvé la vie quelques minutes plus tôt. Je n'aurais jamais cru que tu arriverais à l'arrêter quand il a voulu m'enfoncer son couteau dans la gorge.

Soudain, les souvenirs affluèrent à la mémoire de Carly. Elle revit la cagoule noire et cette main d'une blancheur de cadavre qui semblait faite de plastique. Elle revit la lame qui raclait contre la baignoire, à quelques centimètres de Sandra...

Son sang se figea dans ses veines. Son estomac se noua. Son...

— C'est le moment de changer votre intraveineuse, annonça l'infirmière en entrant dans la pièce.

Carly s'efforça de rejeter hors d'elle les images horribles qui se pressaient dans sa mémoire. L'infirmière changea le sac de soluté de Sandra. Quand elle sortit, Carly avait recouvré son calme. Les souvenirs atroces de la nuit précédente étaient bien enfermés dans ce recoin de son esprit où elle rejetait tout ce qu'elle voulait oublier.

— Quand je pense que tu as été seule avec ce monstre, ça me donne envie de vomir, fit Carly d'un ton furieux. Et aussi, je me sens un peu coupable. Après tout, c'est pour moi que tu es venue à Benton.

— Ça, c'est vrai ! confirma Sandra dans un sourire pâle. Si je ne t'avais pas suivie, je serais encore serveuse à Chicago. J'engueulerais mes clients à longueur de journée. Je m'amuserais comme une folle ! Allez... N'en parlons plus. Tout ça me fait tellement peur. Je préférerais ne plus y penser.

Les lèvres de Sandra tremblaient. Elle les serra pour se redonner une contenance. Elle inspira profondément, puis elle regarda Carly d'un air faussement fâché.

— La prochaine fois que je te dirai que je veux rentrer chez moi, au calme, dans la grande ville... Tu me croiras ?

— Si j'avais imaginé un seul instant ce qui s'est passé hier, je serais repartie avec toi sans hésiter.

Sandra ouvrit la bouche pour répondre, puis son regard se posa sur la porte fermée derrière elle.

— Antonio est déjà venu me voir trois fois ce matin, chuchota-t-elle. Quand je me suis réveillée, il était assis là ! Tu sais quoi ? Il s'inquiète pour moi. Ça fait une éternité qu'un homme ne s'est pas inquiété pour moi. Alors, je vais te dire une chose : ce n'est certainement pas un minable en cagoule qui m'empêchera de vivre ce que j'ai à vivre ici.

— Mazette ! murmura Carly dans un sourire. J'entends déjà les cloches annoncer le mariage.

— Oh, ça ! fit Sandra d'un air maussade. Ça m'étonnerait.

Carly connaissait son histoire. Son ex-mari la rabaissait continuellement. À tel point que Sandra ne se croyait plus capable de faire rêver un homme. Elle n'imaginait plus pouvoir être aimée pour elle-même.

— Qu'est-ce que tu racontes ? lança Carly. Il y a des tas d'hommes qui seraient ravis que tu acceptes de les épouser. Je ne vois pas pourquoi Antonio ferait exception. Tu es magnifique, Sandra. Est-ce que tu sais à quel point tu es belle et forte ? Tu es fantastique !

Sandra sourit d'un air un peu triste.

— Et surtout, je sais faire la cuisine. On dit souvent qu'on gagne les hommes par le ventre... Dans le cas d'Antonio, c'est bien possible. Mais dis-moi... Il paraît que Matt a failli faire une crise cardiaque quand il t'a trouvée dans la maison toute couverte de sang. Il paraît même qu'il est allé délimiter un périmètre de

sécurité autour de la maison et qu'il est revenu ventre
à terre pour dormir dans ta chambre...

— Il prend son rôle de shérif très à cœur, fit Carly
d'un ton morne. Il estime qu'il est de son devoir de me
protéger. C'est tout.

— C'est lui qui te l'a dit ?

Carly acquiesça d'un hochement de tête et tenta de
ne pas se laisser gagner par la tristesse qu'elle sentait
monter en elle.

— Ah ! fit Sandra d'un air perplexe. Eh bien... Il faut
que tu le secoues, ton shérif ! Couche avec lui ! Sors-lui
le grand jeu !

Carly ne répondit pas.

— C'est déjà fait ? reprit Sandra. Quand ? Hier soir ?
Tu veux dire que... Tu veux dire que, pendant que je
me faisais attaquer par un psychopathe, tu t'envoyais
en l'air avec le shérif ? Tu vois ! C'est ça, ma vie. Je suis
en train de me faire assassiner et toi, tu es au septième
ciel dans les bras du shérif !

Les deux femmes gardèrent le silence quelques instants.

— Et malgré ça, reprit Sandra soudainement, il te
dit qu'il ne fait que son devoir de shérif ?

Carly acquiesça d'un air triste. Sandra grimaça.

— C'est mal parti, fit-elle.

— Très mal parti.

— Et maintenant, qu'est-ce que tu vas...

— Ah ! s'exclama l'infirmière en entrant. Je vous
cherchais, mademoiselle Linton. Si vous voulez bien
signer ces quelques papiers, vous pourrez ensuite rentrer chez vous.

Carly signa tout ce qu'on lui demandait. Puis, elle se
leva pour partir.

— Je vais revenir dans la journée pour t'apporter ce
que tu m'as demandé, dit-elle à Sandra.

Elle sortit de la chambre. Matt l'attendait dans le couloir. Ils marchèrent en silence jusqu'à l'ascenseur. Carly n'emportait rien, à l'exception de son sac à main. Les vêtements qu'elle portait la veille au soir n'étaient pas récupérables. De toute façon, elle ne voulait plus les voir. En arrivant aux portes tournantes qui menaient au parking, Carly s'aperçut qu'elle tenait son sac si fort contre elle que les jointures de ses doigts en avaient blanchi. Elle rentrait chez elle, dans cette maison où elle avait été agressée la veille. À la seule pensée qu'elle devrait y passer la nuit, son cœur s'affolait.

Sandra était à l'hôpital. Elle serait toute seule à la maison…

Et l'homme qui les avait agressées n'avait pas été capturé.

— Matt… dit-elle d'une petite voix en montant dans sa voiture. Je ne pense pas que je puisse aller chez moi. Pas pour y rester, en tout cas. Pas toute seule. Même avec le système de sécurité. Ce type…

Elle avait honte. Sa voix tremblait.

Matt glissa sa main sur sa nuque, se pencha vers elle et l'embrassa. Un baiser chaste, mais qui fit battre le cœur de Carly un peu plus fort. Elle refermait ses doigts sur sa chemise et commençait à se sentir beaucoup mieux quand il s'écarta d'elle et démarra sa voiture.

— Tu crois vraiment que je t'aurais laissée retourner chez toi toute seule ? Tu vas habiter chez moi jusqu'à ce qu'on attrape le type.

Il sortit du parking et lança un regard oblique vers Carly. Il ne souriait pas.

— Ton chat est déjà là, poursuivit-il, et nous pouvons prendre ton chien en passant. Tu t'es vraiment imaginé que j'allais te laisser retourner là-bas toute seule après ce qui s'est passé ?

Carly le regarda et hocha la tête. Elle ne savait plus. En fait, elle n'y avait pas pensé. Elle avait eu peur, c'est tout. Elle était terrifiée. Maintenant qu'elle y pensait, elle se rendait bien compte que Matt aurait préféré l'assommer plutôt que de la laisser retourner là-bas. Ainsi qu'elle l'avait dit à Sandra, il prenait son rôle de shérif très à cœur.

D'une certaine manière, elle commençait à apprécier sa situation...

— Je sais que je te l'ai déjà demandé, reprit Matt, mais j'aimerais que tu y repenses un peu. Est-ce qu'il y a quelqu'un qui pourrait te vouloir du mal, à ton avis ?

Ils approchaient du centre-ville encombré de véhicules et de piétons. Les façades refaites de la rue principale semblaient prospères et solides. Les bacs à fleurs et les pancartes à l'ancienne qui annonçaient le nom des rues ajoutaient une touche pittoresque à cette petite ville que Carly connaissait depuis toujours. Mais ce qui la frappa le plus, c'était que tout, absolument tout, semblait normal. Son univers à elle avait basculé la nuit dernière. Il était devenu sombre et terrifiant. Mais le soleil brillait encore et les fleurs poussaient. Les gens vaquaient à leurs occupations.

Un jour, elle aussi reprendrait le cours de sa vie.

— Non... fit-elle. Non, je ne vois pas. Qui pourrait me vouloir du mal ?

— Il faut que je te dise... J'ai fait vérifier les allées et venues de ton mari.

— Ah ?

Au fond, elle s'en fichait. À ce stade, Carly aurait fait surveiller le père Noël lui-même si cela pouvait contribuer à l'identification de son agresseur.

— En tout cas, reprit-elle, je suis sûr que ce n'était pas lui en personne. Et je ne vois pas pourquoi il aurait engagé quelqu'un pour me faire du mal. Non, Matt. Ce n'est pas lui.

— Alors qui c'est ?

— Je ne sais pas… Un psychopathe qui frappe au hasard, peut-être ?

« Pourvu que ce soit ça, pensa-t-elle. Mon Dieu, faites que ce soit ça. » Car si c'était le cas, il aurait déjà quitté la ville et ne reviendrait pas.

— C'est ce que tu penses ? demanda Matt.

Carly prit une inspiration profonde. Enfin, elle eut le courage d'affronter l'hypothèse que son intuition lui soufflait depuis le début.

— Non, fit-elle. Je pense que c'était le cambrioleur. Il a dit : « Je me rappelle de toi, maintenant. » Qui veux-tu que ce soit d'autre ?

La voix de Carly se brisa. Matt serra les dents à s'en faire exploser le crâne.

— C'est ce que je pensais aussi. Je crois qu'il t'a surveillée, qu'il attendait le bon moment. Rien n'indique que c'est un violeur. Par contre, il a cherché à vous tuer. Et je pense que c'est toi qu'il visait plus particulièrement. Pas Sandra. Il est resté très longtemps seul avec elle dans la maison, mais il n'a pas cherché à l'agresser jusqu'à ce qu'elle le découvre par hasard. C'était toi qu'il attendait. Tu as eu drôlement de la chance que j'aie demandé à Mike et Antonio de me déposer chez toi pour reprendre ma moto. Si je n'avais pas été là quand tu as lancé le plat de cristal par la fenêtre, il aurait eu amplement le temps de te tuer.

Carly frissonna. Elle se rappela cet instant horrible où elle avait senti l'homme à quelques dizaines de centimètres d'elle, terré dans la cuisine, prêt à frapper alors même que le système d'alarme hurlait déjà. Matt savait tout cela. Il connaissait les événements de la veille dans leurs moindres détails. Sur le chemin de l'hôpital, Carly lui avait tout raconté : l'impression qu'elle avait eue d'être observée dans le noir ; la nuit où elle avait vu quelqu'un à la fenêtre de sa chambre ; les clous qu'elle avait plantés dans les châssis. Finalement, cela n'avait servi à rien.

Et qu'est-ce que Matt avait répondu ? « Mais bon sens ! Pourquoi tu ne m'as pas dit ça plus tôt ? »

Parce qu'elle n'avait pas de preuve, rien de tangible. Parce qu'elle se sentait ridicule. Parce qu'elle n'avait pas écouté son intuition.

— Dis-moi… fit-elle soudain. Est-ce que tu penses que c'est lui qui a empoisonné Annie ?

— C'est bien possible. Le soir où il était à ta fenêtre, je crois qu'il t'aurait agressée si Annie ne t'avait pas réveillée en aboyant. Il n'a pas voulu commettre deux fois la même erreur.

Matt s'arrêta au feu rouge et se tourna vers Carly. Il avait les yeux durs comme des pierres.

— Carly, la situation est grave. Tu viens d'échapper à une tentative de meurtre préméditée et soigneusement planifiée.

Elle ne répondit pas tout de suite.

— Mais qui ? s'écria-t-elle enfin. Qui aurait intérêt à faire ça ? Ce n'est pas John, j'en suis sûre. Alors qui ?

— Nous allons le trouver. Ne t'inquiète pas, Frisette, nous allons le trouver. D'ici là, je vais m'arranger pour que tu sois en sécurité.

Il engagea sa voiture dans l'allée qui menait au cabinet du vétérinaire. Enfin, Carly put reprendre sa chère Annie.

— Avez-vous gardé le contenu de son estomac ? demanda Matt à Bart Lindsey.

— Non, je regrette. Nous n'avions pas vraiment de raisons de le faire. Mais j'ai bien l'impression que c'était de la mort-aux-rats. Tous les symptômes le confirment.

— Est-ce qu'on l'a obligée à avaler le poison ?

— C'est possible mais je ne peux pas l'affirmer. Avec les chiens, on ne sait jamais. Ils avalent n'importe quoi.

Annie était toute molle dans les bras de sa maîtresse. Elle semblait plus maigre encore qu'avant sa mésaventure.

— Est-ce que je dois lui faire manger quelque chose de spécial ? demanda Carly. Lui donner des médicaments ?

— Non, répondit le vétérinaire. Ne vous inquiétez pas. Elle retrouvera bientôt son état normal. Au fait… J'ai entendu parler de ce qui vous est arrivé hier soir. Je n'arrive pas à y croire ! Dans notre petite ville si tranquille…

La voix du vétérinaire s'éteignit. Il regarda Carly, puis se tourna vers Matt.

— Un cambriolage qui a mal tourné ?

— Nous ne le savons pas encore, à ce stade.

Matt ouvrit la porte. Carly et le vétérinaire le précédèrent dans la salle d'attente. Il y avait là quelqu'un, un homme que Carly reconnut tout de suite : Hiram Lindsey.

— Hiram ! s'exclama le vétérinaire d'un ton joyeux. Tu es revenu ?

— Oui, fit-il en se tournant vers Carly. Comment va le chien ?

— Mieux, merci.

— Annie sera bientôt remise sur pattes ! lança Bart Lindsey.

La porte s'ouvrit. Une femme entra avec un gros chat d'allure placide dans les bras.

Annie poussa un aboiement faible, mais hargneux. Elle n'était peut-être pas dans une forme olympique, mais elle détestait toujours autant les chats et tenait à ce que cela se sache.

— Bonjour, Alice ! fit Bart Lindsey. C'est pour les vaccins de Muffin ?

Carly et Matt profitèrent de la diversion pour s'éclipser. Ils regagnèrent la voiture.

— Si je comprends bien, fit Matt soudain, tu as un chat qui n'aime pas les chiens et un chien qui n'aime pas les chats ? Et tout ce beau monde va vivre chez moi...

— Je peux habiter ailleurs, si tu préfères.

Carly tapota la tête d'Annie, toujours blottie contre elle. Au fond, elle espérait que Matt n'accepterait pas sa proposition.

— Si tu ne veux pas de mon chien et de mon chat, j'irai ailleurs.

Matt sourit doucement.

— Pour toi, Frisette, j'hébergerais tout un zoo !

Carly sourit à son tour.

Le reste de la journée se passa très bien. Très agréablement, même. Matt retourna au travail. Carly soupçonna qu'il retournerait chez elle. Il n'aborda pas le sujet. Elle préféra ne rien lui demander. Matt l'avait placée sous la protection de l'un de ses adjoints, Sammy Brooks, un homme avenant et massif d'environ quarante ans et dont le crâne commençait à se dégarnir. Avant de la laisser, Matt leur donna à tous deux des instructions précises : Carly ne devait jamais être seule. Si elle sortait, Sammy devait l'accompagner. Quand elle était dans la maison, il devait y être avec elle. Matt avait regardé Carly d'un air très sérieux, puis il avait précisé que ses consignes resteraient en vigueur tant qu'ils n'auraient pas attrapé l'homme qui l'avait agressée. Une fois de plus, Matt jouait les héros, les paternels. Mais Carly n'y trouva rien à redire. Dans les circonstances, elle était toute disposée à faire ce qu'il lui dirait.

Matt vérifia encore que tout le monde avait bien compris ses consignes. Enfin, il partit en laissant Carly dans la cuisine avec Lissa et Dani. Sammy s'était installé dans le salon et regardait le sport à la télé.

— On t'avait dit qu'il était autoritaire ! fit Lissa dans un sourire.

— En effet, répondit Carly.

Lissa avait suivi avec beaucoup d'intérêt l'installation de Carly dans la chambre de Matt. Carly avait d'abord refusé, mais le shérif lui avait littéralement ordonné de faire ce qu'il lui disait. Lui ? Aucune importance ! Il dormirait dans le salon.

Lissa devait maintenant aller au travail. Elle se tenait sur un pied en s'appuyant contre l'embrasure de porte et enfilait une sandale à talon haut. Dani était assise à table et finissait une salade.

— J'espère que cela ne vous dérange pas, que je reste ici quelques jours ? demanda Carly. Je ne pouvais pas retourner chez moi après ce qui s'est passé hier…

— Mais non, ça ne nous dérange pas du tout ! Toute la ville ne parle que de cette agression. Ça devait être horrible !

— Ce que je trouve incroyable, lança Dani, c'est que Matt ne ramène jamais personne ici. À part toi et ton amie qui avez dormi dans sa chambre l'autre jour, il n'a jamais invité une femme à la maison pendant plus d'une heure.

— Ça veut dire quelque chose ! renchérit Lissa en attrapant son sac à main. On dirait bien que notre grand frère est en train de tomber amoureux…

Carly la dévisagea, comme frappée de stupeur. Les deux sœurs étaient vraiment trop mignonnes ! Malheureusement, elles n'avaient rien compris.

— Matt me considère comme l'une de ses sœurs.

Lissa fit une moue dubitative. Dani hocha la tête de droite à gauche.

— Non. Il ne nous regarde pas comme ça, nous ! S'il nous était arrivé la même chose qu'à toi, il nous protégerait, évidemment. Mais là, il... Il rôde autour de toi.

— Exactement ! fit Lissa. Il rôde. Ça, c'est très nouveau. En général, ce sont les filles qui lui courent après.

— J'ai bien cru que Shelby arriverait à lui passer la bague au doigt, fit Dani en se levant. Je suis bien contente que ça ne marche pas, finalement.

Elle débarrassa rapidement la table. Le téléphone sonna. On voulait savoir s'il était vrai que Carly Linton habitait là parce qu'un fou l'avait attaquée la veille, dans sa propre maison... La machine à rumeurs de Benton fonctionnait à plein régime. Le reste de la journée passa très vite. Mike Toler apporta pour Carly et Sandra un assortiment disparate de vêtements pris au hasard dans les garde-robes et les tiroirs du manoir Beadle. Carly trouva une chemise de nuit présentable pour son amie. Elle lui apporta ses vêtements en même temps que l'horaire de télé. Puis, elle se promena un peu. Elle retourna voir Sandra, les bras chargés de magazines et de friandises. Antonio était assis près du lit. Sandra rayonnait comme une jeune épousée. Carly les laissa seuls. Elle ne pouvait pas faire un pas dans la ville sans qu'on l'aborde. On s'enquérait de sa santé, on s'inquiétait de ses blessures. On lui demandait de confirmer tel ou tel détail de l'agression. On vantait son courage, on s'étonnait qu'un tel incident se produise à Benton, une petite ville si tranquille ! Le soir, Carly retrouva autour de la table les trois sœurs de Matt et plusieurs adjoints. Mike Toler avait pris la relève de Sammy Brooks, qui s'invita quand même à manger. Quant à Matt, il reviendrait plus tard. Mike dit qu'il était « occupé ».

Il avait prononcé le mot avec un tel air de mystère... Carly comprit que Matt poursuivait l'enquête chez elle. Elle préféra ne pas poser de questions. L'adjoint ne fournit pas de précisions. Carly ne voulait pas savoir. Il commençait à faire noir. Elle sentait l'inquiétude monter en elle. Elle ne voulait plus penser à la nuit précédente.

Elle monta se coucher vers vingt-deux heures. Elle préférait se retirer tôt, alors que la maison était encore pleine de monde, de lumières et de rires. Carly se sentait presque joyeuse. Matt n'était pas encore rentré, mais c'était peut-être tant mieux. Carly avait besoin de dormir et de remettre ses idées en place. Demain, elle aborderait ses problèmes un par un, avec méthode.

Y compris ce problème très particulier qui s'appelait Matt Converse.

Elle prit une douche en prenant soin de ne mouiller ni ses points de suture ni son pansement. Les points tiraient un peu sur sa peau. L'entaille qu'elle avait à la main la picotait. Mais surtout, ses blessures lui rappelaient constamment l'agression. Elle ne voulait pas y penser. Elle luttait farouchement contre les images de cauchemar qui cherchaient à s'insinuer dans son esprit. Pour chasser les fantômes, Carly se mit à chanter les refrains les plus joyeux de son répertoire. Puis, elle prit un somnifère que le médecin lui avait prescrit pour quelques nuits. Elle enfila un pantalon de pyjama à rayures et un haut rose bonbon. Elle les avait choisis parce qu'ils étaient gais. Elle se mit un peu de baume à lèvres parfumé à la cerise, parce que l'odeur lui remontait le moral. Puis, elle se coucha dans le lit de Matt et alluma la télévision. Elle regarda des comédies, des reprises qu'elle avait déjà vues plusieurs fois. Mais au moins, elles étaient guillerettes. Elles la faisaient rire. Carly était allongée dans le lit de Matt, Hugo blotti contre elle, Annie allongée sur le tapis. Elle regardait une émission un peu bête, mais drôle. Elle s'interrogeait. Malgré son pyjama à rayures, son baume à lèvres parfumé à la cerise et les âneries à la télé, était-elle vraiment aussi calme et radieuse qu'elle voulait se le faire croire ? Elle retournait toutes ces pensées dans sa tête quand le sommeil s'abattit sur elle comme une vague noire.

Elle ne sut jamais combien de temps elle avait dormi. Mais elle dormit d'un sommeil de plomb. Un sommeil lourd, mais agité. Il y avait des choses dans ses rêves. Des choses et des gens. Des choses et des gens qu'elle ne voulait pas voir, qui lui saisissaient les poignets, qui l'effrayaient, qui la terrifiaient tellement qu'elle n'arrivait plus à faire un geste.

Des choses comme des yeux. Des yeux bleu clair, des yeux sans cils. Des yeux bleu clair sans cils qui s'approchaient, s'approchaient, s'approchaient jusqu'à ce qu'ils ne soient plus qu'à quelques centimètres de son visage. Des yeux de monstre...

Brusquement, Carly se retrouva propulsée là-bas. Au Foyer.

31

Le canapé du salon était long, large et confortable.

Non !

Le canapé du salon était ridiculement petit, étroit et dur comme du bois.

Matt jeta son oreiller sur le sol et renonça à s'installer confortablement. Après tout, quelle importance ? Il n'arrivait pas à dormir. Pourtant, il était exténué. Combien de temps avait-il dormi ces dernières vingt-quatre heures ? Deux heures peut-être ? Et encore... Le sommeil lui échappait tout autant que ce salaud qui avait agressé Carly. Le pire, c'était que Matt était convaincu qu'il reviendrait à la charge. Jusqu'à ce que la police l'arrête. Ou jusqu'à ce qu'il arrive à tuer Carly. Il fallait absolument lui mettre la main au collet. La police de l'État de Géorgie avait inspecté les lieux du crime mais elle avait fait clairement entendre à Matt que la canicule qui sévissait dans la région alourdissait sa charge de travail. En d'autres termes, « l'incident » du manoir Beadle ne constituait pas une priorité pour la police de l'État. Après tout, les deux femmes n'avaient été ni violées, ni grièvement blessées, ni tuées. Quant au FBI, il n'avait pas juridiction sur cette affaire qui, de toute façon, l'indifférait complètement. Matt avait toutefois un ami qui travaillait au FBI et lui avait proposé d'analyser un échantillon du sang prélevé sur les lieux du crime. Avec un peu de chance, l'agresseur aurait déjà eu maille à partir avec la police et son ADN figurerait dans les fichiers centraux. Matt n'entretenait pas d'espoirs exagérés à cet égard. Il comptait plutôt sur des méthodes à l'ancienne : observation des indices et réflexion. Se rallongeant sur le dos, il fixa des yeux l'obscurité et dressa l'inventaire de ce qu'il savait.

Premièrement, il possédait une description physique de l'agresseur : quelques centimètres de plus que Sandra, soit entre un mètre quatre-vingts et un mètre quatre-vingt-trois ; carrure massive ; yeux bleu clair dépourvus de cils. Ce dernier indice impliquait presque à coup sûr que l'homme avait les cheveux blonds ou châtains très clairs. Les blonds ont généralement moins de cheveux que les autres et leurs cils sont parfois presque transparents. À moins de les recouvrir de mascara, ce que les hommes ne font généralement pas. Carly avait dit que l'homme n'avait pas de cils. C'était probablement qu'il était blond.

Deuxièmement, l'agresseur portait un blouson et un masque qui lui couvrait tout le visage alors qu'il faisait plus de trente-cinq degrés. Qu'est-ce que cela voulait dire ? L'homme essayait peut-être de faire peur aux deux femmes, en particulier à Carly. Mais, dans ce cas, il les aurait torturées pour prolonger son plaisir de psychopathe. Non. Le costume de bourreau n'était pas destiné à faire peur aux victimes.

L'homme était peut-être un dingue qui aimait les déguisements et frappait au hasard. Mais pourquoi s'en serait-il pris à Carly ? La piste était somme toute peu prometteuse.

Ou alors... Ou alors, il ne voulait pas qu'on le reconnaisse. Il portait un masque pour éviter d'être reconnu par un passant ou par sa victime, si jamais elle survivait. Matt préférait penser à la « victime » plutôt qu'à « Carly ». Chaque fois qu'il imaginait ce que ce salaud avait infligé à Carly, sa Carly, une bouffée de fureur aveugle lui montait dans la poitrine. Il aurait pu le tuer sans hésitation. Il soupira et s'obligea à reprendre son inventaire des indices. L'homme avait dit à Carly : « Je me rappelle de toi, maintenant. » Donc, il s'était déguisé pour ne pas être reconnu. Mais où avait-il pu voir Carly auparavant ? Dans la salle à manger, quand elle l'avait surpris dans le noir ? Le cambrioleur et l'agresseur semblaient bien être une seule et même personne. Matt en était presque sûr à présent.

Ou alors, l'agresseur faisait partie de l'entourage de Carly. Après tout, les statistiques le prouvent : la plupart des gens assassinés le sont par une personne qu'ils connaissent.

Résumons. L'homme était massif, les cheveux clairs, les yeux bleus, entre un mètre quatre-vingts et un mètre quatre-vingt-trois. Carly ou Sandra ou un passant aurait pu le reconnaître s'il n'avait pas porté son déguisement.

Troisièmement, Carly lui avait enfoncé un morceau de verre dans la jambe. Carly ! Décidément, cette petite bonne femme possédait plus de combativité que trois hommes réunis ! Les services de police faisaient actuellement enquête auprès des hôpitaux de la région, au cas où l'homme se serait fait soigner. En ce qui concernait le sang lui-même, la maison en était pleine. Il appartenait au groupe O, ce qui n'était pas d'une grande aide. La moitié de la population est du groupe O. On pouvait toujours espérer que l'ADN du type soit déjà répertorié dans les systèmes informatiques de la police. Mais pour cela, il faudrait qu'il ait été accusé d'agression. Les chiens de Billy Tynan avaient suivi la piste du sang que l'homme avait perdu. Elle menait à un espace retiré et camouflé, en dehors de la route. Considérant l'inaccessibilité des lieux, l'homme devait posséder un véhicule à quatre roues motrices. Mais la moitié de la population de la région en avait un… Jusqu'ici, on n'avait pas trouvé de traces de pneus et les recherches médico-légales n'avaient rien donné.

Quatrièmement, Matt possédait un indice inespéré : une empreinte de pied. L'agresseur s'était enfui par la porte arrière quand la police avait frappé à la porte avant. Il avait dû contourner la maison et repasser devant pour s'enfuir. Dans sa hâte, il avait renversé la boîte de peinture rouge dont Carly s'était servie pour imperméabiliser les clous des bardeaux du toit. L'homme avait ainsi laissé une empreinte de pied absolument superbe sur le sol. Matt en avait fait faire un moulage de plâtre qu'il avait envoyé au laboratoire pour analyse.

Enfin, il y avait le mouchoir. Un mouchoir masculin, blanc, ordinaire, mais imprégné d'un liquide soporifique. L'homme l'avait plaqué sur la bouche de Sandra pour lui faire perdre conscience. Il avait ensuite tenté d'utiliser le même stratagème avec Carly, mais il avait échoué. Dans la mêlée, il avait laissé tomber son mouchoir et l'avait oublié dans la salle de bains.

Matt avait également envoyé le mouchoir au laboratoire. Les analystes pourraient au moins identifier le produit dont il était imbibé. Matt avait sa petite idée là-dessus, mais il préférait attendre le résultat des tests.

Mais le plus étonnant, en ce qui concernait le mouchoir, c'était que…

Un hurlement déchira la nuit, un hurlement terrifié, un hurlement de femme qui se répercuta contre les murs et incendia chacune des terminaisons nerveuses de Matt. Carly ! Avant même de bondir du divan, Matt savait déjà que c'était elle qui avait crié. Il gravit l'escalier quatre à quatre, le cœur battant la chamade, la gorge sèche.

Annie aboyait, des petits cris hystériques qui mettaient Matt au comble de l'affolement.

Ce salaud d'agresseur ne pouvait quand même pas être entré chez lui à son insu ! S'il était là-haut, Matt le déchiquetterait à mains nues.

Avec plaisir, en plus !

Matt fit irruption dans sa chambre comme un boulet de canon. La porte alla claquer contre le mur. Carly était assise toute droite au milieu de son lit. Elle hurlait encore, les yeux agrandis par la terreur, le corps faiblement éclairé par la porte entrouverte de la salle de bains. Le chien aboya encore et s'attaqua aux chevilles de Matt.

— Annie ! cria le shérif en allumant la lumière. Arrête !

Au même instant, le chat sauta d'un bond gracieux du lit jusqu'au dossier du fauteuil.

L'écho des hurlements de Carly résonnait encore quand Matt comprit qu'il n'y avait personne d'autre qu'elle et lui dans la pièce.

— Du calme, Annie ! fit-il.

L'animal cessa enfin d'aboyer

Planté au milieu de la pièce, à bout de souffle, Matt regardait Carly. Elle semblait reprendre conscience.

— Matt…

Les trois sœurs du shérif s'entassaient déjà sur le seuil de la chambre. Elles poussaient de petits cris en se bousculant les unes les autres.

— Matt, que s'est-il passé ?

— Carly, qu'est-ce qui t'arrive ?

— Est-ce que quelqu'un a essayé d'entrer dans ta chambre ?

Matt se retourna d'un bond et hocha la tête d'un air découragé en voyant les trois filles. Elles arboraient leur attirail estival habituel : nuisette ultracourte ou t-shirt extra-large. Lissa avait noué ses cheveux en une multitude de petits chignons pour qu'ils soient frisés le lendemain matin. Dani avait ramassé les siens en queue-de-cheval pour qu'ils soient lisses le lendemain matin. Le visage d'Erin luisait de crème.

Les trois filles regardaient Matt d'un air ahuri. Mais leur expression trahissait l'amusement tout autant que la surprise. Matt s'aperçut qu'il était en sous-vêtements.

— Je suis désolée, fit Carly depuis son lit. J'ai fait un cauchemar.

— Je m'en occupe, dit Matt aux trois filles. Retournez vous coucher.

Lissa, Dani et Erin ne firent pas un geste. Matt les repoussa dans le couloir et leur ferma la porte au nez. Puis, il la verrouilla pour faire bonne mesure.

Mais qu'est-ce qu'il avait fait au ciel pour mériter ce trio de pestes ?

Il se retourna vers Carly. Elle était pâle comme un linge, manifestement bouleversée. Sa chevelure formait une impressionnante masse de mèches blondes aussi sauvage qu'une crinière. Ses yeux de poupée étaient plus immenses encore que d'habitude. Ses lèvres tremblaient. Elle était assise toute droite au milieu du lit et semblait fragile et menue, très féminine dans son petit haut rose. Avec les couvertures, Matt n'arrivait pas à voir ce qu'elle portait en bas. Un grand pansement couvrait son épaule et sa main gauche était bandée.

Matt sentit son estomac se nouer. Dire qu'il aurait pu la perdre ! Dire qu'elle avait failli être assassinée...

Il éteignit le plafonnier. Carly poussa un petit gémissement quand la pénombre se referma sur eux. Il se dirigea néanmoins vers la salle de bains et en éteignit la lumière. Puis, il alla jusqu'au lit, en souleva les couvertures et s'allongea.

Carly se serra contre lui avec un petit sanglot qui crispa le cœur de Matt. Il tira l'oreiller jusque sous sa nuque et enroula son bras autour des épaules de Carly. Elle posa sa tête sur sa poitrine et sa main sur son épaule.

Une fois de plus, elle sentait le savon qu'il utilisait. Et dire qu'il avait changé de marque depuis qu'il avait senti le parfum de son premier savon sur la peau de Carly ! Il devenait fou chaque fois qu'il prenait une douche... Il faudrait qu'il change encore de marque. Tant pis !

— Veux-tu me raconter ton cauchemar ? demanda-t-il.

Elle frissonna sans répondre.

Matt sentait les rondeurs chaudes et douces de Carly pressées contre lui. Mais c'était Carly, elle avait mal, elle avait peur et elle avait besoin de lui. Ce n'était pas le moment qu'il lui fasse des avances. Ce n'était pas le moment de penser au sexe.

— On va jouer aux devinettes, proposa-t-il. Est-ce que c'était un cauchemar ancien ou un cauchemar nouveau ?

— Des yeux, souffla-t-elle. J'ai rêvé de ses yeux. Ils me regardaient. Après, j'ai rêvé du Foyer.

Ces yeux devaient être ceux de l'agresseur. Instinctivement, Matt resserra son étreinte autour de Carly. Il avait eu tellement peur de la perdre ! Elle se blottit plus encore contre lui. Matt avait toujours l'impression qu'elle était plus grande qu'elle ne l'était en réalité. Maintenant qu'elle se trouvait dans ses bras, il la sentait minuscule, menue à l'extrême. Ses pieds arrivaient à peine à la moitié des mollets de Matt et ses os semblaient si délicats qu'il craignait de les casser. On aurait dit qu'elle ne pesait rien. Elle était évanescente comme une sensation de rondeurs, de chaleur, de féminité…

« Non ! s'exhorta Matt intérieurement. Non, ce n'est pas le moment de penser à ça. »

— Tu ne m'as jamais vraiment parlé du Foyer, dit-il. Tu n'y as pas été très longtemps, n'est-ce pas ? Une semaine ? Deux ?

Carly aurait sans doute moins de mal à parler du Foyer qu'à se rappeler ce que ce salaud d'agresseur lui avait fait la veille. Rien que de penser à cette brute s'attaquant à elle, Matt sentait monter en lui des envies de meurtre. Il aurait voulu qu'elle oublie tout de l'agression, mais c'était impossible.

— Comment se fait-il que tu fasses encore des cauchemars, après toutes ces années ? Est-ce qu'ils ont été méchants avec toi, là-bas ? Est-ce qu'ils t'ont fait du mal ?

Matt la sentit se raidir. Elle avait placé sa main sur son épaule à lui, mais son bras n'avait rien de lascif. On aurait plutôt dit qu'elle s'accrochait à Matt pour ne pas sombrer.

— Frisette ?

Frisette… Comme autrefois. Matt voulait simplement lui rappeler qu'il était son ami de toujours, qu'elle pouvait lui faire confiance. Il voulait ramener à son souvenir cette petite fille escortée d'une masse de cheveux en bataille qui le suivait partout sans cesser de jacasser. Au début, il avait été plus ou moins heureux de la voir ainsi à ses trousses. Après tout, Carly avait toujours été une emmerdeuse de première… Avec le temps, il s'était pris d'affection pour elle. À la fin, il la considérait presque comme une sœur. Jamais il n'aurait cru qu'il se retrouverait allongé contre elle comme ce soir. Jamais il n'aurait cru qu'il la désirerait à ce point.

— Non… répondit Carly d'une petite voix tremblo-tante. Ils étaient gentils avec moi. Mais j'avais toujours peur. Je n'avais que huit ans et ma mère me manquait. Elle me manquait terriblement. Je ne savais pas pour-quoi on m'avait retirée de chez les voisins. Ils étaient censés s'occuper de moi jusqu'à ce que ma mère revienne. Un beau jour, les travailleurs sociaux sont venus me chercher pour m'emmener au Foyer. J'ai cru que c'était une école. Personne ne m'avait dit ce qui se passait. Ils ont dû croire que j'étais trop jeune pour comprendre… Ça se passait plutôt bien au Foyer. On mangeait correctement. Chaque fille avait son propre lit avec une armoire pour mettre ses affaires. Moi, je n'avais pas grand-chose… Aussi, on pouvait sortir. Il y avait une grande cour à l'arrière, avec une grange et des animaux. Il y avait même un âne. Il nous faisait beau-coup rire. Il brayait tout le temps.

Elle s'arrêta soudain. Puis, elle inspira profondé-ment.

— Après, j'ai été malade et on m'a conduite à l'infir-merie. Quand je fais des cauchemars, c'est toujours au sujet de l'infirmerie.

Elle s'interrompit encore. Matt la sentit frissonner.

— Ça va aller… fit-il en tapotant sa peau nue entre les deux épaules.

Il voulait simplement la réconforter. Mais en tou-chant sa peau douce, ses doigts lui rappelèrent un autre endroit de son corps où sa peau était plus douce encore.

— Ça va aller, répéta-t-il. Ici, tu es en sécurité. Tu n'as rien à craindre. Raconte-moi comment c'était, à l'infirmerie.

Elle frotta sa joue contre sa poitrine. Matt sentit la chaleur humide de son souffle sur son mamelon et ses mâchoires se crispèrent. Carly avait besoin de lui, mais pas pour le sexe. Elle avait besoin d'un ami sur qui compter, d'un ami qui saurait la rassurer. Et c'était lui. Matt se rendit soudain compte qu'elle n'avait personne d'autre au monde.

— C'était un peu comme un dortoir. Un peu plus grand que les dortoirs, mais pas très grand. Nous étions quatre. Les autres filles étaient toutes plus âgées que moi. Elles avaient l'air dur et j'avais un peu peur d'elles. Mais elles ne faisaient pas attention à moi, j'étais trop jeune. Elles se parlaient entre elles et, moi, je restais dans mon lit sans faire un geste et je les écoutais. C'était des lits superposés de métal blanc, avec des ressorts qui grinçaient dès qu'on bougeait. Je dormais dans un lit du haut.

Elle s'interrompit brusquement. Matt attendit.

— Tu étais dans le lit du haut ? demanda-t-il enfin.

Carly prit une inspiration profonde.

— Oui… Après, c'est vague. Je me rappelle que j'étais allongée dans le noir et que j'entendais les lits qui craquaient. C'est ça, mon cauchemar. Tu sais ? Quand je rêve au Foyer, je rêve que je suis allongée dans le noir, les yeux ouverts, et que j'entends un lit craquer. Je ne sais pas pourquoi ça m'effraie à ce point-là. Peut-être parce que c'est à ce moment-là que j'ai commencé à craindre que ma mère ne revienne pas me chercher. Quand on a huit ans, c'est ce qu'il y a de plus terrifiant au monde : perdre sa mère, se dire qu'elle ne reviendra jamais.

De fait, sa mère n'était jamais revenue. Pour autant que Matt sache, Carly ne l'avait pas revue. Elle était morte en Californie alors que sa fille était déjà presque adolescente. Matt se rappelait que Carly et sa grand-mère étaient allées aux funérailles. À son retour, la gamine était restée repliée sur elle-même pendant plusieurs semaines. C'était l'été. Matt s'inquiétait tellement de la voir si silencieuse, elle qui jacassait tout le temps, qu'il grimpait dans sa chambre par le mur extérieur au beau milieu de la nuit pour l'entraîner dans des aventures rocambolesques et la faire rire enfin. Si sa grand-mère les avait pris sur le fait, elle aurait égorgé sa petite-fille. Mais ils s'en fichaient. À la rentrée scolaire, Carly avait retrouvé tout son entrain.

— Dis donc ! lança-t-il soudain. Tu te rappelles la fois où tu es tombée de l'arbre, près de la crique, et que tu t'es cassé le poignet ?

— Évidemment que je me rappelle ! Tu m'avais dit qu'il y avait un serpent dans l'arbre et qu'il fallait que je descende au plus vite. Oui, je me rappelle très bien.

La voix de Carly se voulait sévère, mais elle trahissait la joie qu'elle éprouvait à renouer avec de joyeux souvenirs d'enfance.

— J'avais treize ans ! protesta Matt. Je m'étais construit un fort dans cet arbre et toi, tu étais pire qu'une peste. À treize ans, les petits garçons ne veulent pas voir les petites filles rôder autour de leurs forts.

— Tu m'as raccompagnée et tu as raconté à ma grand-mère que je m'étais cassé le poignet en trébuchant sur une racine, dans la cour.

Matt sourit faiblement.

— Elle n'aimait pas beaucoup te savoir dans les bois avec moi… Ni te voir grimper aux arbres. Je ne voulais pas qu'elle te punisse.

Carly souriait. Matt le sentait contre sa poitrine. Elle était détendue, à présent. Elle était calme et toute chaude. Matt éprouvait dans sa chair la conscience aiguë d'être allongé presque nu à côté d'elle. Elle-même était très légèrement vêtue. Elle était une femme et lui un homme…

Carly bâilla à s'en décrocher la mâchoire.

— J'ai tellement sommeil…

« Je n'ai pas l'air de lui faire beaucoup d'effet », soupira Matt intérieurement.

— Eh bien, dors… murmura-t-il.

— Matt…

Carly remua contre lui et fit glisser sa main de son épaule à sa taille. Matt eut l'impression qu'elle lui dessinait une ligne d'incendie sur le corps.

— Oui ?

— Merci.

— De quoi ?

— De m'avoir sauvé la vie hier soir. Et de tout ça… D'être là. Je n'ai plus peur quand tu es là. Et je suis tellement fatiguée d'avoir peur…

— Pas de problème.

En fait, si, il y avait un problème. Matt la désirait tellement qu'il devait sans cesse se la rappeler sous les traits de la petite fille qu'elle avait été pour s'empêcher de rouler sur elle et de…

— Tu restes, hein ? demanda Carly d'une voix ensommeillée. Tu vas dormir ici ?

— Oui, je vais dormir ici.

Sans doute avait-il répondu d'un ton bourru, mais il n'y pouvait rien. Il n'avait pas l'intention de dormir. Il voulait… Mais pour Carly, c'était hors de question.

— Je vais te servir de nounours, ajouta-t-il.

Il la sentit sourire encore contre sa poitrine.

— Super !

Elle bâilla encore.

— Bonne nuit, Matt.

— Bonne nuit, Carly.

Quelques secondes plus tard, il l'entendit ronfler doucement. Elle dormait déjà ! Matt grimaça. Il avait l'impression d'être un gamin que sa mère avait emmené dans une pâtisserie en lui interdisant de manger des gâteaux. Monde cruel ! Mais au moins, son lit était plus confortable que le canapé. Même avec Carly lovée contre lui et une érection du tonnerre, il se sentait quand même mieux qu'au rez-de-chaussée. Matt allait s'endormir quand ce foutu chat sauta sur le lit et se blottit contre sa tête. Il le repoussa. Le chat revint. Il le repoussa encore. Le chat revint. Matt abandonna la partie. Quand il s'endormit enfin, il entendait d'un côté le doux ronflement de Carly et de l'autre, le ronronnement satisfait de son chat.

Juste avant de sombrer dans le sommeil, il pensa : « Je suis casé. Casé entre une femme et son chat. » Sans savoir quand ni comment, Matt Converse s'était fait piéger.

Le shérif n'était pas au bout de ses peines. Quand il descendit dans la cuisine, le lendemain matin, ses trois sœurs étaient assises à la table et semblaient l'attendre, inquiétant comité d'accueil. Matt s'était douché et rasé. Puis, il s'était habillé sans déranger ni Carly ni le chat, qui dormait encore sur son oreiller. Le chien, lui, l'avait suivi en bas. Matt grommela un vague « Bonjour » à ses trois sœurs. Elles n'avaient pas besoin de lui faire un dessin : visiblement, elles parlaient de lui quand il était entré. Il traversa la cuisine pour laisser Annie s'ébattre dans la cour. Puis, résigné, il fit volte-face et affronta les trois paires d'yeux qui le fixaient.

Ce fut Erin qui ouvrit le bal.

— Bien dormi ? demanda-t-elle d'un ton radieux.

— Pas mal… Carly a fait un cauchemar. Elle avait peur. Je suis resté avec elle. Point final.

Il traversa la cuisine le plus dignement qu'il le put pour aller se servir un café. Croyait-il vraiment que ses sœurs se contenteraient d'une telle explication ?

— On n'avait pas dit qu'on ne ramènerait jamais de partenaires sexuels à la maison ? susurra Lissa dans un grand sourire.

— Si ! Mais Carly et moi n'avons pas… Eh, les filles ! Pas question que je parle de ma vie sexuelle avec mes sœurs !

Matt fixa Lissa d'un regard noir tout en se versant une tasse de café.

— Et quoi qu'il en soit, reprit-il, la consigne tient toujours : pas de partenaires sexuels sous mon toit.

— Elle est mignonne, fit Dani. En fait, vous êtes très mignons, tous les deux.

— Ça suffit. C'est une amie, rien de plus.

— Allons donc ! lança Erin d'une voix joviale. Avoue-le : tu es amoureux !

Matt sentit son sang se figer dans ses veines. Non ! Pas question ! Pas ça !

— D'ailleurs, il était temps, lâcha Dani.

— Les filles, ça suffit !

Matt était fâché. Avec ces trois-là, c'était toujours la même chose ! Il fallait qu'elles fassent une montagne d'un rien. Que savaient-elles de lui, de sa vie amoureuse, de ses sentiments ? Rien du tout ! C'étaient des filles, après tout : au moindre baiser, elles étaient prêtes à envoyer les faire-part de mariage. Ragaillardi par son analyse minutieuse de la situation, Matt avala une gorgée de café. Il faillit s'étouffer avec. Ça sentait la vanille, ou quelque chose du genre.

— Qui a préparé ce truc infect ? demanda-t-il.

— Moi, répondit Erin. C'est un café aromatisé, un mélange très rare. Collin ne boit que du café pour fins gourmets.

Les trois autres roulèrent de gros yeux.

— Tu sais quoi, Matt ? ricana Lissa. Tu es vraiment trop beau dans ton slip de grand-père.

Les deux autres acquiescèrent d'un vigoureux hochement de tête.

— Ça suffit !

— Pour ton information, fit néanmoins Dani, les slips sont complètement passés de mode. Les filles préfèrent les caleçons, de nos jours.

— Vous n'avez rien de mieux à faire ? demanda Matt en vidant sa tasse dans l'évier.

— C'est dimanche ! Jour du Seigneur.

— Ah oui ! C'est vrai…

De fait, les trois filles portaient robes et talons hauts, un attirail qu'elles réservaient aux samedis soirs de débauche et aux dimanches de recueillement. Leurs robes étaient sages. On était bien dimanche.

— Alors ? lança Matt à Erin. Où est l'amoureux transi ?

— Collin ? fit Erin d'un ton digne. Il sera ici d'un instant à l'autre.

— Et les deux autres comiques ?

— Andy et Craig ? demanda Dani.

Hélas ! elle ne semblait pas particulièrement offusquée. Matt se dit qu'il lui restait quand même une carte dans sa manche. Erin ! Si jamais ses sœurs persistaient à le tourmenter, il s'en prendrait à Collin pour faire réagir Erin et semer la zizanie entre elles.

— Il essaie de changer de sujet, constata Lissa. Mais ça ne marche pas. Matt, au cas où cela t'aurait échappé, nous voulons te parler de Carly et toi.

— Ça ne vous regarde pas, trancha Matt en vidant toute la cafetière dans l'évier.

— Mais qu'est-ce que tu fais ? protesta Erin. C'était pour Collin. Il va arriver d'une minute à l'autre.

— S'il a un peu de goût, il m'en remerciera.

— Nous avons voté, lança Dani. Pour ce qui est de Carly et toi, nous approuvons à l'unanimité.

— Vous m'en voyez ravi.

Matt ouvrit le robinet en grand pour rincer la cafetière mais, surtout, pour couvrir la chorale des trois sorcières qui lui tenaient lieu de sœurs.

Elles attendirent patiemment que l'eau cesse de couler.

— Seulement, il y a un petit problème… fit Erin dès que le silence fut revenu. Shelby doit arriver dans quelques minutes. Elle vient à l'église avec nous.

— Merde !

Matt reposa la cafetière. Il voyait clairement la scène devant ses yeux : Shelby arrivait ; Carly descendait l'escalier à ce moment précis. Beaucoup de joie et de rires en perspective...

— Merde ! répéta-t-il. Tu ne pourrais pas épouser quelqu'un d'autre que le frère de Shelby ?

— Bien sûr que je le pourrais ! Mais pourquoi ?

— Parce que Collin est un crétin, peut-être ? suggéra Dani d'une voix doucereuse.

— Non, ce n'est pas un crétin ! rétorqua Erin, furieuse.

— Mais si, grimaça Lissa. C'est un crétin, il n'y a rien à redire là-dessus.

— Matt... supplia Erin.

Matt avait traversé la cuisine, ouvert la porte et sifflé pour qu'Annie rentre. À son grand soulagement, le chien arrivait ventre à terre.

— Mesdames, si vous voulez bien m'excuser... déclara Matt. Tant que je n'ai pas à porter un nœud papillon rose le jour du mariage, Erin peut bien épouser Collin si ça lui chante.

Mike Toler se garait devant la fenêtre de la cuisine. C'était lui qui devait assurer la protection de Carly ce matin-là. Matt lui adressa un signe joyeux de la main.

— Même si c'est un vrai crétin, conclut-il.

— Qui ça ? demanda Mike en entrant.

— Les filles vont t'expliquer.

Matt adressa un sourire railleur à Erin, qui bouillonnait, puis il gratifia l'assemblée d'un salut de la main et partit travailler.

Toute la journée, il tenta de se débarrasser d'une chanson stupide qu'il avait dans la tête. C'était le thème d'une vieille comédie télévisée un peu bête. Le refrain parlait d'amour et de mariage. Corde au cou et prise d'otage ?

32

La semaine suivante passa rapidement. Pour ne plus se couvrir de ridicule en hurlant la nuit, Carly prenait deux somnifères chaque soir. La méthode semblait fonctionner. Sandra sortit de l'hôpital et emménagea dans la chambre de Matt avec Carly. Elle dormait sur un lit de camp prêté par un voisin. Matt semblait considérer que l'agression dont Sandra avait été victime constituait un « dommage collatéral » de la stratégie mise en œuvre par l'agresseur pour liquider Carly. De toute façon, ainsi que le disait Sandra, il n'était pas question qu'elle se réinstalle seule dans « cette vieille bicoque qui me fout la trouille ». En outre, Matt avait maintenu le périmètre de sécurité policière autour du manoir Beadle. À l'exception de la police, personne n'y avait accès. Sandra et Carly partagèrent donc la chambre de Matt. Ce qui, dans l'esprit de Carly, présentait plusieurs avantages. Premièrement, cette cohabitation lui interdisait de dormir avec Matt et lui épargnait par la même occasion la pénible tâche d'avoir à déterminer si c'était souhaitable ou non. Deuxièmement, cette promiscuité forcée resserrait ses liens avec Sandra. Troisièmement, elle lui évitait d'être seule. À moins de s'enfermer dans la salle de bains, Carly n'était plus jamais seule.

Elle était heureuse et soulagée d'avoir été placée sous protection judiciaire. Mais elle commençait à se lasser de ne pas être chez elle, de fuir sa propre maison. La terreur n'a qu'un temps. Juste après l'agression, elle aurait fait n'importe quoi pour ne pas se retrouver seule au manoir. Depuis, sa situation avait évolué. Tout d'abord, elle aurait voulu retrouver son intimité au plus vite. Sans doute les autres occupants de la maison de Matt l'espéraient-ils aussi. La petite troupe était à bout de nerfs. Oh ! bien sûr, les sœurs de Matt étaient accueillantes et sympathiques. Carly les aimait beaucoup, mais sa présence et celle de Sandra devaient commencer à leur peser. Après tout, elles avaient leur travail, leurs amis… Sans compter que le mariage d'Erin approchait. Les préparatifs ajouteraient à la tension. En outre, Carly était constamment escortée de l'un des adjoints de Matt. Les bons petits plats de Sandra attiraient leurs collègues comme des mouches, qu'ils soient en service ou non. Enfin, Hugo et Annie se pourchassaient dans la maison au moins une fois par jour. En un mot, la paisible résidence de Matt s'était transformée en une vaste arène de cirque. L'avantage de tout ce tintamarre, c'est que Carly n'avait plus le temps de penser, plus le temps d'avoir peur, plus le temps de redouter son agresseur. L'inconvénient, c'était qu'elle risquait de devenir folle.

Matt avait réussi à s'abstraire de ce tumulte. Il ne revenait que pour dormir, s'effondrait sur le canapé vers minuit et repartait le lendemain à six heures. Comme Mike Toler l'avait indiqué pendant l'un de ses quarts de garde, « le shérif bosse comme un dingue ». En fait, ils bossaient tous comme des dingues. En temps ordinaire, déjà, les services de police de Benton étaient débordés. Les dossiers s'accumulaient depuis plusieurs mois et de nouveaux crimes étaient commis chaque jour. Matt passait ses maigres temps libres à vérifier les pistes pouvant mener à l'identification de l'agresseur de Carly et Sandra. Jusqu'ici, ses recherches n'avaient pas donné grand-chose. Antonio l'avait confié à Carly. Leur indice le plus prometteur était sans doute le mouchoir que l'agresseur avait laissé sur les lieux. Il était imbibé de chloroforme, ce qui lui donnait cette odeur si caractéristique que Carly avait détectée. Mais surtout, trois initiales y étaient brodées. Malheureusement, le mouchoir était si ancien et usé, et la broderie si stylisée, qu'il était bien difficile de discerner les lettres. BLH ? RIH ? RLH ? BIH ? Sans compter que le H final pouvait tout aussi bien être un A... Les policiers tentaient de retracer le fabricant et avaient soumis le mouchoir à une analyse informatique pour tenter de décrypter les initiales. Quoi qu'il en soit, aucune des configurations possibles ne disait rien à Carly. Ni à qui que ce soit d'autre, d'ailleurs. Sans le mouchoir, la liste des suspects regroupait environ un quart de la population masculine de la Géorgie. Auquel s'ajoutaient sans doute quelques malfrats que Carly avait pu rencontrer à Chicago...

Au total, tout cela était déprimant. N'avoir plus de chez-soi... Décidément, Carly avait connu des jours meilleurs.

Le jeudi, elle en vint à la conclusion que cela ne pouvait plus durer. Il fallait qu'elle parle à Matt. Le vendredi, elle n'avait toujours pas eu l'occasion de le croiser. Le samedi, elle l'attendait toujours. Décidément, c'était insoutenable ! À moins qu'elle ne se glisse au rez-de-chaussée à deux heures du matin pour le réveiller, elle n'avait aucune chance de lui parler en privé. Tout compte fait, elle n'avait pas vraiment de réticences à réveiller Matt au beau milieu de la nuit. Le problème, c'était qu'elle n'arriverait jamais à sortir de la chambre sans éveiller Sandra, qui lui demanderait aussitôt où elle allait. Elle n'arriverait pas non plus à parler à Matt sans que l'une de ses sœurs fasse irruption au bras de son petit ami. Ou, pire encore, sans que le chœur complet des femmes de la maison ne se masse en haut de l'escalier pour épier ce qu'ils se diraient. Carly plaçait tous ses espoirs dans la soirée du samedi. Les sœurs de Matt sortiraient et Antonio emmènerait Sandra au restaurant pour, disait-il, la remercier de tous ses succulents repas qu'elle leur préparait.

Pas de chance ! Matt ne revint pas de la journée. À vingt heures, Carly était plantée sur le canapé, Hugo ronronnant sur ses genoux, Annie rêvassant à ses pieds. Impeccable dans son uniforme, Mike Toler regardait la télé près d'elle. Sandra partit avec Antonio, puis Lissa avec Andy, puis Dani avec Craig. Enfin, Erin descendit pour attendre Collin, qui devait venir la chercher. Mais il était en retard, comme toujours. C'est en tout cas ce qu'Erin expliqua à Carly.

La jeune femme faisait les cent pas dans le salon. Quand elle s'arrêta enfin, les poings sur les hanches, elle observa attentivement Carly et Mike assis côte à côte sur le canapé. Carly vit son regard posé sur Mike. Le policier avait les bras croisés, les sourcils froncés. Il fixait l'écran des yeux sans paraître s'émouvoir de ce qui s'y déroulait. Visiblement, il n'était pas très heureux de passer la soirée avec Carly. Pour être juste, elle n'était pas particulièrement ravie de la passer avec lui.

— Vous faites des mines d'enterrement, constata Erin.

Elle portait des talons hauts et une robe de jean courte et échancrée. Elle secoua la tête d'un air perplexe. Parfois, ses gestes rappelaient tellement ceux de Matt que Carly sentait son cœur battre plus vite. Elle n'avait d'autre recours que de fermer les yeux quelques instants pour évincer les souvenirs et les envies qui affluaient à son esprit.

— Et toi, Mike ! ajouta Erin. Tu n'as pas de copines ? Tu ne connais pas deux ou trois jolies filles ? Des célibataires, je veux dire.

— Je suis en service, répliqua Mike d'un ton cassant, les yeux obstinément rivés sur l'écran.

Erin fronça les sourcils. Carly observait la scène avec un certain intérêt. Elle s'efforça de ne pas sembler trop dévorée par la curiosité quand Erin la regarda à son tour, le sourcil interrogateur.

— Matt travaille aussi, fit-elle. Remarquez, même s'il ne travaillait pas, il ne m'emmènerait pas au restaurant. Je me tue à vous le dire, Matt n'est pas mon petit ami. Il n'y a rien de ce genre entre nous.

Comme un seul homme, Erin et Mike la dévisagèrent d'un air dubitatif.

— De toute façon, il est occupé, trancha Carly.

— S'il t'évite, c'est qu'il y a une raison, déclara Erin. Lissa, Dani et moi l'avons taquiné l'autre jour, en lui disant qu'il était amoureux de toi. Je crois que nous lui avons fait peur.

— Matt n'est pas amoureux de moi, répondit Carly d'un ton terne.

Elle y pensa quelques instants puis regarda de nouveau Erin qui, elle le réalisa soudain, connaissait bien son grand frère.

— Est-ce que tu penses qu'il est amoureux de moi ? demanda-t-elle.

— Avec lui, c'est difficile à dire, concéda Erin dans un haussement d'épaules. Mes sœurs et moi pensons qu'il est amoureux. Il est différent en ta présence. Il est protecteur. Autoritaire, évidemment, mais avec douceur. Il a dormi avec toi dans sa chambre alors que nous étions à la maison. Et ça, ça n'était jamais arrivé jusqu'ici.

— Tout cela ne me regarde pas, grommela Mike en se tortillant nerveusement.

Les deux femmes l'ignorèrent superbement. Carly continuait de fixer Erin.

— J'avais fait un cauchemar. Il ne s'est rien passé entre nous.

— Mais ça aussi, c'est nouveau ! Est-ce que tu t'imagines qu'il lui arrive souvent de dormir avec des femmes sans qu'il se passe quoi que ce soit ? Le problème de Matt, c'est l'engagement. S'il pensait vraiment qu'il était en train de tomber amoureux de toi, il prendrait ses jambes à son cou.

— C'est ce qu'il fait en ce moment, constata Carly. Mais cela ne veut pas dire qu'il est en train de tomber amoureux de moi. Il est occupé, voilà tout. Ou plutôt, il s'adonne à son sport favori : l'opération commando dans le cœur des femmes.

Erin éclata de rire.

— Tu lui as dit ça ?

Carly acquiesça d'un hochement de tête.

— Avant ou après qu'il t'embrasse dans son bureau ?

— Pendant, je crois… fit Carly dans un sourire.

— Eh bien, c'est formidable ! C'est exactement ce qu'il lui faut : une femme forte, une femme qui lui résiste. Matt est le meilleur frère du monde. Il a pratiquement sacrifié sa vie pour s'occuper de nous. Mais il a une fâcheuse tendance à se montrer… un peu… comment dirais-je ? Un peu trop tyrannique, trop sûr de lui. En plus, il n'a jamais eu à se décarcasser pour les filles. Il lui suffit d'être là, sans rien faire, et elles accourent. Oh ! Je ne parle pas de toi, évidemment.

— J'accours, comme tout le monde, avoua Carly. Et ça fait vingt ans que ça dure.

Erin sourit.

— Mais c'est différent. Avec toi, on dirait que ça marche. En tout cas, Matt n'est pas le même avec toi qu'avec les autres, je t'assure. Avec toi, ce n'est pas qu'une histoire de sexe.

— Vraiment… commença Mike. Ça ne me regarde pas. On ne pourrait pas parler d'autre chose ?

Les deux femmes continuèrent de l'ignorer.

— C'est parce que je suis sa seule amie, répondit Carly. Une amie, rien de plus.

— Oh ! C'est lui qui t'a dit ça ?

— Oui.

Un klaxon résonna dans l'entrée.

— C'est Collin ! Il faut que j'y aille.

Erin se dirigea vers la porte, puis se retourna vers Carly.

— Essaie de le secouer un peu. Inutile que je te conseille de coucher avec lui. Je suppose que c'est déjà fait ?

— Non, mais vraiment… marmonna Mike.

Carly acquiesça d'un hochement de tête.

— Je vois… répondit Erin. Malheureusement, ça n'a pas l'air de l'avoir secoué beaucoup. Tu devrais peut-être essayer l'abstinence. Pour lui, ce serait vraiment très inattendu.

— Je vais y penser, fit Carly.

— Dites-moi que je rêve, grogna Mike en mettant ses deux mains sur ses oreilles. Si Matt savait que vous parlez de ça devant moi, il vous tuerait. Et s'il savait que j'ai tout entendu, il me tuerait aussi.

Le klaxon résonna encore dans l'entrée, deux petits coups brefs qui traduisaient l'impatience.

— Oh, ça va ! lança Erin en direction de la porte. Dis-moi, Mike… Si tu ne lui dis rien, Matt n'en saura rien. N'est-ce pas ? Quant à toi, Carly, tu sais que Lissa, Dani et moi partons bientôt. Nous ne sommes pas ravies de laisser Matt seul ici. Nous en avons discuté entre nous et nous trouvons que tu es la femme idéale pour lui. En un mot, nous sommes prêtes à te fournir tout l'appui dont tu pourrais avoir besoin.

— Merci, mais je ne pense pas... commença Carly.

Le klaxon hurla dans l'entrée.

— Ça va ! lança Erin à travers la porte. J'arrive ! Écoute, Carly... Laisse-moi y penser un peu. Il y a sûrement quelque chose que nous pouvons...

Le klaxon hurla de nouveau, sans discontinuer.

— J'y vais ! s'exclama Erin en s'éloignant. De toute façon, nous nous en reparlerons.

Elle leur adressa un petit signe de la main et sortit.

Aussitôt, le klaxon s'arrêta. Carly et Mike regardèrent la porte close quelques instants. Ils étaient encore assis côte à côte sur le canapé, seuls. À l'exception des deux animaux qui dormaient et du téléviseur qui les bombardait de sa lumière glauque.

« Décidément, j'ai le chic pour passer des samedis soirs complètement nuls », pensa Carly.

— Je me demande bien pourquoi elle supporte cet imbécile, fit Mike au bout d'un long silence.

Carly le regarda. Cela faisait un certain temps qu'elle le soupçonnait de s'intéresser à Erin. Maintenant, elle en avait la preuve.

— Elle l'épouse dans quelques jours, constata-t-elle.

— Je sais.

— Est-ce qu'elle sait ce que tu éprouves pour elle ?

Mike la regarda. Depuis qu'il lui servait de garde du corps, une sorte d'amitié s'était établie entre eux. Il haussa les épaules. Pour un homme, cela signifiait certainement un « oui » franc et massif.

— Qu'est-ce qu'elle éprouve pour toi ? ajouta Carly. Le sais-tu ?

Mike fixa sur elle un regard maussade.

— Elle veut que nous soyons amis.

Amis ? Décidément, c'était de famille !

— J'ai une idée, fit Carly d'un air pensif. Nous sommes coincés ici, tous les deux, jusqu'à minuit. N'est-ce pas ?

— Jusqu'à vingt-trois heures. Oh non, ce n'est pas ce que je voulais dire ! Je ne me sens pas coincé avec toi. Pas du tout…

— Mais si, Mike, tu es coincé avec moi. Nous sommes coincés tous les deux.

Mike ne la contredit pas. Carly réfléchissait toujours. Dans les circonstances, il n'était certainement pas très prudent qu'elle sorte. Depuis l'agression, elle était toujours restée terrée chez Matt dès la nuit tombée. Mais quoi ? Elle serait escortée d'un policier en arme. Elle ne risquait rien ! Et puis, l'adjoint était plutôt beau garçon. Enfin, dans son genre. Carly préférait les grands hommes bien bâtis, les hommes trop beaux pour être honnêtes, les cheveux noirs, les yeux foncés, l'air déterminé. Mais des goûts et des couleurs, on ne discute pas. Et pour l'instant, un rouquin aux yeux noisette ferait parfaitement l'affaire. D'autant plus qu'il était quand même assez beau garçon.

— Tu sais, Mike… commença Carly. Il n'y a pas que les Converse dans la vie. Nous pourrions sortir, toi et moi ! Nous amuser un peu ! Aller au restaurant, écouter de la musique, prendre un verre… Et surtout, rentrer très, très tard. À moins que tu n'aies autre chose de prévu pour la fin de soirée ?

— Tu veux qu'on sorte ensemble ?

Mike avait l'air légèrement horrifié. Imperceptiblement, il se rapprochait de son extrémité du canapé.

Loin d'être offensée, Carly se mit à rire.

— Pas de panique ! lança-t-elle. Écoute…

Finalement, le repas au restaurant se passa très bien. Ils allèrent au Café du coin, bondé en ce samedi soir. En attendant qu'une place se libère dans un petit coin sombre et romantique du fond, ils parlèrent à la moitié de la ville. Le petit coin sombre et romantique du fond, c'était une idée de Carly. C'était elle qui avait prié Mike de demander cette place. En les voyant ensemble, les bonnes gens de Benton ne purent dissimuler leur étonnement. Certains les dévisageaient avec de grands yeux ; d'autres se montraient plus discrets. Mais tous étaient frappés de stupeur. Carly se fit demander vingt fois si le shérif allait bien, et où il se trouvait en ce moment même. Mike essuya des regards réprobateurs.

À la fin du repas, Carly plaça sa main sur le bras de Mike et traversa la foule sans cesse grandissante en saluant à droite et à gauche.

— Je vais me faire tuer, marmonna Mike. Demain, à l'aube, toute la ville ne parlera que de ça.

— C'est précisément notre objectif.

Enfin, quoi ? Mike était bien gentil, mais cette manie qu'il avait de redouter son ombre… C'était exaspérant, à la fin ! Si Erin le voulait, Carly le lui laisserait volontiers.

— Bon ! s'exclama-t-elle d'un ton plus jovial. Qu'est-ce qu'on fait maintenant ?

— Je ne sais pas, moi… C'était ton idée, après tout.

Décidément, pour l'esprit de décision, on repassera. Carly soupira.

— Fais comme si j'étais Erin. Si tu voulais vraiment m'impressionner, où m'emmènerais-tu maintenant ?

Mike parut sceptique.

— Matt sera furieux !

— Avec un peu de chance, Erin le sera aussi. D'après ce que j'ai pu voir, les deux se ressemblent pas mal sur certains points.

— C'est vrai, hein ? fit Mike, soudainement rayonnant. Bon ! Si tu étais Erin, je t'emmènerais à Savannah.

Enfin, une proposition pleine de potentiel ! En général, Matt revenait à la maison vers minuit et Carly avait entendu Erin dire à Dani qu'elle serait de retour vers la même heure. Il fallait qu'elle aille à l'église très tôt, le lendemain, pour régler quelques détails avec l'organiste. Visiblement, Mike était en train de faire le même raisonnement. Ses derniers doutes se dissipèrent quand il se rendit compte qu'Erin allait le voir rentrer bras dessus, bras dessous avec Carly. Ils se rendirent dans un bar de Savannah pour écouter de la musique. Mais ils ne dansèrent pas. Ni l'un ni l'autre ne tenait à danser. En tout cas, pas avec ce partenaire-là. Enfin, ils rentrèrent à Benton. Ils n'avaient pas passé une soirée formidable mais... à la guerre comme à la guerre. Après tout, ils avaient atteint leur objectif : il était presque deux heures du matin quand Mike se gara dans l'entrée des Converse.

La voiture du shérif était déjà là. De la lumière filtrait par les rideaux. La maison n'était pas déserte... Carly se réjouissait déjà de leur arrivée triomphale.

Car elle n'en doutait pas une seconde : Matt était rentré.

— Il va me tuer, marmonna Mike.

À l'heure H, la détermination de l'adjoint fléchissait. Il suivit Carly d'un pas hésitant, comme s'il allait à l'abattoir. Carly passa la première et se dirigea vers la porte. En l'occurrence, Mike ne faisait pas preuve de galanterie : il était simplement terrifié.

— Mais non, il ne va pas te tuer, dit Carly. Matt et moi ne sortons même pas ensemble. Combien de fois faudra-t-il que je le répète ? Et surtout, rappelle-toi : nous avons passé une excellente soirée. Une excellente soirée. D'accord ? Maintenant, souris !

Carly prit sa clé dans son sac. Elle portait une petite jupe de tricot noir avec un t-shirt noir. Si elle avait eu accès à sa garde-robe complète, jamais elle ne se serait habillée de cette façon. Pour elle, le t-shirt noir et la petite jupe de tricot qui lui collait aux cuisses confinaient au mauvais goût. Les escarpins noirs à talons hauts qu'elle avait empruntés à Erin et les pendants d'oreilles de Sandra complétaient l'ensemble. Carly lissa sa jupe, rajusta son t-shirt et prit une inspiration profonde. Puis, elle glissa sa clé dans la serrure.

Quand elle ouvrit la porte, une cacophonie s'abattit sur eux. Mais avant qu'ils n'aient fait quelques pas, un silence de mort tomba sur la maison. À l'exception d'Annie qui, comme toujours, se précipita sur Carly en aboyant et en agitant la queue. À l'exception aussi de la télévision, qui poursuivait son imperturbable monologue. Mike et Carly eurent soudain l'impression qu'une centaine de paires d'yeux les fixaient. Carly se baissa pour caresser Annie tout en regardant d'un air surpris l'assemblée qui s'était tue à leur entrée. Elle s'attendait à trouver Matt. Mais ses trois sœurs étaient là aussi, ainsi que leurs petits amis respectifs, auxquels s'ajoutaient Sandra et Antonio. Tout ce beau monde était assis, allongé, appuyé sur les différents meubles de la pièce. À voir les nombreux verres et les assiettes d'amuse-gueule qui traînaient un peu partout, une fête avait eu lieu chez Matt. Celui-ci était installé dans son hideux fauteuil inclinable, une bouteille de bière à la main. Il devait être rentré depuis un certain temps déjà, car il avait troqué son uniforme contre un jean et un t-shirt. À ses pieds gisait un journal chiffonné, visiblement lu. Matt ne se leva pas quand Carly et Mike entrèrent. Mais, comme tout le monde, il les regarda. Son visage resta inexpressif au possible. Pourtant, tandis qu'il regardait Carly, ses mâchoires se crispèrent. Puis, ses yeux se posèrent sur ce pauvre Mike, qui semblait ratatiner à vue d'œil depuis qu'il était entré.

— Bonsoir, tout le monde ! s'exclama Carly avec un petit geste de la main.

Un chœur de « Bonsoir ! » lui répondit.

— Vous vous êtes bien amusés ? demanda Matt d'une voix tout à fait naturelle.

Naturelle et douce, dangereusement douce.

— Très bien ! lança Carly en lançant un sourire éblouissant à Mike.

L'adjoint avait l'air d'un chevreuil surpris par les phares d'une voiture lancée à pleine vitesse.

— Tu es splendide ! constata Lissa en dévisageant Carly de bas en haut, visiblement stupéfaite.

Carly se rendit compte que c'était la première fois que Lissa la voyait habillée pour sortir. En fait, à l'exception de Sandra et de Matt, mais cela faisait des années dans son cas, aucun membre de cette digne assemblée ne l'avait jamais vue autrement qu'accoutrée d'un short ou d'un jean.

— Où êtes-vous allés ? demanda Dani, le visage dévoré par la curiosité.

— À Savannah, couina Mike, au comble de l'affolement.

Carly glissa un regard discret vers Erin. La sœur de Matt semblait contrariée. De plus, elle se taisait. Au total, ces deux indices confirmaient qu'elle n'était pas tout à fait aussi insensible à Mike qu'elle voulait bien le faire croire. L'ennui, c'était que Collin était assis à côté d'elle et lui tenait la main.

— Nous sommes allés danser, chevrota Mike.

Carly faillit avoir l'air surpris, mais elle se retint à temps. Finalement, Mike semblait assumer les conséquences de leur escapade et participer pleinement à leur petit stratagème. Matt s'était renfoncé dans son fauteuil, sa tête mollement appuyée contre le dossier, ses paupières à demi-closes. Seule la crispation légère de ses mains sur les accoudoirs trahissait son exaspération.

— Mike danse tellement bien ! lança Carly d'un ton enthousiaste.

Matt la fixa sans sourire, puis il regarda son adjoint.

— La prochaine fois que je te demanderai de surveiller une victime sous protection judiciaire, tu m'avertiras avant de la sortir en discothèque. Heureusement que la rumeur s'était chargée de m'informer. Sinon, je me serais légèrement inquiété en trouvant la maison vide à mon retour.

Il s'exprimait d'un ton badin, mais sa voix possédait un je-ne-sais-quoi de métallique.

— Désolé, fit Mike en se tortillant nerveusement. C'est arrivé comme ça…

— Je vois.

— Mon Dieu ! s'écria Carly. Je ne savais pas que j'étais assignée à résidence !

Matt la gratifia d'un sourire crispé.

— Bon… fit Mike. Je vais y aller.

— C'est cela, dit Matt. Il se fait tard.

— Je te raccompagne, lança Carly en souriant de toutes ses dents.

— Ne va pas plus loin que le seuil, ordonna Matt. Et toi, Mike, tu ne pars pas avant qu'elle ne soit rentrée dans la maison et qu'elle n'ait refermé la porte derrière elle.

— Non, non, tout à fait, bredouilla Mike.

Il se dirigea vers la porte, escorté de Carly.

— Ça s'est passé à merveille ! lança-t-elle dès qu'ils eurent refermé la porte derrière eux.

Bien sûr, elle avait un peu peur. Matt ne venait-il pas de lui rappeler, implicitement, qu'elle était en danger ? Pour se rassurer, elle se tint plus près de Mike qu'elle ne l'aurait fait en temps ordinaire.

— Pour toi, peut-être, fit l'adjoint. Mais moi, j'en ai pour six mois de corvées et de paperasse après ce qui vient de se passer. Et ça, c'est à supposer même que je ne me fasse pas virer demain. Matt était furieux.

— Oui, hein ? C'est ce qu'il m'a semblé aussi.

Carly jeta des regards inquiets vers les ombres qui rampaient jusqu'au seuil. « Non, il n'y a pas de psychopathes dans ces buissons, se répétait-elle. Il n'y a personne. » Si on n'est plus en sécurité dans la maison du shérif, alors où va-t-on ? En plus, le shérif était à portée de voix.

— Erin n'avait pas l'air très contente non plus, ajouta-t-elle.

— Elle n'a presque rien dit, tu as vu ?

Mike semblait soudain plus joyeux. La lumière qui éclairait l'entrée s'alluma, blanche et floue. C'était un signal très clair. Carly savait pertinemment qui l'avait allumée. Elle ne l'aurait avoué pour rien au monde, mais elle se sentit rassurée.

— Bon, fit-elle, il faut que je rentre. Tu peux y aller maintenant.

Mike la regardait d'un air angoissé. Sans doute craignait-il qu'elle ne lui demande de l'embrasser avant de partir. Évidemment, elle n'en avait pas l'intention. Mike était un gentil garçon, elle l'aimait bien et il avait joué le jeu assez correctement. Mais il n'était pas son genre. Sans compter qu'elle n'était quand même pas fâchée contre Matt à ce point-là…

Quand elle rentra, secrètement soulagée de ne plus être exposée à la nuit, Matt se tenait près de la porte et discutait avec Antonio, qui s'apprêtait à partir. Les autres hommes se préparaient aussi. La fête était finie. Carly pensa soudain qu'elle n'avait été organisée que pour attendre son retour et celui de Mike, pour observer la réaction de Matt en les voyant.

Apparemment, il n'avait pas réagi, ou presque. Mais Carly le connaissait trop bien pour se laisser duper par les apparences.

— Eh bien, lança-t-elle à la cantonade, bonne nuit tout le monde !

Un chœur de « Bonne nuit ! » lui répondit. Celui de Matt fut prononcé d'une voix sèche. Carly sentait son regard dans son dos quand elle gravit l'escalier. Même s'il s'efforçait de faire bonne figure, il avait de toute évidence peu apprécié sa petite escapade avec Mike. C'était clair comme de l'eau de roche. Était-il jaloux ? Le cœur de Carly se dilata de joie.

Et s'il était amoureux d'elle, après tout ? Son cœur battit plus vite.

Il fallait qu'elle sache. Cette fois, c'était décidé : il fallait qu'elle tire au clair les sentiments de Matt à son égard.

Toutes les femmes de la maison lui emboîtèrent le pas dans l'escalier.

— Dans tout Benton, on ne parle que de toi et Mike, ce soir, chuchota Lissa en haut des marches. L'une de mes amies est venue spécialement jusqu'ici pour me demander si toi et Matt aviez rompu.

— Ce fut une soirée passionnante ! lança Dani. Surtout les quelques heures que nous avons passées à vous attendre.

— Pourquoi Mike et toi avez-vous décidé de sortir ? demanda Erin d'une voix prudente.

— Mesdames ! lança Matt depuis le rez-de-chaussée. Si vous tenez absolument à jacasser, pourriez-vous au moins le faire dans un endroit suffisamment reculé pour que je n'aie pas à vous entendre ?

Lissa rit doucement.

— Tu n'as qu'à ne pas écouter ! lança Dani d'une voix claire et forte.

Erin adressa à Carly un sourire incertain, puis ces dames allèrent se coucher.

Sandra attendit que Carly ait refermé la porte derrière elle pour l'éblouir d'un sourire radieux.

— Dis donc ! fit-elle. Tu l'as ébranlé pour de bon, notre pauvre shérif. Il était furieux.

— Tu crois ?

Carly enleva ses escarpins et sourit à Sandra.

— Il a appelé Antonio plusieurs fois pour savoir s'il savait où vous étiez. Au début, il était plutôt inquiet. Mais plus le temps passait, plus il était furieux. Mike avait dû éteindre son téléphone et sa radio.

En effet. Mais Carly avait presque dû le torturer pour qu'il y consente.

— Matt enrageait de ne pas pouvoir vous joindre, poursuivit Sandra. Et ça ne s'est pas amélioré au fil de la soirée. Des gens lui ont dit qu'ils vous avaient vus, Mike et toi. Il a fini par se calmer, essentiellement parce que Lissa et son petit ami sont rentrés. Il ne voulait pas avoir l'air jaloux...

— Tu crois qu'il était jaloux ? demanda Carly sans trop y croire.

— Ah oui ! Aucun doute là-dessus ! Il ne voulait pas se couvrir de ridicule devant les autres, mais crois-moi : tu vas réentendre parler de ta petite excursion.

— Tant mieux.

Carly enleva ses pendants d'oreilles et les remit à Sandra.

— Merci, ajouta-t-elle. Au fait, comment ta soirée s'est-elle passée ?

— Disons qu'Antonio a maintenant plusieurs raisons de m'apprécier, fit Sandra en souriant d'un air entendu. Pas seulement ma cuisine. Autre chose...

Elle alla replacer ses pendants d'oreilles dans le tiroir où Carly les avait pris. Elle boitait légèrement, souvenir douloureux de l'agression dont elle avait été victime.

— Ah oui ? demanda Carly. Et c'était comment ?

Sandra s'illumina d'un sourire béat.

— À ce point-là ? demanda Carly.

Elle ne put s'empêcher de ressentir un pincement au cœur. Elle se dirigea vers la salle de bains. Matt...

— Attends ! s'écria Sandra. Si tu as l'intention de prendre un bain de deux heures, j'y vais en premier.

Carly soupira. Elle avait besoin de Matt. Elle avait besoin aussi de retrouver sa maison, de reprendre sa vie où elle l'avait laissée.

33

Carly ne revit Matt que le lendemain, en fin d'après-midi. Vêtue d'une robe blanche courte et de sandales, elle était assise à l'arrière de la maison avec son garde du corps du jour, Sammy Brooks. Ils regardaient Annie qui courait follement après les oiseaux, les papillons, tout ce qui bougeait. C'était dimanche. Carly avait fini par céder à ses vieux réflexes conditionnés et s'était rendue à l'église. Dieu merci, elle avait survécu à la marée de chuchotements et de regards en coin qui l'attendaient à la sortie. La maison de Matt, comme toujours, était bondée. En fait, elle était encore plus bondée que d'habitude. Sandra concoctait un festin de rois. Visiblement, la nouvelle s'était répandue comme une traînée de poudre et attirait les foules de tous horizons.

Carly commençait à penser que ce n'était pas une auberge qu'il fallait qu'elle ouvre, mais un restaurant. Avec chaque plat que Sandra préparait, la cohue de ses admirateurs allait grandissant.

Carly regarda sur le côté de la cour. Matt était accoudé à la clôture. Revêtu de son uniforme, une liasse de papiers à la main, il la regardait. Il ne souriait pas vraiment, mais il était si beau dans ce soleil généreux que Carly sentit son cœur manquer un battement.

Elle était contente de le voir. Vraiment contente. Elle lui sourit, oubliant totalement qu'elle était censée

le traiter de haut. En tout cas, c'était ce que sa stratégie lui commandait. Mais Matt l'avait surprise. De
toute façon, il était en train de refermer le portillon
derrière lui. Peut-être n'avait-il pas vu son sourire
radieux...

— Salut ! lança-t-il en arrivant près d'elle.

Elle le regarda dans les yeux et sut qu'il l'avait vue
sourire. Il savait aussi que son cœur battait plus vite.
Annie se précipita sur Matt pour lui faire la fête. Il
faisait chaud et l'air était saturé d'humidité. Carly
était trop fatiguée, mentalement et physiquement.
Trop fatiguée. Elle n'avait plus l'énergie nécessaire
pour penser stratégiquement. Elle n'avait plus la force
de jouer son rôle de composition.

Sans compter qu'elle avait remporté une bataille, et
pas des moindres. Pour le moment, Matt avait suspendu ses opérations commando. Après tout, il était
là, près d'elle...

Carly eut une pensée amicale pour Mike. Pourvu
que leur stratagème lui réussisse auprès d'Erin !

— Je vais prendre la relève auprès de madame, dit
Matt à Sammy. Occupe-toi de ça, s'il te plaît.

Il remit à l'adjoint la liasse de papiers qu'il tenait à la
main. Sammy se leva, acquiesça d'un hochement de
tête et s'éloigna.

— Alors ? demanda Matt à Carly. Tu veux aller faire
un tour ?

Carly eut l'impression que son cœur bondissait
comme Annie devant les papillons.

Elle accepta d'un hochement de tête silencieux.
Matt lui tendit la main. Elle la prit. Ce contact tout
simple lui envoya une décharge d'adrénaline dans les
veines. Matt l'aida à se lever. Il lança un coup d'œil
rapide vers la maison. La porte arrière était fermée,
étouffant les voix et les rires des gens massés dans la
cuisine. Matt entraîna Carly vers le portillon sans

lâcher sa main. Visiblement, il tenait autant qu'elle à éviter les regards curieux et les commérages.

Leur évasion faillit échouer. Quand le portillon se referma derrière eux, Annie se retrouva enfermée dans la cour et se mit à japper de toutes ses forces.

Matt et Carly s'arrêtèrent net et se tournèrent vers elle. Annie bondissait comme un kangourou en poussant des cris furieux.

— D'accord… soupira Matt. On l'emmène.

Carly ouvrit le portillon. Annie se précipita vers eux. Ils s'installèrent dans la voiture de patrouille de Matt sans dire un mot, Annie sur les genoux de Carly. Matt la déposa d'un geste ferme sur le siège arrière. Puis, il se pencha vers Carly et l'embrassa. Très fort.

Surprise, Carly sentit ses lèvres s'écraser contre celles de Matt sans leur offrir la moindre résistance. Puis, sa main se referma sur sa nuque et elle lui rendit son baiser.

— Très bien, fit Matt quand leurs lèvres se séparèrent. Voilà qui répond à la question que je me posais. Maintenant, dis-moi, comment tu as fait pour convaincre Mike de sortir avec toi.

Il démarra la voiture et sortit de l'allée en marche arrière. Carly ne put s'empêcher de remarquer que la boîte aux lettres avait été réparée…

— Comment ça, le convaincre ? fit-elle.

Son cœur battait si fort qu'elle avait peine à aligner deux mots.

— Oui, le convaincre. Je le connais, Carly. Et je te connais aussi.

— Peut-être qu'il me plaît, après tout.

Carly faisait de son mieux pour donner le change, pour ne pas sembler trop ébranlée par le baiser de Matt. Comme Erin l'avait souligné, le shérif était constamment soumis aux assauts des femmes qui accouraient vers lui. C'était comme ça depuis toujours. Elle, au moins, elle ne ferait pas partie de la meute.

— Mais bien sûr qu'il te plaît ! concéda Matt d'un ton railleur. C'est un gentil garçon, bel homme. Pourquoi ne te plairait-il pas ?

Ils roulaient maintenant en direction du centre-ville.

— Eh bien, oui, il me plaît. Il est très beau garçon, je ne sais pas si tu l'as remarqué. Il est gentil aussi. Et très attentionné. Sans compter…

— Arrête ton cirque, tu veux ? Tu es sortie avec lui uniquement pour me rendre jaloux.

Carly le regarda d'un air songeur. Ainsi qu'elle l'avait déjà constaté, il n'est pas facile de duper un homme qui vous connaît comme le fond de sa poche.

— Te rendre jaloux ?

— Exactement !

— Ça a marché ?

Matt sourit.

— Oui, je l'admets. Ça a marché… jusqu'à ce que je te voie avec ce pauvre Mike. Il avait l'air de tenir un fauve en laisse et le fauve, c'était toi. Et je me suis rappelé un détail très important.

— Quoi ?

— Tu es follement amoureuse de moi.

Carly prit les mots de Matt de plein fouet. Elle inspira difficilement et vit du coin de l'œil qu'il appréciait le spectacle de sa réaction. Il fallait qu'elle se reprenne, et vite !

— Écoute-moi bien, jolies fesses ! Un peu de modestie, s'il te plaît ! Tu n'as pas envisagé un seul instant que je puisse n'en vouloir qu'à ton corps ?

Matt souriait maintenant de toutes ses dents, les yeux fixés sur l'asphalte.

— Bien sûr, que tu en veux à mon corps ! Mais pas seulement. Tu es follement amoureuse de moi.

Il ralentit en approchant d'un carrefour. Carly regardait désespérément à gauche et à droite, n'importe où. N'importe où, pourvu qu'elle n'ait pas à regarder Matt. Le centre-ville de Benton, rénové par les bons soins de l'administration municipale, étincelait de tous ses feux dans le soleil déclinant. De nombreux véhicules circulaient sur la route. À Benton, la balade en voiture est de rigueur le dimanche après-midi. Le stationnement du Café du coin était bondé. À Benton, les retrouvailles au Café du coin sont de rigueur le dimanche soir.

— Où allons-nous ? demanda Carly.

— Faire une balade... Qu'est-ce que tu en penses ? Nous pourrions revoir les lieux de notre enfance, nous perdre dans nos souvenirs. Ou aller manger au Café du coin et montrer aux braves gens de Benton que je suis revenu dans tes bonnes grâces. Ou alors, moins élégant mais plus direct, nous pourrions couper court aux chichis et faire l'amour comme des bêtes.

Carly sentit son cœur battre plus fort. Elle fit semblant d'analyser calmement la proposition de Matt.

— Si nous faisons l'amour comme des bêtes, est-ce que tu vas me redemander en mariage ?

Matt crispa légèrement les mâchoires. En tout cas, Carly en eut l'impression. Il la regarda, l'air légèrement déstabilisé.

— Est-ce que tu aimerais que je le fasse ?

« Si tu ne le souhaites pas autant que moi, jamais de la vie ! » pensa-t-elle.

— Pour ton information... fit-elle pourtant. Si tu me redemandes en mariage, je t'égorge.

— Ce qui veut dire que nous allons faire l'amour comme des bêtes ? Que du sexe, pas de corde au cou ?

Matt tourna la tête vers elle. Carly suffoquait.

— Oui.

C'était idiot. Elle aurait dû se retenir. Elle aurait dû se rappeler le bon conseil d'Erin : pour avoir Matt, rien ne valait l'abstinence. Mais Carly avait trop envie de lui. Et surtout, elle était trop énervée pour échafauder des stratagèmes. Rien que de penser à Matt et elle, la tête lui tournait. Elle se sentait fondre comme neige au soleil, prête à arracher ses propres vêtements pour sauter sur Matt et…

— Arrête de me regarder comme ça… fit-il d'une voix traînante et grave. Je vais envoyer la voiture au fossé si tu continues.

L'air entre eux semblait chargé d'électricité. Matt avait les yeux brillants, le sourire plein de sous-entendus. Carly avait du mal à respirer.

— Les autorités du comté de Screven ne seraient pas très contentes, articula-t-elle enfin.

Il fallait absolument qu'elle reste calme ! À tout le moins, qu'elle en ait l'air… Pas question qu'il sache qu'elle était dévorée d'envie de lui sauter dessus, qu'il lui suffisait de penser à ce qu'ils allaient faire pour que son sang se mette à bouillir dans ses veines. Mais à quoi bon ? Matt la connaissait trop bien. Il savait pertinemment qu'elle le désirait à la folie. Il le savait, c'était manifeste : ses pommettes rosissaient, son corps se tendait, ses yeux noirs étincelaient. Il savait !

Mais elle savait aussi qu'il la désirait tout aussi follement.

La voiture s'arrêta. Carly se rendit compte qu'ils se trouvaient devant le garage à bateau où elle avait déjà passé quelques heures. Matt ouvrit la porte du garage et fit entrer la voiture. Puis, il éteignit le moteur, referma la porte et remonta dans la voiture. Ils étaient seuls dans le noir, comme dans une caverne.

Il faisait frais et sombre dans la voiture. Annie dormait sur le siège arrière. Carly resta assise quelques secondes, incapable de maîtriser le tremblement qui s'était emparé de ses genoux. Elle aurait voulu sortir paisiblement de la voiture, comme si de rien n'était. Mais elle ne contrôlait plus son corps. Matt se pencha vers elle et déboucla sa ceinture de sécurité. Elle posa ses doigts sur son bras, les fit glisser sous la manche courte de sa chemise pour caresser ses biceps puissants. Il tourna la tête vers elle et appuya ses lèvres à la base de son cou, juste au-dessus de son épaule. Le cœur de Carly manqua un battement. Instinctivement, elle referma ses doigts sur la peau de Matt. Il lui releva la tête et la regarda dans les yeux. Puis, il la souleva de son siège et la déposa sur ses genoux, le dos appuyé contre la portière. Il l'embrassa. Ses lèvres semblaient être déterminées à dévorer celles de Carly. Sa langue se faisait impérieuse, exigeante. Il referma sa main sur sa poitrine. Elle enroula ses bras autour de son cou et s'abandonna à son baiser. Elle le désirait tellement qu'elle crut mourir. Une hanche appuyée contre le volant, l'autre contre Matt, ses jambes nues allongées sur le siège du côté passager, elle se sentait magnifiquement bien. Elle n'avait plus qu'une sandale aux pieds. L'autre était tombée quand Matt l'avait soulevée pour l'asseoir sur lui. Il était solide, fort et chaud. Carly perdait tous ses repères. D'un coup de pied, elle se débarrassa de sa deuxième sandale. Elle enfonça ses doigts dans les cheveux de Matt. Son cœur menaçait à tout instant de jaillir de sa poitrine. Une pulsation battait au bas de son ventre.

— Tu t'es encore servie de mon savon ! murmura Matt.

Quoi ? Quel savon ? Que voulait-il dire ? Ou peut-être avait-elle mal compris… Elle ouvrit les yeux et vit qu'il la regardait. Lui aussi, il avait le souffle court. Ses yeux brillaient d'un éclat noir et profond. Il était visiblement très excité. Carly oublia pourquoi elle avait ouvert les yeux, oublia toute cette histoire incompréhensible de savon. Elle regarda Matt en essayant de respirer le plus normalement possible. Les yeux du shérif étaient devenus comme de l'onyx. Il l'embrassa avec férocité. Elle gémit contre lui. Matt lui caressait les seins, les pressait entre ses doigts comme des fruits mûrs. Carly sentit ses reins qui se creusaient comme ceux d'un chat qu'on effleure. Elle laissa sa tête tomber contre la portière, contre le bras que Matt avait enroulé autour d'elle, et elle l'embrassa, l'embrassa jusqu'à ce qu'elle en perde la tête, jusqu'à ce qu'elle soit si excitée que son corps lui semble animé d'une vie propre, complètement indépendante de son esprit et de sa volonté. Matt glissa sa main vers le bas, entre ses jambes, parcourut fermement la peau douce de sa cuisse. Il fit remonter sa robe et la caressa à travers sa petite culotte rose. Il appuya ses doigts contre elle et les frotta jusqu'à ce qu'elle se mette à hoqueter contre lui, à bouger frénétiquement sous la caresse de ses doigts. Puis, il glissa sa main sous l'élastique qui enserrait la cuisse de Carly et la caressa peau contre peau. Ses doigts étaient si chauds et puissants qu'elle n'arrivait plus à penser. Elle se sentait incendiée, tout humide de son désir pour lui. Quand il fit glisser ses doigts à l'intérieur d'elle, elle poussa un grognement d'extase. Son bassin bougeait de lui-même. Elle ne pouvait plus attendre…

« Prends-moi, Matt ! »

Il étouffa un grondement contre ses lèvres. Carly avait-elle pensé à voix haute ? Non ! Non, elle n'avait rien dit mais une voix hurlait en elle. Elle suppliait Matt de lui arracher sa culotte et de la pénétrer avec force et pendant longtemps. Carly sentait le désir de Matt à travers le tissu. Elle en devenait folle.

— Assieds-toi sur moi, ordonna-t-il d'une voix rauque. Assieds-toi sur moi, face à face.

Elle obéit. Elle ferma les yeux et s'agrippa aux épaules de Matt. Il la prit par les hanches et la pénétra avec force. Pendant longtemps. Il embrassa ses seins et les suçota à travers le tissu. Finalement, il lui enleva sa robe d'un geste et lui arracha presque son soutien-gorge. Il posa de nouveau ses lèvres chaudes et humides sur sa poitrine. Elle le serra très fort contre lui, les reins cambrés, le bassin dansant de manière frénétique. « Oh oui ! Oh oui ! Oh oui ! »

— Carly, grommela soudain Matt.

Il s'enfonça encore en elle. Elle sentit ses fesses cogner contre le volant et se mit à trembler des pieds à la tête. Son ventre palpitait de manière convulsive. Elle eut l'impression qu'elle hurlait, complètement hors d'elle, tout entière à Matt.

« Je t'aime, Matt. »

Elle le pensa, mais elle ne le dit pas. Pas pendant qu'ils faisaient l'amour, en tout cas. Mais après, alors qu'elle reposait mollement contre la poitrine de Matt, humide et nue, ces petits mots de malheur franchirent ses lèvres sans lui demander la permission. D'abord, elle espérait n'avoir rien dit. Elle l'avait peut-être pensé très fort, mais sans doute n'avait-elle rien dit. Erreur ! Elle avait pensé à voix haute.

— Je sais, Frisette, répondit Matt d'un ton las. Je sais que tu m'aimes.

« Comme c'est romantique… » soupira-t-elle intérieurement.

Ça ne se passerait pas comme ça ! Elle releva la tête et regarda Matt dans les yeux. Sans amour, sans chaleur. Elle était enroulée autour de lui, ses bras autour de son cou, son corps si collé au sien qu'elle sentait distinctement les contours de son badge métallique de policier s'imprimer sur son sein. Elle était à lui, tout à lui. Et il le savait. Carly se redressa, le menton pointé en une attitude de défi.

— Jolies fesses, je dis ça à tous les hommes avec qui je couche.

Matt sourit. Oh! À peine… Mais il sourit quand même. Il regardait Carly, son visage, ses épaules, tout son corps. Visiblement, il appréciait le spectacle. Elle se rendit compte soudain qu'elle était entièrement nue alors que lui n'avait pas quitté ses vêtements. Sa chemise était à demi déboutonnée, son ceinturon débouclé et son pantalon descendu sur ses cuisses. Néanmoins, il conservait par rapport à elle une incontestable dignité. D'autant plus qu'elle était assise à califourchon sur lui et qu'à chacun de ses mouvements, ses fesses cognaient contre le volant tandis que ses seins s'éraflaient à la toile de sa chemise.

— Ton nez s'allonge, dit-il en lui envoyant une pichenette.

Vexée, elle le fixa d'un regard assassin. Mais elle n'eut pas le temps de réagir. Il éclata de rire et se pencha vers elle, l'embrassa. Elle crut qu'il voulait la faire taire. Mais il détacha ses lèvres des siennes, s'adossa confortablement contre son siège et fit glisser ses mains sur ses côtes, les immobilisa sur ses seins. Puis, il lui sourit paresseusement.

— Moi aussi. Moi aussi, je t'aime.

Carly eut l'impression que le temps s'arrêtait.

— Quoi?

— Je t'aime.

Il avait la voix légèrement ironique, mais Carly le connaissait bien : il était sincère.

Elle prit une inspiration profonde et son cœur se dilata comme un ballon qui monte au ciel. Soudain, la vie lui semblait plus belle, plus brillante, plus colorée que d'habitude.

Matt avait dit qu'il l'aimait ! Matt l'aimait !

— Mon Dieu… souffla-t-elle.

— Ouais… C'est ce que j'allais dire.

Elle lui envoya un petit coup de poing sur le bras. Puis elle l'embrassa et ils refirent l'amour. Matt aurait recommencé. Il l'aurait prise une troisième fois, mais elle attrapa une crampe à la jambe. Ils durent sortir de la voiture. Elle remit sa robe tandis qu'il lui massait la jambe. Il protesta, mais elle ne renonça pas. Il n'était pas question qu'elle se tienne nue dans ce garage alors qu'il avait rebouclé son ceinturon, qu'il avait repris son allure habituelle. Annie aboya. Ils l'avaient oubliée dans la voiture. Ils la firent sortir et tous trois grimpèrent à l'étage.

Carly et Matt jouèrent à « Déshabille-toi, shérif ! » Ils allèrent au lit et y restèrent jusqu'à ce qu'une sonnerie impérieuse rappelle à Matt qu'il n'y avait pas de repos pour les braves. À demi endormi, il chercha son téléphone portable à tâtons.

— Allô ? Oui… Quoi ? Non, non, tout va bien. J'ai oublié l'heure, c'est tout. Oui. Oui. Ça ne te regarde pas. Non. Ça ne te regarde pas. Demain. Oui. Très bien. Au revoir.

Carly roula sur le dos en rabattant le drap sur elle. Elle alluma la lampe de chevet tandis que Matt reposait son téléphone.

— Qui…

— Erin. Elle voulait s'assurer que tout allait bien. Il est presque deux heures du matin ! Je lui ai dit que nous ne rentrerions pas avant demain. Elle m'a demandé si tu avais réussi à me traîner au lit.

— Ce n'est même pas vrai ! Elle n'a quand même pas osé…

Mais connaissant Erin, elle aurait très bien pu oser.

— Qu'est-ce que tu lui as répondu ? demanda Carly.

Elle se rappela qu'il avait souvent dit : « Oui » pendant sa conversation téléphonique…

— Je lui ai dit que tu m'avais sauté dessus comme une tigresse et que j'avais eu du mal à sortir de tes griffes, mais que je m'en remettrais.

— Ce n'est même pas vrai ! répéta Carly en souriant.

— Bon, ce n'est pas exactement ce que je lui ai dit. Mais c'est la vérité, non ?

Il était debout à côté du lit et lui souriait. Il avait déposé son téléphone sur la table de chevet. Il était nu et n'en montrait aucune gêne. Il avait le corps puissant, attirant comme un aimant. Et surtout, surtout, c'était Matt.

Non. Surtout, surtout, il était à elle.

Carly sentit monter à ses lèvres un sourire de béatitude.

— On dirait un chat qui vient d'avaler un moineau, constata Matt dans un sourire entendu.

— Ah oui ? Viens ici, petit ! Petit, petit, petit...

Matt éclata de rire et la rejoignit dans le lit.

Plus tard, il s'appuya soudainement sur son coude et la regarda, le sourcil froncé. Alanguie, repue de bonheur, elle lui sourit doucement.

— Quoi ? demanda-t-elle enfin.

Il souleva l'une de ses mèches de cheveux et l'enroula autour de son doigt.

— Pas de corde au cou ? demanda-t-il. Tu es sûre ? C'est vraiment ça que tu veux ?

Carly réfléchit quelques instants.

— Eh bien... Peut-être une cordelette ou deux. On pourrait aller au restaurant une fois de temps à autre. J'essaierais bien de convaincre Mike de m'y emmener, mais je ne pense pas que ça m'amuse très longtemps. À part ça... À part ça, non, pas de corde au cou.

Matt avait toujours le sourcil froncé.

— Ça ne te ressemble pas, Frisette.

Elle l'aimait tellement qu'elle en avait mal, qu'il lui suffisait de le regarder pour rayonner. Quoi qu'il se passe entre eux, que leur histoire d'amour fonctionne ou pas, elle porterait toujours Matt dans son corps et dans son cœur. Mais elle l'aimait tellement, aussi, qu'elle était prête à lui laisser sa liberté si c'était ce qu'il désirait. Il lui avait dit qu'il l'aimait, et plusieurs fois. Elle le connaissait suffisamment pour savoir qu'il disait vrai. Toutefois, elle avait vu cette ombre passer dans son regard quand il avait prononcé ces mots. Elle savait que c'était l'ombre de la peur. Matt craignait que l'amour ne lui impose des chaînes trop lourdes, ne l'emprisonne, ne le cloue au sol. Il craignait d'ajouter au fardeau de ses responsabilités, de se lier pour toujours à Carly et à cette petite ville qui l'avait vu grandir.

Pourtant, elle savait aussi qu'il était prêt malgré sa peur, qu'il la voulait, qu'il souhaitait être à elle pour l'éternité. Mais jamais elle n'accepterait sa proposition tant qu'elle lirait la peur dans les yeux de Matt.

— Pas de corde au cou, dit-elle d'un ton ferme.

Elle l'embrassa. Le reste de la nuit les tint tellement occupés qu'ils n'eurent pas l'occasion de se reparler de cordes, ni de cordelettes, ni de chaînes.

Le lendemain, à sept heures trente, il faisait déjà trente-trois degrés. La radio l'annonça tandis que Matt et Carly quittaient le garage dans la voiture de patrouille. Elle pensa qu'il serait gênant qu'on la voie dans la même petite robe blanche et les mêmes sandales qu'elle portait la veille, quand elle était partie de chez Matt. Toutefois, cette crainte n'entama pas le bonheur farouche qui l'habitait. Elle se sentait bien, encore un peu endormie. Certaines parties de son corps lui faisaient mal, mais délicieusement. Elle savait que le monde était peuplé de monstres, en particulier celui qui cherchait à la tuer. Tout avait l'air si calme, pourtant ! Un flot ininterrompu de voitures emportait les braves gens de Benton vers leur travail. Matt était assis près de Carly, bien rasé. Il sentait le savon et le souvenir de leurs ébats.

Et surtout, Matt portait sur lui l'odeur de Carly.

Elle s'aperçut qu'il la ramenait chez lui. Le cirque de la semaine qui venait de se terminer allait donc recommencer ? Carly se rembrunit. Sa vie amoureuse venait de prendre un tournant des plus intéressants. Elle était passée de l'inexistant au luxuriant. Mais à part ça, son existence n'était pas moins pénible que la semaine précédente.

— Matt, je veux reprendre le cours de ma vie.

Ils se trouvaient à un carrefour, attendant patiemment que le feu passe au vert.

— L'heure est grave, dit-il en souriant doucement. Qu'est-ce que j'ai fait, encore ?

— Tourne à droite !

Il obtempéra, l'air surpris.

— Où allons-nous ?

— Chez moi.

— Chez toi ? Mais pourquoi ?

— Parce que je ne peux pas continuer à vivre comme ça. Qui sait combien de temps il vous faudra pour retrouver le type qui m'a agressée ? Sans compter que vous ne le retrouverez peut-être jamais. Je ne peux pas habiter chez toi éternellement, assignée à résidence ou presque. Il faut que je gagne ma vie, que j'ouvre mon auberge, que je vive dans une maison qui soit à moi. Je ne peux pas renoncer à vivre ma vie jusqu'à la fin de mes jours à cause de ce type. Je ne veux pas.

— Carly… commença Matt.

À le voir, à l'entendre, elle sut qu'il avait quelque chose de très important et de très sérieux à lui dire.

— On a essayé de te tuer, continua-t-il. Le type qui t'a agressée est encore dans les parages. Si j'en crois mon expérience, il reviendra. Il faut que nous sachions qui il est, pourquoi il t'a attaquée. Il n'est pas question que je te laisse seule chez toi, ni ailleurs. Pas question, tu m'entends ?

— Matt...

— Non !

— Pour ton information, monsieur le chef des services de police du comté de Screven, ce n'est pas parce que tu couches avec moi que tu peux me dire quoi faire.

— Non, ma chère. Je te dis quoi faire parce que je suis le chef des services de police du comté de Screven et que tu es une victime placée sous protection judiciaire !

Carly lui coula un regard noir. Il la fixa sans ménagement. Puis, il soupira.

— Je sais que ta situation est difficile, Carly. Mais je n'ai pas le choix. Je pourrais emménager chez toi pour te protéger, mais j'ai des obligations. Je ne pourrais pas y être vingt-quatre heures sur vingt-quatre et sept jours par semaine. En plus, ta maison est immense. Tu es plus en sécurité chez moi. C'est plus petit, toujours plein de monde. Mes sœurs ont un horaire imprévisible, ce qui empêche ton agresseur de planifier son coup.

— Tu crois vraiment qu'il va revenir ? Mais pourquoi voudrait-il me tuer ?

— Quand nous saurons pourquoi, nous saurons qui il est. D'ici là, je t'en prie, fais-moi confiance. Sois raisonnable. Fais ce que je te dis, sinon je vais en claquer d'inquiétude.

Claquer d'inquiétude ? Matt ? Carly faillit sourire. Décidément, il était irrésistible. Cette manière qu'il avait de la protéger, même contre son gré. Elle le regarda et sentit son cœur fondre. Elle était comme de la pâte à modeler entre ses mains. Toutefois, il n'était pas indispensable qu'il le sache. Déjà qu'il manquait de modestie...

— D'accord. Je vais faire ce que tu me dis... pour l'instant. Mais si cette situation perdure, je retournerai chez moi.

Elle lui lança un regard de défi, uniquement pour cacher la vague d'amour qu'elle sentait monter en elle. Ils tournèrent et le manoir leur apparut. Tout avait l'air normal, parfaitement normal.

— Puisque nous sommes ici, soupira-t-elle, pourrions-nous au moins nous arrêter ? J'irais bien prendre quelques vêtements.

— Bien sûr. Nous avons terminé nos investigations. Tout a été passé au peigne fin. Mes hommes ont tout nettoyé. Pour les traces de sang, je veux dire. Tu peux y aller, mais à une condition : je t'interdis de t'éloigner de moi !

Carly sentit un frisson de peur lui parcourir l'échine. Pour que Matt s'inquiète à ce point, il fallait que le danger soit bien réel.

— Tu crois qu'il me suit ?

Matt secoua la tête en signe de dénégation et se gara devant la maison.

— Personne ne nous a suivis jusqu'ici. J'ai bien regardé. Mais pourquoi prendre des risques inutiles ?

Il lui attrapa la main tandis qu'ils montaient vers le manoir. Annie se mit à bondir de tous côtés, visiblement ravie de retrouver son terrain de jeu habituel. Carly franchit le seuil. Aussitôt, l'atmosphère de la maison l'enveloppa. Elle sentit son ventre se serrer, son cœur accélérer, tout son corps se couvrir de sueur froide.

— Matt ! souffla-t-elle.

Elle avait l'impression que les murs dansaient.

— Ça va ?

Il enroula son bras autour d'elle et la serra contre lui. Elle remarqua qu'il avait ouvert la gaine de son pistolet pour accéder plus rapidement à son arme en cas de nécessité. Elle se sentit rassurée. Matt était avec elle. Il la protégerait.

— Je t'avais dit que ce n'était pas une bonne idée.

— Non, ça va. Je t'assure.

De fait, elle se sentait mieux. Déjà, les murs avaient cessé de tourner. Elle prit une inspiration profonde et s'appuya contre Matt. Elle se rappela qu'elle était chez elle. Il n'était pas question qu'un psychopathe en cavale lui vole sa maison. Elle se redressa et bomba le torse.

— Depuis vingt-deux ans, je considère cette maison comme étant la mienne. Je ne laisserai pas des mauvais souvenirs me priver de ce qui m'appartient.

— Je te reconnais bien là, Frisette ! fit-il doucement. Tu as toujours été combative.

Carly s'appuya de nouveau contre lui et le regarda. Sans doute ses yeux rayonnaient-ils d'amour. Tant pis.

— Je t'aime, dit-elle.

Puis, elle s'éloigna très vite, sans lui laisser le temps de répondre.

— Je vais chercher mes vêtements.

D'un pas ferme, elle traversa toutes les pièces du rez-de-chaussée. Elle avait parcouru ce même trajet le cœur battant, le sang ruisselant sur son épaule et sa main. Elle revit l'éclat de la lame que son agresseur pointait vers elle. Elle entendait encore sa voix rocailleuse : « Tu vas crever ! » Mais elle se rappela aussi qu'elle lui avait infligé une blessure et qu'il avait titubé. Elle avait visé juste. Elle avait eu tellement peur ! Elle avait senti distinctement la lame froide du couteau traverser son épaule. Elle revécut le désespoir qui s'était emparé d'elle quand elle avait cru qu'elle n'arriverait pas à sortir de la maison à temps. Mais elle avait survécu. Elle avait vaincu le monstre. Et Matt était arrivé. L'heure était venue qu'elle se réapproprie sa maison et sa vie.

Les mâchoires serrées, la tête haute, elle monta à l'étage et en traversa toutes les pièces. Elle s'attarda à l'endroit où l'agresseur l'avait attendue. Elle resta plusieurs minutes dans la salle de bains. Les policiers avaient fait du bon travail : les murs, la baignoire et le sol étincelaient de propreté. Elle se rendit ensuite dans sa chambre, prit quelques vêtements qu'elle plia et rangea dans un sac. Enfin, à la fois exténuée et apaisée, elle redescendit l'escalier et traversa le vestibule d'entrée. Puis, elle sortit.

Ses genoux tremblaient. Ils faillirent céder sous elle. Elle voulut descendre vers la pelouse, mais elle dut renoncer. Elle s'effondra sur la première marche en s'agrippant à la rampe. Elle prit une inspiration profonde et regarda l'herbe qui s'étendait devant elle, le grand bouleau argenté, les chênes et la voiture que Matt avait garée au bas de la colline. Elle se laissa bercer par la chaleur et les rayons du soleil. Peu à peu, elle reprenait vie.

— Que se passe-t-il ? demanda Matt dans son dos.

Il apportait le sac qu'elle avait préparé. Il le déposa et s'assit près d'elle.

— J'étais essoufflée.

Elle le regarda et sourit faiblement.

— Ah oui ?

— Non… Mes genoux m'ont lâchée.

— C'est bien ce que je pensais.

Il lui prit une mèche de cheveux et la fit rouler entre ses doigts.

— Ça t'a quand même fait du bien de revenir ?

— Oui. C'est ma maison. Je ne veux pas que ce monstre m'expulse de chez moi.

Matt prit sa main, celle que l'agresseur avait entaillée et qui en portait encore la cicatrice sur la paume. Matt embrassa ses doigts. Carly sourit. Elle allait parler quand Annie sortit de sous l'escalier à reculons. Elle tenait un objet entre ses dents, un objet noir et plutôt rond, avec une sorte de lanière. Il avait l'air assez lourd.

— On dirait un sac à main, fit Matt.

— Un sac à main ?

Carly décida que sa faiblesse avait assez duré. Elle se leva et descendit l'escalier. Elle se sentait mieux maintenant, plus forte. La prochaine fois qu'elle reviendrait au manoir, ce serait plus facile. Et la fois suivante, plus facile encore. Bien sûr, elle n'oublierait pas l'agression. Mais elle se réapproprierait sa maison. Et quand la police attraperait ce sale type, elle pourrait y vivre de nouveau. Peu à peu, l'horreur s'atténuerait.

— Annie, montre-moi ça ! lança-t-elle.

À son ordre, le chien lâcha sa proie. Carly se pencha et ramassa le sac. C'était un modèle bon marché, en plastique. Il était froid et sale. Évidemment, il avait dû rester longtemps sous l'escalier. Carly ne l'avait jamais vu. Il ne lui appartenait pas, pas plus qu'à Sandra. Elle l'ouvrit, en sortit un portefeuille. Matt la rejoignit au bas des marches.

— À qui appartient-il ?

Carly ouvrit le portefeuille, en sortit le permis de conduire. Une belle femme rousse souriait sur la photo.

— Marsha Mary Hughes.

— Quoi ?

Matt arracha le portefeuille des mains de Carly et regarda le permis de conduire dans son petit étui de plastique. Une décharge d'adrénaline lui parcourut tout le corps.

34

— J'aurais quelques questions à vous poser, déclara Matt. Je peux entrer ?

Keith Kenan le regarda d'un air hostile. Il s'effaça néanmoins pour le laisser entrer chez lui. Il était un peu plus de quatorze heures, le lundi. Cela faisait six heures environ que le chien de Carly avait retrouvé le sac à main de Marsha Hughes, fournissant enfin à la police de Benton un indice un peu substantiel. Des hommes flanqués de leurs chiens avaient été dépêchés au manoir Beadle dans l'espoir d'y retrouver le corps de Marsha. Carly était retournée chez Matt. Sammy Brooks veillait sur elle. Quant à Annie… Annie n'avait pas fini de participer à l'enquête.

— Je ne sais pas où est Marsha, lança Kenan d'un ton agressif en refermant la porte derrière Matt.

Il portait un short ample et un t-shirt noir dont les manches avaient été déchirées à la hauteur des épaules. « Pour montrer ses biceps », pensa Matt. L'appartement lui parut un peu moins propre et moins ordonné que la dernière fois qu'il y était venu. Sinon, rien n'avait changé. Cette fois, les rideaux jaune d'or étaient ouverts et la lumière du jour entrait à flots. Apparemment, Kenan était seul.

— Vous n'avez pas eu de ses nouvelles ? demanda Matt d'une voix paisible.

À ce stade, mieux valait ne pas brusquer Kenan.

— Non, pas depuis qu'elle a disparu. Dites-moi... Est-ce que ça va être long ? Je travaille plus tôt, aujourd'hui. Et j'ai des trucs à faire d'ici là.

— Je vais procéder le plus rapidement possible.

À première vue, Kenan avait la même taille que l'agresseur, la même carrure aussi. Il avait les yeux bleu clair, les cils blonds. Peut-être semblait-il ne pas en avoir sous certains éclairages. Celui d'une vieille salle de bains, par exemple. Quant aux initiales brodées sur le mouchoir, elles étaient floues. « KK », peut-être ?

— Vous aviez dit que vous la retrouveriez, que vous alliez distribuer des photos d'elle et tout ça.

— Nous avons tout fait pour la retrouver. Elle n'a pas retiré d'argent de son compte en banque depuis sa disparition. Elle n'a pas utilisé ses cartes de crédit. Je suis désolé de vous l'apprendre, mais les perspectives ne sont pas très encourageantes.

Matt traversa la pièce pour se diriger vers la table. Elle était poussiéreuse, mais il n'y avait pas de vaisselle sale.

Kenan le suivit, les bras croisés, le regard braqué sur lui.

— Vous avez des questions à me poser ?

— Pouvons-nous nous asseoir ?

Kenan pinça les lèvres, mais il tira une chaise et s'assit. Matt en profita pour regarder ses genoux. Apparemment, il n'avait pas de cicatrice. Or, il était impossible qu'il ait guéri aussi vite. Peut-être Carly avait-elle cru le frapper au genou, mais l'avait atteint à la cuisse ? Peut-être...

— Alors ? fit Kenan.

— J'aimerais que vous jetiez un coup d'œil à quelque chose. Est-ce que je peux déposer ça ici ?

« Ça », c'était la mallette qu'il avait apportée avec lui. Kenan accepta d'un hochement de tête. Matt déposa sa mallette sur la table et l'ouvrit. Il en sortit le sac à main de Marsha enveloppé dans un sac de plastique. Il serait acheminé sous peu au laboratoire, où des spécialistes l'analyseraient sous toutes ses coutures. Kenan fronça les sourcils. En général, les policiers ne montrent pas les indices aux suspects avant qu'ils n'aient été analysés. À vrai dire, la méthode était peu orthodoxe. Mais Matt tenait à observer la réaction de Kenan.

— Connaissez-vous ce sac à main ? demanda-t-il en tenant l'objet devant lui.

Kenan regarda l'objet, puis haussa les épaules.

— Peut-être… Je ne sais pas.

— Il contient le portefeuille de Marsha.

Kenan écarquilla les yeux.

— C'est le sac à main de Marsha ?

Il l'observa plus attentivement, se penchant vers l'avant pour mieux le voir.

— Oui, peut-être, ajouta-t-il. Ça se peut bien.

Étant lui-même un homme, Matt ne trouva rien d'étonnant à ce que Kenan ne reconnaisse pas le sac à main de sa petite amie. De son ancienne petite amie, pour être plus exact. En général, les hommes ne font pas attention à ce genre de chose. Cependant, Kenan ne s'était pas affolé en voyant l'objet. Cela pouvait vouloir dire deux choses. Soit il était un acteur de première classe ; soit il n'avait rien à craindre.

— A-t-elle pris son sac à main le soir où elle a disparu ? demanda Matt en rangeant l'objet dans sa mallette.

Kenan grimaça. Il semblait fournir un effort considérable pour se rappeler la scène.

— Oui… Oui, elle l'a pris et…

Kenan s'arrêta net, comme s'il venait de se rendre compte qu'il allait commettre une faute irréparable.

— Et elle est sortie d'ici comme si elle avait le diable à ses trousses, compléta Matt d'un ton sec. Vous nous l'avez dit l'autre jour, vous vous rappelez ?

— Je ne l'ai pas frappée, répliqua Kenan en se passant les mains dans les cheveux. Pas ce soir-là, en tout cas. S'il lui est arrivé quelque chose, ce n'est pas de ma faute. Shérif, je vous jure…

On frappait à la porte. Kenan fronça les sourcils et regarda vers l'entrée, la mine craintive. Matt se demanda s'il attendait une visite qui aurait pu le mettre dans l'embarras face à la police. Au fond, il s'en moquait un peu. Tout ce qu'il voulait, c'était obtenir le plus de renseignements possibles sur Marsha Hughes. Si son sac à main se trouvait sous l'escalier de Carly, son cadavre n'était probablement pas très loin. Dans ce cas, quelqu'un avait dû le placer là. Ce qui signifiait qu'elle n'avait pas succombé à des causes naturelles.

En d'autres termes, Matt devait maintenant résoudre un meurtre qui s'était produit ou avait abouti au manoir Beadle. Les probabilités qu'il y ait deux meurtriers sévissant sur les mêmes lieux et à quelques jours d'intervalle s'avéraient minces, très minces. En conclusion, la personne qui avait tué Marsha Hughes était probablement celle qui avait agressé Carly.

Mais quel rapport y avait-il entre les deux femmes ?

— Je crois que c'est mon adjoint, déclara Matt quand il vit que Kenan hésitait à aller ouvrir.

Sa stratégie était simple : d'abord, observer la réaction de Kenan quand il verrait le sac à main de Marsha ; puis, l'interroger sur les liens qui pouvaient unir Marsha à Carly.

Kenan se dirigea vers la porte.

— Vous avez trouvé le sac, dit Kenan lentement. Est-ce que vous avez trouvé Marsha ?

Finalement, l'homme semblait posséder quelques capacités de raisonnement…

— Pas encore, fit Matt.

Kenan ouvrit la porte. Antonio se tenait sur le seuil, Annie dans les bras.

— Bonjour, lança Antonio.

Tout de suite, il regarda Matt qui hocha discrètement la tête en signe de dénégation.

— Voyez-vous un inconvénient à ce que mon adjoint entre ? demanda le shérif.

Kenan se renfrogna mais s'effaça pour laisser entrer Antonio.

— C'est un chien renifleur de drogue ? demanda-t-il d'une mine soupçonneuse.

Annie se pressa contre Antonio en entendant sa voix.

C'était donc ça ! Les réticences de Kenan s'expliquaient maintenant. Il faisait le commerce de drogues. En tout cas, c'était une supposition assez plausible. Décidément, ce pauvre Kenan possédait peut-être certaines capacités de raisonnement, mais peu de talent pour la dissimulation. Quoi qu'il en soit, Matt ne s'intéressait pas à son commerce illicite. Pas pour le moment, en tout cas.

Antonio déposa Annie par terre. Matt eut presque pitié de ce pauvre animal. Il tremblait en jetant des regards apeurés autour de lui.

— Qu'est-ce que c'est que ce chien ? demanda Kenan. Il ne va pas pisser sur mon tapis, j'espère ?

Annie se mit à trembler de plus belle, baissa la tête et replia sa queue entre ses pattes.

— Vous ne l'avez jamais vu ? demanda Matt.

Kenan fronça les sourcils.

— La dernière fois que nous nous sommes parlés, reprit Matt d'un ton patient, vous m'avez dit que vous vous étiez disputé avec Marsha parce qu'elle avait donné du jambon à un chien. Est-ce que c'est ce chien-là ?

Kenan regarda Annie, qui s'aplatit contre le sol.

— Peut-être… C'était un petit bâtard noir, laid comme un pou. Oui, je pense bien que c'était celui-là.

Matt sentit son cœur battre plus vite. Il était sur la bonne piste ! Il le savait. Depuis qu'il avait retrouvé le portefeuille de Marsha, il sentait qu'il approchait du but.

— Viens ici, Annie !

Maintenant que Kenan avait reconnu le chien, ce n'était plus la peine de le soumettre au regard scrutateur de cet homme dont la voix le terrifiait. Matt se pencha et prit l'animal dans ses bras pour l'apaiser.

— Marsha a donné votre jambon au chien, reprit Matt. Ici ? Dans cet appartement ? Que s'est-il passé ensuite ?

Kenan hésita.

Matt dut compter mentalement jusqu'à trois pour ne pas lui sauter à la gorge. Décidément, cet homme avait l'art de mettre sa patience à rude épreuve.

— Écoutez-moi, Kenan, fit-il. Si ça peut vous tranquilliser, je ne pense pas que vous soyez responsable de la disparition de Marsha. Mais je suis à peu près sûr que vous savez des choses qui peuvent nous aider à la retrouver. Si vous n'avez rien à voir dans toute cette histoire, vous n'avez rien à craindre. Racontez-moi simplement ce qui s'est passé, et je fermerai les yeux sur le reste. Si vous l'avez menacée, pourchassée jusqu'à sa voiture… Je fermerai les yeux là-dessus.

Kenan regardait alternativement Matt et Antonio. Dieu merci, l'adjoint avait réussi à se composer un masque impassible, bien loin de la mine féroce qu'il arborait généralement face à Kenan.

— Parlez-moi du chien, ajouta Matt.

— Quand je suis rentré du travail, Marsha était ici avec le chien. Elle avait cette manie-là. Elle n'arrêtait pas de ramasser tous les bâtards qui traînaient dans le quartier. J'en avais marre ! Je lui ai dit que je ne voulais pas qu'elle le garde et je suis allé dans la cuisine pour me chercher quelque chose à manger. Je voulais me faire un sandwich au jambon, mais il n'y avait plus de jambon dans le frigo. J'ai su tout de suite qu'elle l'avait donné au chien. Je lui ai dit quelque chose depuis la cuisine et quand je suis revenu dans le salon, elle était en train de sortir.

— Avec le chien ?

— Oui. Elle le portait dans ses bras.

— Et son sac à main ?

— Son sac à main ? Eh bien... Elle l'avait aussi, j'imagine. Elle mettait ses clés dedans, alors je suppose qu'elle l'avait, puisqu'elle est partie en voiture.

— Très bien. Donc, elle est sortie avec le chien et avec son sac à main. Vous l'avez pourchassée jusqu'à sa voiture. C'est bien ça ?

Kenan dansait d'un pied sur l'autre, manifestement mal à l'aise.

— Comme je vous le disais l'autre jour, lança Antonio, c'est pas la peine. On sait déjà tout.

Décidément, l'adjoint en chef avait du mal à ne pas terrifier le témoin.

— Bon, d'accord ! lâcha Kenan. Je l'ai pourchassée jusqu'à sa voiture. J'étais fâché, je ne savais plus ce que je faisais. Mais je ne lui ai pas fait de mal, je vous le jure ! D'ailleurs, je n'ai pas réussi à la rattraper. Elle a sauté dans sa voiture et elle a démarré sur les chapeaux de roues. C'est la dernière fois que je l'ai vue. Je vous le jure.

— Est-ce que le chien était avec elle dans la voiture ? demanda Matt.

— Oui. Sur le siège passager. Je l'ai vu quand elle est passée devant moi.

Le chien était dans la voiture ! Ce qui signifiait qu'il était probablement avec Marsha quand elle avait été tuée. Il était au manoir Beadle le soir où Carly était revenue de Chicago. Et c'est lui qui était allé chercher le sac à main sous l'escalier.

Cette pauvre Annie était au cœur de l'énigme.

— Marsha avait-elle des ennemis ? Des gens qui auraient pu lui vouloir du mal ?

— Vous me l'avez déjà demandé. Non. Pas que je sache.

Kenan commençait à s'agiter. Il marcha vers la fenêtre, lança un regard furtif à l'horloge.

— Est-ce que ça va être long ? ajouta-t-il. J'ai des trucs à faire.

— Soit vous nous parlez ici, déclara Antonio, soit on vous emmène au poste de police. C'est comme vous voulez.

Kenan lui asséna un regard plein de rancœur.

— Nous avons presque terminé, dit Matt d'une voix conciliante. Parlez-moi un peu du passé de Marsha. J'ai essayé de joindre sa sœur et ses ex-maris, mais je n'ai pas eu de réponses.

— Pas étonnant ! Ses ex-maris sont de vrais minables. Quant à sa sœur, Marsha ne la voyait jamais. Elle la connaissait à peine. Elles n'ont pas grandi ensemble. Leur mère était toxicomane. Elles ont passé toute leur enfance dans des foyers d'accueil. Plusieurs foyers, même. Marsha m'a raconté que certains étaient pires que des prisons.

Matt sentit son esprit qui dérivait. Il pensait à ces enfants dont les parents disparaissent ou qui les abandonnent pour une raison ou une autre. La mère de Carly l'avait laissée tomber quand elle était enfant. Heureusement, sa grand-mère était intervenue assez vite. Pourtant, cet abandon l'avait rendue impétueuse, presque impulsive. Elle manquait souvent de confiance en elle. Elle faisait encore des cauchemars…

Matt eut soudain l'impression qu'une ampoule de cent watts s'allumait dans sa tête. Il regarda Kenan droit dans les yeux.

— Marsha vous a-t-elle déjà parlé du Foyer d'accueil des Saints Innocents ?

— Oui. Elle m'a dit qu'ils avaient un âne. Elle adorait les animaux, je vous l'ai déjà dit. Sinon, elle ne m'a rien raconté d'autre. Elle disait seulement que c'était un endroit bizarre.

C'était ça, le lien entre les deux femmes ! Matt le sentait. Il en était sûr ! Marsha et Carly avaient toutes deux séjourné au Foyer d'accueil des Saints Innocents. Marsha était morte. On avait essayé d'assassiner Carly. Plus de vingt ans plus tard, Carly faisait encore des cauchemars… Elle était pourtant restée très peu de temps au Foyer. Matt en était sûr : le lien entre les deux femmes était là. Depuis le temps qu'il était shérif, il avait maintes et maintes fois constaté que les coïncidences n'existent pas.

Il aurait même parié une année de son salaire que l'agresseur de Carly était lui-même relié d'une manière ou d'une autre au Foyer d'accueil des Saints Innocents.

Matt demanda encore à Kenan si Marsha avait gardé des contacts avec des gens du Foyer, si elle avait reçu des appels téléphoniques, des lettres… Peut-être le Foyer sollicitait-il ses anciennes pensionnaires dans le cadre de ses campagnes de financement ? Kenan répondit par la négative. Marsha ne lui avait jamais parlé de contacts ultérieurs avec des gens du Foyer.

L'homme, toutefois, mentionna en passant que Marsha avait passé beaucoup de temps à son ordinateur dans les quelques jours qui avaient précédé sa disparition. Matt obtint sa permission pour faire analyser le disque dur. Les courriers électroniques… Peut-être que Marsha avait communiqué avec des gens du Foyer par Internet. Ou alors, elle avait visité des sites qui leur apprendraient quelque chose.

Enfin, Matt et Antonio sortirent. L'adjoint en chef tenait dans ses bras l'ordinateur de Marsha, un vieux modèle qui pesait une tonne. Après la climatisation de l'appartement, la cage d'escalier en béton leur fit l'effet d'une véritable fournaise. Elle sentait un peu la moisissure. Les marches de métal semblaient même attaquées par l'humidité. Décidément, cette canicule n'en finissait pas !

— Est-ce que c'est nous qui allons analyser l'ordinateur ? demanda Antonio d'un air inquiet.

— Oui, répondit Matt.

Annie dans un bras, la mallette dans l'autre main, il prenait garde de ne pas trébucher. Maintenant qu'il tenait le lien entre Marsha et Carly, il allait résoudre cette affaire en moins de deux. Même si aucun de ses adjoints, et encore moins lui-même, ne s'y connaissait en ordinateurs.

— Si jamais ça nous pose problème, ajouta-t-il, le petit copain de Lissa est un crack de l'informatique. C'est comme ça, maintenant. Les gamins sont tous des cracks de l'informatique. On pourra lui demander conseil. Tu sais quel est le lien entre Marsha Hughes et Carly, Antonio ? Le Foyer d'accueil des Saints Innocents. Toutes deux y ont séjourné quand elles étaient enfants. L'agresseur de Carly est sans doute le type qui a tué Marsha. À ce stade-ci, je ne crois pas qu'elle soit encore vivante. Et ce type, il a forcément des liens avec le Foyer.

— Ah bon ? Je ne savais pas que Carly avait été au Foyer. Je croyais qu'elle avait grandi dans le chic manoir de sa grand-mère.

— Oui, mais après être passée par le Foyer. Elle a eu la vie dure, quand elle était gamine.

Ils arrivaient au bas de l'escalier. Une jeune femme blonde et mince en short et bustier ouvrit la porte de l'immeuble au moment précis où ils arrivaient devant. Elle entra d'un pas décidé, aveuglée par l'obscurité soudaine de l'immeuble. Mais elle s'arrêta net en voyant Matt et Antonio, et surtout leurs uniformes. Elle se reprit très vite et gravit l'escalier en leur adressant un petit salut nerveux. Trop tard. Les deux policiers avaient remarqué son hésitation. Si Kenan était pressé de les voir partir, c'était parce qu'il attendait une cliente de son petit commerce…

Matt et Antonio sortirent. Il leur fallut quelques fractions de seconde pour s'accoutumer au soleil éblouissant qui plombait dehors.

— Dis donc… fit Antonio d'un ton songeur. Avec un short aussi minuscule et un bustier presque inexistant, je me demande bien où elle cache la marchandise quand elle sort de chez Kenan.

— J'aime mieux ne pas y penser, répliqua Matt.

Ils se dirigèrent vers leur voiture de patrouille. Heureusement, elle n'était pas garée très loin. Avec ce soleil, ils auraient cuit en cinq minutes.

— Comment va Carly ? demanda Antonio. Sandra dit qu'elle fait des cauchemars la nuit, qu'elle l'a réveillée plusieurs fois.

— C'est vrai. Elle fait des cauchemars. À part ça, elle va bien. Enfin… aussi bien qu'on peut aller quand on est un petit bout de femme et qu'on a un assassin à ses trousses.

— Ce type-là, je te jure, je lui mettrai la main dessus. Il a poignardé Sandra, tu te rends compte ? C'est de la provocation, tu ne trouves pas ?

— Je ne pense pas qu'il savait que tu… que tu avais certains sentiments envers Sandra quand il l'a poignardée. Mais je te comprends. Je me sens comme ça moi-même. Je trouve que c'est de la provocation. Et moi aussi, je te jure, je lui mettrai la main dessus.

35

Quand il vit les hommes avec les chiens, les hommes avec les détecteurs de métal et les hommes avec de grandes barres de métal qui fouillaient d'une manière systématique les alentours du manoir Beadle, l'homme faillit hurler de terreur. Il faillit prendre ses jambes à son cou. Il y avait des voitures de police garées au bas de la colline. Il y avait aussi cette vieille, qui habitait de l'autre côté de la rue, et qui parlait en ce moment même aux policiers. Elle semblait agitée. Elle semblait avoir des tas de choses à leur raconter.

Visiblement, ils cherchaient quelque chose. Mais quoi ? L'homme s'en doutait bien. Il était furieux, mais pas au point que sa fureur l'aveugle. Il était lucide. Il savait très bien ce qu'ils cherchaient. Ils cherchaient un corps. Plusieurs, peut-être. Mais quels corps ?

Celui de Marsha ? Celui de Soraya ? Les deux ?

Comment avaient-ils fait pour arriver jusqu'ici ?

L'air détaché, parfaitement à l'aise, il passa devant la vieille et les policiers au volant de sa voiture. Il klaxonna et leur adressa un petit signe de la main, comme ça se fait encore dans les petites villes. Il se rendit au Café du coin pour y manger.

Il n'eut même pas besoin de poser de questions. Les rumeurs couraient vite, à Benton. Il n'était même pas nécessaire de les solliciter pour qu'elles accourent.

L'homme mangeait paisiblement. Il avalait l'une après l'autre ses bouchées de viande et de purée de pommes de terre. Sans avoir l'air de rien, il orientait la conversation.

Il paraissait que... Il paraissait que les policiers n'avaient encore rien trouvé. Pas de cadavre, rien. Mais ils continuaient les fouilles. Le shérif était allé le matin même au manoir Beadle avec Carly Linton. Sa grand-mère lui avait légué la maison. Ils avaient trouvé quelque chose qui appartenait à cette caissière qui avait disparu quelques semaines plus tôt. Enfin, quelque chose qui lui appartenait ou qui la concernait d'une manière ou d'une autre. Comment s'appelait-elle, déjà ? Marsha... Marsha Hughes.

L'homme apprit ainsi qu'ils avaient trouvé quelque chose, quelque chose qui les mènerait jusqu'à Marsha. S'ils trouvaient Marsha, ils trouveraient aussi Soraya. À moins d'être de parfaits imbéciles, ils trouveraient Soraya. Et une fois qu'ils l'auraient trouvée, ils établiraient le lien avec Carly. Et là, ils sauraient que c'était lui.

L'homme sentit une goutte de sueur rouler le long de sa colonne vertébrale. Carly le connaissait. Cette nuit-là, elle était là aussi.

Elle était toute petite, à l'époque. Quel âge ? L'homme n'aurait pas su le dire. Mais certainement moins de dix ans. En tout cas, plus jeune que les autres. Peut-être qu'elle n'avait pas bien compris ce qui se passait. Peut-être qu'elle avait oublié.

Mais peut-être pas.

L'homme n'avait plus que deux possibilités. Soit il prenait la poudre d'escampette en espérant qu'elle n'ait rien vu ce soir-là, ou rien compris. En espérant qu'elle ait tout oublié. Ça arrive, des fois. Il y a des gens qui vivent des choses terribles, et après, ils oublient tout. Ou alors, elle aurait tellement peur qu'elle ne dirait rien.

Impossible de prendre ce risque. L'homme avait déjà tenté cette voie et il avait failli y laisser sa peau.

Il ne lui restait donc qu'une possibilité. Il fallait prendre le taureau par les cornes. Carly était la dernière survivante. La seule qui pouvait encore parler. Une fois qu'elle aurait disparu, personne ne pourrait savoir ce qui s'était passé. Personne ne pourrait remonter jusqu'à lui. Même si les policiers trouvaient Marsha et Soraya, même s'ils établissaient le lien entre elles et le Foyer, même s'ils comprenaient finalement le rapport avec Carly. Après tout, quelle importance ? Jamais ils ne lui mettraient la main dessus. Il n'y avait aucune trace de lui au Foyer, aucun dossier, aucun registre. Rien.

Sauf Carly. Carly et ses souvenirs. Si elle en avait.

En fin de compte, l'homme n'avait pas le choix. Une fois qu'ils auraient trouvé les corps, et ils finiraient bien par les trouver, son sort serait entre les mains de Carly. À bien y penser, il avait été idiot. Mais il ne pouvait pas savoir, à ce moment-là, qu'elle reviendrait. Il avait fait ses recherches, il avait trouvé l'adresse des filles et avait observé leurs faits et gestes. En allant vers la maison d'enfance de Carly, il s'était aperçu qu'elle était vide. Plus personne ne vivait là. En plus, la maison était juchée au sommet d'une colline, loin des voisins, loin de la route. L'endroit idéal pour un meurtre. L'endroit idéal pour un cimetière clandestin.

S'il avait su que Carly allait revenir, s'il avait su qu'elle allait vivre là, jamais il n'aurait choisi cette stratégie. Mais il ne le savait pas. Dans la vie, c'est comme ça. On prend une décision à partir de l'information qu'on a. Une fois qu'elle est prise, il faut faire avec.

Alors, l'homme allait faire avec. Il prendrait la meilleure des décisions possibles à partir de l'information dont il disposait maintenant. En fait, sa décision était déjà prise. Il n'avait pas le choix. S'il voulait sauver sa peau, il fallait qu'il se débarrasse de Carly.

Certes, ce ne serait pas facile. Le shérif l'avait prise sous son aile. Elle vivait chez lui, entourée de cette horde déchaînée qui entrait et sortait à toute heure. Elle était toujours escortée d'un adjoint qui la suivait comme une ombre. Ce ne serait pas facile.

Mais pas impossible. Si l'homme était prudent, s'il observait, s'il attendait et se tenait aux aguets, la chance finirait par lui sourire. La chance lui tendrait la main.

Pour l'heure, la chance lui tournait le dos. Mais ce n'était qu'une question de temps, une question de patience. Elle lui sourirait de nouveau. Elle finissait toujours par lui sourire.

Et quand elle lui sourirait, l'homme tiendrait sa promesse. Il ferait exactement ce qu'il avait dit qu'il ferait quand Carly lui avait enfoncé ce morceau de verre dans la jambe. Il la ferait crever.

36

Le mercredi suivant, vers minuit, Carly s'avoua qu'elle était légèrement contrariée. Pas fâchée, certes. Encore moins furieuse. Légèrement contrariée. Car après lui avoir claironné son amour et juré ses grands dieux que ses opérations commando n'étaient plus qu'un mauvais souvenir, Matt avait renoué avec ses vieux démons. Carly ne l'avait pas revu depuis qu'il l'avait ramenée chez lui, le lundi matin. Il l'avait raccompagnée jusque dans la maison, avait déposé sur ses lèvres un baiser brûlant mais soucieux, puis il avait disparu.

Il travaillait très dur, elle le savait. Son enquête venait de prendre un tournant majeur. Un cadavre se trouvait sans doute sur le terrain entourant le manoir Beadle et il y avait certainement été enterré par l'homme qui l'avait agressée. La découverte du corps mènerait donc probablement à l'identification de l'agresseur. C'était en tout cas ce que Sammy et Mike, ses gardes du corps attitrés, lui expliquaient plusieurs fois par jour. En conclusion, Carly aurait dû se réjouir de ne pas voir Matt : c'était le signe qu'il cheminait à grands pas dans son enquête et qu'il mettait les bouchées doubles pour retrouver son agresseur.

Le problème, c'était qu'il lui manquait terriblement.

Sa seule consolation était de constater que Sandra était logée à la même enseigne. Même Andy, le petit ami de Lissa, avait disparu depuis deux jours, réquisitionné par la police de Benton. Il devait inventorier le contenu d'un ordinateur qui, pour une raison que Carly ignorait, constituait maintenant l'une des pièces maîtresses du dossier qui occupait Matt jour et nuit. Pour passer le temps, Carly s'efforçait d'accueillir avec le sourire les innombrables plaisanteries dont elle était l'objet depuis qu'elle avait passé la nuit avec Matt. Plus sérieusement, elle commençait à enclencher son projet d'auberge, comparant les primes des différentes compagnies d'assurance, élaborant des projets publicitaires pour septembre, s'informant auprès des fournisseurs de produits alimentaires. Elle participait aussi aux préparatifs du mariage d'Erin, qui devait avoir lieu le samedi suivant. Oh! Trois fois rien. Après tout, ainsi que le disait Lissa, la réception accueillerait « seulement » trois cents personnes… En d'autres termes, il restait des milliers de détails à régler d'ici le grand jour.

Heureusement, les cadeaux déjà reçus avaient été entreposés dans la nouvelle maison d'Erin. Sinon, ainsi que le soulignait la toujours perspicace Lissa, Matt et ses sœurs auraient été obligés de déménager, et leurs deux protégées avec.

Carly avait renoncé à voir Matt ce soir-là. Il était déjà minuit. Mais soudain, il entra, suivi d'Antonio. Carly se trouvait dans le salon avec Sandra, Lissa, Erin, Dani et Mike, qui jouait les gardes du corps. Annie sommeillait par terre et Hugo se lovait confortablement dans le fauteuil inclinable de Matt. À la demande d'Erin, les dames de l'assemblée fabriquaient des petits sacs de tulle remplis de riz que l'assemblée jetterait aux nouveaux mariés le samedi suivant. Mike avait refusé poliment, quoique fermement, de prendre part à ce grand projet. Assis sur le canapé, au beau milieu du chaos, il regardait fixement la télévision, les bras croisés, le visage fermé. Il tentait sans doute de faire comme si l'agitation qui l'environnait ne le touchait pas. Dans ce cas, sa tentative échouait lamentablement. Visiblement, Mike souffrait d'être cloué dans ce salon.

Erin, elle, se montrait d'une gaieté suspecte. Carly ne put s'empêcher de penser que toute cette histoire de petits sacs de tulle avait pour unique objectif de mettre Mike hors de lui.

— Alors quoi ? lança Matt en arrivant dans la pièce. C'est la fête, ici !

Vêtue d'un short et d'un t-shirt, Carly était assise en tailleur sur le sol, un long ruban argenté entre les dents. Matt avait l'air fatigué, légèrement irritable. Mais cela n'empêcha pas le cœur de Carly de bondir vers lui quand elle le vit. Il fallait néanmoins qu'elle finisse de boucler son ruban pour le saluer. Quand enfin elle put lever la tête vers lui, il se tenait debout devant elle, un léger sourire aux lèvres.

— Je suis affamé, fit-il. Tu m'accompagnes à la cuisine ?

Tous les yeux présents dans la pièce observaient la réaction de Carly, certains ouvertement, d'autres plus discrètement. Elle acquiesça d'un hochement de tête et prit la main que Matt lui tendait pour l'aider à se relever. En allant vers la cuisine, il garda sa main dans la sienne.

— Alors, comment va... commença-t-elle en arrivant dans la cuisine.

— Je n'ai pas envie de parler de l'enquête, trancha Matt. Je suis mort de fatigue et tout ce que je veux...

Il referma la porte de la cuisine derrière eux.

— Oui ?

— Devine un peu, répondit Matt en l'obligeant à reculer jusqu'au réfrigérateur.

Il l'embrassa. Quand il éloigna ses lèvres des siennes, Carly se sentait étourdie. Le souffle lui manquait. Déjà, elle était toute prête à lui pardonner sa longue absence, son silence de quarante-huit heures.

— Je pensais que tu étais affamé? demanda-t-elle en souriant.

En voyant la mine réjouie de Matt et, il faut bien le dire, un peu suffisante, elle sut qu'il mesurait avec exactitude la profondeur du désir qu'elle avait de lui. De toute façon, il savait toujours exactement ce qu'elle pensait.

— Oui, dit-il, je suis affamé. Mais pas de nourriture. Antonio et moi avons mangé un sandwich en revenant.

Il l'embrassa encore, si passionnément que Carly crut qu'elle allait fondre dans ses bras.

— Carly? fit Sandra en ouvrant la porte.

Encore incrustée entre Matt et le réfrigérateur, Carly se sentit rougir jusqu'à la racine des cheveux. Elle tourna la tête vers Sandra sans pourtant dénouer ses bras, qu'elle avait enroulés autour de Matt.

— Oui?

Sandra avait elle-même l'air un peu gêné.

— Je voulais juste te dire que je ne dormirai pas ici cette nuit.

— Ah non? demanda Carly, soudainement très désireuse de tout savoir.

Mais Matt était là. Les deux femmes se regardèrent quelques secondes sans rien dire. Pas besoin de mots pour se comprendre.

— Parfait! conclut finalement Carly. À demain!

— Bonne nuit! lança Sandra avec un petit sourire en coin.

Puis, elle disparut en refermant la porte de la cuisine derrière elle. Carly se rendit compte soudain qu'elle venait d'en dire à Matt plus qu'il n'avait besoin d'en savoir sur la vie privée de son adjoint en chef. Elle leva les yeux vers lui. Il lui souriait, ses yeux sombres et brûlants posés sur elle.

— Qu'est-ce que tu t'imagines ? demanda-t-il. Tu crois que c'est un hasard si j'ai ramené Antonio ici ce soir ? Il voulait voir sa bonne femme, je voulais voir la mienne. Tu vois ? Tout le monde y gagne !

Carly dévisagea Matt d'un air sévère.

— Ta « bonne femme » ?

— Ça te pose problème ? répliqua Matt en la repoussant doucement contre le réfrigérateur.

— Un peu paternaliste, comme expression... Tu ne trouves pas ?

Mais le souffle recommençait à lui manquer. Matt se pencha vers elle et l'embrassa dans le cou.

— Ah oui ?

Il l'embrassa de plus belle. Ses mains glissèrent vers ses fesses. Il l'attira contre lui.

— Oui ! souffla-t-elle. Très paternaliste.

— On va au lit ?

Carly ne put s'empêcher de penser à toutes ces paires d'yeux qui allaient se river sur eux dès l'instant où ils retourneraient dans le salon et jusqu'à ce qu'ils disparaissent dans l'escalier qui menait à l'étage.

— Tout le monde va nous regarder, fit-elle.

La porte de la cuisine s'ouvrit soudain. Erin et Mike entrèrent d'un bon pas et s'arrêtèrent net en les voyant, visiblement curieux de ce qui se passait entre eux avant qu'ils ne fassent irruption.

— Tu as raison, tout le monde nous regarde, murmura Matt à l'oreille de Carly.

Carly laissa retomber ses bras. Matt s'éloigna d'un pas et se tourna vers Mike, qui semblait soudain très mal à l'aise.

— Je pensais que tu devais rentrer chez toi ? demanda Matt.

— Nous avons un petit creux ! lança Erin d'un ton malicieux. Nous allons nous faire un sandwich. Est-ce que le pain est encore frais ?

— Il est très bien. Je te le recommande chaudement.

Matt prit la main de Carly et l'entraîna hors de la cuisine. Ils ne rencontrèrent personne d'autre jusqu'à l'escalier. Sandra et Antonio devaient déjà être partis. Dani et Lissa n'étaient pas en vue.

— Vite ! lança Carly en gravissant les marches le plus rapidement possible.

Derrière elle, Matt avançait d'un pas tranquille. Apparemment, il n'était pas aussi désireux qu'elle d'éviter les rencontres.

— Mike n'est pas insistant, j'espère ? fit-il soudain.

— Auprès d'Erin, tu veux dire ?

Finalement, Matt avait remarqué quelque chose...

— Auprès d'Erin ? fit-il. Mais non, qu'est-ce que tu racontes ? Auprès de toi !

Carly s'arrêta net et regarda Matt dans les yeux. Non, il ne jouait pas la comédie. Il ne voyait absolument rien de ce qui se tramait entre Erin et Mike. Vraiment, les hommes...

— Matt, soupira Carly en hochant la tête. Il y a vraiment des jours où je me demande si tu as des yeux pour voir.

Matt la poussa dans sa chambre et referma la porte derrière eux. Il la prit dans ses bras et l'embrassa. Puis, il releva la tête.

— Comment ça, des yeux pour voir ? demanda-t-il soudain. Qu'est-ce que tu veux dire ?

— Plus tard, répondit-elle en l'embrassant. Je t'expliquerai plus tard.

Annie interrompit leurs ébats en grattant à la porte. Matt étouffa un juron entre ses dents et tendit la main vers la poignée. Le chien entra d'un pas guilleret. Hugo suivait de près. Il traversa la pièce d'un air digne et grimpa sur le lit avec un air assuré de propriétaire.

Matt et le chat se toisèrent quelques secondes.

Le shérif finit par détourner le regard.

— Faut-il vraiment que toute ta ménagerie t'accompagne partout ? demanda-t-il à Carly.

— Qui m'aime me suive, répondit-elle en souriant.

— C'est ça, oui ! Ta ménagerie a de la chance que j'aie un si grand cœur.

Il se remit à embrasser Carly. Elle se dégagea de son étreinte en lui promettant de revenir bientôt.

Elle alla s'enfermer dans la salle de bains. Elle se brossa les dents, se recoiffa et mit une touche de brillant sur ses lèvres. Quand elle fut satisfaite du reflet que lui renvoyait le miroir, elle s'aperçut que son cœur battait à tout rompre et qu'une pulsation chaude scandait son désir dans le bas de son ventre.

Elle adorait ça ! Elle adorait cette excitation qui s'emparait d'elle quand elle pensait à Matt, à son corps, à ce qu'ils feraient…

Elle retourna d'un pas léger dans la chambre et s'immobilisa net. Matt était allongé sur le dos au beau milieu de son grand lit, tout habillé à l'exception de ses chaussures. Hugo s'était enroulé contre son oreille et ronronnait bruyamment. Matt avait les yeux fermés et semblait inconscient. En s'approchant, Carly entendit un ronflement s'échapper de sa bouche si sensuelle et virile.

Ça, c'était bien sa chance ! Elle était là, fin prête, tous les sens en éveil. Et lui, il dormait !

Le lit de camp de Sandra était prêt à accueillir Carly. Pas question ! Sa nuit d'amour était à l'eau, mais ce n'était pas une raison pour ne pas dormir avec Matt. Ce n'était pas tout à fait ce qu'elle avait espéré, mais tant pis. Tant pis… Pour cette fois, en tout cas.

Endormi, Matt restait splendide et profondément masculin. Mais son visage prenait aussi un air tendre et enfantin. Carly enfila son pyjama en souriant. Si elle disait à Matt qu'elle lui trouvait l'air tendre et enfantin, il prendrait certainement la mouche... Elle se coucha sous le drap. Matt était allongé sur les couvertures, mais elle savait qu'elle n'arriverait pas à le déplacer, même en s'y appliquant de toutes ses forces.

Elle éteignit la lampe de chevet, déposa un baiser sur la joue rugueuse de Matt et se serra contre lui. De l'autre côté de Matt, Hugo ronronnait comme un moteur d'avion.

— À demain, jolies fesses, murmura Carly à l'oreille de Matt.

Elle s'endormit presque aussitôt.

Le lendemain matin, Matt prit une douche, s'habilla et descendit tandis que Carly finissait de s'habiller. Officiellement, il descendait tôt pour faire sortir Annie. Carly savait qu'en fait, il préférait affronter seul ses sœurs pour lui éviter leurs regards embarrassants. Il était encore tôt. Cependant, les filles Converse risquaient fort d'être déjà dans la cuisine. Le spectacle de l'arrivée triomphale de Matt et Carly méritait sans doute qu'elles renoncent à une heure ou deux de sommeil.

Quand Carly arriva près de la cuisine, des bribes d'une conversation animée parvinrent jusqu'à elle. Seigneur ! Les trois sœurs étaient réunies dans cette petite pièce et semblaient déchaînées. Carly faillit faire demi-tour. Non ! Elle n'était pas du genre à fuir les périls. De toute façon, il faudrait bien qu'elle affronte les filles Converse un jour ou l'autre.

En s'approchant de la porte, Carly parvint à distinguer la voix de Lissa.

— Si je comprends bien, disait la sœur de Matt, on peut ramener qui on veut à la maison à partir de maintenant ? On peut passer la nuit avec qui on veut ?

— Pas du tout, répliqua Matt d'un ton calme. Il y a un détail qui t'échappe dans la consigne : elle s'applique à tout le monde, sauf à moi.

— C'est pas juste !

À ce moment précis, Carly fit son entrée dans la cuisine. Lissa, Dani et Erin étaient assises autour de la table. Négligemment adossé à l'évier, Matt buvait un café. Les yeux de l'assemblée, tous de la même teinte noisette, se tournèrent ensemble vers la nouvelle venue.

— Bonjour ! lança Carly en espérant très fort qu'elle ne rougissait pas.

— Bonjour ! lui répondirent en chœur les trois filles Converse.

Lissa souriait de toutes ses dents. Erin et Dani adressèrent un clin d'œil à Carly.

— Tu veux du café ? demanda Matt.

— Volontiers.

Il se retourna pour lui en servir une tasse. Erin sourit à Carly et fit pour elle le V de la victoire.

Une vingtaine de minutes plus tard, Matt et Carly étaient dans la voiture de patrouille. Le matin même, dans la chambre, Matt lui avait expliqué rapidement les progrès de son enquête. Marsha avait passé presque un mois au Foyer quand elle était enfant. Selon les registres, elle et Carly avaient séjourné dans l'établissement à la même époque. Elles avaient en outre passé quelques jours ensemble à l'infirmerie, en même temps que deux autres filles : Genny Auden et Soraya Smith. Matt s'efforçait de retrouver ces deux filles. En fait, ces deux femmes. Marsha, Genny et Soraya avaient entre quatre et six ans de plus que Carly.

— J'ai l'impression qu'il s'est passé quelque chose dans cette infirmerie, avait-il conclu. C'est le seul lien que j'aie trouvé entre toi et Marsha. Tu avais huit ans. Tes souvenirs ne sont pas très clairs, mais je pense que c'est de là que te viennent tes cauchemars. Dis-moi…

Accepterais-tu de retourner au Foyer avec moi pour voir si la mémoire te revient ?

Carly avait accepté. Ils franchissaient maintenant le portail du Foyer, situé à l'extrême nord du comté.

Carly n'y avait pas remis les pieds depuis le jour où sa grand-mère était venue la chercher. Avant que la travailleuse sociale ne la place dans l'établissement, elle avait toujours vécu à Rocky Ford, une bourgade plus modeste encore que Benton, où elle et sa mère avaient stagné dans la misère. Sa mère buvait. En fait, elle était alcoolique au dernier degré. La grand-mère de Carly l'avait pourtant élevée dans des principes d'ordre et de sobriété. À l'époque, Carly ne savait rien de tout cela. Sa grand-mère lui avait appris la vérité plus tard, alors qu'elle avait bien grandi. Adolescente, sa mère était déjà rebelle. Un jour, elle avait fui avec un garçon de sa trempe, un jeune qui possédait une moto. Sa mère l'avait avertie que ce n'était pas la peine qu'elle revienne à Benton si jamais elle mettait son projet de départ à exécution. Carly était née quelque temps après. Le type à la moto était parti avec une autre. Il avait fini par se tuer dans un accident de la route au Tennessee. Fidèle à sa promesse, sa grand-mère avait refusé que sa fille et sa petite-fille reviennent chez elle. Les travailleurs sociaux avaient néanmoins réussi à retrouver sa trace et lui avaient annoncé que Carly se trouvait au Foyer d'accueil des Saints Innocents. Elle avait alors accepté d'aller la chercher. Avec le temps, elle s'était prise d'affection pour la petite. Carly s'était mise à l'aimer aussi.

Avant que sa grand-mère ne vienne la chercher au Foyer, toutefois, Carly avait vécu huit jours affreux, huit jours de solitude et de terreur.

En avançant vers le bâtiment de brique, Matt à ses côtés, Carly trouva pourtant les lieux plutôt accueillants. Le soleil versait sur les murs une lumière réconfortante. Une grande pelouse entourait le bâtiment. On apercevait une aire de jeux et un terrain de basket-ball non loin. Des enfants s'y ébattaient. « Pauvres petits ! » pensa Carly. D'autres, plus nombreux sans doute, devaient être à l'intérieur. Ils devaient regarder la télévision, déambuler dans les couloirs. La plupart devaient approcher de l'adolescence. À travers la porte entrouverte d'une chambre, une paire de petits yeux curieux les dévisageait.

Matt discuta quelques instants avec une vieille dame qui s'était approchée pour les accueillir. Carly saisit au vol quelques fragments de la conversation : « Bonjour, shérif... » ; et plus tard : « C'est moi qui vous ai appelée » ; et enfin : « Par ici, je vous prie. » Mais elle n'écoutait pas vraiment. Elle était trop occupée à absorber le choc de ce retour. Elle revivait son séjour au Foyer jusque dans sa chair.

Elle avait eu tellement peur ici !

— Est-ce que ça va ? lui demanda Matt à voix basse.

Il lui prit le bras et suivit la femme. Sa présence, sa main chaude, ses yeux attentifs rassurèrent Carly. Elle acquiesça d'un hochement de tête et soudain, elle se retrouva face à une pièce meublée d'une vieille table de bois. Les enfants qui devaient prendre des médicaments y venaient pour qu'on leur administre leurs comprimés. Derrière la table, une porte de métal gris avec des petites vitres carrées. La porte était ouverte.

— Il n'y en avait qu'un aujourd'hui, disait une voix inconnue. Il a fait une réaction allergique. Je l'ai placé dans une autre pièce.

— Merci, c'est très aimable.

Carly entendait aussi Matt et la femme qui se parlaient, mais elle n'arrivait pas à distinguer leurs paroles. Elle dégagea sa main de celle de Matt et entra dans la pièce. Elle était vide. C'était une petite pièce avec une fenêtre assez grande qui surplombait une sorte d'abri, presque une grange, un bâtiment informe et délabré entouré d'une clôture. C'était là que vivait l'âne, autrefois. Il y avait aussi des poules, quelques chèvres et un petit cochon. Carly adorait ces animaux.

Les lits superposés étaient encore là. De petits lits blancs à armature métallique, deux contre chacun des murs de la pièce. À l'époque, Carly dormait dans le lit du haut, sur la gauche. Elle le regarda. C'était le même : les ressorts de métal, le matelas trop mince recouvert d'une couverture bleue et d'un oreiller plat. Quand elle était gamine, le lit lui semblait incroyablement haut. Il l'était encore. Même si elle avait bien grandi, il restait beaucoup plus haut qu'elle. Elle devrait emprunter l'échelle pour y accéder.

L'échelle était encore là, fixée à l'extrémité du lit. Carly posa le pied sur le premier échelon. Elle portait un pantalon blanc et court, une chemise de lin noir, et des chaussures de tennis. Elle n'aurait aucun mal à grimper.

Crac, crac. Les barreaux produisaient encore le même son. « Fais attention de ne pas tomber ! » Carly se rappelait cette voix qui la mettait en garde. Il y avait une vieille dame qui travaillait là, une femme assez gentille qui prenait soin d'elles toute la journée et qui, chaque soir, leur recommandait de faire attention de ne pas tomber. Carly faisait toujours très attention. Elle dormait le dos collé contre le mur, par peur de rouler dans son sommeil et de s'écraser au sol.

Pour mieux se rappeler, elle s'étendit sur le lit du haut, le dos collé contre le mur.

— Carly ?

C'était Matt. Il entrait d'un pas rapide dans la pièce. Il la cherchait.

— Ça va ?

Il s'approcha du lit et regarda Carly. Elle ne voyait pas son visage en entier, seulement son nez et ses yeux.

Ses yeux. Ses yeux qui la regardaient. Ses yeux !

Elle se mit à trembler de tout son corps.

37

Carly était blanche comme un linge. Ses yeux écarquillés regardaient dans le vague. La bouche entrouverte, elle avait du mal à respirer. Elle avait le dos collé contre le mur et le bras replié derrière la tête. Ses boucles tombaient en cascade sur sa main. Elle tremblait.

— Ce n'était pas une bonne idée, fit Matt.

Il tendit le bras et il l'attira vers lui. Il ne pouvait pas supporter de la voir comme ça, même si c'était pour une bonne cause. Il faisait très chaud dans cette pièce. La climatisation ne fonctionnait pas bien. Cependant, Carly avait la peau glacée.

— Carly… ajouta-t-il. Allons-nous-en. C'est trop dur…

— Je me rappelle… souffla-t-elle.

Elle le regarda avec des yeux de petite fille perdue. Matt sentit son cœur se serrer.

— Je me rappelle ses yeux. Quand je t'ai vu me regarder, je me suis rappelé ses yeux. Ce sont ceux que je vois dans mes cauchemars. Des yeux bleu clair sans cils. Les mêmes que ceux du type qui m'a agressée. Tu te rappelles ? Il m'a dit : « Je me rappelle de toi, maintenant. » Moi aussi… Je me rappelle de lui.

— Raconte-moi.

Matt avait l'impression de voir Carly se faire torturer sous ses yeux sans pouvoir arrêter son calvaire. Cependant, si elle en avait la force, il fallait qu'elle continue. Peut-être retrouverait-elle l'identité de son agresseur. Alors, la police lui mettrait la main au collet et elle n'aurait plus rien à craindre. Matt lui frotta le bras pour tenter de la réchauffer. Il immobilisa sa main quand elle recommença à parler.

— C'était la nuit, toujours très tard. Pendant la nuit. J'avais peur de m'endormir, parce que je ne voulais pas qu'il arrive sans que je le voie. Il ouvrait la porte et je le voyais là, debout dans l'embrasure. Sa silhouette se découpait contre la lumière qui provenait de la pièce d'à côté. Il entrait et il fermait la porte et là... Il commençait.

Carly tremblait comme une feuille. Matt serra les dents. Il aurait voulu la prendre dans ses bras, la faire descendre de ce lit et l'emmener loin. Il avait peur de ce qu'il allait entendre, peur des souvenirs qui allaient revenir à Carly.

Mais il était trop tard pour reculer. Il avait ouvert les vannes et les eaux de la mémoire s'en échappaient avec la force d'un torrent. Pouvait-il interrompre cette épreuve, mettre Carly en lieu sûr et reprendre son enquête sans l'obliger à revivre des instants atroces ? Déjà, elle recommençait à parler.

— Il allait d'un lit à l'autre. En général, il commençait par là.

D'un geste du menton, elle désigna les lits superposés placés contre le mur d'en face.

— Il faisait d'abord le lit du bas, puis celui du haut. Moi, j'arrivais toujours en dernier. Alors... Alors, il s'approchait de moi et il me regardait. Moi, je collais mon dos contre le mur, comme ça. Tout ce que je voyais, c'étaient ses yeux. Je... Je faisais semblant de dormir. Alors, il mettait son chiffon contre mon visage. C'était froid et humide. Ça sentait atrocement mauvais, une espèce d'odeur douceâtre. Et alors, il murmurait : « Bonne nuit, princesse. » J'avais trop peur pour réagir, trop peur pour tenter quoi que ce soit. Il mettait son chiffon contre mon visage et je m'endormais.

Cette ordure l'avait chloroformée, Matt le sut instantanément. Cette ordure était entrée dans une chambre pleine de petites filles et il les avait chloroformées ! Matt crut qu'il allait vomir. Sa main libre se crispa en un poing.

— Mais ça ne marchait pas toujours. Dès la deuxième nuit, j'ai tourné un peu la tête et je me suis arrêtée de respirer. De toute façon, il ne s'intéressait pas à moi. C'était aux autres filles qu'il s'intéressait. Elles étaient plus vieilles. Elles étaient déjà formées… En tournant la tête, j'étais un peu étourdie quand il me collait son chiffon sur la figure, mais pas endormie. Je l'entendais entrer dans leurs lits. J'entendais les ressorts grincer.

Carly frissonna si fort que le lit en trembla. Les ressorts se mirent à grincer. Comme autrefois.

— Carly…

Matt ne pouvait plus supporter ce supplice. Il ne pouvait plus rien entendre. Si cette ordure avait touché Carly, il lui arracherait le cœur à mains nues, il lui déchiquetterait les entrailles, il le ferait souffrir jusqu'à ce qu'il en crève.

— Je me rappelle, Matt… murmura Carly d'une voix étouffée.

Elle le regarda et il sut qu'il n'oublierait jamais ce regard.

— Le dernier soir, la veille du jour où ma grand-mère est venue me chercher, l'une des filles… C'était Genny, je me rappelle. Genny… Elle devait avoir environ treize ans. Une fille assez dure. Elle avait dû en voir de toutes les couleurs. Elle s'est réveillée alors qu'il était dans son lit avec elle. Elle s'est mise à hurler et il l'a frappée. Il l'a frappée avec son poing et après, avec quelque chose d'autre. Je ne sais pas ce que c'était, mais j'ai entendu le bruit. Il s'est levé du lit, il l'a prise dans ses bras et il l'a transportée hors de la pièce.

Carly prit une inspiration oppressée.

— Ma grand-mère est venue me chercher le lendemain matin. Genny n'avait pas reparu à ce moment-là.

L'enquête avait déjà permis à Matt de déterminer qu'une dénommée Genny Auden, treize ans, avait disparu du Foyer vingt-deux ans plus tôt, le 11 août. On avait conclu à une fugue. Mais depuis vingt-deux ans, Genny Auden n'avait reparu nulle part.

Matt pourrait dire à ses adjoints de suspendre leurs recherches. Ce n'était plus une femme d'une trentaine d'années qu'ils cherchaient, mais un cadavre.

— Qui était-ce, dis-moi ? Qui était ce type ? Est-ce que tu te rappelles son nom ?

Matt souffrait d'infliger ce martyre à Carly. Il avait le souffle court et n'arrivait qu'à grand-peine à maîtriser la colère qu'il sentait bouillonner en lui. Mais il fallait qu'il se montre tendre envers Carly. Tendre et attentionné. Elle avait besoin de lui.

— On l'appelait « l'homme à l'âne ». C'était comme ça qu'on l'appelait. L'homme à l'âne.

L'homme à l'âne. Un surnom ? Une déformation de son vrai nom ? Une allusion à son physique ? Ou alors, était-ce lui qui avait amené l'âne au Foyer, ou qui s'en occupait ? Que signifiait ce nom ?

— À l'époque, j'ai pensé que Genny s'était enfuie, qu'elle était en sécurité comme je l'étais avec ma grand-mère. En fait... je ne me suis pas posé beaucoup de questions. Je ne voulais pas repenser aux jours que j'avais passés au Foyer. C'était fini et je voulais tout oublier. Mais maintenant... Maintenant, je crois qu'il l'a peut-être tuée.

— C'est ce que je crois aussi.

Matt avait obtenu l'information qu'il voulait. Il était inutile de continuer à torturer Carly.

— Très bien, fit-il d'une voix ferme. Descends de là. On s'en va.

— Matt…

— Descends de là, Carly. On s'en va.

Elle semblait incapable de faire le moindre geste. Matt l'attira vers lui. Tant pis pour ce petit lit si bien fait. Elle s'assit au bord du matelas. Matt posa ses mains de part et d'autre de sa taille, la prit dans ses bras et la déposa sur le sol. Même adulte, Carly pesait à peine plus qu'une gamine. À huit ans, elle devait en faire à peine cinq. Matt eut l'impression qu'il allait devenir fou. De penser à ce que cette pourriture lui avait fait, il aurait pu en devenir fou.

« Je t'aurai, pourriture… » se promit-il.

Les genoux de Carly cédèrent sous elle. Si Matt ne l'avait pas tenue par la taille, elle se serait effondrée. Il la souleva dans ses bras et l'emmena.

— Attends, Matt ! Attends.

— Quoi ?

Il s'arrêta pour la regarder. Elle respirait plus calmement. Elle essayait de se rependre. Son visage restait pâle, mais sa bouche ne tremblait plus. Ses yeux avaient retrouvé tout leur éclat.

— Je ne veux pas sortir d'ici dans tes bras. Pose-moi.

— Tu vas tomber.

— Non. Tous ces enfants… Pose-moi. Je t'en prie.

Sans trop savoir pourquoi il lui obéissait, Matt déposa Carly. Il maintint son bras autour d'elle, au cas où ses genoux fléchiraient de nouveau. Elle s'appuya contre lui un instant, tout son corps contre le sien. Puis, elle se redressa et s'éloigna prudemment.

Elle non plus ne savait pas si ses jambes la porteraient. Mais elle se tint debout, seule.

Matt la regardait. Il sentit monter en elle une telle bouffée de tendresse qu'il en fut bouleversé. Il prit l'une de ses mèches bouclées entre ses doigts pour dissimuler son trouble.

— Tu es vraiment incroyable, Frisette, souffla-t-il.

Elle lui sourit. Une femme entra. Matt lui parla tandis qu'elle les raccompagnait jusqu'à la porte.

Dans la voiture, alors qu'ils revenaient vers Benton, Carly regarda Matt. La tête appuyée contre son siège, elle avait l'air si fatiguée, si pâle, qu'il aurait voulu se garer sur le bas-côté et l'embrasser jusqu'à ce que le sang lui revienne aux joues. Mais il avait trop à faire. Ce type, cette pourriture, il était à portée de main. Très bientôt, la police déterminerait son identité et alors… Alors, il paierait pour tout ce qu'il avait fait. Matt avait encore quelques indices à rapprocher entre eux, puis le casse-tête se mettrait en place de lui-même. Ils le coinceraient. Matt pourrait ensuite se consacrer à Carly.

— Matt…

— Oui ?

— Tu sais… À part ce chiffon qu'il me plaçait sur la figure, il ne m'a jamais touchée. Je ne l'intéressais pas. Il ne s'intéressait qu'aux filles déjà formées.

Matt serra les dents et fixa le ruban d'asphalte qui se déployait devant sa voiture pour se perdre à l'horizon. Il était presque midi, déjà. La chaleur était telle que l'air chauffé à blanc ondulait sur la route. Personne en vue. Tout le monde se terrait dans les maisons, dans la fraîcheur de la climatisation. Des champs de maïs emplissaient l'horizon. Ici et là, un troupeau et de petites habitations aux toits d'aluminium. Matt ne voyait rien. Il ne pensait à rien d'autre qu'à Carly, seule, terrifiée par cette ordure, cette pourriture. Elle n'avait que huit ans !

— Je n'avais pas pensé ça, fit-il. J'avais compris que…

— Je te connais trop bien, Matt. Tu y as pensé. La preuve, c'est que tu serres les dents depuis que nous sommes sortis du Foyer.

Matt lui lança un coup d'œil en coin. Il inspira profondément et tenta de se détendre.

— C'est vrai. Tu as raison. Je n'ai qu'une envie, c'est de tuer ce type. Pas brillant, pour un flic. Mais c'est comme ça.

— Tu es mon idole, lui dit-elle en le regardant de ses grands yeux de faïence. Je t'aime.

Que voulez-vous répondre à ça ? Il se gara sur le bas-côté et l'embrassa jusqu'à ce que ses joues redeviennent roses. Puis, il redémarra la voiture et ils poursuivirent leur route vers Benton.

Il était près de treize heures quand Matt confia de nouveau Carly à Mike. Décidément, ce Mike avait l'air bizarre depuis quelque temps. Matt se dit qu'il faudrait qu'il tire cette affaire au clair. Mais plus tard. Pour l'instant, il fallait mettre la main sur cette ordure, cette pourriture qui terrifiait les femmes et les petites filles. Il ne voulut même pas s'arrêter pour manger. Carly lui rappela que la répétition du mariage d'Erin aurait lieu le soir même. Ensuite, la petite troupe irait au restaurant pour fêter ça. Matt devait être à l'église à vingt heures, et en costume s'il vous plaît !

Il acquiesça d'un vague hochement de tête et oublia instantanément le tout. Pour l'instant, il n'avait pas une minute à consacrer aux mariages, même pas celui de sa sœur. Dès qu'il eut confié Carly aux bons soins de Mike, il se dirigea vers le manoir Beadle. La police n'avait toujours pas retrouvé le corps de Marsha. Pourtant, elle n'avait pas lésiné sur les moyens : détecteurs de métal, chiens dressés pour retrouver les cadavres, analyse des zones plus molles du terrain. Ils n'avaient rien trouvé, mais ce n'était qu'une question de temps. Matt savait que le corps était là, quelque part. Ils finiraient par le trouver. Le plus tôt serait le mieux. Après, il pourrait faire chercher Genny Auden. Au bout de vingt-deux ans, son cadavre leur fournirait moins d'indices que celui de Marsha. Sans compter qu'il serait plus difficile à retrouver. À moins d'être un parfait imbécile, le meurtrier ne l'avait certainement pas enterrée au Foyer. Ce type était une ordure, mais certainement pas un imbécile.

Matt arrivait en vue de la maison de Carly quand la voix de Doris Moorman crépita dans sa radio, lui demandant de rentrer au poste le plus rapidement possible.

L'analyse de l'ordinateur avait été considérablement retardée par les procédures infinies auxquelles ils avaient dû se soumettre pour obtenir le mot de passe auprès d'AOL, le fournisseur de services Internet de Marsha. Kenan ne connaissait pas le code. Kenan ne connaissait rien aux ordinateurs. Il ne savait même pas qu'il fallait un code pour accéder au courrier électronique. Quoi qu'il en soit, AOL avait fini par leur fournir le mot de passe et Andy commençait à examiner les courriers électroniques de Marsha Hughes.

Quand Matt arriva au poste de police, le petit ami de sa sœur était installé à son bureau, le visage éclairé par l'écran de l'ordinateur. Antonio, Doris et Anson Jarboe se tenaient derrière lui et scrutaient l'écran. Comme d'habitude, Anson Jarboe s'était constitué prisonnier pour échapper aux récriminations de sa femme.

— Anson, lança Matt en entrant, dégage ! C'est une enquête criminelle, pas un spectacle de cirque.

— Allons, Matt ! Je ne dirai rien à personne, je te jure.

— Pas question. Tu es un homme libre, Anson. Sors d'ici.

Matt prit la place d'Anson et fixa l'écran. Le prisonnier volontaire sortit en grommelant. Cette enquête était trop importante pour risquer de la faire échouer par des rumeurs colportées par un ivrogne. Matt avait dû nommer Andy adjoint de police à titre temporaire et lui faire jurer sous serment de garder le secret de ce qu'il découvrirait dans l'ordinateur de Marsha. Anson Jarboe, c'était une autre histoire.

Ils étaient près du but. Matt le sentait. Il se sentait agité comme à la veille des grandes révélations.

— Est-ce que tu as trouvé quelque chose ? demanda-t-il.

— On dirait, oui.

Andy cliqua sur la souris. La boîte aux lettres électronique de Marsha s'ouvrit à l'écran. Il cliqua ensuite sur « Courrier envoyé » et posa son curseur sur un message que Marsha avait écrit un peu moins d'une semaine avant sa disparition.

Il était adressé à Silverado42.

« J'ai entendu dire que tu avais eu de la chance. Moi, c'est le contraire. On pourrait partager. Si tu partages, je ne dirai rien. »

Le message suivant avait été envoyé par Marsha le même jour, quelques heures plus tard : « Ne t'inquiète pas, je n'ai rien dit pendant toutes ces années. Je ne dirai rien. Mais ça va te coûter des sous. Disons un million de dollars. »

Elle avait réécrit à Silverado42 le même soir : « Tu vois ? Tu te rappelles. Moi aussi. Je n'ai rien oublié. Genny était mon amie. »

— Seigneur Dieu ! Elle essayait de le faire chanter ?

D'autres messages étaient de la même veine. Matt les parcourut avec un sentiment mêlé de victoire et de désespoir. Ses soupçons se confirmaient. Mais l'adresse du destinataire ne lui disait rien.

— Qui est ce Silverado42 ? Est-ce qu'on peut le savoir ?

En tout cas, c'était quelqu'un qui avait au moins un million de dollars en poche.

— Silverado42… fit Antonio. Sûrement un homme assez âgé. Il pourrait être né en 1942…

— Ou alors, il a une Ford Silverado, comme mon mari ! lança Doris.

Elle ouvrit soudain de grands yeux horrifiés.

— Matt ! Ce n'est pas ce que j'ai voulu dire. Tu sais bien que ce n'est pas Frank !

— Mais oui, Doris. Calme-toi. Je sais bien que ce n'est pas Frank, voyons !

De fait, Matt aurait mis sa main au feu que le petit mari falot et maigrichon de Doris n'était pour rien dans cette affaire. Il se retourna vers Andy.

— Est-ce que tu peux trouver l'identité de ce type ?

— Je ne pense pas. Il faudra repasser par AOL et leur demander son nom. Mais peut-être que ses réponses nous apprendront quelque chose.

— Allons-y !

La première réponse n'était faite que de questions : « Qui êtes-vous ? De quoi parlez-vous ? »

La deuxième : « C'est toi, Marsha ? Ou Soraya ? Ou Carly ? »

Et la troisième : « Marsha ? Je sais que c'est toi, Marsha. »

Décidément, cette Marsha Hughes avait couru à son supplice. Essayer de faire chanter un homme qui s'attaquait aux petites filles ? Autant se jeter dans la gueule du loup ! Surtout si elle savait qu'il avait tué Genny. Il avait fini par la retrouver. Après, il s'en était pris à Carly. Quant à Soraya… Sans doute avait-elle également été assassinée.

Jusqu'ici, la police n'avait pas réussi à la retrouver. Les hommes de Matt avaient pourtant rencontré des gens qui l'avaient connue. Ils s'étaient rendus à toutes les adresses où elle avait habité. Matt eut soudain l'impression que, comme pour Genny, ce n'était plus une femme dans la trentaine qu'il fallait chercher, mais un cadavre. Un de plus. Des quatre petites filles qui avaient eu la malchance de tomber malades en même temps, trois avaient probablement été assassinées. Carly, sa Carly à lui, était la seule survivante.

Matt sentit son sang se glacer dans ses veines.

— C'est lui ! lâcha-t-il entre ses dents. Trouve-moi qui est ce type. Appelle AOL, dis-leur que c'est une urgence, que c'est la police qui l'exige, raconte-leur n'importe quoi. Mais trouve-moi qui est ce type ! Antonio, je t'avais parlé du Foyer. C'est ça, le lien entre elles. Carly s'est rappelé ce qui s'était passé là-bas.

Il n'était pas utile d'entrer dans les détails pour le moment. Matt attendrait que Doris et Andy ne soient plus à portée de voix. Il ne voulait pas que la vie privée de Carly soit étalée au grand jour.

— Elle m'a parlé de « l'homme à l'âne », poursuivit-il. C'est peut-être un surnom, peut-être un nom, peut-être la déformation d'un nom, je ne sais pas. C'est peut-être une allusion à son allure. Ou alors, le type s'occupait de l'âne. Ils en avaient un, au Foyer. Je voudrais que tu repasses tous les registres du Foyer au peigne fin pour voir si tu ne trouves pas quelqu'un qui pourrait correspondre à ce surnom. Rappelle-toi : l'homme à l'âne. C'étaient quatre petites filles terrifiées qui l'appelaient comme ça.

— D'accord, fit Antonio.

Une heure plus tard, quand Matt quitta le poste de police pour aller au manoir Beadle, il remarqua que la lumière avait changé. Le doré éblouissant avait fait place à un argenté plus frais. Le soleil brillait encore, et toujours aussi fort. Mais l'air semblait retenir son souffle.

De fait, de gros nuages noirs s'accumulaient à l'horizon.

Pour la première fois en plus de quatre semaines, peut-être allait-il enfin pleuvoir.

38

Matt faillit manquer la répétition du mariage. À la demande d'Erin, Carly s'était rendue à l'église en compagnie de la future mariée elle-même, de Lissa et de Dani. Évidemment, Mike Toler était de la partie. Carly était invitée à la répétition à titre de petite amie de Matt... Le shérif arriva un quart d'heure en retard. Craig était là aussi. Il s'était présenté quelques minutes plus tôt pour accompagner Dani au repas qui devait suivre la répétition. Shelby se tenait dans les premiers rangs de l'assemblée. Comme toujours, elle était d'une élégance remarquable dans son tailleur de satin noir. Carly avait opté pour une robe rouge sans manches, avec un volant dans le bas. La coupe en était toute simple, mais le tissu épousait gracieusement ses formes. Elle se félicita de ne pas concurrencer Shelby sur le terrain du chic.

D'accord, elle ne serait jamais aussi élégante que Shelby. Mais elle se sentait belle dans sa robe rouge ! À tout le moins, elle espérait ne pas avoir l'air de la petite cousine fraîchement débarquée de la campagne... Carly avait décidé d'oublier l'horreur qu'elle avait revécue le matin même. Après tout, c'était jour de fête. Elle ne voulait pas gâcher la répétition des noces par le récit détaillé des moments atroces qu'elle avait passés au Foyer. Elle s'était donc affairée à régler des problèmes de dernière minute pour faciliter la répétition. Elle avait discuté avec Sandra, qui était revenue de chez Antonio le visage radieux et le corps rayonnant. Sandra et Antonio devaient d'ailleurs rejoindre la petite troupe au restaurant un peu plus tard. Carly s'était récriée d'admiration devant la robe de Lissa, qui faisait office de demoiselle d'honneur. D'une manière générale, elle avait trouvé à s'occuper jusqu'au moment du départ. Quand enfin elle avait pris le chemin de l'église, elle avait presque tout oublié de la matinée.

Quand Matt entra, Erin et ses invités écoutaient le révérend Musselman leur expliquer le déroulement de la cérémonie. Tout le monde se retourna pour voir qui arrivait. Matt portait un costume anthracite qui tombait à merveille sur sa carrure athlétique. Carly sentit son cœur s'arrêter de battre. Il la cherchait des yeux et lui sourit dès qu'il la vit. Puis, il regarda le reste de l'assemblée. Erin était toute de soie pistache vêtue et se tenait devant l'autel, flanquée de Dani et Lissa, habillées de pastel. On apercevait également deux amies d'Erin ainsi que la fille de l'une d'entre elles, qui porterait le bouquet. Collin se tenait près d'Erin et lui tenait la main. Il était lui-même escorté de quatre amis et de son neveu, qui tiendrait le coussin des alliances. En attendant que Matt arrive, Mike avait été réquisitionné pour jouer son rôle. Il avait descendu l'allée centrale de l'église au bras d'Erin tandis que l'organiste jouait *La Marche nuptiale* avec un enthousiasme débordant. Mike avait ensuite placé la main d'Erin dans celle de Collin. Carly n'avait pu s'empêcher de remarquer qu'il arborait alors la mine de ceux qui assistent, impuissants, à la catastrophe ferroviaire du siècle.

— Il était temps ! s'écria Erin en voyant Matt arriver.

— Désolé. Je n'ai pas pu me libérer plus tôt.

Il décoiffa Carly au passage. Décidément, Matt Converse maîtrisait comme personne l'art du geste romantique ! Enfin, il arriva près de sa sœur.

— Et Andy ? fit Lissa d'un ton accusateur. Où est-il ?

— Je lui ai demandé de rester au bureau. Il avait quelque chose à finir pour moi. Mais il sera au restaurant, ne t'inquiète pas.

Tandis que Matt prenait place près d'Erin, Mike vint s'asseoir à côté de Carly.

— Tu en fais, une tête ! chuchota-t-elle.

— Si seulement je pouvais lui mettre mon poing dans la figure...

Carly n'avait pas besoin de lui demander de qui il parlait. Collin, évidemment ! L'heureux futur époux...

— Erin l'a choisi, répondit-elle. Personne ne lui a forcé la main.

Mike fit une tête d'enterrement qui en disait long sur ce qu'il pensait de ce choix.

— Ils se marient après-demain, lui rappela Carly dans un murmure.

— Je sais. Mais je me demande ce qu'elle fera si je me lève quand le pasteur demandera si quelqu'un s'oppose à...

— Tu plaisantes, j'espère ?

— Plus ou moins. Je ne le ferai pas, si c'est ce que tu veux dire.

— Si tu as vraiment une objection à ce mariage, tu devrais en parler à Erin avant la cérémonie. Bien avant, même. Aujourd'hui, par exemple.

— Elle sait très bien que je ne suis pas d'accord !

Il avait l'air tellement désespéré que Carly lui tapota la jambe pour le réconforter un peu. Il lui adressa un sourire triste.

— Je suis content que ça marche entre Matt et toi, ajouta-t-il.

— Moi aussi. Tu sais, Erin n'est pas indifférente à toi. Après tout, vous avez passé un bon moment dans la cuisine, hier soir.

— Tu parles… On a mangé des sandwiches au jambon.

Carly étouffa un petit rire. Mike la crucifia d'un regard noir.

Enfin, la répétition des adultes se termina. Le révérend Musselman et les mères respectives des chérubins affectés au transport du bouquet et des alliances devraient encore leur faire travailler leur démarche et leurs gestes pour éviter les faux pas. Le reste de l'assemblée pouvait disposer. À la grande surprise de Carly, Matt l'entraîna rapidement dans l'entrée, un espace intime aux murs recouverts de panneaux de bois sombre qui s'élançaient jusqu'au plafond. La lumière qui filtrait à travers les vitraux disposés de part et d'autre des portes jetait des arcs-en-ciel sur le plancher. De chaque côté de la pièce, de petites portes menaient à des salles de repos. C'était là que les futures mariées et leurs demoiselles d'honneur se remettaient une dernière touche de rouge à lèvres avant l'heure H. C'était là qu'elles attendaient le moment propice pour faire leur apparition dans l'église.

Dès qu'ils furent seuls, Matt regarda Carly d'un air grave.

— Qu'est-ce qui se passe entre Mike et toi ?

La mâchoire de Carly faillit se décrocher pour aller se fracasser sur le parquet. Elle regarda Matt sans avoir à lever la tête autant que d'habitude, car, pour une fois, elle portait des talons hauts. Ce qu'elle lut dans ses yeux la stupéfia.

— Mais tu es jaloux, ma parole !

Matt, jaloux ! Matt le magnifique, ce Matt qu'elle aimait depuis toujours et qui la savait follement amoureuse de lui… Carly ne put réprimer le sourire qui lui montait aux lèvres.

— Je n'en reviens pas… souffla-t-elle.

Visiblement, Matt n'avait pas le cœur à rire.

— Quand même ! Tu ne me diras pas qu'il ne se passe rien ? Il est toujours en train de rôder chez moi même quand il n'est pas en service. Il se comporte d'une manière bizarre envers moi depuis quelque temps. Vous étiez assis côte à côte dans l'église, à vous murmurer des trucs à l'oreille. Tu riais, tu lui tapotais la jambe. Je sais bien que tu ne t'intéresses pas à lui, mais… Est-ce qu'il te courtise ? Est-ce que tu l'encourages à le faire ? Mais réponds-moi, bon sang !

— Toi, jaloux ? À dire vrai, je trouve ça formidable !

Carly adressa à Matt un sourire lumineux. Elle jeta un regard autour d'elle pour s'assurer qu'ils n'étaient pas observés. Puis elle prit le revers de sa veste à deux mains, se dressa sur la pointe des pieds et déposa un baiser léger sur ses lèvres.

— Tu es tellement beau quand tu es jaloux ! En fait, tu es toujours beau. Mais quand tu es jaloux, tu es irrésistible.

— Toi aussi, tu es irrésistible. Tu es belle. Et tu es ma bonne femme à moi.

Matt fit glisser ses mains sur les bras de Carly et il l'attira contre lui.

— C'est vrai que je suis jaloux, convint-il dans un sourire. Pas tellement, mais un peu quand même. Vas-y ! Moque-toi de moi ! Je me vengerai ce soir, quand nous serons couchés.

— Mon Dieu ! Des menaces ?

Carly souriait aussi. Le comportement de Matt la ravissait. Au fond, il l'excitait terriblement. Il se vengerait au lit ? Déjà, l'impatience la dévorait…

— Puisque ça t'a échappé, poursuivit-elle, Mike ne me courtise pas. C'est à ta sœur qu'il s'intéresse.

— Quoi ? Mais qu'est-ce que tu racontes ? Quelle sœur ?

— Je n'arrive pas à croire que tu n'aies rien vu ! À Erin, bien sûr !

— Mais elle se marie samedi !

Un brouhaha venait vers eux. Les autres invités sortaient de l'église.

— Est-ce qu'elle le sait ? ajouta Matt en se détachant de Carly.

— Je crois que oui. Enfin, Matt ! À ton avis, comment ai-je réussi à convaincre Mike de sortir avec moi l'autre soir ? Il voulait rendre Erin jalouse. Sinon, il n'aurait jamais pris le risque d'encourir tes foudres.

— Seigneur Dieu ! Mais c'est incroyable ! Vous, les femmes… Est-ce que tu penses qu'Erin s'intéresse à lui ?

Carly n'eut pas le temps de répondre. Une nuée de gens les entourait déjà. À part les enfants, qui répétaient encore, l'assemblée envahit le vestibule, puis se déversa sur le trottoir et dans les stationnements. Il était vingt et une heures trente. Le soleil dardait ses derniers rayons mais le ciel avait commencé de s'ennuager pour la première fois depuis deux semaines. La pluie s'annonçait.

C'est comme ça, la vie. On prend une douche de cinq minutes et le téléphone sonne juste à ce moment-là, le coup de fil qu'on attendait depuis des lustres. On se marie l'été et il pleut juste avant le grand jour.

En attendant les enfants, les adultes discutèrent en petits groupes. Matt avait la main négligemment posée sur le bras de Carly. Ils se tenaient avec Dani et

Craig ainsi que deux des amis de Collin et leurs fiancées respectives. Soudain, Carly eut le sentiment qu'on l'observait. Elle sursauta, comme si une goutte d'eau lui était tombée sur l'épaule. Elle regarda autour d'elle. C'était Shelby.

Carly étouffa un soupir de soulagement. Au moins, c'était Shelby. Ce n'était pas le monstre qui l'avait agressée.

Carly se reprit. Ce serait quand même le comble ! Ce serait quand même le comble qu'il ose la suivre dans cette église, alors que Matt était près d'elle et qu'elle était entourée d'une foule. Elle dut s'avouer qu'elle se sentait encore fragile. Les moments pénibles qu'elle avait passés au Foyer l'avaient ébranlée. Non ! Pas question qu'elle y pense maintenant ! Sinon, elle perdrait le sourire, elle deviendrait triste. Matt devinerait pourquoi et la ramènerait chez lui. Erin serait déçue et le repas au restaurant serait gâché à cause d'elle.

Il fallait qu'elle pense à autre chose. À Shelby, par exemple.

Shelby était une très belle femme. Un peu froide, un peu hautaine dans son tailleur noir ajusté. Mais quelle élégance !

Carly ne serait jamais élégante comme ça. Inversement, elle ne serait jamais ni froide ni hautaine.

Elle n'aimait pas beaucoup se rappeler que Shelby avait couché avec Matt. Mais que peut-on changer au passé ? De plus, si Carly voulait éviter toutes les anciennes petites amies de Matt, elle ferait aussi bien d'entrer au couvent. En fait, elle ne pouvait pas se permettre d'être déstabilisée chaque fois qu'elle rencontrerait une femme avec laquelle Matt avait été liée.

Matt avait eu une liaison avec Shelby. Quand elle avait commencé à la prendre au sérieux, il avait opté pour l'opération commando. Une fois de plus. Il avait laissé tomber Shelby. Elle lui en voulait peut-être. Comment le lui reprocher ? Carly elle-même n'avait pas beaucoup apprécié de se faire traiter de la sorte.

Et elle n'apprécierait certes pas que Matt renoue avec sa vieille habitude des opérations commando.

Les déclarations d'amour et les nuits torrides ne durent pas toujours. Même si Matt lui disait qu'il l'aimait, lui affirmait qu'elle était sa « bonne femme »… Carly avait beau proclamer le contraire, elle voulait l'amour-toujours avec Matt. Elle le voulait ardemment.

Mais Matt était visiblement très heureux de leur pacte : que du sexe, pas de corde au cou. Pour elle, c'était plus difficile. Quand leurs ébats commenceraient à perdre de leur ardeur, elle se retrouverait seule, abandonnée, misérable. Pas de corde au cou, mais pas d'attache non plus. Pas de lien qui l'aiderait à être heureuse, à vivre pleinement sa vie.

Si Matt la plantait là quand leurs nuits torrides commenceraient à se rafraîchir, Carly n'y survivrait pas. Son cœur casserait en deux comme un verre de cristal.

Matt ne lui avait rien promis. Il fallait qu'elle se le rappelle. Un jour ou l'autre, elle pouvait bien se retrouver dans la même situation que Shelby.

Elle dégagea son bras de la main de Matt, s'excusa discrètement auprès du petit groupe et se dirigea vers Shelby, qui se tenait avec son frère et Erin devant les portes de l'église.

— Ça va être un très beau mariage ! lança-t-elle. Il paraît que c'est toi qui as tout organisé, Shelby ? Félicitations ! C'est splendide !

— Merci, répondit Shelby en la regardant de haut en bas. Cela m'a demandé beaucoup de travail, mais je me suis bien amusée.

Un silence légèrement tendu s'abattit sur le petit groupe.

— Mais j'y pense ! lança soudain Erin. Peut-être que vous allez travailler ensemble ! Shelby est agent immobilier et Carly va ouvrir une auberge. Tu sais, Shelby, si tu reçois des gens qui veulent s'installer dans la région, tu pourrais leur conseiller d'habiter chez Carly en attendant.

— C'est une idée, fit Shelby.

Elle sourit à Carly. Matt arrivait, le téléphone à l'oreille. Mike l'accompagnait. Matt termina sa conversation et rangea son téléphone en se joignant au petit groupe.

— Salut, Shelby ! lança-t-il. Salut, Collin ! Écoute, Erin, il faut que je retourne au bureau, mais ça ne sera pas très long.

— Tu travailles tout le temps !

— C'est pour mieux payer tes noces, mon enfant. Au fait, Shelby, j'ai déposé un chèque à ton bureau.

— Pour le photographe ? Merci, c'est très gentil.

Matt regarda Carly et ses yeux s'adoucirent une fraction de seconde.

— Je vous retrouverai au restaurant, fit-il. D'ici là, Mike reprend du service. Heureusement qu'il n'est pas parti, n'est-ce pas ?

À son ton un peu sec, Carly comprit que Matt n'était pas particulièrement enchanté que son adjoint s'intéresse à sa sœur.

Quel papa poule, tout de même ! Frère poule, plutôt. Carly aimait beaucoup son côté protecteur. Mais, parfois, vraiment, il exagérait.

— Je devrais avoir fini d'ici une heure, maximum, promit-il.

Il prit entre ses doigts l'une des boucles de Carly en un geste affectueux. Puis, il partit.

En le voyant s'éloigner au volant de sa voiture de patrouille, Carly se dit qu'elle préférait ses gestes d'affection maladroits aux baisers de n'importe quel autre homme.

Autrement dit, il avait raison : elle était follement amoureuse de lui.

— Est-ce que je pourrais te parler une minute ? chuchota Shelby.

Tandis que Carly regardait Matt partir, Collin s'était éloigné en direction de l'un de ses amis. Mike avait profité de l'occasion pour se rapprocher d'Erin et tournait presque le dos à Carly et Shelby.

— Bien sûr, répondit Carly.

Shelby ouvrit la porte de l'église. On entendait encore *La Marche nuptiale*. Décidément, ces pauvres enfants étaient mis à rude épreuve. Cela devait bien faire vingt fois qu'ils descendaient et remontaient l'allée centrale.

— Mike ! lança Carly. Je vais dans le vestibule avec Shelby quelques minutes.

— D'accord. Si tu as besoin de moi, tu cries.

Tout au bout de l'allée, le révérend Musselman parlait aux enfants. Les mamans se tenaient à proximité, très dignes. L'organiste avait cessé de jouer et attendait que l'homme d'église lui demande de reprendre.

— Matt est très amoureux de toi, fit Shelby. C'est évident.

— Eh bien... Nous sommes amis depuis toujours et...

— Allons, Carly ! Tu sais très bien de quoi je parle. Si Matt m'avait proposé que nous restions amis comme ça, j'aurais accepté sans aucune hésitation.

— Je... Je suis désolée que les choses n'aient pas bien fonctionné entre vous.

— Moi aussi. Moi aussi, j'en suis désolée. Matt est de loin le meilleur parti de Benton et je ne te cache pas que j'aurais fait n'importe quoi pour être avec lui. Mais de toute évidence, c'est toi qu'il aime. Voilà ce que je voulais te dire, Carly : à partir de maintenant, je ne ferai plus un geste envers Matt. J'ai renoncé à lui. Il est avec toi. Tant pis, c'est comme ça.

Shelby sourit. Pour la première fois de sa vie, Carly ressentit une sorte d'affection pour elle.

— Mais si j'entends dire un jour que ça va mal entre vous… ajouta Shelby. Alors, il n'est pas exclu que je reprenne ma traque.

— À ce moment-là, je n'y verrai aucun inconvénient, répondit Carly en souriant.

Un léger silence s'abattit entre elles.

— Je n'étais pas très gentille avec toi quand nous étions gamines, reprit Shelby. Je suis désolée. J'ai certainement été odieuse, en fait.

— Ça ne fait rien. C'est oublié. Nous sommes des adultes, à présent.

L'organiste reprit une fois de plus *La Marche nuptiale*.

— Eh bien… fit Shelby. Maintenant que j'ai dit ce que j'avais à dire, je vais aller me remettre du rouge dans la pièce à côté.

Elle sourit et s'éloigna. Carly se retourna pour quitter l'église. *La Marche nuptiale* emplissait tout l'espace. Carly posa la main sur la lourde poignée de laiton. Le révérend Musselman battait la cadence de ses deux bras. Les enfants remontaient l'allée, une fois de plus.

— Carly ?

Elle se retourna. Un homme se tenait derrière elle. Il venait de sortir de la petite pièce de l'autre côté du vestibule. La pièce dans laquelle Shelby s'était engouffrée était réservée aux dames et celle d'en face, aux messieurs. L'homme s'avançait vers elle en souriant. Il portait un bermuda bien repassé avec un t-shirt bleu marine. Carly lui sourit instinctivement. Elle souriait encore quand il lui agrippa le bras et lui plaqua sur le visage un chiffon imprégné de chloroforme.

39

— Ça, c'est vraiment incroyable ! lança Andy en voyant Matt entrer dans le poste de police.

Antonio était revenu du Foyer, où il avait poursuivi son enquête dès que Matt avait repris le chemin du manoir Beadle, quelques heures plus tôt.

— Quoi ? demanda Matt.

— Il a gagné à la loterie ! déclara Andy.

— Qui ça ? Toi ? lança Matt à Antonio.

— Mais non, pas moi. Une chance pareille, tu parles... Lui !

D'un signe de la tête, Antonio désigna l'ordinateur.

— Qui ça, lui ? demanda Matt en se dirigeant vers Andy.

— Silverado42. J'ai trouvé un message électronique adressé par Jeanini8 à Marsha.

« Tu sais quoi ? Le type... quand tu étais gamine. Celui qui va au magasin de Macon où ma sœur travaille. Il a gagné à la loterie ! »

Matt regarda la date du message : environ deux semaines avant la disparition de Marsha.

— Et maintenant, la réponse de Marsha, annonça Andy en cliquant sur la souris.

Un autre message s'ouvrit immédiatement : « Hihan, l'homme à l'âne ? Arrête ! Tu plaisantes ou quoi ? »

Matt sentit son cœur battre plus fort.

— La réponse de Jeanini8…

« Non ! C'est vrai ! Il a gagné vingt-quatre millions de dollars à la loterie ! »

— Marsha… fit Andy en cliquant encore sur sa souris.

« Comment le sais-tu ? »

Clic !

« Il vit à Macon depuis toujours. Chaque semaine, il va au magasin où travaille ma sœur. Il joue le même numéro depuis cinq ans. Ma sœur le connaît par cœur. Il n'a pas encore réclamé l'argent, mais le magasin va toucher cent mille dollars pour la commission. Et ils vont donner une prime à ma sœur, parce que c'est elle qui a vendu le billet gagnant. »

— Marsha…

« Est-ce que tu as son adresse électronique, par hasard ? »

— Jeanini8…

« Oui. Ma sœur me l'a donnée. Le type l'avait écrite sur sa carte de fidélité du magasin : silverado42@aol. com. Tu veux le féliciter ? »

— Marsha…

« Quelque chose dans le genre… »

— Jeanini8…

« Je te vois venir. Mais surtout, tu ne dis à personne que je te l'ai dit. Le magasin a fait jurer à ma sœur qu'elle ne dirait rien jusqu'à ce que le type réclame l'argent. C'est une question de confidentialité, de vie privée, je ne sais quoi. Quoi qu'il en soit, je ne veux pas qu'elle ait de problèmes à cause de moi. »

— Marsha…

« Ne t'inquiète pas, je ne dirai rien à personne. »

— Voilà ! conclut Andy.

— Seigneur Dieu ! souffla Matt. Tout est là ! Je me demandais pourquoi Marsha avait soudainement décidé de le faire chanter alors qu'elle n'avait rien dit pendant toutes ces années. Tu parles ! Cette pourriture a gagné à la loterie ! Quand Marsha a commencé à le faire chanter, il a eu peur que les autres filles en fassent autant. Il a décidé de les éliminer pour éviter le problème.

— Quand j'y pense… lâcha Antonio d'un air dégoûté. Quand je pense que je joue à la loterie toutes les semaines et que je n'ai jamais gagné un dollar !

— Nous avons tous les éléments en main, trancha Matt. Le seul problème, c'est que nous ne savons toujours pas qui est cette ordure. Est-ce qu'AOL nous a répondu ?

— Pas encore, répondit Andy. Mais il y aurait peut-être un moyen de savoir son nom plus vite. J'ai trouvé le numéro de téléphone de Jeanini8. Elle a envoyé un message à Marsha pour lui donner son nouveau numéro.

— Génial ! s'écria Matt. Tu es un vrai pro ! Si tu veux épouser ma sœur un jour, pas de problème !

Andy prit un air effaré.

— Eh bien, je…

— Mais si tu ne veux pas l'épouser, pas de problème non plus !

Matt sourit. Entre allergiques de l'engagement, on se reconnaît. Même si Andy n'avait pas encore de poil au menton.

— Tu veux que je l'appelle ? demanda Antonio.

— Laisse tomber, répliqua Matt. Je vais le faire moi-même.

Il y tenait. Il y tenait vraiment. Cette Jeanini8 savait qui était le salaud qui avait agressé Carly. Dès qu'il aurait obtenu son nom, Matt l'épinglerait. Rien ne l'en empêcherait, même pas le rendez-vous qu'il avait au restaurant ce soir. Même pas la répétition du mariage d'Erin. Même pas le mariage d'Erin.

Le téléphone sonna. Antonio décrocha.

— Police, j'écoute !

Au bout de quelques secondes, l'horreur se peignit sur son visage.

— C'est pas vrai ! Non ! C'est pas vrai ! On arrive.

Antonio avait le visage terreux. Il raccrocha et se tourna vers Matt.

Le shérif était déjà en état d'alerte. Il connaissait bien Antonio. Il le connaissait depuis des années. Jamais il ne l'avait vu aussi terrifié.

— Quoi ?

— Carly a disparu. Elle n'est plus dans l'église. Elle est retournée à l'intérieur pour parler avec Shelby. Shelby est allée aux toilettes pour se remettre du rouge et Carly a disparu. Ils ont cherché partout. Mike est aux cent coups.

Matt sentit son sang se glacer dans ses veines. S'il n'agissait pas tout de suite, son cœur allait bondir hors de sa poitrine. Il eut l'impression qu'il allait s'évanouir et dut s'appuyer contre le bureau de bois pour ne pas s'effondrer. Pas besoin qu'on lui fasse un dessin pour savoir ce qui venait de se passer. Cette ordure, cette pourriture avait enlevé Carly.

Où l'avait-il emmenée ? Qu'était-il en train de lui faire ? Le corps de Matt se couvrit de sueur froide.

— Merde ! s'écria-t-il. Merde de merde de merde de merde de merde !

Mais son ton était celui de la supplique. Il fallait qu'il agisse. Vite, sinon il deviendrait fou.

— Antonio, fais bloquer les routes ! Appelle la police fédérale. Je veux du renfort, des hélicoptères, des caméras à infrarouge. Dis à Billy Tynan qu'il aille à l'église avec ses chiens. J'y serai dans dix minutes.

Il prit le téléphone et composa le numéro de Jeanini8.

40

— Bonjour, Carly !

L'homme était penché vers elle et murmurait d'une voix presque tendre. Carly battit des paupières et le regarda. Elle ne vit rien ou presque. Sa vision était floue. Elle se sentait nauséeuse, étourdie. Où était-elle ?

« Que s'est-il passé ? » voulut-elle demander.

Mais elle ne le put pas. Elle avait quelque chose sur la bouche, quelque chose qui l'empêchait de parler, presque de respirer. Elle tourna la tête à gauche et à droite. Une sorte de tapis lui griffa la joue. Elle était allongée sur un tapis ou une moquette, le corps replié sur lui-même. L'objet qu'elle avait sur la bouche ne bougea pas d'un centimètre. Carly réussit à passer sa langue entre ses lèvres. Un goût amer s'y déposa. Ça collait, c'était du plastique. Du ruban adhésif. Carly écarquilla les yeux. Puis, graduellement, le visage de l'homme devint plus net.

Un visage rond, très pâle, quelconque. Mais des yeux bleus. Des yeux bleu clair sans cils.

Des yeux qui la regardaient.

Le cœur de Carly explosa dans sa poitrine. Son sang se figea. Son estomac se contracta. Elle aurait voulu hurler, mais ne réussit qu'à produire un faible gémissement.

L'homme à l'âne. Et… Et… Elle le connaissait ! Elle savait qui était cet homme. Elle ne le connaissait que vaguement, mais son nom ne lui était pas inconnu. Qui était-il ? Elle avait si peur, elle était si terrifiée qu'elle n'arrivait plus à penser.

— Alors ? demanda-t-il d'une voix presque agréable. On a bien dormi ?

Carly se mit à trembler. Elle aurait voulu bouger, faire un geste. Mais ses bras étaient liés dans son dos. L'homme lui avait attaché les poignets et les chevilles avec du ruban adhésif. Ses bras picotaient, engourdis. Ses jambes ne lui faisaient pas mal. L'homme approcha son visage du sien. Il lui parlait à travers la fenêtre ouverte d'une portière. Elle se trouvait dans une voiture, ou plutôt, une camionnette. L'homme l'avait déposée sur le plancher, au pied du siège passager. Il ouvrit la portière pour la sortir du véhicule. Elle tenta de se débattre ; sans succès. Il enroula ses bras autour de sa taille et la souleva sans difficulté. Puis, il la déposa en boule sur le sol tandis qu'il refermait la camionnette.

Carly sentit des gouttes de pluie ruisseler sur son visage, ses cheveux, sa peau. De grosses gouttes de pluie, comme un orage. L'eau était tiède. Il faisait noir, une nuit sans lune. Carly était allongée sur de l'herbe courte. Ça sentait le gazon mouillé. Il y avait aussi du gravier mêlé aux brins d'herbe, Carly le sentait contre sa joue et son bras. Elle était allongée sur du gazon à proximité d'une entrée de garage recouverte de gravier. La camionnette était blanche. On voyait une petite maison non loin. En fait, une cabane. Et derrière, des bois.

Carly sentait encore les effets du chloroforme. Sa tête tournait. Elle n'arrivait pas à penser clairement. Tout son corps était lourd, comme assommé.

Soudain, la terreur déferla dans ses veines. Tout son ventre se serra. Son cœur battait follement.

Elle allait mourir. L'homme l'avait amenée ici pour la tuer.

Il était grand, massif, puissant. Il se pencha vers elle, enroula ses bras autour de sa taille et tenta de la soulever. Mais elle se débattit. Galvanisée par la peur, presque incapable de respirer, Carly réussit à l'empêcher de la soulever de terre. Il étouffa un juron, fouilla dans sa poche et en sortit le chiffon humide et froid qu'il pressa contre son visage. Son odeur suave, écœurante, envahit Carly. Cette odeur qui avait hanté ses cauchemars pendant des années, l'odeur de la peur. L'odeur du sommeil involontaire et terrifiant. Et ce soir, l'odeur de la mort.

Quand elle reprit conscience, l'homme la transportait sur son épaule. Elle avait la tête en bas et le sang battait à ses tempes. Son visage heurtait le dos de l'homme. Il avait refermé ses bras sur ses jambes. Il descendait un escalier. Il l'emmenait dans un sous-sol aux murs de béton gris. La pièce était éclairée d'une ampoule nue vissée au plafond. Des ombres noires rôdaient le long des murs. Carly sentait la main de l'homme, une main épaisse et chaude, à travers le nylon de ses collants. Ses doigts tenaient fermement sa cuisse. Carly était humide de pluie et de sueur froide. Sa robe était remontée sur ses jambes. Elle portait encore sa robe rouge, la belle robe rouge qu'elle avait choisie pour le repas au restaurant qui devait suivre la répétition du mariage d'Erin. Ses chaussures avaient disparu.

Matt ! Matt ! Où était-il ?

Carly tremblait. Elle avait l'impression que ses os n'étaient plus qu'un amas de gélatine. Son estomac était noué. Son cœur battait à grands coups dans sa poitrine.

— Nous y voici ! lança l'homme.

Arrivé au bas de l'escalier, il fit quelques pas dans la pièce, puis déposa Carly par terre à gestes délicats. Incroyable, sachant qu'il s'apprêtait sans doute à la tuer. Il aurait pu la jeter sur le sol, mais il la déposa délicatement. Elle pensa se débattre, lutter, mais elle était si faible, si étourdie, qu'elle n'avait plus qu'une envie : fermer les yeux et dormir. De toute façon, pourquoi résister ? Jamais elle ne s'en sortirait.

Elle était seule et sans défense. Complètement à la merci de cet homme. Et cet homme n'aurait pas pitié d'elle.

Elle allait mourir.

L'homme s'en réjouissait déjà. Carly le voyait au léger sourire qui flottait sur ses lèvres.

Son pire cauchemar était en train de se réaliser : l'homme à l'âne la tenait à sa merci. Carly frissonna d'horreur. Des vagues de sueur froide se mirent à ruisseler sur son corps.

« Mon Dieu, non ! Mon Dieu, je ne veux pas mourir. Je ne veux pas mourir. Mon Dieu, s'il vous plaît, je ne veux pas mourir. »

— Tu sais ? lança l'homme soudain. J'ai bien réfléchi à tout ça.

Il se dirigeait vers un grand coffre de métal blanc, un énorme coffre aussi gros que deux machines à laver collées l'une contre l'autre. Il en souleva le couvercle. Un congélateur.

Carly eut l'impression qu'elle allait devenir folle. Son esprit tournoyait comme un animal pris au piège.

— J'ai bien réfléchi à tout ça, répéta l'homme. En fait, il y a plusieurs possibilités.

Il se retourna et revint vers elle. Les deux poings plantés sur les hanches, il se tenait debout devant elle et l'observait attentivement. Carly le regarda aussi. Il jouait avec elle comme un chat avec une souris qu'il a déjà condamnée à mort. L'homme savait très bien ce qu'il allait faire. Il savait très bien qu'il allait la tuer, et comment. Ce n'était plus qu'une question de minutes. De secondes, peut-être.

Il se pencha vers elle. Il tenait un couteau à la main.

Carly fut secouée par une décharge de panique. Elle avait déjà senti sa lame s'enfoncer dans sa chair. Ses yeux s'écarquillèrent d'horreur quand l'homme agita son couteau devant son visage. Elle sentait encore dans son corps la froideur et la dureté de sa lame.

— Je pourrais te trancher la gorge… fit l'homme.

Il appuya la pointe de son couteau juste sous l'oreille, à cet endroit si doux, à cet endroit précis où le sang affleure. Il posa la pointe de son couteau très délicatement sur sa peau. Carly s'immobilisa et ferma les yeux. Son cœur cognait douloureusement contre ses côtes. D'ici une fraction de seconde, elle sentirait la lame s'enfoncer dans sa peau.

— Mais c'est trop salissant, poursuivit l'homme d'un ton guilleret. Et qui devrait faire le ménage après ? Hein ? Moi, bien sûr. De toute façon, j'aime beaucoup mieux l'autre possibilité.

Il se pencha vers elle et la souleva. Carly se raidit. L'homme réussit sans peine à l'arracher du sol. Il la prit dans ses bras et la regarda. Puis, il sourit.

Il l'emporta jusqu'au congélateur et l'allongea dedans. Carly sentit sous elle des boîtes, des paquets congelés. Ils étaient durs et froids, comme des pierres contre son dos. Les parois du congélateur étaient couvertes de givre.

Carly eut l'impression qu'un vent de glace lui caressait la peau.

L'homme se redressa. Horrifiée, Carly comprit alors ce qu'il allait faire.

— Avec ton gabarit, dit-il, tu en as probablement pour quarante-cinq minutes. J'ai mis le thermostat à zéro. Pas trop froid, mais quand même pas trop chaud. Est-ce que tu vas suffoquer ou mourir de froid ? Mystère… Une expérience intéressante, n'est-ce pas ?

Carly gémit, un petit gémissement terrifié qu'elle n'avait pu réprimer. L'homme sourit encore. Puis, il reclaqua le couvercle sur elle.

Carly se retrouva seule dans le noir, dans la glace.

— C'est tout ? aboya Matt.

Il se retourna pour jeter un regard noir au passager assis à l'arrière de sa voiture.

— C'est tout ? répéta-t-il.

— Mais oui. Oui, Matt. Oui, c'est tout. Je t'en prie...

Bart Lindsey était nerveux. Il tremblait. En fait, il avait peur. Matt l'avait attrapé par le col et jeté dans sa voiture de patrouille sans sommation. Le vétérinaire avait reconnu que son frère possédait encore une maison dans la région, même s'il avait vécu à Macon pendant une vingtaine d'années. Une maison ? C'était beaucoup dire. En fait, son frère possédait un cabanon de chasse qu'il utilisait à peine, une bicoque nichée dans les bois, à une dizaine de kilomètres à l'ouest de Benton. L'équipe de Matt avait fini par découvrir l'identité de Jeanini8 : Jeanine LeMaster, une amie de Marsha. Matt l'avait jointe au téléphone. Elle savait très bien qui était l'homme à l'âne, également surnommé « Hi-han » : Hiram Lindsey. À l'époque, vingt-deux ans plus tôt, Hiram Lindsey était le propriétaire de la clinique vétérinaire qui appartenait aujourd'hui à son frère. Par un beau matin d'août, il s'était rendu au Foyer d'accueil des Saints Innocents pour y soigner un âne.

Hiram Lindsey avait enlevé Carly. Cela faisait plus d'une heure maintenant. Sans vouloir se l'avouer, sans même vouloir y penser, Matt craignait qu'elle ne fût déjà morte.

À peine étaient-ils arrivés devant le cabanon que Matt avait jailli de la voiture, dégainé son arme et couru jusqu'au seuil. La lumière à l'intérieur était allumée. Elle brillait faiblement à travers les petites vitres de la porte. Une camionnette était garée devant, non loin : une Silverado blanche. La pluie tambourinait sur le toit.

— Police ! hurla Matt. Ouvre ! Lindsey, je sais que tu es là ! Ouvre, je te dis !

Le cœur battant à tout rompre, le sang glacé par la peur, Matt cognait du poing contre le montant de la porte. Une deuxième voiture de patrouille arriva, puis une troisième. Les adjoints de Matt en sortirent, l'arme au poing.

Ils se précipitèrent en renfort. Ni tenant plus, Matt enfonça la porte d'un coup de pied.

— Carly !

Il était là, le fumier, l'ordure. Il se tenait dans une petite pièce, ratatiné comme une bête, l'air hagard.

— Qu'est-ce que... Qu'est-ce que c'est ?

Il avait le visage très pâle et les yeux écarquillés. Manifestement, il cherchait à s'enfuir quand Matt avait fait irruption.

— Où est-elle ? Tu m'entends, ordure ? Où est-elle ? Si tu as levé la main sur elle...

Matt prit Hiram Lindsey par le cou et le plaqua contre le mur. L'homme ne tenta même pas de résister. Il s'appuya contre le mur, essoufflé, le corps couvert de sueur. Matt lui prit les poignets et lui attacha les menottes dans le dos. Ses hommes fouillaient déjà les lieux.

— Carly !

Pas de réponse.

— Qu'est-ce que vous faites ? Mais qu'est-ce qui vous prend ?

Décidément, cette ordure ne semblait pas comprendre que son heure avait sonné.

— Où est Carly ? hurla Matt.

Tant pis pour la brutalité policière. Il n'avait pas le temps de faire dans la dentelle. Sans réfléchir, il abattit sa main contre la tempe de l'homme et lui plaqua le visage contre le mur. Son sang bouillait de terreur. Matt Converse n'avait plus de limites. Cette ordure, cette pourriture était là, devant lui. Il respirait. Mais Carly n'était pas en vue.

Où était-elle ? Matt se sentait devenir fou.

— Je ne sais pas de qui vous parlez, shérif. Quelle Carly ? Vous vous trompez...

— Tu parles, que je me trompe !

Aux quatre coins du cabanon, les adjoints menaient un tintamarre d'enfer. Manifestement, ils n'avaient pas encore trouvé Carly.

— Écoute-moi bien, reprit Matt. C'est fini. Marsha, Soraya, la petite Genny, la loterie, les tentatives de chantage de Marsha... Je sais tout. Tout, tu m'entends ? La seule chose qui me reste à trouver, c'est Carly. Et toi, tu sais où elle est. Tu vas me le dire. Et tout de suite !

— Je ne comprends pas... Je ne sais pas de quoi vous parlez.

Matt sentait sous ses doigts la sueur de l'homme. Son odeur nauséabonde lui montait aux narines. Il mentait. Il savait très bien où était Carly. Il le savait, parce que c'était lui qui l'avait mise là. Seigneur Dieu ! Était-il trop tard ? Était-elle morte ?

— Matt ! lança Antonio en entrant dans le cabanon. Regarde ça !

Par la porte que Matt avait fracassée d'un coup de pied entrait l'odeur fraîche de la pluie et le gargouillis de ses gouttes. Matt tourna la tête vers son adjoint en chef. Son cœur faillit s'arrêter. Antonio tenait à la main l'un des escarpins rouges que Carly portait à l'église.

— Où est-elle ? hurla Matt à l'oreille de l'homme. Où est-elle ? Tu vas me le dire, ordure ?

— Je ne sais pas de quoi vous parlez, répéta Hiram Lindsey.

Il avait l'air moins effrayé.

D'un coup, Matt sentit monter en lui un immense calme de banquise. Lentement, il leva la main et posa le canon de son pistolet contre la tempe de l'homme.

Derrière lui, Antonio étouffa un hoquet d'horreur. Mike arrivait depuis l'arrière de la maison. Il s'arrêta net.

Mais ni l'un ni l'autre n'osa intervenir.

— Écoute-moi bien, grommela Matt entre ses dents.

La panique lui serrait tellement la gorge qu'il en avait du mal à parler. Il appuya plus fort son pistolet contre la tempe de l'homme. Ses doigts étaient si contractés autour de la crosse qu'ils en blanchissaient aux jointures.

— Écoute-moi bien, répéta-t-il. Ou tu me dis où elle est, ou je t'éclate la tête. Je compte jusqu'à trois. Un…

— Je ne sais pas de quoi vous parlez.

— Deux…

— Vous êtes un policier. Vous n'avez pas le droit de tirer.

Hiram Lindsey perdait de sa superbe. Il avait peur.

— Pas le droit ? C'est ce qu'on va voir. Tr…

— Hiram, fit Bart Lindsey d'une voix douce. Hiram, je t'en prie. Si tu sais où est Carly, il vaudrait mieux le dire.

Matt sentit l'homme se tasser sur lui-même.

— Elle est dans le congélateur, au sous-sol.

Hiram Lindsey ferma les yeux.

Matt décolla son pistolet de sa tempe et jeta l'homme contre Antonio.

— Sors-le d'ici.

Puis, le cœur dans la gorge, il dévala l'escalier du sous-sol.

En arrivant devant le congélateur, il s'aperçut qu'il avait les mains moites. Ses adjoints descendaient les marches quatre à quatre derrière lui. Matt souleva le couvercle.

Il eut l'impression que son sang figeait dans ses veines. Elle était là, pieds et poings liés, un ruban adhésif collé contre la bouche. Elle était blanche comme une morte et ne bougeait pas. Du givre perlait déjà à ses narines.

Seigneur Dieu! Seigneur Dieu! Était-il trop tard?

— Carly!

Matt la sortit de sa sinistre caisse pour la ramener vers la chaleur. Mike se précipita pour lui retirer le ruban adhésif qu'elle avait sur la bouche. Matt la déposa sur le sol et s'agenouilla près d'elle pour pratiquer la respiration artificielle.

Elle était tellement froide, tellement inerte.

— Carly!

La voix de Matt se brisa. Derrière lui, quelqu'un appela une ambulance.

Et puis, miracle! Il sentit qu'elle bougeait. Sa poitrine se souleva doucement et ses paupières battirent un peu. Puis, elle le regarda, désorientée, revenue de loin. Mais vivante.

— Matt… murmura-t-elle.

Il prit une inspiration oppressée. Cela devait faire plusieurs minutes qu'il n'avait pas respiré. Puis, il baissa la tête. «Merci», pensa-t-il, sans savoir exactement qui il remerciait. Il prit Carly dans ses bras et se releva.

42

Le lendemain, vingt-quatre heures plus tard, Carly était assise dans le lit de Matt et attendait avec impatience qu'il rentre du travail. Il était déjà plus de minuit. Tout était rentré dans l'ordre, ou presque. Carly avait passé la nuit précédente à l'hôpital. Son séjour dans le congélateur l'avait mise en état de choc. Pendant ce temps, Hiram Lindsey avait révélé à son frère l'endroit où il avait enterré Marsha, Soraya et Genny. Genny se trouvait derrière son cabanon. Marsha et Soraya gisaient dans un vieux congélateur, dans la cave du manoir de Carly.

Cette révélation avait constitué pour Carly le coup de grâce. Elle et Sandra avaient vécu avec deux cadavres sous leurs pieds !

Il ne fallait plus qu'elle y pense. Elle devait voir le côté positif des choses. Et le côté positif des choses, c'était que le monstre qui avait hanté ses nuits depuis presque toujours était maintenant derrière les barreaux. Elle était libre. Elle se rendait compte, à présent, qu'elle s'était toujours sentie écrasée par le passé, les souvenirs qu'elle en avait, mais aussi tout ce qu'elle ne voulait pas se rappeler. Enfin, elle était libre !

Elle était libre et bien au chaud dans le lit de Matt. Au lieu de son pyjama habituel, elle avait enfilé une petite nuisette affriolante mieux adaptée aux activités qu'elle prévoyait pour cette nuit. Elle était assise dans le lit de Matt, un livre à la main. Hugo ronronnait près d'elle. Annie dormait au pied du lit. Pour que sa vie soit parfaite, il ne manquait plus que Matt revienne.

Le meurtrier avait été arrêté. L'affaire était close. Enfin, la canicule avait cessé. La perfection se trouvait à portée de main. Mais non ! Le shérif manquait à l'appel. « J'ai des trucs à régler », avait-il expliqué…

Carly commençait à envisager sérieusement d'éteindre et de s'endormir sans lui quand la porte de la chambre s'ouvrit à la volée. Matt entra. Le shérif dans toute sa splendeur ! Des gouttes de pluie scintillaient dans ses cheveux noirs. Un petit sourire flottait sur ses lèvres.

Dans sa main, un gigantesque bouquet de roses rouges. Et dans l'autre main… Dans l'autre main, un objet que Carly n'arrivait pas à distinguer. Les roses rouges avaient envahi tout son champ de vision.

Leur effluve doux et capiteux l'enveloppait.

— Tu m'as apporté des fleurs ? fit-elle. Oh ! Je vois… Tu as quelque chose à te faire pardonner ?

Il éclata de rire et traversa la pièce pour déposer les roses sur la table de chevet. Carly se pencha vers elles pour s'enivrer de leur parfum. C'est alors que Matt posa une petite chandelle près du bouquet. Puis, il sortit un briquet de sa poche et l'alluma.

Carly sentit son cœur battre plus fort.

Matt la regardait et souriait de plus belle.

— Matt… commença-t-elle.

Il lui prit son livre des mains et le jeta sans ménagement à l'autre bout de la pièce. Il souleva ensuite Hugo et le déposa sur le sol, essuyant au passage un regard outragé. Puis, il prit la main de Carly dans la sienne.

— Lève-toi ! dit-il.

Enchantée de pouvoir enfin montrer sa petite nuisette affriolante, et surtout, infiniment curieuse de savoir ce que Matt lui réservait, Carly se leva sans rechigner.

Sa main toujours dans la sienne, Matt s'agenouilla devant elle.

Il était enfin venu, le moment que Carly attendait depuis toujours. Et tant pis si Matt avait une étincelle un peu moqueuse dans le regard. Carly inspira profondément. Son cœur battait très vite, presque jusqu'à l'essoufflement. Ses genoux tremblaient.

— Bougie, fleurs et genou, résuma le shérif.

Dans ses yeux, la lueur moqueuse fit place à un regard noir de désir. Carly se sentit fondre comme un petit flocon.

— Je t'aime, dit Matt. Veux-tu m'épouser ?

Carly n'avait plus de voix. Elle regarda Matt dans les yeux. Patiemment, il leva sa main droite jusqu'à ses lèvres et lui embrassa les doigts. Puis, il retourna sa main et pressa sa bouche contre sa paume. Carly sentit tout son corps s'enflammer, de l'extrémité de ses orteils jusqu'à la pointe de ses cheveux.

Cette fois, il était sincère. Cette fois, il le voulait vraiment. Elle le voyait dans ses yeux. Il lui offrait l'amour-toujours. Il ne se défilerait pas.

— Oui, souffla-t-elle, la voix chevrotante. Oui, je veux t'épouser. Oh oui !

Alors, Matt se releva. Elle se jeta contre lui. Il la serra dans ses bras pendant très longtemps, sans rien dire.

Plus tard, bien plus tard, Matt ralluma la lampe de chevet et se glissa hors du lit.

— Qu'est-ce que tu fais ? demanda Carly.

— J'allais oublier. J'ai quelque chose pour toi.

Carly le vit fouiller dans la poche de son pantalon, qu'il avait jeté par terre. Il en sortit une boîte.

Pas n'importe quelle boîte. Une petite boîte de bijoutier.

Elle la prit et l'ouvrit.

— Mon Dieu ! souffla-t-elle. C'est… Elle est magnifique. Matt…

— Quoi ?

Il sortit la bague de la boîte et la passa au doigt de Carly.

— Je t'aime, murmura Carly d'une voix tremblante.

— Moi aussi, je t'aime, fit-il en la rejoignant dans le lit.

Il devait être environ deux heures du matin quand Matt entendit le bruit. Un drôle de bruit. Des pas, des pas lourds dans le couloir, des pas trop lourds pour être ceux de l'une de ses sœurs.

Il se glissa hors du lit.

— Qu'est-ce qui se passe ? demanda Carly d'une voix ensommeillée.

— Chut ! fit-il en enfilant son pantalon. Il y a quelqu'un dans la maison.

Il se dirigea précautionneusement vers la porte et l'ouvrit sans faire de bruit. Il jeta un regard furtif dans le couloir. Il ne s'était pas trompé. Il y avait là un homme qui s'éloignait à pas lourds, mais prudents.

— On ne bouge plus ! hurla Matt en allumant les lumières.

L'homme se retourna d'un bond. Mike ! Mike Toler, son adjoint.

Mike Toler en caleçon, chez lui !

Matt n'eut même pas à se demander s'il avait ou non quelque chose à se reprocher. La culpabilité se lisait sur le visage de Mike comme dans un livre ouvert.

— Qu'est-ce que tu fais là ? demanda le shérif d'une voix dangereusement douce. Qu'est-ce que tu fais chez moi, à cette heure de la nuit, et dans cette tenue ?

— Je… Je…

Matt sentit Carly qui arrivait derrière lui et jetait un coup d'œil dans le couloir. À ce moment précis, Erin ouvrit la porte de sa chambre. Elle vit la scène et sortit dans le couloir vêtue d'une nuisette si ridiculement courte qu'elle aurait pu tout aussi bien ne rien porter.

— Il est venu me rendre visite, expliqua-t-elle en prenant la main de Mike.

Le pauvre Mike devint tellement pâle ! Ce fut un miracle s'il ne s'effondra pas, terrassé par la panique.

— Te rendre visite ? fit Matt d'un air abasourdi.

À ce moment, la porte de Dani s'ouvrit. Puis celle de Lissa. Les deux filles regardaient Matt, puis Mike. Matt se dit qu'il aurait décidément beaucoup de mal à étouffer l'affaire.

— Ne te fâche pas, Matt, fit Erin d'un ton enjôleur.

Le shérif n'avait pas besoin qu'elle lui fasse un dessin. Il comprit tout de suite. Erin se moquait éperdument qu'il se fâche contre elle. Mais elle ne voulait pas qu'il se fâche contre Mike.

— Mais enfin, tu te maries demain ! lâcha-t-il néanmoins. Et ce n'est pas avec Mike que tu te maries, je te le rappelle !

Il crucifia le pauvre Mike Toler d'un regard assassin.

— Justement, répondit Erin, je voulais t'en parler…

— Mon Dieu ! cria soudain Lissa. Vous avez vu ? Carly a une bague. Matt ! Matt, tu l'as demandée en mariage ?

— Oui, mais je ne vois pas le rap…

Peine perdue. Ses trois sœurs s'étaient jetées sur Carly et s'extasiaient sur sa bague, lui prenaient la main, la faisaient tourner en tous sens pour faire miroiter le bijou dans la lumière.

Matt gratifia Mike d'un autre regard meurtrier, puis il se retourna vers les quatre femmes qui pépiaient dans son dos.

— Comment ça, tu voulais m'en parler ? tonna-t-il en direction d'Erin.

Erin se calma soudain et prit un air piteux.

— Eh bien… Je ne veux plus épouser Collin.

— Quoi ?

D'un coup, Mike s'illumina. Matt aperçut sa métamorphose du coin de l'œil. Il tourna brusquement la tête vers lui pour lui interdire de pavoiser.

Quand il revint à ses sœurs, Erin lui adressait son sourire le plus envoûtant.

— Je suis vraiment désolée, Matt. Je sais que toute cette histoire t'a coûté une fortune et que nous ne récupérerons pas les avances. Je me doute bien aussi que ça ne va pas être très agréable pour toi, de prévenir tout le monde, mais…

— Moi ? Prévenir tout le monde ? Mais pour…

— Tu ne voudrais quand même pas que j'épouse Collin uniquement à cause des avances et des invités, n'est-ce pas ?

Matt était fait. Coincé. Piégé.

— Non, dit-il finalement. Non, bien sûr.

Lissa avait observé toute la scène avec beaucoup d'intérêt.

— J'ai une idée ! fit-elle soudain. Au lieu d'annuler le mariage, on pourrait changer de mariés ! Je veux dire… Toi et Carly, vous pourriez vous marier demain ! Je veux dire, aujourd'hui.

— Quoi ? cria Matt. Non mais, je rêve ou quoi ?

Il aurait pu tout aussi bien rêver. Personne ne l'écoutait plus. Les filles avaient recommencé à s'exclamer, à se récrier, à échafauder des plans. De temps à autre, elles se retournaient pour lui lancer un rapide coup d'œil. Non, Matt Converse ne rêvait pas. Depuis toujours, c'était comme ça. Depuis toujours, il était entouré de femmes et les femmes le rendaient dingue.

— Qu'est-ce que tu en penses ? demanda finalement Carly, d'un ton presque hésitant.

Les yeux de Matt s'adoucirent. Pour elle, il ferait n'importe quoi. N'importe quoi, n'importe quand, n'importe où. Il le dit, très simplement. La joyeuse assemblée se récria de plus belle. À l'exception de Mike, qui continuait d'opter pour la discrétion. Après tout, il tenait à sa peau.

En voyant les quatre femmes comploter de plus belle, en les entendant pousser de petits cris d'excitation et de grands rires de joie, Matt se dit soudain que sa vie était infestée de femmes comme les chiens errants sont infestés de puces.

Tant pis pour l'errance, tant pis pour les grandes balades solitaires à moto. Mais il garderait les puces. Il commençait même à aimer leur piqûre.

À un point tel qu'il épousa l'une de ces drôles de bestioles l'après-midi même.

AVENTURES & PASSIONS

Retrouvez les romans de la collection en magasin :

Le 2 octobre :
Les frères Malory — 7, Voleuse de cœur ∾ Johanna Lindsey (n° 8150)
Un baiser dans la nuit ∾ Wendy Lindstrom (n° 8201)
La vengeance d'un lord ∾ Jillian Hunter (n° 8119)

Le 18 octobre :
Tentations ∾ Mary Reed McCall (n° 8151)
Les sœurs Merridew — 2, Première valse ∾ Anne Gracie (n° 8160)

Découvrez les prochaines nouveautés de la collection :

Le 3 novembre :
La femme fatale ∾ Jane Feather (n° 6111)
À 28 ans, Guenièvre est veuve pour la quatrième fois. Et immensément riche ! Le roi ordonne une enquête et envoie Hugh de Beaucaire, ravi de pouvoir la confondre. Mais devant la beauté de Guenièvre, fou de désir, il oublie sa mission...

La robe de leurs rêves ∾ C. Anderson, C. Brockway, C. Claybourne, B. Metzger (n° 8180)
En 1790, une jeune servante coud une robe de mariée ensorcelée : celle qui la porte connaîtra le véritable amour... D'Écosse aux États-Unis en passant par l'Angleterre, la magie va opérer à travers les siècles.

Nouveau ! 2 rendez-vous mensuels aux alentours du 1er et du 15 de chaque mois.

Le 17 novembre :
Avant de succomber ∞ Kimberly Logan (n° 8188)
Angleterre, XIXᵉ siècle. Victime d'un chantage, Lady Emily Knight se
voit contrainte de voler des aristocrates. Mais lorsqu'elle découvre que
Peter, son ancien amour, est le policier chargé de découvrir qui
commet ces larcins, Emily est piégée...

Nouveau ! 2 rendez-vous mensuels
aux alentours du 1ᵉʳ et du 15 de chaque mois.

Si vous aimez Aventures & Passions,
laissez-vous tenter par :

Passion intense

Quand l'amour vous plonge dans un monde de sensualité

Le 18 octobre :
Caprices érotiques ∞ Nicole Jordan (n° 8158)
1811. Antonia, riche héritière dont le père vient de mourir, est fiancée
à Howard. Quand elle retrouve Trey, un aventurier ami de son père,
elle doit lutter pour ne pas céder à son désir... Mais sa vie est menacée
et Trey l'enlève pour la sauver. Isolés au cœur des Cornouailles, ils
découvrent les plaisirs sensuels...

Nouveau ! 1 rendez-vous mensuel
aux alentours du 15 de chaque mois.

Comédie

Le 18 octobre :

Vénus, quand tu nous tiens ! ∝ Swan Adamson (n° 8157)
Après deux mariages calamiteux et une expérience homosexuelle plutôt lamentable, Vénus Gilroy jette son dévolu sur Tremaynne, jeune écolo activiste sans le sou. Elle l'épouse sans hésiter. Le hic, c'est que pour leur voyage de noce ils se coltinent les « deux pères » de Vénus récemment pacsés !

Échec et Matt ∝ Sharon Mulrooney (n° 8156)
Caroline est mariée avec Matt et l'aime, mais la monotonie du quotidien lui pèse. C'est alors qu'elle rencontre Matthew, un bel avocat, qui lui non plus ne s'épanouit pas dans sa vie familiale. Et tous deux « oublient » de se parler de leurs conjoints… Entre Matt et Matthew, le cœur de Caroline balance…

**Nouveau ! 2 titres tous les deux mois
aux alentours du 15.**

Retrouvez également nos autres collections :

SUSPENSE

Le 2 octobre :

Œil pour œil ∝ Linda Howard (n° 8153)
Divorcée, la pulpeuse Blair mène la belle vie en Floride où elle dirige un club de gym de main de maître. Jusqu'au soir où elle échappe de peu à un coup de feu qui tue une de ses clientes… À sa place ? C'est ce qu'elle va devoir découvrir avec le charmant inspecteur Wyatt.

Pacte mortel — 4, Ultime enquête ∝ Mariah Stewart (n° 8155)
Annie McCall, profileuse au FBI, demande à son compagnon, le détective Evan Crosby, de l'aider à découvrir la vérité sur la mort de son ancien fiancé, tué au cours d'une mission pour le FBI. Annie et Evan vont vite apprendre qu'il est dangereux de réveiller le passé…

**Nouveau ! 1 rendez-vous mensuel
aux alentours du 1er de chaque mois.**

MONDES MYSTÉRIEUX

Le 2 octobre :
Les ombres d'Halloween ⚭ Shannon Drake (n° 8184)
Pour sauver leur mariage, Finn accepte de rejoindre Megan dans la
ville natale de la jeune femme, la tristement célèbre Salem. Mais les
comportements étranges se multiplient autour d'eux : la ville des
sorcières se réveille pour Halloween…

> *Nouveau ! 1 rendez-vous mensuel*
> *aux alentours du 1ᵉʳ de chaque mois.*

Et toujours la reine du roman sentimental :

Barbara Cartland

Le 2 octobre :
Brelan de dames (n° 1402) *collect'or*
L'amour sauve Rosanna (n° 8149)

Le 18 octobre :
Les pièges du désert (n° 4211)

> *Nouveau ! 2 rendez-vous mensuels*
> *aux alentours du 1ᵉʳ et du 15 de chaque mois.*

8183

Composition IGS
Achevé d'imprimer en France (La Flèche)
par Brodard et Taupin
le 3 octobre 2006-37859
Dépôt légal octobre 2006. ISBN 2-290-34754-x

Éditions J'ai lu
87, quai Panhard-et-Levassor, 75013 Paris
Diffusion France et étranger : Flammarion